¡Qué chévere! 3

Author

Alejandro Vargas Bonilla

Contributing Writers

Miriam C. Álvarez

Paul J. Hoff

Elizabeth Millán

EMC Publishing®

ST. PAUL

Development Editor:
Kristin Hoffman

Associate Editor:
Tanya Brown

Director of Production:
Deanna Quinn

Production Editor:
Bob Dreas

Cover and Text Designer:
Leslie Anderson

Production Specialist:
Julie Johnston

National Consultants:
Mary Lindquist, Liz Sacco

*Cover photo: La Boca,
Buenos Aires, Argentina*

AP® is a registered trademark of the College Board, which was not involved in the production of, and does not endorse, this product.

Care has been taken to verify the accuracy of information presented in this book. However, the authors, editors, and publisher cannot accept responsibility for Web, e-mail, newsgroup, or chat room subject matter or content, or for consequences from application of the information in this book, and make no warranty, expressed or implied, with respect to its content.

Trademarks: Some of the product names and company names included in this book have been used for identification purposes only and may be trademarks or registered trade names of their respective manufacturers and sellers. The authors, editors, and publisher disclaim any affiliation, association, or connection with, or sponsorship or endorsement by, such owners.

Credits: Acknowledgements, Art Credits, Literary Credits, and Photo Credits follow the Index.

We have made every effort to trace the ownership of all copyrighted material and to secure permission from copyright holders. In the event of any question arising as to the use of any material, we will be pleased to make the necessary corrections in future printings. Thanks are due to the aforementioned authors, publishers, and agents for permission to use the materials indicated.

ISBN 978-0-82196-957-1 (print)
ISBN 978-0-82197-894-8 (eBook Version 1.0)

© 2016 by EMC Publishing, LLC
875 Montreal Way
St. Paul, MN 55102
Email: educate@emcp.com
Website: www.emcp.com

24 23 22 21 20 19 18   5 6 7 8 9 10

Carta a los estudiantes

¡Felicidades! You are now on your way to becoming a bilingual speaker and a world citizen. What will this year of Spanish bring, and is there Spanish in your future after high school?

Mi tiempo libre. Talk to a classmate about what parts of Spanish culture you can now enjoy, such as *libros, películas, canciones, conciertos, programas de televisión, poesía, revistas...* Then share what you want to know by the end of Spanish class this year with another pair. Finally, introduce your partner (name, pastimes, sports...) to the class and present what he or she would like to know.

Mis perspectivas. In what ways has knowing Spanish and learning about cultures where the language is spoken enlarged your vision of the world and deepened your perspectives? Find a creative way to express in Spanish how you have grown, maybe with a poem, a cartoon, a song, or a spoken-word piece.

Mis viajes. One door that will open for you as a bilingual person is the ability to travel to places where Spanish is spoken. After your third year of study with ¡Qué chévere!, you will be able to travel by train, reserve a hotel room, rent a car, interact at a gas station, choose a movie in Spanish and buy tickets, speak with native Spanish speakers at parties, discuss daily life and the media, and manage in countless other situations abroad.

El español es una de las seis lenguas oficiales de las Naciones Unidas.

¿Un empleo para mí? Have you ever entertained the idea of using your Spanish on the job? You could try it out next summer, perhaps at a language camp, in a local Hispanic business, as a receptionist in a health clinic or a hotel, writing articles online. Later, after some post-secondary training, there is a myriad of opportunities waiting for you because you know Spanish. Combining a specialization with Spanish will make you a more valuable job applicant. Looking at what is out there might lead to a decision of what to study after high school. Using the search words **bilingual Spanish jobs in (+ name of city, state, or country)**, see what types of jobs you find. Then, working with a classmate, make a graphic that shows the general fields attached to those jobs (for example, health care, business, publishing, travel, hotel management, social work, teaching, arts, mass media) and a specific list of those jobs in the

Una voluntaria del Cuerpo de Paz ayuda a un niño de la República Dominicana después de un temblor.

right categories. Finally, still working together, divide up the list and find what type of training is necessary; you can look at post-secondary schools that prepare young people for those jobs or you can read *clasificados*, or "want ads." In Spanish, write a paragraph about one or two jobs that sound interesting to you, explaining why, and hand it to your teacher.

¡Adelante!

—Alejandro Vargas Bonilla
   Author of ¡Qué chévere!

Table of Contents

Unidad 1   Hola, ¿qué tal?   1

Contexto cultural: Colombia y Venezuela

Lección A	2	Lección B	26

Vocabulario 1
De vuelta al colegio   2
Diálogo: ¿Me reconoces?   4

Gramática
Repaso rápido: El presente de indicativo   5
Los verbos que terminan en -cer, -cir   7
Usos del presente   9

Cultura
El sabor de Colombia   12
Bogotá: Centro cultural de talla mundial   13

Vocabulario 2
¿Cómo va todo?   14
Diálogo: ¡Uf! ¡Qué problema con mi horario!   16

Gramática
Repaso rápido:
     Número y género de los adjetivos   17
Usos de ser y estar con adjetivos   18

Todo en contexto   21

Lectura informativa
El mundo de Botero   22

Repaso de la Lección A   24

Vocabulario 1
¿Qué haces en tu tiempo libre?   26
Diálogo: ¿Qué es tu hermana?   29

Gramática
Usos de qué y cuál/cuáles   30
El verbo ser para describir
     ocupaciones o profesiones   32

Cultura
Un país donde el béisbol es rey   34
Venezuela y la televisión   35

Vocabulario 2
¿Vamos hoy al cine? ¡Te invito!   36
Diálogo: ¡Me fascina este programa!   39

Gramática
Repaso rápido: Para hablar de gustos
     y preferencias: el verbo gustar   40
Para expresar opiniones:
     Otros verbos como gustar   42

Todo en contexto   44

Lectura literaria
La idea que da vueltas   45

Repaso de la Lección B   49

Para concluir   51

Vocabulario de la Unidad 1   53

Contexto cultural: Estados Unidos

Lección A　　56

Vocabulario 1
¿Cómo es tu familia?　　56
Diálogo: ¿Conoces a algún chico guapo?　　59

Gramática
Repaso rápido:
　　Expresiones afirmativas y negativas　　60
Más sobre expresiones afirmativas
　　y negativas　　61

Cultura
Un sueño en común　　64
La Florida: Para muchos,
　　un segundo hogar　　65

Vocabulario 2
Actividades en nuestra casa　　66
Diálogo: ¿Qué estás haciendo?　　68

Gramática
Repaso rápido: Los pronombres
　　de complemento directo e indirecto　　69
El presente progresivo　　70
El uso de *se* en expresiones impersonales　　72

Todo en contexto　　74

Lectura informativa
Un homenaje para los artistas latinos
　　en Estados Unidos　　75

Repaso de la Lección A　　77

Lección B　　79

Vocabulario 1
En la mañana　　79
Diálogo: ¿Por qué se pelean?　　81

Gramática
Los verbos reflexivos　　82
Otros usos de los verbos reflexivos　　84
Acciones recíprocas　　86

Cultura
¡Mi casa es su casa!　　88
La familia hispana llega a Hollywood　　89

Vocabulario 2
¡Tanto desorden!　　90
Diálogo: ¡Pon tus cosas en orden!　　92

Gramática
Los mandatos informales afirmativos　　93
Repaso rápido: Expresiones de lugar　　95

Todo en contexto　　96

Lectura literaria
Once　　97

Repaso de la Lección B　　101

Para concluir　　103
Vocabulario de la Unidad 2　　105

Contexto cultural: España

Lección A   108

Vocabulario 1
Los titulares de hoy   108
Diálogo: ¿Qué pasó?   111

Gramática
Repaso rápido: El pretérito   112
Verbos irregulares en el pretérito   113
Otros verbos irregulares en el pretérito   115

Cultura
España: Un país donde el presente y
    el pasado se encuentran día a día   118
Fiestas en España   119

Vocabulario 2
Recuerdos de mis festivales preferidos   120
Diálogo: La entrevista   122

Gramática
Repaso rápido:
    Expresiones de tiempo con *hace*   123
El imperfecto   124

Todo en contexto   127

Lectura informativa
El mundo de entretenimiento
    y el espectáculo en España   128

Repaso de la Lección A   130

Lección B   132

Vocabulario 1
¡Últimas noticias!   132
Diálogo: ¿Qué sucedió?   135

Gramática
Usos del pretérito y del imperfecto   136
Cambios de significado en
    el pretérito y el imperfecto   139

Cultura
Costumbres españolas arraigadas
    en el pasado   142
La familia real española   143

Vocabulario 2
¡Hubo un accidente!   144
Diálogo: ¿Qué había pasado?   147

Gramática
El participio pasado y
    el pluscuamperfecto   148
Los pronombres relativos *que*,
    quien(es)   150

Todo en contexto   152

Lectura literaria
De la segunda salida de don Quijote   153

Repaso de la Lección B   157

Para concluir   159
Vocabulario de la Unidad 3   161

Contexto cultural: Puerto Rico y República Dominicana

Lección A   **164**

Vocabulario 1
El blog de Julián: Mis amistades   **164**
Diálogo: Te voy a contar un secreto   **167**

Gramática
Repaso rápido: Más sobre verbos
    y pronombres   **168**
Los complementos directos e
    indirectos en una misma oración   **169**

Cultura
Puerto Rico: La isla de varias culturas   **172**
La clave musical de Puerto Rico   **173**

Vocabulario 2
El blog de Maritza:
    ¿Quién no comete errores?   **174**
Diálogo: No ha sido mi culpa   **176**

Gramática
Repaso rápido: Los participios pasados   **177**
Repaso rápido: El pretérito perfecto   **177**
La posición del adjetivo y
    su significado   **179**

Todo en contexto   **181**

Lectura informativa
¿Cómo se comunican hoy
    los adolescentes?   **182**

Repaso de la Lección A   **184**

Lección B   **186**

Vocabulario 1
¿Cómo tratas a tu familia?   **186**
Diálogo: ¡No vuelvas tarde a casa!   **188**

Gramática
Los mandatos negativos informales   **189**
Los usos de la preposición *a*   **192**

Cultura
Embajadores dominicanos
    de renombre   **194**
Donde los jóvenes les susurran
    a las ballenas...   **195**

Vocabulario 2
Por teléfono   **196**
Diálogo: ¿Qué estabas haciendo?   **199**

Gramática
El imperfecto progresivo   **200**

Todo en contexto   **202**

Lectura literaria
"A Julia de Burgos"   **203**

Repaso de la Lección B   **205**

Para concluir   **207**
Vocabulario de la Unidad 4   **209**

Contexto cultural: Argentina y Chile

Lección A   212

Vocabulario 1
Manejando en la ciudad   212
Diálogo: ¡No acelere!   215

Gramática
Los mandatos formales singulares
    y plurales   216
Los mandatos con *nosotros*   218

Cultura
¿Cómo se movilizan los porteños?   220
¿Adónde vamos a bailar tango?   221

Vocabulario 2
La ciudad y el tránsito   222
Diálogo: ¡Creo que estamos perdidos!   224

Gramática
Repaso rápido: *Preguntar* y *pedir*   225
El subjuntivo: Verbos regulares
    y con cambios ortográficos   226

Todo en contexto   229

Lectura informativa
Una sonrisa en la vida diaria   230

Repaso de la Lección A   232

Lección B   234

Vocabulario 1
El blog de Margarita: Un viaje en tren   234
Diálogo: ¿A qué hora sale el tren?   236

Gramática
El subjuntivo: Verbos irregulares y
    más expresiones impersonales   237
El subjuntivo:
    Verbos con cambio de raíz   239

Cultura
De punta a punta:
    El transporte en Chile   241
Un viaje al sur chileno   242

Vocabulario 2
El blog de Tomás: Vamos al campo   243
Diálogo: Te sugiero que lleves botas   245

Gramática
Para y *por*   246
Más sobre el subjuntivo   248

Todo en contexto   250

Lectura literaria
Dos palabras   251

Repaso de la Lección B   255

Para concluir   257
Vocabulario de la Unidad 5   259

Contexto cultural: Panamá y Costa Rica

Lección A   262

Vocabulario 1
¡A soñar viajando!   262
Diálogo: ¿Tiene los pasajes?   265

Gramática
El subjuntivo con cláusulas adverbiales   266

Cultura
Lo mejor de Panamá   270
Otras atracciones turísticas   271

Vocabulario 2
El blog de Sandra: Retraso en
  el aeropuerto   272
Diálogo: No creo que haya tormenta   274

Gramática
El futuro   275
El subjuntivo para expresar duda
  o negación   278

Todo en contexto   281

Lectura informativa
Centro de Observación de
  la Ampliación en Colón   282

Repaso de la Lección A   284

Lección B   286

Vocabulario 1
Alojarse en un hotel   286
Diálogo: En el albergue juvenil   289

Gramática
El condicional   290
Otros usos del condicional   292

Cultura
Costa Rica, ¡un país esencial!   294
Visitantes siempre bienvenidos   295

Vocabulario 2
¡De excursión!   296
Diálogo: Temo que nos perdamos
  en la selva   298

Gramática
El subjuntivo con verbos que
  expresan emociones   299

Todo en contexto   302

Lectura literaria
Emboscada del tiempo   303

Repaso de la Lección B   305

Para concluir   307
Vocabulario de la Unidad 6   309

Contexto cultural: Bolivia y Perú

Lección A   312

Vocabulario 1
¡Vamos al mercado!   312
Diálogo: ¡Estas manzanas
    están carísimas!   315

Gramática
Repaso rápido: El comparativo   316
El comparativo de igualdad   317
El superlativo   319

Cultura
Manjares con altura   322
El mercado tradicional   323

Lección B   337

Vocabulario 1
¡Tenemos una fiesta sorpresa!   337
Diálogo: ¡Te dije que no pusieras
    los codos en la mesa!   339

Gramática
El imperfecto del subjuntivo   340

Cultura
Platos peruanos de tradición   344
Lo mejor de la cocina peruana   345

Vocabulario 2
Una receta favorita   324
Diálogo: ¡Ay, se me cayó el plato!   326

Gramática
La voz pasiva   327
Estar y el participio pasado   329
Más usos de *se*   330

Todo en contexto   332

Lectura informativa
La quinua, el "grano de oro"
    codiciado por el mundo   333

Repaso de la Lección A   335

Vocabulario 2
¡Bienvenidos a mi restaurante!   346
Diálogo: Pide lo que quieras   349

Gramática
El subjuntivo después de pronombres
    relativos   350
La nominalización y el pronombre
    relativo *que*   352

Todo en contexto   354

Lectura literaria
Cocinero en su tinta   355

Repaso de la Lección B   357

Para concluir   359
Vocabulario de la Unidad 7   361

Contexto cultural: Guatemala y Honduras

Lección A   364

Vocabulario 1
En la clínica   364
Diálogo: ¿Cómo te quebraste el brazo?   367

Gramática
Repaso rápido: El verbo *doler*   368
Los tiempos compuestos:
    El futuro perfecto y
    el condicional perfecto   369

Cultura
La salud en Guatemala:
    Antes y ahora   372
Medicina tradicional maya   373

Vocabulario 2
¿Qué me va a recetar?   374
Diálogo: ¿Qué síntomas tiene?   376

Gramática
Expresiones con *hace/hacía... que*   377

Todo en contexto   379

Lectura informativa
La naturaleza también sana   380

Repaso de la Lección A   382

Lección B   384

Vocabulario 1
¿Qué haces para mantenerte en forma?   384
Diálogo: Si hicieras ejercicio,
    te sentirías mejor   387

Gramática
El imperfecto del subjuntivo con *si*   388

Cultura
Juegos del pasado   390
¡En forma en San Pedro Sula!   391

Vocabulario 2
La buena alimentación   392
Diálogo: ¡Evita la comida chatarra!   395

Gramática
Repaso rápido: Preposiciones y
    pronombres   396
Preposiciones seguidas de infinitivo   397

Todo en contexto   400

Lectura literaria
La rana que quería ser una
    rana auténtica   401

Repaso de la Lección B   403

Para concluir   405
Vocabulario de la Unidad 8   407

Contexto cultural: México

Lección A　　　　410

Vocabulario 1
¡Vamos al salón de belleza!　　410
Diálogo: Quiero un nuevo peinado　　413

Gramática
El presente perfecto del subjuntivo　　414
El pluscuamperfecto del subjuntivo　　416
Cualquiera　　418

Cultura
Una tradición que no pasa de moda　　420
Los mariachis, siempre de moda　　421

Vocabulario 2
¡Qué gangas tan buenas!　　422
Diálogo: ¿Cómo me queda?　　425

Gramática
Adjetivos para describir colores　　426
Repaso rápido: Los diminutivos y
　　los aumentativos　　428

Todo en contexto　　430

Lectura informativa
La leyenda de Pascualita, el maniquí
　　viviente de Chihuahua　　431

Repaso de la Lección A　　433

Lección B　　　　435

Vocabulario 1
Todo para su ropa　　435
Diálogo: Este vestido tiene una mancha　　437

Gramática
El subjuntivo en cláusulas adverbiales　　438
Repaso rápido: Los adjetivos y
　　pronombres posesivos　　441

Cultura
La artesanía mexicana y la industria
　　de la moda　　442
¿Qué está de moda en el mercado?　　443

Vocabulario 2
Joyas, regalos y artesanías　　444
Diálogo: ¿Qué tal si compro esto?　　447

Gramática
Otros usos del infinitivo　　448
Usos del gerundio y del
　　participio pasado　　450

Todo en contexto　　452

Lectura literaria
El eterno femenino　　453

Repaso de la Lección B　　457

Para concluir　　459
Vocabulario de la Unidad 9　　461

Contexto cultural: España

Lección A   464

Vocabulario 1
Mi futuro   464
Diálogo: ¿Qué carrera piensas seguir?   466

Gramática
Verbos que terminan en *-iar*, *-uar*   467

Cultura
Los jóvenes en medio de la crisis   469
Alternativas para un futuro mejor   470

Vocabulario 2
¿Buscando trabajo?   471
Diálogo: ¿Tiene Ud. referencias?   473

Gramática
Usos del subjuntivo y del indicativo   474
Repaso rápido: El subjuntivo con
    sujeto indefinido   477

Todo en contexto   478

Lectura informativa
Los jóvenes de la ESO ven su futuro
    muy negro (aunque se esfuercen)   479

Repaso de la Lección A   481

Lección B   483

Vocabulario 1
¿Qué traerá el futuro?   483
Diálogo: ¿Qué piensas de
    las nuevas tecnologías?   485

Gramática
Repaso rápido: El futuro perfecto   486
Más sobre el imperfecto del subjuntivo   487

Cultura
¡Explora tu río!   490
España mira hacia el futuro   491

Vocabulario 2
Protejamos nuestro planeta   492
Diálogo: Cuidemos el medio ambiente   494

Gramática
Repaso rápido: Las formas
    del subjuntivo   495
Repaso rápido: Usos del subjuntivo   496
Repaso rápido: Más sobre los
    usos del subjuntivo   498

Todo en contexto   500

Lectura literaria
Vuelva usted mañana   501

Repaso de la Lección B   505

Para concluir   507

Vocabulario de la Unidad 10   509

Appendices   A–E   510

Vocabulary   Spanish/English   526

Vocabulary   English/Spanish   550

Index   573

Credits   575

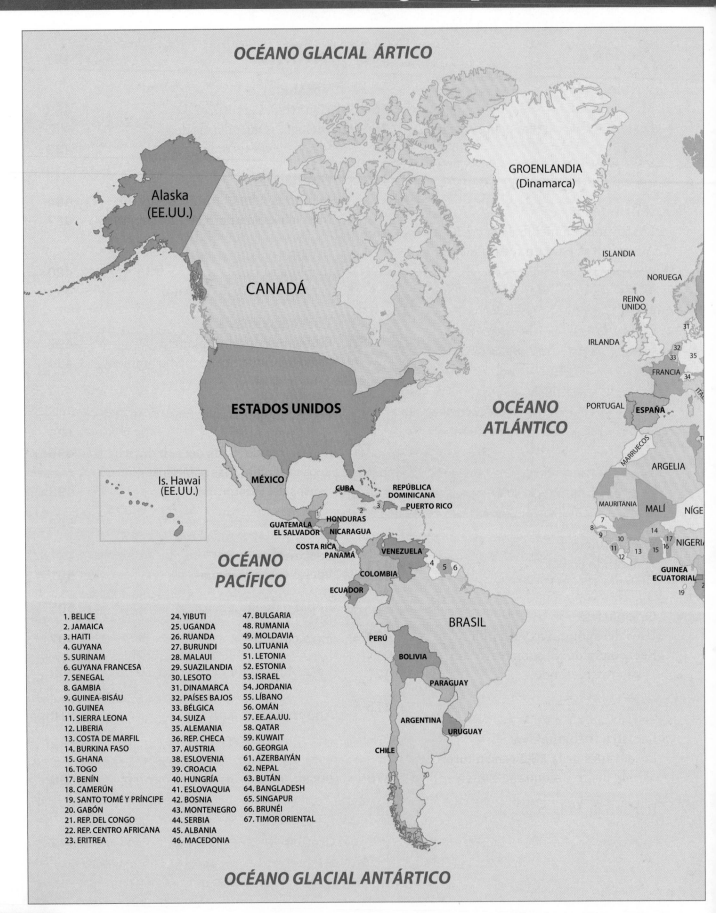

OCÉANO GLACIAL ÁRTICO

GROENLANDIA
(Dinamarca)

Alaska
(EE.UU.)

ISLANDIA

NORUEGA

REINO
UNIDO

CANADÁ

IRLANDA

31

32
33   35

FRANCIA
34

OCÉANO
ATLÁNTICO

PORTUGAL   ESPAÑA

ESTADOS UNIDOS

Is. Hawai
(EE.UU.)

MARRUECOS

ARGELIA

MÉXICO

CUBA

REPÚBLICA
DOMINICANA

PUERTO RICO

MAURITANIA   MALÍ   NÍGE

7

GUATEMALA   HONDURAS
EL SALVADOR   NICARAGUA

8
9

14   17

10

16

NIGERIA

COSTA RICA   PANAMÁ

VENEZUELA

11
12

13   15
19

GUINEA
ECUATORIAL

OCÉANO
PACÍFICO

COLOMBIA

ECUADOR

4

5   6

OCÉANO
PACÍFICO

BRASIL

PERÚ

BOLIVIA

PARAGUAY

ARGENTINA   URUGUAY

CHILE

1. BELICE
2. JAMAICA
3. HAITI
4. GUYANA
5. SURINAM
6. GUYANA FRANCESA
7. SENEGAL
8. GAMBIA
9. GUINEA-BISÁU
10. GUINEA
11. SIERRA LEONA
12. LIBERIA
13. COSTA DE MARFIL
14. BURKINA FASO
15. GHANA
16. TOGO
17. BENÍN
18. CAMERÚN
19. SANTO TOMÉ Y PRÍNCIPE
20. GABÓN
21. REP. DEL CONGO
22. REP. CENTRO AFRICANA
23. ERITREA

24. YIBUTI
25. UGANDA
26. RUANDA
27. BURUNDI
28. MALAUI
29. SUAZILANDIA
30. LESOTO
31. DINAMARCA
32. PAÍSES BAJOS
33. BÉLGICA
34. SUIZA
35. ALEMANIA
36. REP. CHECA
37. AUSTRIA
38. ESLOVENIA
39. CROACIA
40. HUNGRÍA
41. ESLOVAQUIA
42. BOSNIA
43. MONTENEGRO
44. SERBIA
45. ALBANIA
46. MACEDONIA

47. BULGARIA
48. RUMANIA
49. MOLDAVIA
50. LITUANIA
51. LETONIA
52. ESTONIA
53. ISRAEL
54. JORDANIA
55. LÍBANO
56. OMÁN
57. EE.AA.UU.
58. QATAR
59. KUWAIT
60. GEORGIA
61. AZERBAIYÁN
62. NEPAL
63. BUTÁN
64. BANGLADESH
65. SINGAPUR
66. BRUNÉI
67. TIMOR ORIENTAL

OCÉANO GLACIAL ANTÁRTICO

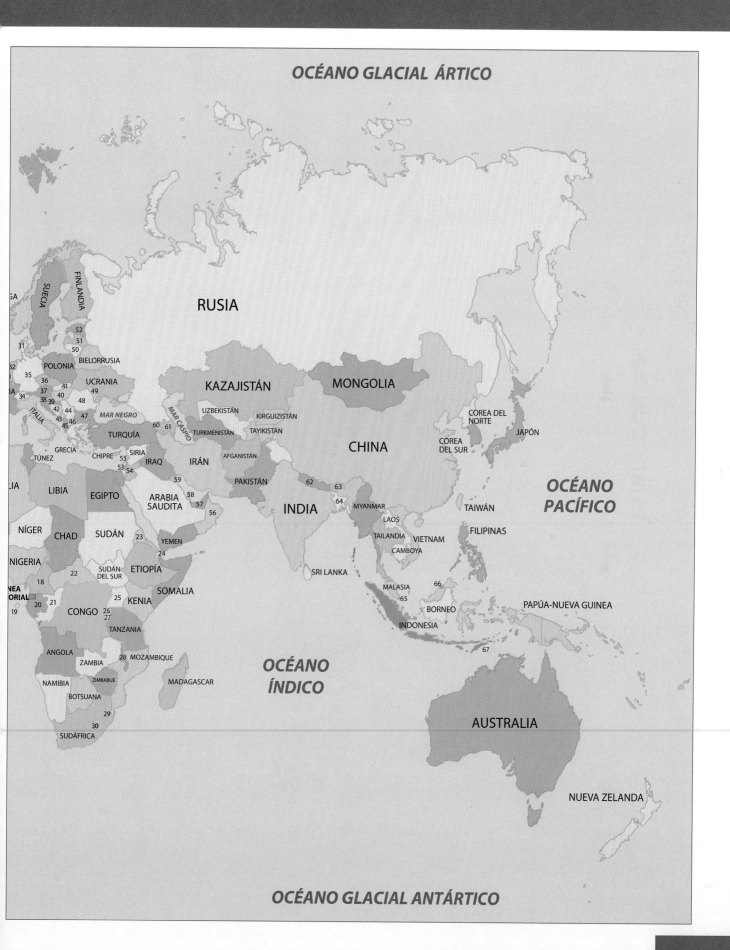

OCÉANO GLACIAL ÁRTICO

RUSIA

SUECIA

FINLANDIA

52
51
50
31
BIELORRUSIA
32
35
POLONIA
36
UCRANIA
8
34
37
41
49
38
39
40
48
42
44
MAR NEGRO
43
46
47
45
ITALIA

KAZAJISTÁN

MONGOLIA

COREA DEL NORTE

JAPÓN

UZBEKISTÁN
KIRGUIZISTÁN
MAR CASPIO
60
61
TURKMENISTÁN
TAYIKISTÁN

COREA DEL SUR

TURQUÍA

GRECIA
CHIPRE
55
SIRIA
TÚNEZ
53
54
IRAQ
IRÁN
AFGANISTÁN
CHINA

59

LIBIA
EGIPTO
58
ARABIA
57
PAKISTÁN
62
63
SAUDITA
64
TAIWÁN
56
INDIA
MYANMAR

OCÉANO PACÍFICO

NÍGER
CHAD
SUDÁN
23
YEMEN
LAOS
TAILANDIA
VIETNAM
FILIPINAS

NIGERIA
24
CAMBOYA

22
SUDÁN DEL SUR
ETIOPÍA
NEA
ORIAL
18
SOMALIA
SRI LANKA
MALASIA
66
20
21
25
KENIA
65
19
CONGO
26
BORNEO
PAPÚA-NUEVA GUINEA
27
INDONESIA
TANZANIA

ANGOLA
28
MOZAMBIQUE
ZAMBIA
67
NAMIBIA
ZIMBABUE
MADAGASCAR

OCÉANO ÍNDICO

BOTSUANA

29
30
SUDÁFRICA

AUSTRALIA

NUEVA ZELANDA

OCÉANO GLACIAL ANTÁRTICO

MÉXICO

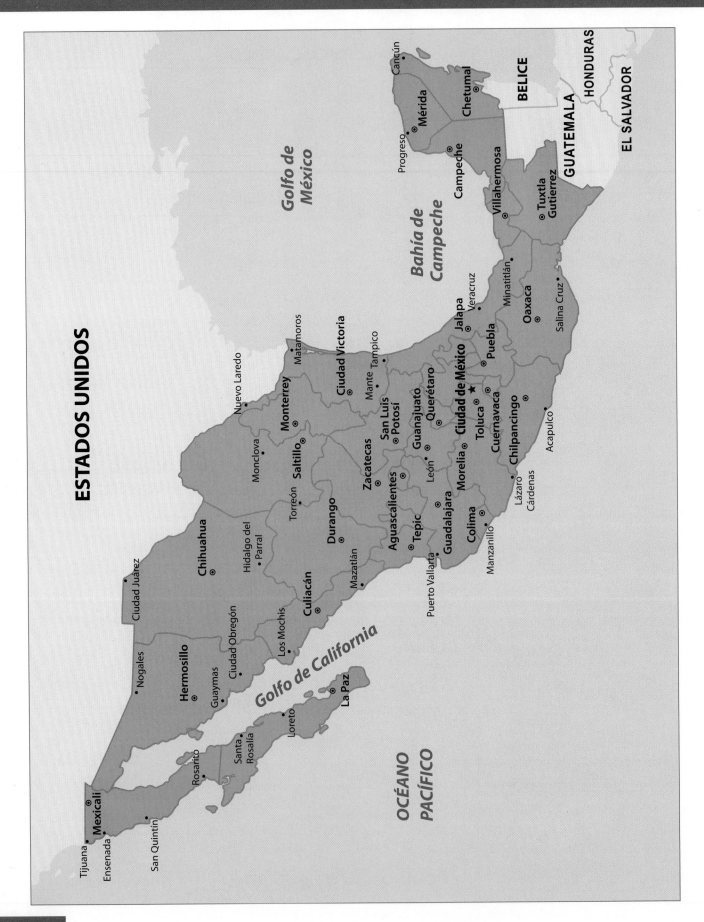

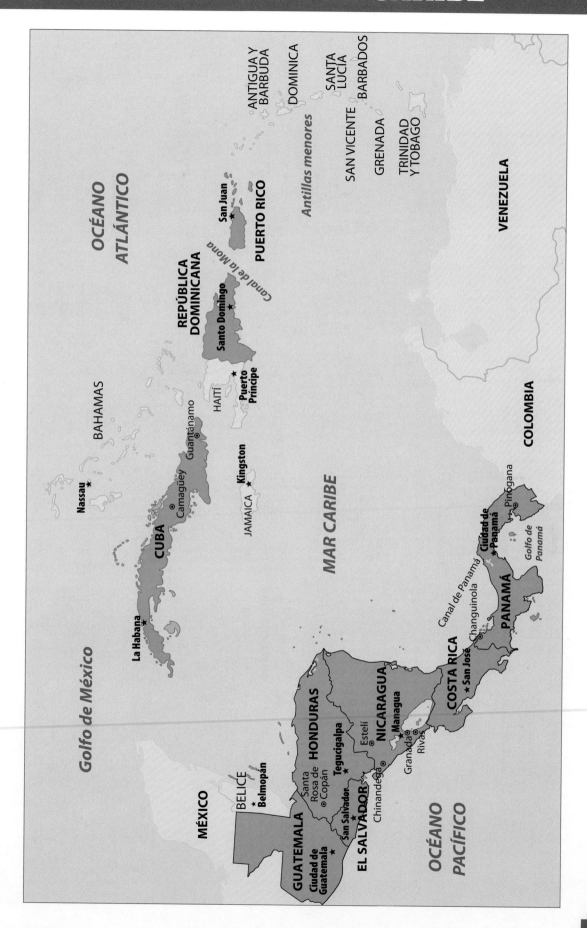

ESPAÑA

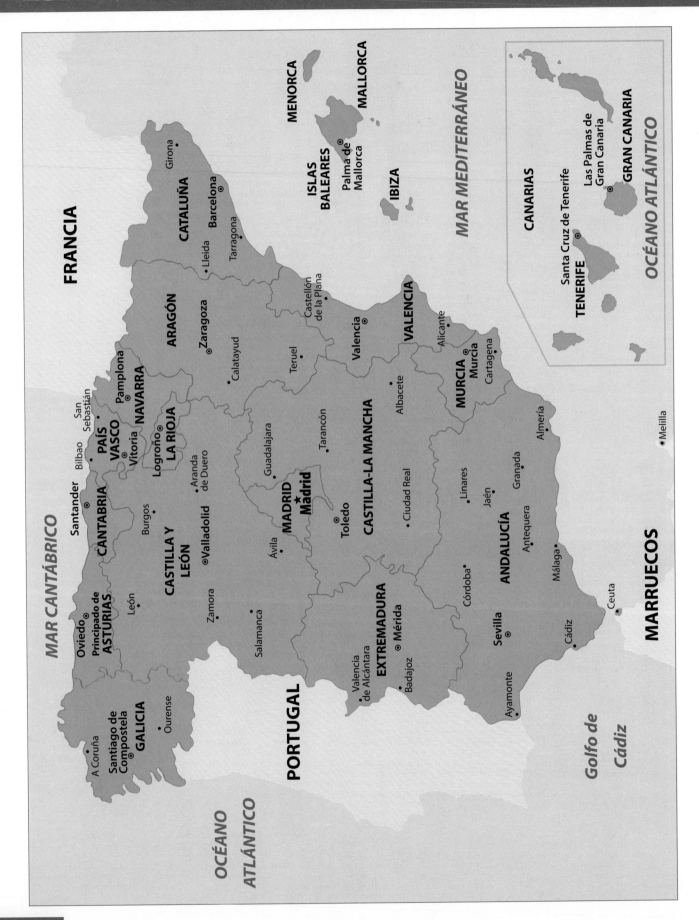

AMÉRICA DEL SUR

NICARAGUA
COSTA RICA
San José ★ ★ Ciudad de Panamá
PANAMÁ
Valencia
Maracaibo
Mérida ★ Caracas
Cúcuta
Barcelona
Puerto España
★ TRINIDAD Y TOBAGO

Medellín Bucaramanga
Cali ★ Bogotá, D.C.
COLOMBIA
Mitú

VENEZUELA
Puerto Ayacucho
★ Georgetown
Linden
GUYANA
Paramaribo ★
★ Cayenne
SURINAME
GUYANA FRANCESA

Quito ★
ECUADOR
Cuenca
Piura
Chiclayo
Trujillo
Chimbote
Huaraz
PERÚ
Lima ★ ★ Huancayo
• Ayacucho
• Ica • Cusco
Juliaca
Arequipa

Iquitos
Pucallpa

OCÉANO
ATLÁNTICO

Manaus
Belém

BRASIL

BOLIVIA
★ La Paz
Cochabamba
Sucre
Santa Cruz
★ Brasília

Tacna
Arica
Iquique
Tarija
PARAGUAY
Pedro Juan
Caballero
Asunción ★
Ciudad del Este

OCÉANO
PACÍFICO

Antofagasta
Salta
San Miguel de Tucumán
La Rioja
Resistencia
Río de Janeiro
São Paulo

Pôrto Alegre

La Serena
Córdoba
San Juan
Santa Fe
Tacuarembó

Valparaíso
Mendoza
Rosario
URUGUAY

★ Santiago
CHILE
Concepción
Buenos Aires ★
ARGENTINA
Montevideo

Mar del Plata

Neuquén
Bahía Blanca

OCÉANO
ATLÁNTICO

Puerto Montt

Rawson
Comodoro
Rivadavia

Coyhaique

Río Gallegos

Islas Malvinas
(territorio británico
de ultramar)

Río Grande
Punta Arenas

Georgias del sur (R.U.)

¿Sabía que...?

"Colombia, realismo mágico" es el tema de la nueva campaña de turismo de Colombia en el exterior, la cual ofrece al visitante experiencias únicas, extraordinarias e inolvidables.

Unidad

1

Hola, ¿qué tal?

Escanee el código QR para mirar el documental sobre los personajes de *El cuarto misterioso*.

¿Qué otros intereses tiene Marco, además del cine? Incluya detalles del documental.

Pregunta clave

?

¿Cómo se refleja la cultura de un país en las actividades de su gente?

Colombia　　　Venezuela

¿Dónde en Colombia se encuentra este lugar y por qué es importante?

Mis metas

Lección A I will be able to:

▶ greet friends on the first day of school

▶ talk about school activities

▶ use regular and irregular verbs in the present tense

▶ describe Colombia and its people

▶ talk about cultural and recreational activities in Bogotá

▶ talk about being successful in school

▶ use adjectives and **ser / estar** to describe people and things

▶ talk about Fernando Botero and his work

Lección B I will be able to:

▶ talk about recreational activities

▶ talk about jobs and occupations

▶ ask questions using **qué** and **cuál**

▶ describe professions and occupations using **ser**

▶ talk about sports and television in Venezuela

▶ talk about movies and TV shows

▶ express opinions using **gustar** and similar verbs

▶ read and discuss a short story by Gabriel García Márquez

De vuelta al colegio

 Colegio Simón Bolívar

Actividades	Zona del estudiante	Zona del profesor	Recursos	Calendario escolar

Hola, ¿qué tal?

- Hazte miembro y participa
- Para tener éxito
- ¡Conoce a tus nuevos compañeros!
- ¿Buscas trabajo?
- Para divertirte

Acuérdate de **obedecer** las reglas del colegio. Se **establecen** para seguirlas.

¿Quieres **hacerte miembro** de **la orquesta**? Ven a las audiciones el viernes 15 de septiembre.

¿Te gustaría **pertenecer** al **coro**? Te invitamos. Tenemos **ensayos** todos los días de 4:00 PM a 5:00 PM.

Elección del **consejo estudiantil**. Ven a votar por tus compañeros. ¡Ellos se lo **merecen**!

¿Quieres **colaborar** con el club de inglés? ¡Ven y participa!

Para conversar

*T*o greet friends on the first day of school:

Hola, Sara. Casi no te **reconozco**. ¿Cómo estás?
Hi, Sara. I almost didn't recognize you. How are you?

Bien, **pasándola**, ¿y tú?
Fine, getting by, and you?

Igualmente.
Me too.

Lorena, ¡siempre **desapareces** en el verano! ¿Dónde estuviste?
Lorena, you always disappear in the summer! Where were you?

Estuve en Bogotá con mi familia.
I was with my family in Bogotá.

¡**Chévere**! ¿Cuándo piensas volver?
Great! When are you planning to go back?

No sé. **Tal vez** el verano próximo.
I don't know. Maybe next summer.

*T*o ask someone to hurry and to respond:

Date prisa, Carlos. **Se me hace tarde**.
Hurry up, Carlos. It's getting late.

Rápido, Andrea. ¡Ya son las ocho!
Hurry up, Andrea. It's eight already!

¡Voy **enseguida**!
I'm coming right away!

1 En el colegio 🎧

Indique la letra de la foto que corresponde con cada situación que oye.

| A | B | C | D | E | F |

2 Conversaciones

Complete las conversaciones con las palabras del recuadro que correspondan, según el contexto.

1. **A:** Vamos, Anita, ya son las ocho. Date __.

   B: Está bien, mamá, salgo __.

2. **A:** Hola, Javier. ¿Cómo estás?

   B: __, ¿y tú?

   A: __.

3. **A:** Nicolás, ¿por qué no te haces __
   de algún club?

   B: Porque no me gusta __ reglas.

enseguida	obedecer
pasándola	prisa
miembro	igualmente

3 Expresiones

Empareje cada expresión de la izquierda con la más apropiada de la derecha.

1. ¡Rápido, Sandra! Tengo prisa.
2. No me aceptan como miembro de la banda.
3. ¡Me alegra mucho verte otra vez!
4. Estás muy diferente. ¡Casi no te reconozco!

A. ¿Qué dices? Estoy igual.

B. ¿Por qué? ¡Tú te lo mereces!

C. Voy enseguida.

D. ¡Igualmente! Siempre desapareces en verano.

Diálogo 🎧

¿Me reconoces?

Ramiro: Ana, ¿eres tú? ¿Cómo estás?

Ana: ¿Ramiro? Estás cambiado. Casi no te reconozco.

Ramiro: Soy el mismo, pero con el pelo más corto.

Ana: ¿Por qué desapareciste del colegio?

Ramiro: Mi familia y yo nos mudamos a Cali.

Ana: ¿De veras? ¿Y cómo es tu vida allí?

Ramiro: Colaboro en varias actividades del colegio y pertenezco a un club deportivo. ¿Cómo está Pablo?

Ana: Pasándola. Ahora es miembro del coro. Si quieres lo llamo enseguida para decirle que estás aquí.

Ramiro: ¡Chévere!

Ana: Hola, ¿Pablo? ¿A que no sabes quién apareció por aquí?

---

4 ¿Qué recuerda Ud.? 🎧

1. ¿Por qué Ana no reconoce enseguida a Ramiro?

2. ¿Por qué Ramiro ya no va al colegio de Ana?

3. ¿Qué actividades hace Ramiro?

4. ¿En qué actividad participa Pablo?

5. ¿Qué quiere hacer Ana enseguida?

---

5 Algo personal 🎧

1. ¿Se encuentra Ud. a menudo con amigos de la niñez?

2. ¿Qué dicen ellos cuando lo ven? ¿Lo reconocen?

3. ¿Le gusta vivir en su ciudad? ¿Por qué?

4. ¿Con qué grupos del colegio colabora?

---

6 Situaciones 🎧

Escuche las siguientes situaciones. Escoja la letra de la conclusión más lógica para cada una.

1. **A.** Se me hace tarde.

   B. Pasándola.

2. **A.** ¿Cuándo lo van a establecer?

   B. ¿Por qué colaboran?

3. **A.** Es verdad, siempre se dan prisa.

   B. Es verdad, cantan muy bien.

4. **A.** No te reconozco.

   B. No lo encuentro.

5. **A.** Por eso participa en la orquesta.

   B. Por eso pertenece al consejo estudiantil.

El presente de indicativo

You are already familiar with the forms of the verbs in the present indicative.

Verbos regulares:

estudiar:	estudio	estudias	estudia	estudiamos	estudiáis	estudian
comer:	como	comes	come	comemos	coméis	comen
recibir:	recibo	recibes	recibe	recibimos	recibís	reciben

Verbos con cambios en la raíz:

e → ie

    pensar: pienso, piensas, piensa, pensamos, pensáis, piensan

    Verbos como **pensar**: comenzar, perder, querer, sentir, divertirse

e → i

    pedir: pido, pides, pide, pedimos, pedís, piden

    Verbos como **pedir**: elegir, reír, repetir, seguir, vestirse

o → ue

    poder: puedo, puedes, puede, podemos, podéis, pueden

    Verbos como **poder**: almorzar, encontrar, llover, recordar, soñar

u → ue

    jugar: juego, juegas, juega, jugamos, jugáis, juegan

Nos divertimos en el club de español.

Verbos con formas irregulares en la primera persona:

caber:	**quepo**	dar:	**doy**	estar:	**estoy**	saber:	**sé**
caer(se):	(me) **caigo**	hacer:	**hago**	poner:	**pongo**	salir:	**salgo**

Verbos con cambios en la raíz y formas irregulares en la primera persona:

tener:	tengo	tienes	tiene	tenemos	tenéis	tienen
decir:	digo	dices	dice	decimos	decís	dicen
venir:	vengo	vienes	viene	venimos	venís	vienen

Verbos con más de una forma irregular:

ser:	soy	eres	es	somos	sois	son
ir:	voy	vas	va	vamos	vais	van
oír:	oigo	oyes	oye	oímos	oís	oyen
ver:	veo	ves	ve	vemos	veis	ven

Repaso rápido

7 ¿Qué vamos a hacer?

Unas jóvenes hablan sobre sus actividades.
Complete las conversaciones con la forma
correcta del verbo que corresponda, según
el contexto.

1. **A:** ¿ __ (tú) a estudiar a la biblioteca por la tarde?
   (*poner / ir*)

   B: No, yo no voy, pero __ que Marina y Julián van.
   (*pensar / traer*)

   A: Pero tú __ ir con ellos en la noche, ¿no? (*poder / venir*)

   B: Sí, en la noche sí puedo.

2. **A:** ¿ __ Uds. la tarea en el colegio? (*decir / hacer*)

   B: No, nosotras la __ en casa. (*hacer / salir*) ¿ __ (tú) hacer
   la tarea con nosotras? (*decir / querer*)

   A: ¡Sí, chévere! Nos __ más tarde. ¡Hasta luego!
   (*ver / venir*)

   B: ¡Un momento, por favor! __ que decirte dónde vive
   Alicia. (*tener / traer*)

Estudiamos juntas esta tarde.

8 En resumen 👥

Copie la tabla y pregúnteles a cinco compañeros si hacen las actividades siguientes
los fines de semana. Escriba **sí** o **no** en cada espacio en blanco. Después, resuma la
información en cinco o seis oraciones. Siga el modelo como guía.

MODELO   **A: Elena, ¿vas al cine los fines de semana?**

           B: Sí, voy al cine.

           A: ¿Y tú, Carlos?

           C: Yo también voy.

           En resumen: Elena y Carlos van al cine los fines de semana.

	Elena	Néstor	Marisa	Carlos	Liliana
ir al cine	sí	no	no	sí	no
dormir hasta tarde					
salir con amigos					
hacer aeróbicos					
ver televisión					
oír música					
leer revistas					
jugar al básquetbol					

Gramática

Los verbos que terminan en *-cer, -cir*

- Verbs that end in *-cer* and *–cir* and whose endings are preceded by a vowel (for example *conocer* and *conducir*) change the **c** to **zc** in the *yo* form of the present tense.

  ¿Conoces a todos los estudiantes nuevos?   Do you know all the new students?

  No, solo conozco a Felipe Hernández.   No, I only know Felipe Hernández.

- Other verbs that follow this pattern:

aparecer *to appear, to turn up*	desaparecer *to disappear*	establecer *to establish*	merecer *to deserve*	nacer *to be born*	obedecer *to obey*
ofrecer *to offer*	parecer *to seem, to appear*	parecer(se) *to look like, to resemble*	pertenecer *to belong*	reconocer *to recognize*	traducir *to translate*

- In verbs like *convencer* where the *-cer* ending is preceded by a consonant, the **c** changes to **z**.

  Siempre convenzo a los demás fácilmente.   I always convince others easily.

Note: These changes in spelling do not apply to the other forms in the present tense, only the *yo* form.

---

9 ¿Qué corresponde? 🎧

Mire las fotos y complete las oraciones con la forma correcta del verbo apropiado. Luego, indique qué oración corresponde a cada foto.

A

B

C

D

E

F

1. Mi hermana siempre me (*ofrecer / establecer*) ayuda con la tarea.

2. Anita, ¿no me (*parecer / reconocer*)? Me parece que necesitas gafas.

3. Tomás (*traducir / nacer*) perfectamente del inglés al español.

4. Ella y él se (*pertenecer / parecer*) mucho. ¡Los dos son casi iguales!

5. Andrea, tú (*conducir / traducir*) muy bien el carro.

6. Rufo siempre me (*ofrecer / obedecer*), pero Mimi no. Ella (*desaparecer / merecer*).

10 ¡Es mi turno!

Con su compañero/a, háganse preguntas y contéstenlas. Contesten de forma afirmativa o negativa, según sea el caso.

MODELO   obedecer / tus profesores

A: ¿Siempre obedeces a tus profesores?

B: Sí, siempre los obedezco. / No, no siempre los obedezco.

1. convencer / fácilmente a otros
2. conducir / el carro de tus padres
3. ofrecer / ayuda a tus compañeros
4. traducir / tareas en la clase de español

11 Preguntas personales

Conteste las preguntas.

1. ¿Qué clases ofrecen en su colegio?
2. ¿Cree que merece las notas que le dan en sus clases? ¿Por qué?
3. ¿A quién se parece más, a su papá o a su mamá?
4. ¿A qué grupos del colegio pertenece?

Estrategia

Learning irregular verb forms

Grouping verbs by what they have in common will help you remember their irregular forms.

For instance, the present tense endings for *ir, dar,* and *estar* all end in *-oy*. Try it!

12 ¿Cómo es su mejor amigo/a?

Escriba cuatro oraciones para describir a su mejor amigo/a. Diga cómo es, a quién se parece, qué hace y a qué grupos pertenece.

Yo me parezco mucho a mi padre.

¡Comunicación!

13 Una entrevista   Interpersonal/Presentational Communication

Imagine que tiene que entrevistar al nuevo estudiante de intercambio del colegio, un estudiante colombiano. Prepare una lista de preguntas para saber más sobre él y sus actividades escolares. Represente la entrevista con su compañero/a, turnándose para hacer el papel del entrevistador y del entrevistado. Usen las siguientes palabras como guía. Tome apuntes durante la entrevista para poder presentarle al nuevo estudiante a la clase después.

ir	jugar	llamarse	ofrecer	parecer	pensar
pertenecer	querer	ser	tener	volver	hacer

Gramática

Usos del presente

In Spanish you can use the present tense:

- to describe people's activities, abilities, and routines

Salgo con mis amigos todos los viernes.	**I go out** with my friends every Friday.
Estamos en el colegio hasta las tres.	**We are** at school until three.
Clara siempre sabe todas las respuestas.	Clara always **knows** all the answers.

- to express actions that are happening as you speak

¿Qué hace Carmen?	What **is** Carmen **doing**?
Hoy hace calor y hace sol.	Today **it's** hot and **it's** sunny.

- to express immediate future actions

¿Adónde vas el sábado?	Where **are you going** on Saturday?
Mi madre vuelve de Bogotá este fin de semana.	My mother **is coming back** from Bogotá this weekend.

- to ask whether or not to do something

¿Cierro la puerta?	**Should I close** the door?
¿Traducimos este párrafo primero?	**Should we translate** this paragraph first?

- to invite somebody to join you in an activity

¿Hacemos la tarea juntos?	**Shall we do** our homework together?
¿Vamos a nadar?	**Shall we go** swimming?

14 ¿Cierto o falso?

Forme oraciones completas. Si lo que dice la oración es cierto, diga **es cierto**. Si lo que dice la oración es falso, diga **no es cierto**, y corríjala. Use el modelo como guía.

MODELO mis compañeros / siempre hacer sus tareas en el colegio
Mis compañeros siempre hacen sus tareas en el colegio.
No es cierto. Ellos hacen sus tareas en casa.

1. mi familia y yo / nunca salir juntos los domingos
2. todos mis profesores / ser simpáticos
3. yo / ir a la biblioteca todos los días
4. mi profesor(a) de español / siempre dar mucha tarea
5. mis amigos / no saber hablar español

Mi hermano siempre hace sus tareas en la biblioteca.

¡Comunicación!

15 Actividades preferidas 👥 Interpersonal Communication

Escriba una lista de los intereses de su perfil social. Compare su lista con la de su compañero/a. Intercambien (*exchange*) ideas sobre otras actividades que pueden agregar a la lista de cada uno. Elijan unas actividades de la lista y háganse preguntas sobre cuándo, cómo y con quién hace esas actividades.

MODELO   ir al cine

A: **¿Con quién te gusta ir al cine?**

B: **Me gusta ir con mis amigos.**

Intereses

✎ ir al cine
✎ jugar videojuegos
✎ ir de compras
✎ practicar deportes
✎ navegar por la red

Buscar personas, lugares y cosas

+ Agregar intereses

¡Comunicación!

16 Un amigo de Barranquilla 🎧 Interpretive/Interpersonal Communication

Lea este e-mail de Esteban Serrano y conteste las preguntas que siguen. Luego, escríbale un mensaje y cuéntele sobre su país, su colegio y sus actividades favoritas.

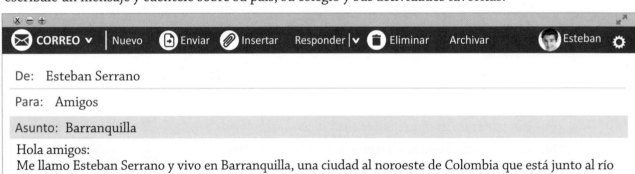

CORREO ∨ | Nuevo | ▶ Enviar | 📎 Insertar | Responder |∨ | 🗑 Eliminar | Archivar | Esteban ⚙

De: Esteban Serrano

Para: Amigos

Asunto: Barranquilla

Hola amigos:

Me llamo Esteban Serrano y vivo en Barranquilla, una ciudad al noroeste de Colombia que está junto al río Magdalena y muy cerca del mar Caribe. Vivo en el barrio El Prado, que es un lugar bastante antiguo con casas muy bonitas. El fútbol es mi deporte favorito. A veces, mi padre me lleva al Estadio Metropolitano para ver los partidos. Voy al Colegio San José. Es un colegio mixto (chicos y chicas) y también bilingüe. Acabo de empezar el tercer año de bachillerato. Mi clase favorita es la de matemáticas y pertenezco al club de ajedrez. El próximo julio voy a participar en la Olimpiada Matemática que va a tener lugar en mi ciudad. Por favor, escríbanme pronto.

Saludos,
Esteban

1. ¿Dónde está Barranquilla?

2. ¿En qué barrio vive Esteban?

3. ¿Qué dice Esteban del fútbol?

4. ¿Qué es un colegio mixto?

5. ¿Aprende otras lenguas Esteban? Si es así, ¿cómo lo sabe Ud.?

6. ¿Piensa Ud. que Esteban es un buen candidato para la Olimpiada Matemática? Explique por qué.

¡Comunicación!

17 ¿Qué vamos a hacer después de clases? 👥 Interpersonal Communication

Invite a su compañero/a a hacer algo después de clases y el fin de semana. Usen los siguientes anuncios para decidir adónde van a ir, a qué hora, cómo van a ir, con quién van a ir, lo que van a hacer, y cuándo van a regresar.

MODELO
A: ¿Tomamos clase de guitarra?
B: Sí, ¿dónde podemos tomarla?
A: En la Academia Alirio Díaz.

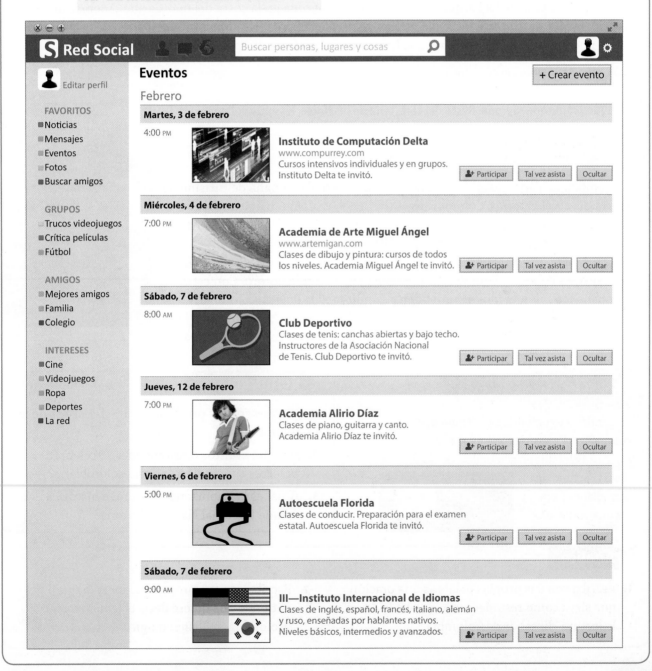

Red Social

Buscar personas, lugares y cosas

Eventos + Crear evento

Editar perfil

Febrero

FAVORITOS
- Noticias
- Mensajes
- Eventos
- Fotos
- Buscar amigos

GRUPOS
- Trucos videojuegos
- Crítica películas
- Fútbol

AMIGOS
- Mejores amigos
- Familia
- Colegio

INTERESES
- Cine
- Videojuegos
- Ropa
- Deportes
- La red

Martes, 3 de febrero

4:00 PM — **Instituto de Computación Delta**
www.compurrey.com
Cursos intensivos individuales y en grupos.
Instituto Delta te invitó.
[Participar] [Tal vez asista] [Ocultar]

Miércoles, 4 de febrero

7:00 PM — **Academia de Arte Miguel Ángel**
www.artemigan.com
Clases de dibujo y pintura: cursos de todos
los niveles. Academia Miguel Ángel te invitó.
[Participar] [Tal vez asista] [Ocultar]

Sábado, 7 de febrero

8:00 AM — **Club Deportivo**
Clases de tenis: canchas abiertas y bajo techo.
Instructores de la Asociación Nacional
de Tenis. Club Deportivo te invitó.
[Participar] [Tal vez asista] [Ocultar]

Jueves, 12 de febrero

7:00 PM — **Academia Alirio Díaz**
Clases de piano, guitarra y canto.
Academia Alirio Díaz te invitó.
[Participar] [Tal vez asista] [Ocultar]

Viernes, 6 de febrero

5:00 PM — **Autoescuela Florida**
Clases de conducir. Preparación para el examen
estatal. Autoescuela Florida te invitó.
[Participar] [Tal vez asista] [Ocultar]

Sábado, 7 de febrero

9:00 AM — **III—Instituto Internacional de Idiomas**
Clases de inglés, español, francés, italiano, alemán
y ruso, enseñadas por hablantes nativos.
Niveles básicos, intermedios y avanzados.
[Participar] [Tal vez asista] [Ocultar]

Cultura

Parque Nacional Natural Tayrona, Colombia

El sabor de Colombia 🎧

Colombia es un país orgulloso[1] de su belleza[2] natural, su historia y su cultura, pero sobre todo de su gente, su determinación, su optimismo y su hospitalidad. El colombiano recibe a locales y a extranjeros con alegría y amabilidad, haciendo que se sientan bienvenidos. El colombiano también se siente orgulloso de su cultura, la cual celebra y difunde[3] en eventos como la Fiesta Nacional del Café, la Feria de las Flores o el Festival de la Leyenda Vallenata —un festival de música folclórica de la región caribeña. Estos son eventos donde se siente el calor, el color y el sabor del pueblo colombiano.

Colombia es un país que valora su riqueza[4] natural y la necesidad de conservarla para las generaciones futuras, como es el caso del Parque Nacional Natural Tayrona en la costa del mar Caribe. Además de ser un santuario de fauna y flora de increíble belleza, el parque alberga[5] las ruinas arqueológicas de la civilización tayrona, uno de los grupos indígenas que habitaron la región en la época precolombina.

[1]proud [2]beauty [3]disseminates [4]richness [5]houses

Búsqueda: parque tayrona, fiesta del café, feria de las flores, leyenda vallenata

COLOMBIA IS MAGICAL REALISM

DO YOU WANT TO VISIT A PLACE BROUGHT TO LIFE BY THE COLORS OF THE SEA?
THE ANSWER IS **CO**

Archipiélago of San Andrés, Providencia and Santa Catalina.

Scuba diving destinations in Colombia: Cartagena de Indias, Gorgona, Malpelo, and Santa Marta.

www.colombia.travel

Productos 🎧

"Colombia, realismo mágico" es el nombre de la actual campaña de turismo de Colombia en el exterior. Colombia es la tierra del "realismo mágico" porque es la tierra de Gabriel García Márquez, autor de *Cien años de soledad* —una historia en que lo extraordinario e irreal hacen parte de la vida diaria—, la obra que le mereció al autor el premio Nobel de Literatura en 1982 y con la cual se dio a conocer el nombre de Colombia en el mundo entero. Con esta campaña los colombianos se proponen difundir la idea de que Colombia, por su riqueza natural, histórica y cultural, "es la respuesta", la solución a las necesidades del visitante que busca vivir experiencias únicas y extraordinarias.

Perspectivas

"La respuesta es Colombia" es la frase que acompaña al logo-símbolo con que se conoce a Colombia en el mundo. ¿Cómo se refleja la actitud de los colombianos hacia su país en esta frase?

LA RESPUESTA ES **CO** COLOMBIA

18 Comprensión — Interpretive Communication

1. ¿Cuáles son las principales características de los colombianos?
2. ¿En qué eventos o festividades se celebran aspectos típicos de la cultura colombiana?
3. ¿Cuál es la importancia natural e histórica del Parque Nacional Natural Tayrona?

19 Analice

1. Escriba con sus propias palabras una oración que sirva como resumen de lo que ha leído en la lectura "El sabor de Colombia".
2. Escriba con sus propias palabras lo que entiende que quiere decir el lema (*motto*) "Colombia, realismo mágico".

¿Pregunta clave
¿Cómo se refleja la cultura de un país en las actividades de su gente?

Bogotá: Centro cultural de talla mundial

El colombiano aprecia y celebra su historia y su cultura; por eso las promueve[1] en muchos eventos de varias ciudades del país. En la capital, Bogotá, funciona el programa de diseminación de la cultura "Siga, esta es su casa" que da entradas gratis a una red de museos, centros de exposición y galerías de la ciudad. El Museo del Oro —el patrimonio nacional[2] más visitado— exhibe más de 34.000 piezas de oro de sociedades indígenas precolombinas.

Bogotá también es el centro de eventos culturales de importancia nacional e internacional, como Expoartesanías —la feria de artesanías[3] más importante de América Latina— y la Feria Internacional del

Libro, un evento muy prestigioso que promueve la lectura y la industria editorial. En 2007, la UNESCO (*United Nations Educational, Scientific and Cultural Organization*) le dio a Bogotá el título de Capital Mundial del Libro.

En Bogotá hay actividades de recreación para todos los gustos y todas las edades. Los Festivales musicales al Parque ofrecen seis conciertos anuales, de varios días cada uno, en distintos parques de la ciudad y con entrada gratuita. Rock al Parque es el más grande pues asisten miles de personas. También hay Jazz al Parque, Hip Hop al Parque, Ópera al Parque, Colombia

al Parque y Salsa al Parque, un festival con sabor tropical. Los artistas y bandas locales se seleccionan por concurso y los seleccionados tienen la oportunidad de presentar su talento y darse a conocer[4] al lado de artistas de fama mundial.

[1] promotes   [2] heritage site   [3] handicrafts   [4] make a name, become known

🔍 **Búsqueda:** bogotá, museo del oro, expoartesanías, feria mundial del libro, festivales al parque

Prácticas 🎧

Bogotá también ofrece recreación deportiva. Los domingos y días de fiesta se cierran unos 120 kilómetros de calles para el uso recreativo de más de 1 millón de personas, con 344 kilómetros de ciclo vías para la circulación de bicicletas.

Comparaciones

¿Hay algún programa similar al de la ciclo vía de Bogotá en la ciudad o región donde vive? ¿En qué se parecen o se diferencian?

20 Comprensión   Interpretive Communication

1. ¿Qué eventos culturales importantes hay en Bogotá?

2. Además de las actividades culturales, ¿de qué otras actividades recreativas disfrutan los colombianos?

21 Analice

1. ¿Por qué se considera al Museo del Oro como un patrimonio nacional?

2. ¿Qué valores de la cultura colombiana se reflejan en las actividades de su gente? Dé ejemplos de las lecturas culturales y explique su respuesta.

Vocabulario 2

¿Cómo va todo? 🎧

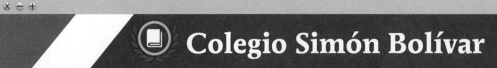

Colegio Simón Bolívar

| Actividades | Zona del estudiante | Zona del profesor | Recursos | Calendario escolar |

- Hola, ¿qué tal?
- Hazte miembro y participa
- Para tener éxito
- ¡Conoce a tus nuevos compañeros!
- ¿Buscas trabajo?
- Para divertirte

Si quieres tener éxito, debes...

dedicar tiempo a la tarea.

ser **estudiosa**.

ser **responsable** y **trabajador**.

colaborar. Tus compañeros **dependen** de ti y tú dependes de ellos.

ser **organizada**.

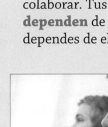

prestar atención en clase.

participar y estar **motivado** para aprender.

Para conversar 🎧

To talk about your classmates:

¿Te fijaste en Mariana? Es tan **talentosa**…
Did you notice Mariana? She is so talented…

Cierto, pero no **tiene** mucha **confianza en sí misma**.
True, but she doesn't have a lot of self-confidence.

Debería estar **orgullosa** de su talento.
She should be proud of her talent.

Y Enrique es tan **vago**, pero tan simpático como siempre…
And Enrique is so lazy, but as nice as ever…

Seguro, pero cuando decide no hacer nada, ¡**no hay quien lo aguante**!
That's true, but when he decides not to do anything, no one can stand him!

To complain about school:

Estoy **harta** de tener malas **notas**.
I am tired of getting (having) bad grades.

¡**No es justo**! **A mí** siempre **me tocan** los profesores más **estrictos**.
It is not fair! I always get the strictest teachers.

Para decir más

chistoso/a	*funny*
fascinante	*fascinating*
fenomenal	*great*
genial	*great*
insoportable	*unbearable*

22 Roberto 🎧

Escuche las siguientes oraciones sobre cómo es Roberto. Seleccione la ilustración que corresponde con lo que oye.

A

B

C

D

E

F

23 ¿Quiere tener éxito en el colegio?

¿Qué debe hacer alguien que quiere tener éxito en el colegio? Explique.

Diálogo

¡Uf! ¡Qué problema con mi horario!

Ana: La profesora de historia es bastante estricta.

José: Sí, hay que dedicar mucho tiempo a su tarea... ¡Y de eso dependen las notas!

Ana: ¡Qué vago eres, José!

José: No soy vago... Siempre presto atención a los profesores.

Carla: Me dieron siete clases este semestre. ¡No es justo!

Ana: ¿Solo siete clases? No es mucho. Yo tengo nueve.

José: Ay, Ana, tú siempre tan estudiosa y responsable. No hay quien te aguante. Mejor me voy.

Ana: ¿Qué le pasa a José?

Carla: No está motivado y no sabe lo que le gusta.

Ana: Es muy buen futbolista. ¿Por qué no está orgulloso de eso?

Carla: Porque no tiene mucha confianza en sí mismo.

24 ¿Qué recuerda Ud.?

1. ¿Cómo es la profesora de historia?
2. ¿Qué dice José acerca de la tarea de historia?
3. ¿Qué no es justo, según Carla?
4. ¿Qué le pasa a José, según Carla?
5. ¿Qué deporte le interesa a José? ¿Cómo lo sabe Ud.?
6. ¿Qué le falta a José?

25 Algo personal

1. ¿Cómo es Ud. en el colegio?
2. ¿Cuánto tiempo le dedica a la tarea?
3. ¿Cuáles son las clases que le parecen más interesantes?
4. ¿Le gustan los deportes? ¿Cuál es su deporte preferido?
5. ¿Qué cree que se necesita para estar motivado por algo?

26 ¿Qué contesta?

Escuche las siguientes situaciones y escoja la letra de la respuesta apropiada para cada una.

> **A.** ¡No hay quien la aguante!
>
> **B.** ¡No es justo!
>
> **C.** ¡Sí, a mí me tocó el mismo profesor!
>
> **D.** No, no me fijo en esas cosas.
>
> **E.** Debes prestarle más atención cuando habla.

Número y género de los adjetivos

- Most adjectives have a singular masculine form ending in *-o* and a singular feminine form ending in *-a*. To make them plural add an *-s*.

Mi papá es estricto.	My dad is strict.
Los profesores son estrictos.	The teachers are strict.
Andrea es estudiosa.	Andrea is studious.
Mis amigas son estudiosas.	My friends are studious.

- Some adjectives that end in *-a*, *-e*, or a consonant have only one form for both masculine and feminine singular, and one form for both masculine and feminine plural. Plural forms of adjectives that end in *-e* and *-a* add *-s*. Plural forms of adjectives that end in a consonant add *-es*.

Alba Lucía no es egoísta.	Alba Lucía is not selfish.
Mi tía es muy responsable.	My aunt is very responsible.
Las amigas de tu mamá son muy elegantes.	Your mother's friends are very stylish.
La clase de arte es muy popular.	The art class is very popular.
Estos problemas no son fáciles.	These problems are not easy.

- Adjectives of nationality that end in a consonant add *-a* in the feminine form. The masculine plural form ends in *-es*.

Pepe es español, pero su prima Catalina no es española.	Pepe is Spanish, but his cousin Catalina is not Spanish.
Los padres de Manolo son españoles.	Manolo's parents are Spanish.

- When there is more than one subject, the masculine form is used if at least one of the subjects is masculine.

Arturo y Valentina son muy simpáticos.	Arturo and Valentina are very nice.

Repaso rápido

---

27 Jonás y Micaela

Complete las oraciones con la forma apropiada del adjetivo que corresponda del recuadro, según el contexto.

estupendo/a	horrible	estudioso/a	estricto/a	justo/a
fantástico/a	mucho/a	vago/a	harto/a	contento/a

¡Pobre Jonás! Él está **(1)** de su horario. Es un chico **(2)** y esta clase es **(3)**. Los profesores son muy **(4)** y tiene **(5)** tarea. En cambio, Micaela está **(6)** con su horario. Ella es **(7)**; además, tiene un horario **(8)** y profesores **(9)**. Jonás dice que no es **(10)**.

Gramática

Usos de *ser* y *estar* con adjetivos

- You have used *ser* with adjectives to indicate the inherent qualities of people and things.

*Mis amigos **son** responsables.*	My friends **are** responsible.
*Mi primita **es** talentosa.*	My little cousin **is** talented.
*Las rosas **son** rojas.*	Roses **are** red.

- You have used *estar* with adjectives to indicate temporary conditions or states of people (how somebody feels physically or mentally) and things.

*¡**Estoy** harto de tanta tarea!*	**I am** tired of so much homework!
*Mi hermano menor **está** triste porque su perro se escapó.*	My little brother **is** sad because his dog ran away.
***Está** nublado, pero no va a llover.*	**It is** cloudy, but it is not going to rain.

- Use *estar* with adjectives to express personal opinions; not everybody may agree with you.

*Mmm... ¡Qué rica **está** la sopa!*	Yum... the soup **is** delicious! (It tastes delicious to me.)
*La abuelita **está** linda hoy, ¿verdad?*	Granny **looks** pretty today, doesn't she? (In my opinion she looks especially pretty today.)
*¡El concierto va a **estar** estupendo!*	The concert is going **to be** wonderful!

- Some adjectives have one meaning when used with *ser* and another meaning when used with *estar*. Observe the following examples:

*Todos mis compañeros **son** aburridos.*	All my classmates **are** boring.
*Todos mis compañeros **están** aburridos.*	All my classmates **are** bored.
*Adriana **es** orgullosa.*	Adriana **is** haughty.
*Adriana **está** orgullosa de su trabajo.*	Adriana **is** proud of her work.
*Mis tíos **son** listos.*	My uncles **are** smart.
*Mis tíos **están** listos.*	My uncles **are** ready.
*El mango **es** verde.*	The mango **is** green.
*El mango **está** verde.*	The mango **is** not ripe.

Mis amigos están muy aburridos.

28 Cambios y más cambios 👥 🎧

Su compañero/a le habla de diferentes personas que Uds. conocen. Pero él/ella no sabe que esas personas han cambiado. Dígale cómo están esas personas ahora. Use los adjetivos de la lista.

morena	grandes	antipáticos
triste	divertidas	alto

MODELO Néstor / delgado
A: Néstor es delgado, ¿no?
B: ¡No! Ahora está gordo.

1. tu amigo Luis / bajo
2. Carmen / rubia
3. las primas de Antonio / aburridas
4. tus hermanos / pequeños
5. Carlos y su hermana / simpáticos
6. tu abuelo / alegre

José es fuerte, ¿no?

29 ¡Está harto!

Víctor contesta el e-mail que le escribió su amiga Ángeles. Él no está muy contento con sus clases. Complete el mensaje que él le envía a Ángeles con la forma apropiada de **ser** o **estar**.

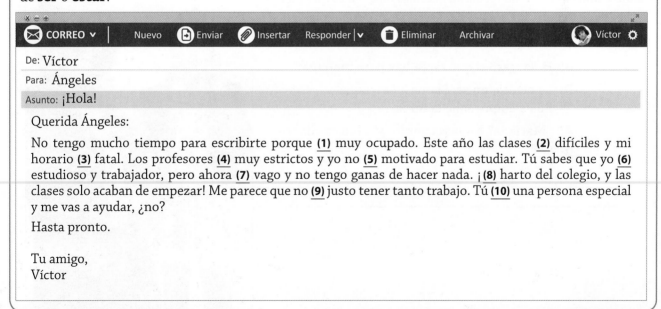

✉ CORREO ⌄ | Nuevo 📄 Enviar 📎 Insertar Responder ⌄ 🗑 Eliminar Archivar 👤 Víctor ⚙

De: Víctor
Para: Ángeles
Asunto: ¡Hola!

Querida Ángeles:

No tengo mucho tiempo para escribirte porque **(1)** muy ocupado. Este año las clases **(2)** difíciles y mi horario **(3)** fatal. Los profesores **(4)** muy estrictos y yo no **(5)** motivado para estudiar. Tú sabes que yo **(6)** estudioso y trabajador, pero ahora **(7)** vago y no tengo ganas de hacer nada. ¡**(8)** harto del colegio, y las clases solo acaban de empezar! Me parece que no **(9)** justo tener tanto trabajo. Tú **(10)** una persona especial y me vas a ayudar, ¿no?

Hasta pronto.

Tu amigo,
Víctor

¡Comunicación!

Trabajen en grupos pequeños. Piensen en un amigo o amiga que tengan en común. Luego, túrnense para hacer preguntas, dar pistas y adivinar en quién está pensando cada uno. Pueden intercambiar información sobre la apariencia física de la persona, su personalidad, lo que le gusta y lo que no le gusta. Sigan el modelo como guía.

Ella es muy chistosa.

MODELO

A: ¿Estás pensando en un chico o una chica?

B: En una chica. Ella es muy chistosa.

C: ¿Y es talentosa?

B: Sí, pero a veces es un poco vaga.

D: ¿Tiene confianza en sí misma?

B: ...

¡Comunicación!

Imagine que llama por celular a su amiga Elena porque no sabe qué tarea hay para mañana. Ella tampoco sabe y le dice que llame a Mariana. Ud. no recuerda quién es ella, así es que Elena le dice todo lo que sabe sobre ella. Escriban su propio diálogo con base en el modelo y, luego, represéntenlo frente a la clase.

¿Cómo es Mariana?

MODELO

A: Hola, ¿sabes qué tarea hay para mañana?

B: Lo siento, no sé. Llama a Mariana.
Ella siempre sabe la tarea.

A: ¿Mariana? No la recuerdo. ¿Cómo es ella?

B: ...

A: ...

Todo en contexto

? Pregunta clave

¿Cómo se refleja la cultura de un país en las actividades de su gente?

¡Comunicación!

32 Con su hermana de intercambio en Bogotá   Interpersonal Communication

Imagine que acaba de llegar a Bogotá para participar en un programa de intercambio de tres meses. Acaba de conocer a Anita, la chica que será su hermana de intercambio durante ese tiempo, y Ud. tiene miles de preguntas. Con una compañera de clase, represente la conversación que tiene con Anita.

Ud. quiere preguntarle sobre su colegio, sus clases, sus profesores y sus mejores amigos. Quiere saber cómo son y qué hacen dentro y fuera del colegio. Anita quiere contarle sobre todas las actividades que le tienen planeadas. Túrnense para hacer las preguntas que tiene cada una y dar las respuestas.

MODELO   A: ¿Cómo son tus profesores?

B: Mis profesores son muy amables, pero son muy estrictos. Por cierto, ¿quieres asistir al concierto Salsa al Parque esta noche?

A: ¡Sí, cómo no!

¡Nos encantan los Festivales musicales al Parque!

¡Comunicación!

33 Riqueza colombiana   Presentational Communication   Conéctese: la tecnología

Trabaje con su compañero/a para hacer una presentación de multimedia con el propósito de promover (*promote*) el turismo por Colombia.

Busquen en la biblioteca o en internet fotos e información sobre lugares o actividades de valor histórico o cultural. Luego, en dos o tres oraciones a pie de foto, mencionen un dato interesante del lugar o actividad y expliquen su importancia, como se ve en el modelo. Cuando terminen, hagan la presentación enfrente de la clase o pónganla en el sitio web de su colegio.

MODELO   El Museo del Oro de Bogotá cuenta con más de 34.000 piezas de oro de diferentes culturas indígenas precolombinas. Es un testimonio de la historia del país y, por eso, se considera un monumento nacional.

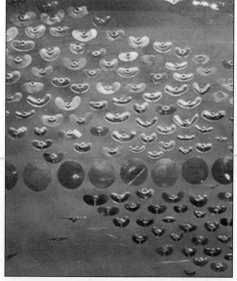

El Museo del Oro de Bogotá es fascinante.

Lectura informativa

Antes de leer 🎧

1. ¿Sabe quién es Fernando Botero?
2. ¿Qué impresión le producen sus pinturas y esculturas? Explique.

Estrategia

Main idea and supporting details

The main idea is often a sentence that summarizes the information in a paragraph. Supporting details give more information to clarify the main idea. As you read, make note of the main idea and supporting details in each paragraph. This will help you better understand what you are reading.

Gato, de Fernando Botero, Rambla del Raval, Barcelona

El mundo de Botero 🎧

Fernando Botero, nacido en Medellín, Colombia en 1932, es un artista, pintor y escultor de fama internacional. Sus obras se encuentran en exhibición en museos alrededor del mundo y en plazas y avenidas tan famosas como en los Campos Elíseos en París, en la Avenida Parque de Nueva York, en el Paseo de la Castellana en Madrid, en las Ramblas en Barcelona, al frente del Palacio de Bellas Artes en Ciudad de México y hasta en las pirámides de Egipto. Es un lujo[1] que pocos artistas pueden darse.

Las pinturas y esculturas de Botero se caracterizan por representar figuras humanas y de animales de tamaño distorsionado. Se conocen comúnmente como "los gordos de Botero". Botero explica que él pinta personas y animales de cuerpos gruesos o macizos[2], lo cual le permite explorar el volumen y las figuras geométricas en el espacio.

La mujer, tema muy frecuente en sus obras, aparece representada de diferentes edades y en diferentes papeles, como madre, abuela, madrastra, esposa, hija o reina; mientras que el hombre se caracteriza por tener boca y bigote[3] pequeños y brazos cortos. Tanto los personajes masculinos como los femeninos se ven estáticos, con los ojos fijos[4] en el observador, como mirando al fotógrafo al instante en que toma una fotografía. El arte de Botero usualmente se inspira en temas de las costumbres colombianas, en personajes históricos, paisajes[5] y bodegones[6].

[1] luxury [2] solid, sturdy [3] mustache [4] fixed (staring) [5] landscapes [6] still-life paintings

🔍 **Búsqueda:** botero escultura y pintura

34 Comprensión 🎧   Interpretive Communication

1. ¿Por qué se considera a Fernando Botero uno de los artistas latinoamericanos vivos más importantes?
2. ¿Cuál es la característica principal de las obras de Botero?
3. ¿Qué temas se reflejan en las obras de Botero?

35 Analice 🎧

1. ¿Cree que tener un estilo propio, muy diferente al de los demás, es algo importante para un artista? Explique su respuesta.

2. ¿Qué opina de la frase: "al artista no le importa que hablen bien o que hablen mal de sus obras, solo que hablen"? Explique su opinión.

3. ¿Cómo se refleja la cultura de Colombia en las obras de Botero?

Extensión Conéctese: la literatura

En la pintura y las artes plásticas (dibujo, fotografía, escultura, etc.), un retrato (*portrait*) es la reproducción de la imagen de una persona. En la literatura, el retrato es una descripción muy detallada de la persona, que permite hacerse una imagen mental no solo de su apariencia física, sino también de su personalidad. El objetivo del escritor cuando hace un retrato es "pintar" la imagen con sus palabras para que el lector la "vea" en su mente al leer el texto.

🔍 **Búsqueda:** retratos en literatura y pintura

✏️ Escritura

36 Un retrato en palabras 👥 Presentational Communication

Haga un retrato literario titulado "Una familia especial", sobre los personajes de esta pintura de Botero. Primero, observe las características físicas de los personajes y, con base en ellas, imagine su vida y su personalidad. Copie una red de ideas, como se ve a continuación, y complete la información.

Fernando Botero: Fórum, 1986

Ahora, use la información de la red para escribir un borrador (*draft*) y compártalo con su compañero/a. Revise el borrador según sus recomendaciones y escriba la versión final. Si quiere, incluya dibujos o fotografías para ilustrar su retrato y, para terminar, preséntelo frente a la clase.

Para escribir más

amorosa	*loving*
callada	*quiet*
cariñosa	*affectionate*
linda	*beautiful*
tierna	*tender*

Repaso de la Lección A

A Escuchar: ¿Un cumplido o una queja? 🎧 (pp. 2–3, 14–15)

Escuche a las siguientes seis personas y diga **sí**, si lo que oye es un cumplido (*compliment*) o **no**, si es una queja (*complaint*).

B Vocabulario/Gramática: ¿Qué dicen? (pp. 2–3, 7)

Complete cada diálogo con la forma correcta del verbo de la lista que corresponda, según el contexto.

conducir	parecer	traducir
reconocer	merecer	pertenecer

1. **A:** Hola Néstor, ¿no me __?

   B: Sí, ahora te __. Eres Ángel, ¿no? Tú te __ mucho a tu hermana Carlota.

   A: No, yo me __ a mi papá.

2. **A:** ¿ __ Ud. a algún club?

   B: ¡Claro! Yo __ al club de tenis.

3. **A:** ¿Piensas que yo __ un premio por mi traducción?

   B: ¿Un premio? No, tú no __ nada. No __ bien del inglés al español.

4. **A:** ¡Pare, por favor! Ud. __ muy rápido.

   B: ¿Rápido? No, siempre __ con mucho cuidado.

C Vocabulario: ¿Cómo es? (pp. 14–15)

Describa a su profesor o profesora y a uno de sus compañeros de clase. Use tres adjetivos diferentes para decir cómo es cada uno y explique por qué.

MODELO **Mi compañera de clase es estudiosa y responsable. Tiene buenas notas y está motivada para aprender.**

D Gramática: ¿Cuál es la mejor respuesta? (p. 18)

Elija la letra de la respuesta que corresponda, según el contexto.

1. ¿Cómo es tu profesor de historia?

   A. Es estricto.

   B. Está estricto.

2. ¿Vas a comer esa manzana?

   A. No, es verde.

   B. No, está verde.

3. Francisco es bien inteligente, ¿verdad?

   A. Sí, es muy listo.

   B. Sí, está muy listo.

4. ¿Qué tiempo hace hoy?

   A. Es nublado.

   B. Está nublado.

5. ¿Qué dice María del colegio?

   A. Es harta de las clases.

   B. Está harta de las clases.

6. ¿Cómo es el club de matemáticas?

   A. Está interesante.

   B. Es interesante.

Nombre dos valores, lugares o actividades para cada uno de los temas de la siguiente tabla, según lo que leyó sobre Colombia.

Histórico	Tradicional	Cultural	Recreacional	Deportivo

Vocabulario

Actividades del colegio

colaborar
el consejo estudiantil
el coro
el ensayo
hacerse miembro
la orquesta

Descripciones

estricto/a
estudioso/a
harto/a
motivado/a
organizado/a
orgulloso/a
responsable
talentoso/a
trabajador/a
vago/a

Verbos

aparecer (zc)
convencer (z)
dedicar
depender (de)
desaparecer (zc)
establecer (zc)
fijarse
merecer (zc)
obedecer (zc)
parecerse (zc)
pertenecer (zc)
prestar atención
reconocer (zc)
tener confianza
   (en sí/ti mismo/a)

Otras palabras y expresiones

A mí me tocan…
¡Chévere!
darse prisa
enseguida
Igualmente.
¡No es justo!
¡No hay quien lo/la aguante!
la nota
Pasándola.
rápido
Se me hace tarde.
tal vez

Gramática

Verbos que terminan en -cer y -cir

La mayoría de estos verbos tienen un cambio en la forma de yo: *c* → *zc*.

aparecer	→	apare**zc**o
reconocer	→	recono**zc**o
Nota: convencer	→	conven**z**o

Usos del presente

Se puede usar el presente para:

- describir actividades, habilidades y rutinas
  Ceno con mis padres todas las noches.

- expresar acciones que están pasando en el momento
  Mi hermano estudia en su habitación.

- expresar acciones del futuro inmediato
  ¿Adónde va Ud. esta noche?

- hacer preguntas para aclarar una actividad
  ¿Hacemos esta tarea antes o después de clase?

- invitar a alguien a participar en una actividad
  ¿Vamos al centro comercial?

Usos de *ser* y *estar* con adjetivos

Use *ser* para describir características de personas y cosas.

  *La casa **es** azul.*

  *Mis amigos **son** inteligentes.*

Use *estar* para expresar opiniones personales y condiciones temporales.

  *¡Estas hamburguesas **están** muy ricas!*

  ***Está** nublado hoy.*

Tenga cuidado con algunos adjetivos como *aburrido/a; orgulloso/a; listo/a;* y *verd*e. Pueden cambiar de significado según su uso con *ser* o *estar.*

¿Qué haces en tu tiempo libre?

 Colegio Simón Bolívar

| Actividades | Zona del estudiante | Zona del profesor | Recursos | Calendario escolar |

Hola, ¿qué tal?

Hazte miembro y participa

Para tener éxito

¡Conoce a tus nuevos compañeros!

¿Buscas trabajo?

Para divertirte

Carlos Álvarez

Le encanta **montar en bicicleta**. Participa en muchas competencias y siempre es el primero en llegar. Piensa ser **ciclista** profesional.

María Elena Martínez

Toca el piano desde los seis años. Sueña con ser **música** y formar parte de una orquesta famosa.

Arturo Villanueva

Es **un atleta** excelente, dedicado y competitivo. Quiere participar en los Juegos Olímpicos.

Alicia Rodríguez

Es muy **curiosa** y le encanta **investigar** todo tipo de temas. Quiere trabajar en una biblioteca.

Julián Robledo

Es el mejor **beisbolista** del equipo. **Se entrena** todos los días y piensa dedicar su vida al béisbol.

Cristina Salazar

Es **activa** y **atlética** y pertenece al equipo de fútbol femenino. Piensa **trabajar de entrenadora** en un club de deportes.

Colegio Simón Bolívar

| Actividades | Zona del estudiante | Zona del profesor | Recursos | Calendario escolar |

Hola, ¿qué tal?

Hazte miembro y participa

Para tener éxito

¡Conoce a tus nuevos compañeros!

¿Buscas trabajo?

Para divertirte

Anuncios de trabajo

Se necesitan **niñeras** con **práctica** para cuidar a niños pequeños.

Se necesitan estudiantes para **atender** a personas mayores. Deben ser **sociables**, amables y pacientes.

Se necesita estudiante para sacar a **pasear** perros tres días a la semana. Debe ser responsable, puntual y bueno con los animales.

Se necesitan jóvenes para **repartir** comida de un restaurante. Los **repartidores** deben tener carro y ser mayores de 16 años.

Se necesita asistente de mecánico. Debe ser bueno para **reparar** carros.

Se necesita **instructor** con experiencia para **dar clases** de guitarra después del colegio.

Para conversar 🎧

*T*o talk about jobs and occupations:

¿Con quién puedo hablar **con respecto** a estos anuncios de trabajo?
Who could I talk to regarding these job postings?

¿Qué experiencia tiene para este **oficio**?
What experience do you have for this job (trade)?

Soy **hábil** para...
I am skillful at...

¿Cuántas horas tiene disponibles para trabajar?
How many hours are you available to work?

Por ahora, solo puedo trabajar un par de horas diarias.
For now, I can only work a couple of hours a day.

En otros países

el oficio	*la chamba (Honduras, México, Venezuela)*
	el empleo (Colombia, Puerto Rico)
	el curro (España)

Para decir más

los certificados	*certificates*
las destrezas	*skills*
las habilidades	*abilities*
cumplido/a	*reliable*
eficiente	*efficient*
a tiempo parcial	*part time*

1 ¿Cuál es su oficio? 🎧

Diga qué es cada persona, según lo que hace. Seleccione la letra de la foto que corresponde con lo que oye.

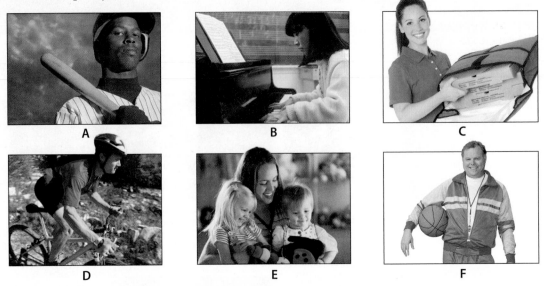

A

B

C

D

E

F

2 ¿Qué hacen?

Lea cada oración atentamente y complétela con la palabra del recuadro que corresponda según el contexto.

con respecto	repartidor	hábil	pasear	niñera
ciclista	músicos	entrenador	atender	dar clases

1. Soy muy hábil cuidando niños; trabajo como __.

2. Jorge tiene carro y es mayor de dieciséis años. Puede trabajar como __.

3. Mi papá tiene mucha experiencia en deporte. Es __.

4. ¿Sabes algo __ a estos anuncios?

5. Somos __. Tocamos en una orquesta.

6. Me gusta sacar a __ a los perros de mis vecinos.

7. Siempre le ha gustado la bicicleta; por eso, es un gran __.

8. Es un gran guitarrista y para ganar un poco de dinero, le gusta __.

9. Su padre le enseñó a reparar carros; es un mecánico muy __.

10. Le gusta __ a personas mayores y trabajar con ellas. Es muy paciente.

Diálogo 🎧

¿Qué es tu hermana?

Rosa: Ayer vi a tu hermana Eva en el parque. ¿Qué es ella?

Víctor: Es entrenadora de un equipo de fútbol femenino. Es una entrenadora excelente.

Rosa: No sabía que el fútbol femenino era tan popular. ¿Y hay que ser muy atlética para jugar al fútbol?

Víctor: Sí, y también muy activa. ¿Quieres hablar con Eva? Ella te puede dar clases.

Rosa: Sí, ¿cuándo la puedo ver?

Víctor: Si quieres, vamos ahora.

(Más tarde)

Víctor: Hola, Eva. Rosa dice que quiere jugar al fútbol.

Eva: ¡Chévere! Nos entrenamos todos los días en el parque. ¿Cuándo puedes comenzar?

Rosa: ¡Ahora mismo!

3 ¿Qué recuerda Ud.? 🎧

1. ¿Qué es la hermana de Víctor?
2. ¿Cómo hay que ser para jugar al fútbol?
3. ¿Qué le sugiere Víctor a Rosa?
4. ¿Dónde se entrenan las chicas?
5. ¿Cuándo puede comenzar Rosa?

4 Algo personal 🎧

1. ¿Se entrena Ud. en algún deporte? ¿Cuál?
2. ¿Tiene algún trabajo después de la escuela o los fines de semana? Si es así, ¿qué hace?
3. ¿Tiene algún pasatiempo? ¿Cuál?
4. ¿Qué adjetivos asocia Ud. con un/a beisbolista? ¿Y con una mecánico/a?
5. Según su opinión, ¿cuál es el mejor trabajo para una estudiante?

5 ¿Qué oficios tienen? 🎧

Escuche lo que hacen las siguientes personas y escriba el oficio o profesión que asocia con esa persona.

1. Marisa
2. Ernesto
3. Raúl
4. Marta
5. Silvia
6. Andrés

Gramática

Usos de *qué* y *cuál/cuáles*

- *Qué* and *cuál* are interrogative words. Both of them can be translated as "what" in English, but in Spanish they have different uses.

- Use *qué* before a verb to ask for a definition or an explanation.

¿Qué es la amistad?	**What** is friendship?
¿Qué quieres decir?	**What** do you mean?
¿Qué es eso?	**What** is that?

- Use *qué* before a noun to ask for specific information.

¿Qué día es hoy?	**What** day is today?
¿Qué deportes practicas?	**What** sports do you play?

- *Cuál* and *cuáles* can also mean "which" or "which one/ones." Use *cuál/cuáles* before a form of *ser* when choosing between two, or among several, options.

¿Cuál es tu deporte favorito?	**What** is your favorite sport (among all the sports)?
¿Cuál es la capital de Colombia?	**What** is the capital of Colombia?
¿Cuáles de los estudiantes son de Caracas?	**Which** of the students are from Caracas?

---

6 ¿Qué o cuál(es)?

1. ¿ __ es la capital de Venezuela?
2. ¿ __ clases tienes los lunes?
3. ¿ __ son tus deportes favoritos?
4. ¿ __ profesión tiene tu padre?
5. ¿ __ de esos dos chicos es el novio de tu hermana, el rubio o el moreno?
6. ¿ __ es tu dirección?
7. ¿ __ haces para divertirte?
8. ¿ __ día comienzan las clases?

Estrategia

Review and recycle

Otras palabras interrogativas:

¿adónde?	(to) where?	**¿dónde?**	where?
¿cómo?	how?	**¿para qué?**	what for?
¿cuándo?	when?	**¿por qué?**	why?
¿cuánto/a?	how much?	**¿quién/quiénes?**	who?
¿cuántos/as?	how many?	**¿a quién/a quiénes?**	to whom?
¿de dónde?	from where?		

---

7 ¡Imagínese!

Imagine que Ud. tiene un trabajo después del colegio, dos días a la semana, y otro trabajo un día del fin de semana. Conteste las preguntas según esa situación.

1. ¿Qué trabajo hace en los días de semana?
2. ¿Qué días de la semana tiene ese trabajo?
3. ¿Cuántas horas trabaja cada día?
4. ¿Cuánto le pagan por hora?
5. ¿Qué día del fin de semana trabaja?
6. ¿Para quién trabaja?
7. ¿Qué hace en ese trabajo?
8. ¿En cuál de los dos trabajos le pagan mejor?

¡Comunicación!

8 ¿Qué sabe de Venezuela? Interpersonal Communication **Conéctese: la geografía**

Estudie el mapa y los datos siguientes sobre Venezuela. Luego, túrnese con su compañero/a para hacer preguntas y contestarlas. Usen **qué**, **cuál**, **cuáles** y otras palabras interrogativas según corresponda.

MODELO
A: ¿Cuál es la capital de Venezuela?

B: ...

Capital:
Caracas

Límites: **Norte:** Mar Caribe y Océano Atlántico
Sur: Brasil
Este: Guyana
Oeste: Colombia

Río más importante:
el Orinoco

Moneda oficial:
el bolívar

Flor nacional:
la orquídea

Ave nacional:
el turpial

Datos generales sobre la República Bolivariana de
VENEZUELA

¡Comunicación!

9 Naturaventura Interpersonal/Presentational Communication

Hoy es el día de entrevistas para los trabajos en Naturaventura, un campamento de verano. Sus compañeros/as de clase y Ud. piensan asistir a las entrevistas. En parejas escriban el diálogo entre el entrevistador y el entrevistado y, luego, represéntenlo frente a la clase. Hagan preguntas con **qué**, **cuál**, **cuáles** y otras palabras interrogativas y usen la solicitud de empleo como guía.

Campamento de verano
Solicitud de empleo

Datos Personales
Nombre: Dirección:
Ciudad: Teléfono:
E-mail:

Educación
Institución:

Experiencia
Empresa:

Referencias
Familiar:

Personal:

MODELO
A: ¿Cuál es su nombre?

B: Me llamo Adriana Agudelo

A: ¿Qué experiencia tiene?

B: ...

¡Comunicación!

10 ¡Adivine quién soy! Interpersonal Communication

Trabaje con su compañero/a. Piensen en el nombre de una persona famosa y, luego, túrnense para hacerse preguntas y adivinar el nombre de esa persona. Háganse un mínimo de seis preguntas, usando **qué**, **cuál**, **cuáles** y otras palabras interrogativas, según corresponda.

MODELO
A: ¿Qué hace la persona para ganarse la vida?

B: Trabaja en el teatro.

Gramática

El verbo *ser* para describir ocupaciones o profesiones

- To describe a person's occupation, use the verb *ser* without the indefinite article (*un*, *una*).

Mi hermano **es** músico.	My brother **is** a musician.
Tú **eres** futbolista, ¿no?	You **are** a soccer player, right?
La Sra. Torres **es** artista.	Mrs. Torres **is** an artist.

- However, if an adjective is used to describe someone's profession or occupation, you must use the indefinite article (*un*, *una*). Compare the examples that follow with the ones above.

Mi hermano **es un** músico *excelente*.	My brother **is an** **excellent** musician.
Tú **eres un** futbolista *muy conocido*, ¿no?	You **are a well-known** soccer player, right?
La Sra. Torres **es una** artista *ecuatoriana*.	Mrs. Torres **is an** **Ecuadorian** artist.

Un poco más

Familias de palabras: adjetivos que terminan en *-oso/a*

Muchos adjetivos se forman agregando la terminación *-oso* u *-osa* al sustantivo. Recuerde que antes de agregar la terminación debe quitar la última vocal. Observe estos ejemplos:

Sustantivo	Adjetivo
la fama (*fame*)	famoso/a
el orgullo (*pride*)	orgulloso/a
el estudio (*study*)	estudioso/a

11 Les presento a mi familia

Juan Esteban, un estudiante colombiano, está mostrándoles fotos de su familia a sus nuevos amigos. Complete su descripción con la forma apropiada del verbo **ser** y el artículo indefinido, si corresponde.

Mi familia **(1)** bastante grande. Aquí en esta foto vemos a mi papá. Él **(2)** pianista. Tiene su propia banda y **(3)** músico bastante conocido.

En esta foto están Julia y Beatriz. Ellas **(4)** mis primas. Julia **(5)** programadora. Todos dicen que **(6)** programadora muy talentosa. Beatriz **(7)** escritora muy famosa. Escribe cuentos para niños. Este es mi hermano Tomás. Él **(8)** estudiante. Yo creo que **(9)** estudiante bastante vago, pero no todos lo creen. Papá dice que no está motivado porque sus profesores no **(10)** estrictos. ¡Qué familia!

Mi papá toca el piano.

Mis primas Julia y Beatriz

12 ¿Qué son?

Con su compañero/a, identifique la ocupación de cada persona en las fotos y describa cómo es esa persona.

MODELO   A: Marisa es niñera, ¿verdad?
          B: Sí, es una niñera excelente.

Marisa / excelente

1. Roberto / muy curioso

2. Eva y Raquel / bastante conocida

3. Gabriela / hábil

4. Rubén / muy talentoso

5. Sra. Vélez / bastante estricta

6. Ana / muy simpática

¡Comunicación!

13 Talento y profesión   Interpersonal Communication

Intercambie ideas con su compañero/a sobre las cualidades o talentos necesarios para practicar una profesión. Sigan el modelo como guía.

MODELO   A: ¿Qué cualidades debe tener una persona para ser profesor?
          B: Debe ser una persona paciente. ¿Y para ser repartidor?

¡Comunicación!

14 ¿Sabes quién es?   Interpersonal Communication

Trabajen en parejas. Piensen en una persona famosa para cada una de las siguientes profesiones. Luego, túrnense para preguntar quién es y cómo es cada persona. Sigan el modelo como guía.

MODELO   A: ¿Sabes quién es Fernando Botero?   **1.** escritor/a   **3.** deportista
          B: Sí, es un pintor muy talentoso.   **2.** cantante   **4.** actor/actriz

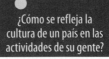
? Pregunta clave

¿Cómo se refleja la
cultura de un país en las
actividades de su gente?

Un país donde el béisbol es rey

Miguel Cabrera de los Tigres de Detroit

Venezuela es un país que ama[1] los deportes. Además de algunos deportes tradicionales como las bolas criollas[2] o los toros coleados[3], los deportes más populares son el béisbol, el básquetbol, el fútbol, el boxeo y el rugby, entre otros.

Tal vez por su cercanía con el Caribe y los Estados Unidos, el béisbol se ha convertido en el deporte que tiene más fanáticos y genera más emoción entre los venezolanos. Para el país es muy importante seguir la carrera de los deportistas que se destacan[4] en el exterior, especialmente los beisbolistas que juegan en las Ligas Mayores, como Pablo Sandoval y Miguel Cabrera, quienes tienen un gran número de seguidores. Por supuesto, también son fanáticos de las ligas locales, profesionales y las ligas menores.

A los venezolanos también les gusta el básquetbol, y el fútbol ha adquirido mucha importancia, pues el equipo nacional está logrando cada vez mejores resultados en las competencias internacionales. Para poder enviar más jugadores a las grandes ligas, Venezuela tiene una importante liga profesional, además de ligas menores y equipos de todos los niveles, en todo el país.

[1] loves, is passionate about   [2] boccie (lawn bowling)   [3] traditional sport similar to a rodeo   [4] stand out

🔍 **Búsqueda:** deporte en venezuela, barrio adentro deportivo

Pablo Sandoval de los Gigantes de San Francisco

Productos

El programa Barrio Adentro Deportivo es una iniciativa del gobierno venezolano que les ofrece a todos los ciudadanos la oportunidad de hacer deporte y actividad física. Este programa ha contribuido a mejorar la salud de los venezolanos en general, y en particular de personas mayores y de personas con limitaciones físicas. También ha contribuido a mejorar la preparación de los deportistas venezolanos para competencias deportivas nacionales e internacionales.

Perspectivas

¿Qué valor venezolano se refleja en el programa Barrio Adentro Deportivo?

---

15 Comprensión   Interpretive Communication

1. ¿Cuál es el nombre de un deporte venezolano tradicional?

2. ¿Qué beisbolistas venezolanos juegan en las Ligas Mayores?

3. ¿Por qué ha aumentado la popularidad del fútbol entre los venezolanos?

16 Analice

1. En su opinión, ¿cómo se explica la popularidad del béisbol en Venezuela y el éxito de sus jugadores en las grandes ligas?

2. ¿Por qué es importante para los venezolanos seguir la carrera profesional de sus deportistas en el exterior?

Venezuela y la televisión

Concurso de belleza en Venezuela

La televisión es el medio de comunicación que llega a más hogares en Venezuela. Y los programas de televisión preferidos de los venezolanos son los de deportes, los concursos de belleza y las telenovelas.

Las telenovelas han sido programas de televisión muy populares en Venezuela desde los años 50, cuando llegaron al país. Inicialmente, eran adaptaciones de obras literarias famosas y, poco a poco, se empezaron a escribir guiones[1] originales para la televisión. Estos guiones incluyen episodios cargados de todo el drama que uno se pueda imaginar: amor, pasión, lealtad[2] y traición[3]. Por suerte, se transmiten diariamente; nadie quiere perderse ningún detalle[4] de la telenovela del momento. Y no duran para toda la vida como las *soap operas* estadounidenses; tienen un final, y enseguida empieza otra.

Los concursos de belleza son otro tipo de programa muy popular en Venezuela. Venezuela es reconocida mundialmente por ser un país de mujeres muy bellas, ya que las venezolanas están siempre en los primeros lugares de los concursos de belleza. Existen escuelas famosas dedicadas a la preparación de las jóvenes candidatas y los concursos son tomados con mucha seriedad. Los venezolanos aman y siguen con pasión a sus "*misses*" antes y después de su participación en los concursos. Muchas de ellas se convierten en actrices famosas y muchas otras se vuelven personas de éxito en otras profesiones. Algunas hasta han llegado a ser candidatas presidenciales.

[1] scripts, screenplays   [2] loyalty   [3] betrayal   [4] detail

Búsqueda: telenovelas venezolanas, reinados de belleza en venezuela

Comparaciones

¿En qué se parecen y se diferencian las telenovelas latinoamericanas y las *soap operas* estadounidenses?

Productos

Coraima Torres de la telenovela Kassandra

Gracias a las telenovelas venezolanas, los escritores y actores venezolanos han conquistado los corazones de fanáticos alrededor del mundo. Por ejemplo, la telenovela *Kassandra* fue traducida a muchas lenguas y exportada a países tan lejanos y de culturas tan diferentes como Japón y Bosnia. En pocos lugares del mundo se desconoce esta telenovela y en muchos países del mundo se sabe un poco más sobre la cultura de Venezuela y de América Latina, gracias a las historias que cuentan las telenovelas venezolanas.

17 Comprensión   Interpretive Communication

1. ¿Qué programas de televisión tienen más popularidad en Venezuela?
2. ¿Qué temas son más frecuentes en las telenovelas?
3. ¿Por qué son tan populares en Venezuela los concursos de belleza?

18 Analice

1. ¿Cómo cree que contribuye un programa de televisión como una telenovela a comunicar la cultura de un país?
2. ¿Por qué los temas de las telenovelas le interesan a gente de tan diferentes culturas?

Vocabulario 2

¿Vamos hoy al cine? ¡Te invito! 🎧

Actividades   Zona del estudiante   Zona del profesor   Recursos   Calendario escolar

Hola, ¿qué tal?

Hazte miembro y participa

Para tener éxito

¡Conoce a tus nuevos compañeros!

¿Buscas trabajo?

Para divertirte

📖 Colegio Simón Bolívar

¿**Buscas** qué hacer los **viernes** por la noche?

🎞 *Ven y diviértete mirando lo mejor del cine*

🎞 *Presentado por el club de artes visuales*

¡No te pierdas ninguna **película**!

Saga **de ciencia ficción** que ha encantado a las audiencias del mundo entero por su historia y sus **efectos especiales**.

Con Clark Gable y Vivien Leigh, es una de las películas **románticas** más famosas de todos los tiempos.

Esta es una película **de terror** difícil de olvidar. ¡Nunca podrás volver a apagar la luz!

Este famoso musical, basado en la novela del francés Gaston Leroux, tiene uno de **los** mejores **guiones** para el cine.

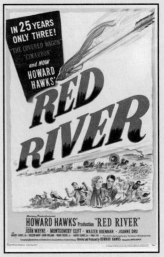

Con **la actuación** de John Wayne, quien hizo historia actuando en películas **de vaqueros** del oeste americano.

Me encantan los dibujos animados. Los personajes que **actúan** en las películas de Disney son mis favoritos.

Me encantan las series **policiacas** en la tele. Tienen de todo: aventura, romance, **drama** y acción.

Para conversar

*T*o talk about movies you dislike:

> **Para serte sincero, no me caen muy bien** las películas extranjeras. Nunca sé **de qué se tratan**.
> *To be honest, I don't like foreign films that much. I never know what they are about.*

> A mí tampoco. Si no tienen **subtítulos**, no las **entiendo**; y cuando están **dobladas**, **¡no las aguanto!**
> *I don't like them either. When they don't have subtitles, I don't understand them; and when they are dubbed, I can't stand them!*

*T*o talk about TV shows you like:

> ¿Qué programas de televisión te gustan más?
> *What TV shows do you like the most?*

> Me gustan **los documentales** y me encantan las películas **cómicas** y **de aventuras**.
> *I like documentaries and I love comedies and adventure movies.*

Para decir más

las comedias	comedies
las noticias	news
los programas de casos de la vida real	reality shows
los programas de detectives	detective shows
el reparto	cast
las series de misterio	mystery series
el trama	plot

19 ¿Cuáles se relacionan?

Elija la palabra de la segunda columna que se relacione mejor con cada palabra de la primera columna.

1. futuro
2. documental
3. extranjera
4. romántica
5. de aventuras
6. ¿Te caen bien?

A. No las aguanto.
B. ciencia ficción
C. programa informativo
D. subtítulos
E. policiacas/acción
F. amor

20 Mis películas favoritas

Haga una lista de cinco tipos de películas y nombre la película que más le guste. Puede incluir películas extranjeras, dobladas o con subtítulos. Luego, compare su lista con las de sus compañeros.

21 ¿Qué película o programa es? 🎧

Seleccione la foto que corresponde con lo que oye.

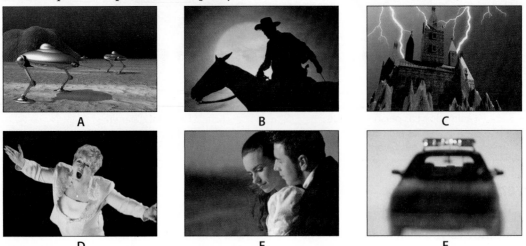

A   B   C

D   E   F

22 ¿Qué es? 🎧

Escuche las definiciones. Escoja la letra de la palabra o frase que asocia con cada definición.

1. **A.** dibujo animado
   B. musical
   C. drama

2. **A.** romántica
   B. drama
   C. cómica

3. **A.** subtítulos
   B. guiones
   C. escenas románticas

4. **A** documentales
   B. dramas
   C. dibujos animados

5. **A.** vaqueros
   B. ciencia ficción
   C. documentales

¡Comunicación!

23 ¿Estamos de acuerdo? 👥 Interpersonal Communication

Es viernes y Ud. y sus dos mejores amigos/as acaban de salir del colegio. Les gustaría ir al cine, pero aún no han decidido qué película van a ver. Haga una lista de condiciones importantes — por ejemplo: le gustan o no las películas de acción; qué tipo de película no quiere ver por nada; la hora en que puede encontrarse con sus amigos; cuánto dinero puede gastar. Después, en grupo y con la lista de condiciones en mano, túrnense para hacerse preguntas hasta llegar a un acuerdo.

Me gustan las películas de vaqueros.

MODELO
>A: ¿Quieren ir a ver la nueva...?
>
>B: ¡Absolutamente no! A mí no me gustan....
>
>C: Bueno, bueno; lo más importante es la hora. ¿A qué hora vamos a ir...?

Diálogo

¡Me fascina este programa!

Rosa: Me fascina este programa de dibujos animados.

Víctor: Sí, además el guión es excelente.

Rosa: También me gustan las películas del Canal 20. ¿Y a ti?

Víctor: A mí también, especialmente las policiacas.

Rosa: Me encanta la ciencia ficción.
Para serte sincera, me encantaría aprender a hacer efectos especiales.

Víctor: Pues aquí en el periódico hay un anuncio de una escuela de cine en Caracas. Fíjate, hay clases muy interesantes: de actuación, de efectos especiales...

Rosa: ¡Quiero ir ahora mismo!

Víctor: ¿Invito a Juan?

Rosa: ¡No, no lo aguanto! No entiende nada de cine.

Víctor: Entonces vamos solos.

24 ¿Qué recuerda Ud.?

1. ¿Qué programa le fascina a Rosa?
2. Según Víctor, ¿qué es excelente?
3. ¿Qué películas mira Víctor?
4. ¿Qué le encanta a Rosa? ¿Qué quiere aprender?
5. ¿Qué clases ofrecen en la escuela de cine de Caracas?
6. ¿Qué opina Rosa de Juan?

Me encantan las películas de ciencia ficción.

25 Algo personal

1. ¿Qué tipo de películas le gustan a Ud.?
2. ¿Qué programas de televisión prefiere?
3. ¿Cuál es su película favorita? ¿Y su programa favorito?
4. ¿De qué se trata su película favorita? ¿Y su programa favorito?
5. ¿Prefiere las películas extranjeras con subtítulos o dobladas? ¿Por qué?

Para hablar de gustos y preferencias: El verbo *gustar*

You are already familiar with the forms and use of the verb *gustar* (to like).

Note: The verb *gustar* really means "to please" or "to be pleasing," which is why the sentences use indirect object pronouns rather than subjects or subject pronouns. Two forms of the verb *gustar* are usually used in the present tense: *gusta* and *gustan*.

gustar			
me **gusta**/n	*I like*	nos **gusta**/n	*we like*
te **gusta**/n	*you (informal) like*	os **gusta**/n	*you (plural) like*
le **gusta**/n	*you (formal) / he / she likes*	les **gusta**/n	*you (plural) / they like*

- Use *gusta* to refer to a singular noun and one or more infinitives.

  ¿Te gusta esa actriz? Do you **like** that actress?

  Nos gusta actuar y cantar. We **like** to act and sing.

- Use *gustan* before a plural noun.

  Paula, ¿te gustan los documentales? Paula, do you **like** documentaries?

A mí me gustan mucho las películas románticas. ¿Qué películas te gustan a ti?

- Use *a* plus a name, pronoun, or noun to clarify to whom you are referring or to add emphasis.

  ***A Daniel le** gusta escribir guiones.* **Daniel** likes to write scripts.

  ***A mí me** gustan las películas de aventuras, pero **a mis amigos les** gustan las películas musicales.* **I** like action movies, but **my friends** like musicals.

- Remember that pronouns that follow the preposition *a* are identical to the personal pronouns (*él, ella, Ud., Uds., ellos, ellas*), with the exception of *mí* and *ti*.

  ***A él** le gustan las películas dobladas, pero **a mí** no.* **He** likes dubbed films, but **I** don't.
  ***A ti** te gustan las comedias, ¿verdad?* **You** like comedies, right?

A ellos les fascinan las películas dobladas.

26 Gustos

Diga qué les gusta a las siguientes personas según las actividades que hacen. Use el verbo **gustar** y las palabras del recuadro.

| los deportes | el circo | la geografía | los libros | la playa | las lenguas extranjeras |

MODELO   **Voy al cine o alquilo videos todos los días, es decir** (*in other words*)**, me gustan las películas.**

1. Él habla alemán, francés y español, es decir,...

2. Siempre juegas al fútbol, al tenis y al básquetbol, es decir,...

3. Ellos se divierten con los acróbatas y payasos, es decir,...

4. Cuando vamos a la biblioteca leemos novelas, cuentos, poesía, es decir,...

5. Mi hermano se pasa todo el día estudiando ríos y montañas, es decir,...

6. Mis actividades favoritas son nadar y surfear, es decir,...

¡Comunicación!

27 ¿Por qué te gusta?   Interpersonal Communication

Trabajen en parejas. Escriban una lista de cinco lugares y una actividad que relacionen con cada lugar. Luego, intercambien (*exchange*) su lista con su compañero/a y túrnense para preguntar y responder por qué les gusta cada actividad. Sigan el modelo como guía.

MODELO   A: ¿Por qué te gusta la playa?
   B: Porque me gusta nadar. Me gustan el mar y el sol.

Nos gusta la playa.

¡Comunicación!

28 Lo más popular del colegio   Interpersonal/Presentational Communication

Hágale una encuesta a cuatro compañeros de clase para saber cuáles son sus gustos favoritos en cada categoría. Luego, escriba un breve resumen de los resultados. Siga el modelo.

Nombre	actividad favorita en clase de español	clase favorita	tipo favorito de película	comida favorita	tipo favorito de música
Juan	conversar	matemáticas	ciencia ficción	pollo	rock
Chantal					

MODELO   **A cinco compañeros de clase les gustan más las matemáticas.**

Gramática

Para expresar opiniones: Otros verbos como *gustar*

Several verbs follow the pattern of *gustar* and are also used with indirect object pronouns. The most common are: *encantar* (to like very much, to love), *fascinar* (to be fascinated), *importar* (to mind), *interesar* (to be interested), *molestar* (to matter, to bother), and *parecer* (to seem).

*Me **encanta** el cine español.*	I **love** Spanish cinema.
*A mis hermanas les **fascinan** las comedias románticas.*	My sisters are **fascinated** by romantic comedies.
*A mí no me **interesan**.*	They don't **interest** me.
*¿Te **importa** si cambio de canal?*	Do you **mind** if I change the channel?
*A papá le **molesta** cuando haces tanto ruido.*	It **bothers** Dad when you make so much noise.
*Los dibujos animados me **parecen** tontos.*	Cartoons **seem** silly to me.

Un poco más

"Entre gustos no hay disgustos."

Hay un dicho sobre gustos: "Entre gustos y colores no han escrito los doctores." Lo que es hermoso para una persona, puede ser feo para otra. Lo que es delicioso para alguien, puede ser desagradable para otro. También se dice que "en la variedad está el gusto", es decir, que hay de todo para todo el mundo o, también, que es preferible probar de todo a tener gustos limitados.

En fin… puede haber tantos gustos como opiniones.

---

29 | Películas extranjeras

Complete el diálogo entre César y Nena usando la forma correcta de los verbos entre paréntesis y el pronombre de complemento indirecto que corresponda.

César: ¿Te gustan las películas francesas?

Nena: Sí, (**1.** *encantar*), pero para serte sincera, a veces no entiendo de qué se tratan.

César: Pero, ¿no lees los subtítulos?

Nena: Sí, pero (**2.** *molestar*) leer y ver la película al mismo tiempo. A mi hermano Nacho, sin embargo, (**3.** *fascinar*) los subtítulos porque dice que lo ayudan a aprender francés.

César: Yo estoy de acuerdo con Nacho. No (**4.** *importar*) si no puedo entender todas las palabras. A mí lo que más (**5.** *fascinar*) son la actuación y los efectos especiales.

Me encantan los efectos especiales.

Nena: ¡Ah, a Uds., los chicos, siempre (**6.** *fascinar*) los famosos efectos especiales!

César: (**7.** *molestar*) que digas eso, Nena. Los efectos especiales son una parte esencial del cine moderno.

Nena: Pues a mí no (**8.** *interesar*). No los aguanto, ¡ni en francés!

30 Anuncios por internet

El Club Digital Jóvenes Caribeños puso los siguientes anuncios personales en internet. Lea los anuncios y diga qué tipo de actividades cree que les gustan a las personas que contestan cada anuncio.

MODELO   Patricia contesta el anuncio de los Caraqueños Musicales.
A Patricia le encanta la música y quiere pertenecer a una banda.

1. Yo contesto el anuncio del Club Sherlock Holmes.

2. Pepe y Marta contestan el anuncio de Cuidemos Nuestro Ambiente.

3. Tú contestas el anuncio del Joven Artista.

4. Mariví contesta el anuncio de Amigas del Cine Romántico.

Página web +

www.anunciospersonales.com

Anuncios Personales

Club Sherlock Holmes

Buscamos nuevos miembros para nuestro club de misterio. Si te fascinan los libros, películas y programas del famoso detective Sherlock Holmes, escríbenos al Club Sherlock Holmes. ¡Te esperamos!

Caraqueños Musicales

Dicen que nuestra pequeña banda de rock les fascina a todos los jóvenes caraqueños. Ahora que somos "casi" conocidos, necesitamos más músicos para nuestra banda. Si te interesa, por favor escríbenos al e-mail de arriba.

Joven Artista

Me encanta pintar y dibujar. Me fascina la obra del pintor colombiano Fernando Botero. Busco jóvenes artistas que quieran compartir mi estudio. Es grande y tiene mucha luz. Respondan, escribiendo al e-mail de arriba.

Cuidemos Nuestro Ambiente

Soy un chico de 15 años y me importa mucho la naturaleza. Busco jóvenes para caminar por el parque y observar los animales que viven allí. ¿Te interesa? Entonces, escríbeme al e-mail de arriba.

Amigas del Cine Romántico

Somos un grupo de chicas entre 14 y 17 años. Nos fascinan las películas románticas. Nos encontramos en el Cine Regio todos los sábados por la tarde. Si te interesa venir con nosotras, contáctanos al e-mail del Club Digital.

¡Comunicación!

31 ¿Qué opinan?   Interpersonal/Presentational Communication

Hágales preguntas a tres compañeros para saber qué les gusta y qué les disgusta (*dislike*). Use los verbos del recuadro y el modelo como guía. Tome apuntes para poder presentar los resultados a la clase.

fascinar	interesar	molestar	importar	encantar	parecer tonto

MODELO   A: ¿Cuáles son los programas que más te gustan?
          B: Me fascinan las series de detectives.

Todo en contexto

? Pregunta clave

¿Cómo se refleja la cultura de un país en las actividades de su gente?

¡Comunicación!

32 | **Guía de programación** | Interpretive Communication

Lea la guía de programación para una noche de televisión en Venezuela y conteste las preguntas que siguen.

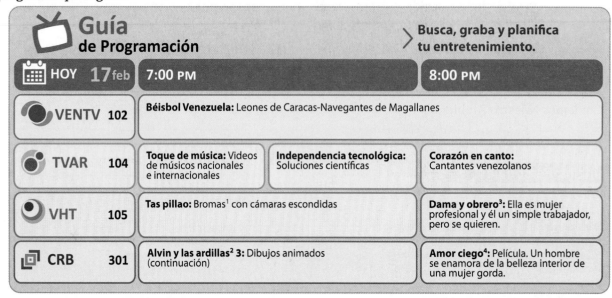

Guía de Programación

Busca, graba y planifica tu entretenimiento.

HOY 17 feb	7:00 PM		8:00 PM
VENTV 102	**Béisbol Venezuela:** Leones de Caracas-Navegantes de Magallanes		
TVAR 104	**Toque de música:** Videos de músicos nacionales e internacionales	**Independencia tecnológica:** Soluciones científicas	**Corazón en canto:** Cantantes venezolanos
VHT 105	**Tas pillao:** Bromas[1] con cámaras escondidas		**Dama y obrero[3]:** Ella es mujer profesional y él un simple trabajador, pero se quieren.
CRB 301	**Alvin y las ardillas[2] 3:** Dibujos animados (continuación)		**Amor ciego[4]:** Película. Un hombre se enamora de la belleza interior de una mujer gorda.

[1] practical jokes   [2] chipmunks   [3] *Labor of Love* (literally, Lady and Worker)

[4] *Shallow Hal* (translated as *Blind Love* for Spanish-speaking audiences)

1. ¿En qué canal presentan películas?
2. ¿Hay alguna telenovela en la programación?
3. ¿Qué programas son apropiados para niños?
4. ¿Qué canal puede ver si le gustan los deportes? ¿Y si le gusta la música?
5. ¿Qué aspectos de la cultura venezolana se reflejan en esta programación?
6. Basándose en la guía, ¿qué clase de programas les gusta ver a los venezolanos?

¡Comunicación!

33 | **¿Qué quieren ver?** | Interpersonal Communication

Imagine que Ud. y su hermano/a están leyendo la guía de televisión, pero no pueden ponerse de acuerdo sobre qué programa o película mirar. Represente la conversación con un compañero/a. Túrnense para sugerir programas y dar razones para no mirarlos. Después de tomar varios turnos, opten por (*opt to, decide on*) ir al cine y digan qué película van a ver y por qué. Usen la guía de televisión de la actividad anterior para generar ideas.

MODELO

A: ¿Por qué no vemos *Dama y obrero*?

B: ¿*Dama y obrero*? Sabes que me caen mal las telenovelas. No las aguanto.

Lectura literaria

La idea que da vueltas
de *Gabriel García Márquez*

Gabriel García Márquez, ganador del Premio Nobel de Literatura

Sobre el autor

Gabriel García Márquez nació en Aracataca, un pueblito del caribe colombiano, en el año 1928 y falleció el 17 de abril de 2014 en la Ciudad de México. García Márquez se considera uno de los escritores más famosos de la literatura hispana contemporánea, autor de *Cien años de soledad* y ganador del Premio Nobel de Literatura en 1982.

García Márquez escribía con un estilo muy propio, conocido como realismo mágico, el cual se caracteriza por combinar los sucesos extraordinarios con los sucesos de la vida diaria, la fantasía con la realidad. Él mismo decía que muchas de las historias que hay en sus libros se las contaron sus abuelos. En los últimos años, había dividido su tiempo entre Colombia y México, donde vivía desde 1975, aunque también se la había pasado viajando como invitado a eventos conferencias y homenajes[1] alrededor del mundo.

[1] homage, tribute

Antes de leer

¿Alguna vez se ha despertado con una idea que por más que quiera no puede sacarse de la cabeza? Es lo que le pasó a la protagonista del cuento que va a leer, a continuación.

Estrategia

Context clues

Using context clues to understand new words means that you can guess the meaning of words you don't know in a reading based on the ones you know and understand.

34 Practique la estrategia

Mire las siguientes palabras. Cuando lea *"La idea que da vueltas"*, búsquelas en el texto y cópielas. Una vez que haya terminado de leer, vuelva a la gráfica y escriba el significado que cree que tiene cada palabra de acuerdo con lo que acaba de leer. Luego, búsquelas en el diccionario y escriba su significado.

Palabra	Creo que significa	Significado del diccionario
presentimiento		
grave		
expandiendo		
desmantelar		

La idea que da vueltas
de *Gabriel García Márquez*

Les voy a contar, por ejemplo, la idea que me está dando vueltas en la cabeza hace ya varios años y sospecho que la tengo ya bastante redonda. Imagínense un pueblo muy pequeño donde hay una señora vieja que tiene dos hijos: uno de 17 y una hija menor de 14.

Está sirviéndoles el desayuno a sus hijos y se le advierte[1] una expresión muy preocupada. Los hijos le preguntan qué le pasa y ella responde: "No sé, he amanecido[2] con el presentimiento que algo grave va a suceder en este pueblo". Ellos se reían de ella, dicen que esos son presentimientos de vieja, cosas que pasan.

El hijo se va a jugar billar y en el momento en que va a tirar una carambola[3] sencillísima, el adversario le dice: "Te apuesto un peso a que no la haces".

Todos se ríen. Él se ríe, tira la carambola y no la hace. Pagó un peso y le preguntan: "Pero qué pasó si era una carambola muy sencilla". Dice: "Es cierto, pero me ha quedado la preocupación de una cosa que dijo mi mamá esta mañana sobre algo grave que va a suceder en este pueblo".

Todos se ríen de él y el que se ha ganado un peso regresa a su casa, donde está su mamá. Con su peso, feliz, dice: "Le gané este peso a Dámaso en la forma más sencilla, porque es un tonto". "¿Y por qué es un tonto?". Dice: "Hombre, porque no pudo hacer una carambola sencillísima estorbado[4] por la preocupación de que su mamá amaneció hoy con la idea de que algo muy grave va a suceder en este pueblo". Entonces le dice la mamá: "No te burles[5] de los presentimientos de los viejos, porque a veces salen".

[1] they notice (on her)   [2] woken up   [3] cannon, carom (billiards term)   [4] bothered, hindered
[5] make fun

Comprensión

1. ¿Qué pasa con la señora que le está sirviendo el desayuno a sus hijos?

2. ¿Por qué se ríen sus hijos de ella?

3. ¿Qué le pasó al hijo que fue a jugar al billar?

Analice

4. ¿En qué se diferencia lo que piensan los hijos acerca del presentimiento de su madre de lo que piensa la mamá del joven que ganó el peso en el billar?

Una pariente lo oye y va a comprar carne. Ella le dice al carnicero: "Véndame una libra de carne". En el momento en que está cortando agrega: "Mejor véndame dos, porque andan diciendo que algo grave va a pasar y lo mejor es estar preparado". El carnicero despacha[1] la carne y cuando llega otra señora a comprar una libra de carne le dice: "Lleve dos porque hasta aquí llega la gente diciendo que algo muy grave va a pasar y se está preparando, y andan comprando cosas". Entonces la vieja responde: "Tengo varios hijos, mejor deme cuatro libras". Se lleva las cuatro libras y, para no hacer largo el cuento, diré que el carnicero en media hora agota[2] la carne, mata otra vaca, se vende todo y se va expandiendo el rumor.

Llega el momento en que todo el mundo en el pueblo está esperando que pase algo, se paralizan las actividades y, de pronto, a las dos de la tarde hace calor como siempre. Alguien dice: "¿Se han dado cuenta del calor que está haciendo?". "¡Pero si en este pueblo siempre ha hecho calor!". Tanto que es un pueblo donde todos los músicos tenían instrumentos remendados[3] con brea[4] y tocaban siempre a la sombra porque si tocaban al sol, se les caían a pedazos.

"Sin embargo —dice uno—, nunca a esta hora ha hecho tanto calor". "Pero si a las dos de la tarde es cuando más calor hay". "Sí, pero no tanto calor como ahora".

Al pueblo desierto, a la plaza desierta baja de pronto un pajarito y se corre la voz: "Hay un pajarito en la plaza". Y viene todo el mundo espantado[5] a ver el pajarito. "Pero, señores, siempre han andado pajaritos que bajan". "Sí, pero nunca a esta hora".

[1] serves   [2] runs out of   [3] mended   [4] tar   [5] terrified, frightened

Comprensión

5. ¿Por qué la pariente que va a comprar la carne compra dos libras en lugar de una?

6. ¿Qué aconseja el carnicero a la siguiente señora que va por una libra de carne?

7. ¿Por qué decide la señora llevarse cuatro libras de carne?

Analice

8. ¿Qué tiene que ver el calor que hace a las dos de la tarde con los músicos y la ansiedad (*anxiety*) de la gente?

Comprensión

9. ¿Qué hace que toda la gente vuelva a la plaza desierta?

10. ¿Qué hace el hombre que dice ser muy "macho"?

Analice

11. ¿Se cumplió el presentimiento de la señora finalmente? ¿Qué cree que habría pasado si ella no les hubiera dicho (*hadn't said*) nada a sus hijos?

Llega un momento de tal tensión para todos los habitantes del pueblo, que todos están desesperados por irse y no tienen el valor de hacerlo. "Yo sí soy muy macho —grita uno—. Yo me voy". Agarra sus muebles, sus hijos, sus animales, los mete en una carreta y atraviesa la calle central donde está el pobre pueblo viéndolo. Hasta el momento en que dice: "Si éste se atreve[1] a irse, pues nosotros también nos vamos".

Y empiezan a desmantelar, literalmente, al pueblo. Se llevan las cosas, los animales, todo. Y uno de los últimos que abandona el pueblo dice: "Que no venga la desgracia a caer sobre todo lo que queda en nuestra casa", y entonces incendia la casa y otros incendian otras casas. Huyen[2] en un tremendo y verdadero pánico, como en éxodo[3] de guerra, y, en medio de ellos, va la señora que tuvo el presagio[4] exclamando: "Yo lo dije que algo grave iba a pasar, y... me dijeron que estaba loca".

[1]dares   [2]They flee   [3]exodus   [4]omen

Después de leer

Los escritores algunas veces exageran lo que cuentan para hacer que sus relatos sean más emocionantes. Esa es una característica más del realismo mágico. Vuelva a la lectura y busque cinco frases que muestren situaciones exageradas. ¿Qué quiso destacar el autor en cada una de ellas?

Repaso de la Lección B

A Escuchar: ¿A qué se dedican? 🎧 (pp. 26–27)

Elija la letra que corresponde a la descripción de cada profesión u ocupación que oye.

A. repartidor   **D.** ciclista

B. entrenador   **E.** niñera

C. músico

B Vocabulario: ¿Qué tipo de película es? (pp. 36–37)

Elija la letra de la palabra que corresponda a la descripción de cada tipo de película.

1. Las películas __ tienen actores y actrices que cantan y bailan durante toda la película.
2. Las películas __ tienen subtítulos y a veces están dobladas.
3. Las películas __ son aventuras de detectives con mucho drama y acción.
4. Las películas __ tratan de aventuras en el viejo oeste americano.
5. Las películas __ tratan de aventuras en el futuro y tienen muchos efectos especiales.

A. musicales

B. de vaqueros

C. policiacas

D. de ciencia ficción

E. de otros países

C Gramática: ¿Qué, cuál o cuáles? (p. 30)

Complete las preguntas con **qué**, **cuál** o **cuáles**, según corresponda.

1. ¿__ quieres hacer esta noche?
2. ¿__ es tu número de teléfono?
3. ¿__ profesión tiene tu papá?
4. ¿__ clases tienes esta tarde?
5. ¿__ es tu clase favorita?
6. ¿__ son tus pasatiempos favoritos?

D Gramática: Entre gustos no hay disgustos (pp. 40, 42)

Complete el siguiente párrafo con la forma del verbo en paréntesis y los pronombres de complemento indirecto que correspondan, según el contexto.

En casa, a todos nosotros **(1)** **(2)** (*encantar*) mirar televisión, pero **(3)** **(4)** (*gustar*) diferentes tipos de películas. Nunca estamos de acuerdo. A mi papá **(5)** **(6)** (*encantar*) los documentales. Dice que debemos verlos, pero a mi mamá no **(7)** **(8)** (*interesar*). A ella y a mí **(9)** **(10)** (*fascinar*) las telenovelas. A mi hermano, en cambio, **(11)** **(12)** (*molestar*) muchísimo. Las historias de amor **(13)** **(14)** (*parecer*) tontas a todos. Las únicas películas que **(15)** **(16)** (*gustar*) ver a todos son las películas de ciencia ficción. **(17)** **(18)** (*fascinar*) las aventuras y los efectos especiales.

Conteste las siguientes preguntas sobre la sección de cultura de Venezuela.

1. ¿Cuáles son los nombres de dos beisbolistas venezolanos famosos en el exterior?
2. ¿Qué otros deportes, además del béisbol, son populares entre los venezolanos?
3. ¿En qué consiste el programa Barrio Adentro Deportivo?
4. ¿Por qué son importantes los concursos de belleza para las jóvenes venezolanas?
5. ¿Cuáles son los temas comunes en las telenovelas venezolanas y las del mundo hispano en general?

Vocabulario

Actividades	Oficios/ Deportistas	Tipos de películas/ programas	Adjetivos	Expresar opiniones
atender	el atleta,	de aventuras	activo/a	Me cae bien/mal
dar clases (de)...	la atleta	de ciencia ficción	atlético/a	No lo/la aguanto
entrenarse	el beisbolista,	cómica	curioso/a	Para serte sincero/a
investigar	la beisbolista	doblada	hábil	
montar en bicicleta	el ciclista	el documental	sociable	
pasear	la ciclista	el drama		
reparar	el entrenador,	policiaca		
repartir	la entrenadora	romántica		
trabajar de	el instructor,	de terror		
	la instructora	de vaqueros		

Para hablar del cine y del teatro

la actuación
los efectos especiales
el guión,
    pl. los guiones
los subtítulos

Otras palabras y expresiones

actuar
con respecto a
¿De qué se trata?
entender (ie)
el oficio
por ahora
la práctica

el músico,
    la música
el niñero,
    la niñera
el repartidor,
    la repartidora

Gramática

¿Qué es? vs. ¿Cuál es?

Use *¿qué es?* para obtener una definición o información sobre una profesión o nacionalidad.

Use *¿cuál es?* para elegir entre varias posibilidades.

Verbos como *gustar*

Los siguientes verbos se usan como el verbo **gustar**, con pronombres de complemento indirecto (*indirect object pronouns*): **encantar, fascinar, interesar, importar, molestar** y **parecer**.

*Las películas de ciencia ficción no me **interesan** para nada.*

*¿Te **encantan** los libros románticos?*

*A mi hermana le **molesta** su hermanito.*

Para concluir

? Pregunta clave

¿Cómo se refleja la cultura de un país en las actividades de su gente?

Proyectos

A ¡Manos a la obra!

Las actividades de los jóvenes colombianos y venezolanos reflejan sus valores culturales. Para alguien que no pertenece a esas culturas, puede ser difícil integrarse. Trabajando en grupos pequeños, creen una guía de actividades para un grupo de estudiantes de intercambio que va a pasar un semestre en Colombia o Venezuela. Pueden incluir información sobre los colegios, los lugares históricos que se pueden visitar y las actividades culturales y de recreación que se pueden realizar en el país. Usen recursos de la internet e incluyan ayudas visuales en su guía. Presenten su guía a la clase.

Estrategia

Making a list

Sometimes it is helpful to make a list before writing to help you organize your ideas:

- *lugares históricos*
- *actividades culturales*
- *actividades recreativas*
- *actividades deportivas*

COLOMBIA
IS MAGICAL REALISM

DO YOU WANT TO VISIT A PLACE BROUGHT TO LIFE BY THE COLORS OF THE SEA?

THE ANSWER IS **CO**

Archipelago of San Andres, Providencia and Santa Catalina.

B En resumen

Explique qué actividades se relacionan con los siguientes temas y cómo estas reflejan la cultura de Colombia o de Venezuela.

Tema	Actividades	Cultura colombiana	Cultura venezolana
la Ciclovía	montar en bicicleta	refleja la pasión de los colombianos por el ciclismo y la creencia de que hacer ejercicio es importante	
la campaña publicitaria "Colombia, realismo mágico"			
Parque Nacional Natural Tayrona			
La Fiesta Nacional del Café			
El programa "Siga, esta es su casa"			
Expoartesanías			
las telenovelas			
los reinados de belleza			
el programa Barrio Adentro Deportivo			

C ¡A escribir!

Imagine que conoció a un nuevo/a amigo/a en un programa de e-pal del colegio. Escríbale y cuéntele cómo es Ud. Cuéntele de su colegio, su horario de clases, sus profesores y sus compañeros. Mencione las actividades y los deportes que hace y los programas de televisión y películas que le gustan o no le gustan. Para terminar su e-mail, incluya varias preguntas para conocer mejor a su nuevo amigo/a.

Para escribir más

¿Cómo te va en...?	How do you do in...?
¿Cómo te parecen tus...?	What do you think of...?
¿Qué haces para...?	What do you do to...?

D Colombia es la respuesta 👥 Conéctese: la geografía

Colombia ofrece una gran variedad de actividades al turista. Trabaje con un(a) compañero/a para investigar los siguientes temas en internet y crear una presentación sobre Colombia. Incluyan un mapa y un sistema de íconos para indicar las actividades que se pueden realizar en el país y, luego, hagan la presentación frente a su clase.

- las zonas geográficas
- los fenómenos naturales más importantes
- las ciudades más importantes
- las actividades principales de aventura que se practican en cada lugar investigado

E Las telenovelas Conéctese: la sociología y los medios de comunicación

¿Sabía que Colombia también produce telenovelas famosas? *Yo soy Betty, la fea*, una de las telenovelas de mayor éxito de la televisión, fue adaptada y presentada en 17 países, incluso los Estados Unidos con el nombre de *Ugly Betty*. Busque información en línea sobre dos telenovelas populares, una de Colombia y otra de Venezuela y compárelas usando un diagrama de Venn, como se ve a continuación. Incluya el nombre de la telenovela y algo de información sobre sus personajes, temas y la razón de su popularidad. Para concluir, presente un resumen de la información a la clase.

Ana María Orozco, "Betty, la fea"

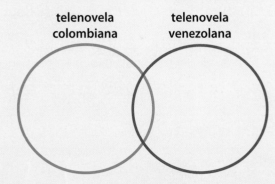

telenovela colombiana   telenovela venezolana

Vocabulario de la Unidad 1

A mí me tocan… I get… *1A*
activo/a active *1B*
la **actuación** performance *1B*
actuar to act *1B*
aparecer (zc) to appear, to turn up *1A*
atender (ie) (a la gente) to take care (of people) *1B*
el **atleta, la atleta** athlete *1B*
atlético/a athletic *1B*
la **aventura** action (film) *1B*
el **beisbolista, la beisbolista** baseball player *1B*
¡Chévere! Great! *1A*
el **ciclista, la ciclista** cyclist *1B*
la **ciencia ficción** science fiction *1B*
colaborar to collaborate *1A*
cómico/a comedy (film) *1B*
con respecto a regarding *1B*
el **consejo estudiantil** student council *1A*
convencer (z) to convince *1A*
el **coro** choir *1A*
curioso/a curious *1B*
dar clases (de)… to give… classes *1B*
darse prisa to hurry *1A*
¿De qué se trata? What is it about? *1B*
dedicar to devote (time) *1A*
depender de to depend on *1A*
desaparecer (zc) to disappear *1A*
doblado/a dubbed *1B*
el **documental** documentary *1B*
el **drama** drama *1B*
los **efectos especiales** special effects *1B*
el **ensayo** rehearsal *1A*
enseguida right away, immediately *1A*
entender (ie) to understand *1B*
el **entrenador, la entrenadora** trainer, coach *1B*
entrenarse to train *1B*

establecer (zc) to establish *1A*
estricto/a strict *1A*
estudioso/a studious *1A*
fijarse to notice *1A*
el **guión, pl. los guiones** script/scripts *1B*
hábil skillful *1B*
hacerse miembro to become a member *1A*
harto/a (de) tired of *1A*
Igualmente. Me, too. *1A*
el **instructor, la instructora** instructor *1B*
investigar to investigate *1B*
Me cae bien/mal. I like/don't like (someone or something). *1B*
merecer (zc) to deserve *1A*
montar en bicicleta to ride a bicycle *1B*
motivado/a motivated *1A*
el **músico, la música** musician *1B*

el **niñero, la niñera** baby sitter *1B*
¡No es justo! It's not fair! *1A*
¡No hay quien lo/la aguante! Nobody can stand him/her! *1A*
No lo/la aguanto. I can't stand him/her/it. *1B*

la **nota** note, grade *1A*
obedecer (zc) to obey *1A*
el **oficio** trade, job *1B*
organizado/a organized *1A*
orgulloso/a proud *1A*
la **orquesta** orchestra *1A*
Para serte sincero/a… To be honest… *1B*
parecerse (zc) to resemble, to look like *1A*
Pasándola. Getting by. *1A*
pasear to walk, to take a walk *1B*
pertenecer (zc) to belong *1A*
policiaca detective (film) *1B*
por ahora for now *1B*
la **práctica** experience *1B*
prestar atención to pay attention *1A*
rápido quickly *1A*
reconocer (zc) to recognize *1A*
reparar to repair *1B*
el **repartidor, la repartidora** delivery person *1B*
repartir to deliver *1B*
responsable responsible *1A*
romántico/a romantic *1B*
Se me hace tarde. It's getting late. *1A*
sociable sociable, friendly *1B*
los **subtítulos** subtitles *1B*
tal vez maybe *1A*
talentoso/a talented, gifted *1A*
tener confianza (en sí/ti mismo) to have self confidence *1A*
el **terror** horror (film) *1B*
trabajador/a hard working *1A*
trabajar de… to work as *1B*
vago/a lazy, idle *1A*
los **vaqueros** western, cowboy film *1B*

¿Sabía que...?

La población hispana de Estados Unidos se ha convertido en la minoría de mayor crecimiento del país en la actualidad. Este crecimiento se atribuye, por primera vez, al número de hispanos nacidos en Estados Unidos y no a la cantidad de emigrantes de otros países. Hoy en día hay más de once millones de familias hispanas en Estados Unidos.

2

En casa y en familia

Escanee el código QR para mirar el documental sobre los personajes de *El cuarto misterioso*.

¿Por qué se fue Marco a estudiar a España en lugar de quedarse en México?

Pregunta clave

?

¿Cómo se ve la presencia hispana en Estados Unidos?

Mis metas

Lección A   I will be able to:

▶ describe family relationships

▶ use affirmative and negative expressions correctly

▶ talk about the Hispanic presence in the United States

▶ talk about activities in a house and household items

▶ use object pronouns to talk about household items

▶ use the present progressive to talk about what I and others are doing

▶ use the **se impersonal** in general statements and signs

▶ discuss an exhibit honoring Hispanic artists in the United States

Lección B   I will be able to:

▶ talk about my family's morning routine

▶ use reflexive verbs to describe routines, emotions, and reciprocal actions

▶ talk about the Hispanic presence in New York and California

▶ describe my bedroom

▶ use informal commands to tell someone what to do

▶ use expressions of place to indicate where things are

▶ read and discuss a short story by Sandra Cisneros

¿Cuál es la importancia de este lugar en la historia de Estados Unidos?

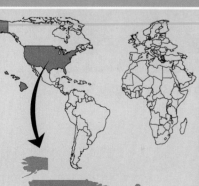

Estados Unidos

Vocabulario 1

¿Cómo es tu familia? 🎧

Don Alberto

Don Alberto es **el suegro** de Felipe.

Doña Elena

Doña Elena es **la suegra** de Rosario.

Rosario

Rosario es **la nuera** de don Alberto.

Enrique

Enrique está **casado** con Rosario.

Isabel

Isabel es **la cuñada** de Rosario.

Felipe

Felipe es **el yerno** de doña Elena.

Nora

Nora tiene el pelo negro y **lacio**.

Dora

A diferencia de Nora, Dora tiene el pelo **castaño rizado**.

Alberto y Arturo

Alberto y Arturo son **gemelos**.

Para conversar 🎧

*T*o talk about friends and family members:

¿Quién es el señor de **barba** y **bigote**?
Who is the guy with a beard and a mustache?

Es Jairo Henao, **el padrino** de los gemelos.
That is Jairo Henao, the twins' godfather.

¿Y la señora de **lentes** es su esposa?
And the woman with glasses is his wife?

No, ella es **la madrina** de los gemelos. Jairo es **viudo**.
No, she is the twins' godmother. Jairo is a widower.

¿Y tu primo Javier? ¿Ya está casado?
And your cousin Javier? Is he married yet?

¡Claro que no! Todavía está **soltero**.
Of course not! He is still single.

¿Y tú? ¿Por qué no apareces en las fotos?
And you? Why don't you appear in the photos?

Yo soy la fotógrafa de la familia. Siempre **saco las fotos**.
I am the family photographer. I always take the photos.

Soy la fotógrafa de la familia.

Para decir más

el/la ahijado/a	*godson/goddaughter*
el/la hermanastro/a	*stepbrother/stepsister*
la madrastra	*stepmother*
el padrastro	*stepfather*
el medio hermano	*half brother*
la media hermana	*half sister*
los parientes políticos	*in-laws*
estar divorciado/a	*to be divorced*

Un poco más

Los padrinos

En la cultura hispana se considera a los padrinos como miembros de la familia. Ellos son las personas que se responsabilizan de cuidar a un niño o a una niña en caso de que sus padres no puedan hacerlo. Ser padrino o madrina es un honor otorgado (*granted*) por los padres y una responsabilidad que las personas toman muy en serio. Ellos tratan de mantener una relación muy cercana con sus ahijados a través de toda su vida.

1 ¿Quién es quién?

Complete las oraciones con la palabra del recuadro que corresponda según el contexto.
Use la presentación de vocabulario **¿Cómo es tu familia?** y **Para conversar** como guía.

casados	padrinos	solteras	nuera
suegros	cuñadas	parientes	gemelos

1. Don Alberto y doña Elena son los __ de Felipe y Rosario; Rosario es su __.
2. Felipe y Rosario son __ políticos de la familia.
3. Enrique y Rosario están __.
4. Isabel y Rosario son __.
5. Dora y Nora son __; no están casadas.
6. Los __ son amigos queridos de la familia.
7. Alberto y Arturo se parecen mucho; son __.

2 ¿Cómo son estas personas? 🎧

Indique la letra de la foto que corresponde con cada oración que oye.

A

B

C

D

E

F

3 ¡Me encantan mis parientes políticos!

Complete el siguiente párrafo con la palabra del recuadro que corresponda, según el contexto.

suegro	yernos	suegra
viuda	nuera	cuñadas

Me encanta mi familia política. La mamá de mi esposo Arturo es una gran persona.
Ella es **(1)**; su esposo murió hace mucho tiempo. Ella me quiere mucho y dice que yo soy
su **(2)** preferida. En realidad soy la única. Sus tres hijas son solteras, así es que no tiene **(3)**.
Yo no tengo un **(4)**, pero tengo una **(5)** que me encanta y tres **(6)** que me caen muy bien.

🗨 ¡Comunicación!

4 Presentaciones 👥 Interpersonal Communication

Imaginen que hoy hay una fiesta en su casa para conocer a los parientes políticos de
su hermano que acaba de casarse. En grupos de tres, representen las presentaciones y
túrnense para hacer los diferentes papeles. Sigan el modelo como guía.

MODELO   A: **Papá, te presento a mi suegra, la señora Elisa del Valle.**

B: **Mucho gusto, señora del Valle. ¡Bienvenida!**

C: **El gusto es mío. Estoy encantada de estar aquí.**

Diálogo

¿Conoces a algún chico guapo?

Natalia: No sé qué ponerme para la fiesta de mi cuñada.

Romina: ¿Por qué no te pones algún vestido?

Natalia: No tengo ninguno. Creo que me voy a poner unos pantalones y una camisa.

Romina: Buena idea.

(Más tarde)

Natalia: ¿Quiénes van a la fiesta? ¿Conoces a algún chico guapo?

Romina: Sí, conozco a varios chicos guapísimos. A mí me cae bien uno que se llama Mario. Tiene el pelo castaño rizado y usa lentes. Creo que a ti te va a caer bien Julio. ¿Lo conoces?

Natalia: ¡Claro! Es el hijo de mi padrino, pero tiene un amigo que me encanta. ¿Conoces a Fabián?

Romina: Sí, él va a la fiesta.

Natalia: ¡Qué bien!

5 ¿Qué recuerda Ud.?

1. ¿Qué le pasa a Natalia?
2. ¿Por qué Natalia no se pone algún vestido?
3. ¿Conoce Romina a algún chico guapo?
4. ¿Cómo es Mario?
5. ¿Quién es Julio?
6. ¿Cómo se llama el chico que le encanta a Natalia?

6 Algo personal

1. ¿Le gusta a Ud. ir a fiestas con sus amigos?
2. ¿Conoce a algún chico o a alguna chica guapa? ¿Cómo es él o ella?
3. ¿Cómo es su familia? ¿Tiene muchos parientes?
4. ¿Se reúne Ud. con toda su familia? ¿Cuándo?
5. ¿Quién es su pariente favorito? Descríbalo.

7 Los parientes

Escuche las siguientes oraciones y escoja la letra de la respuesta correcta.

1. **A.** la abuela
   B. la cuñada
   C. la suegra

2. **A.** el cuñado
   B. el yerno
   C. el padrino

3. **A.** el suegro
   B. el nieto
   C. el yerno

4. **A.** la suegra
   B. la sobrina
   C. la nuera

5. **A.** el tío
   B. el suegro
   C. el cuñado

Expresiones afirmativas y negativas

Here is a review of common affirmative words and their negative counterparts.

algo (*something*)	**nada** (*nothing*)
¿Quieres comer **algo**?	No, gracias, no quiero comer **nada**.
alguien (*someone, anyone*)	**nadie** (*no one, nobody*)
¿Hay **alguien** en la sala?	No, no hay **nadie**.
algún (*some, any*)	**ninguno** (*none, not any*)
¿Conoces a **algún** chico guapo?	No, no conozco a **ninguno**.
siempre (*always*)	**nunca** (*never*)
¿**Siempre** se va Julio temprano?	No, **nunca** se va temprano.
también (*also, too*)	**tampoco** (*neither, either*)
¿**También** viene tu suegra?	No, y **tampoco** viene mi cuñada.
todavía (*still*)	**ya no** (*not anymore, no longer*)
¿**Todavía** vives en Lima, Montana?	No, **ya no**. Ahora vivo en Palo Alto, California.
ya (*already, yet*)	**todavía** (*not yet*)
¿**Ya** empezaste las clases de guitarra?	No, **todavía** no.

8 ¡Feliz cumpleaños!

Un grupo de amigos en Miami conversa en una fiesta de cumpleaños. Escoja la palabra negativa apropiada para completar los siguientes mini-diálogos.

1. **A:** ¿Quieres chocolate con el helado?
   B: No, y __ quiero helado. (*todavía / tampoco*)

2. **A:** ¿Saben algo de rock sinfónico tus amigos?
   B: No, no saben __. (*ninguna / nada*)

3. **A:** ¿Todavía vives en la Pequeña Habana?
   B: No, __. Ahora vivo en Coral Gables. (*todavía no / ya no*)

4. **A:** ¿Ya conoces a alguien en tu barrio?
   B: No, todavía no conozco a __. (*nada / nadie*)

5. **A:** ¿Tienes algún MP3 de jazz latino?
   B: No, no tengo __. (*ninguno / ningún*)

6. **A:** Siempre veo documentales históricos. ¿Y tú?
   B: No, casi __ los veo. Prefiero leer novelas sobre historia. (*tampoco / nunca*)

7. **A:** ¿Ya terminaste de leer el último libro de Isabel Allende?
   B: No, __ no. (*ya / todavía*)

Una fiesta de cumpleaños

Gramática

Más sobre expresiones afirmativas y negativas

Negative expressions often precede the verb. However, when they follow the verb, you must use *no* before the verb.

Nadie sabe sobre eso.
No lo sabe nadie.

No one knows about it.

Él nunca baila salsa.
Él no baila salsa nunca.

He **never** dances salsa.

- *Alguno* and *ninguno* are shortened to *algún* and *ningún* when they precede a masculine singular noun.

¿Tienes algún pariente venezolano?
No, no tengo ningún pariente venezolano.

Do you have **any** Venezuelan relatives?
No, I don't have **any** Venezuelan relatives.

- When *alguno* and *ninguno* precede a feminine or plural noun, they must agree in number and gender.

¿Sabes algunas recetas italianas?
No, no sé ninguna (receta italiana).

Do you know **any** Italian recipes?
No, I don't know **any** (Italian recipes).

- *Ni…ni* has the meaning of **neither… nor**.

Ni mi tía ni mi tío comen arepas en el desayuno.

Neither my aunt **nor** my uncle eats arepas at breakfast.

- *Unos/as* (a few) and *algunos/as* (some) are synonyms.

En Boca Ratón viven unos parientes míos y algunos buenos amigos también.

A few relatives of mine as well as **some** good friends live in Boca Ratón.

- Use *unos/as* and *cuantos/as* to indicate a few. Note that *cuantos/as* has no written accent.

Quiero invitar al cumpleaños a unos cuantos compañeros de clase.

I want to invite **a few** classmates to the birthday party.

9   ¿Cuál corresponde?

Elija la respuesta de la columna II que corresponde a cada pregunta de la columna I.

I	II
1. ¿Hay algún estudiante ausente hoy?	A. No, nadie sabe.
2. ¿Sabe si alguien habla español en esta tienda?	B. No, no fui a ninguna.
3. ¿Fuiste a alguna de las clases de salsa?	C. No, ninguno.
4. ¿Has viajado fuera del país alguna vez?	D. Sí, hay unas cuantas personas.
5. ¿Alguien sabe a qué hora es la reunión?	E. No, nunca.

10 Una encuesta

Ayude a Verónica, una chica que vive en Miami, a completar esta encuesta con la palabra del paréntesis que corresponda según el contexto.

1. **A:** ¿Le gusta estudiar con (*algún / ningún*) amigo?
   B: Sí, tengo (*unos / unas*) amigos con quienes me gusta estudiar.

2. **A:** ¿Comparte su cuarto con (*alguien / nadie*)?
   B: No, no lo comparto con (*alguno / nadie*).

3. **A:** ¿Tiene en su cuarto (*algún / ningún*) televisor?
   B: No, no tengo (*ninguno / algún*).

4. **A:** ¿No hay (*ni / ningún*) televisor en su casa?
   B: Sí, pero (*nadie / nunca*) lo tiene en su cuarto.

5. **A:** ¿Escucha (*siempre / nunca*) música mientras estudia?
   B: No, (*ninguna / nunca*) escucho música mientras estudio.

Estudio con algunos amigos.

6. **A:** ¿Le gustan (*algunas / algún*) canciones en particular?
   B: Sí, me gustan (*unas cuantas / ningunas*) canciones.

7. **A:** ¿Qué tipo de películas tiene grabadas?
   B: Tengo (*algunas / alguna*) películas de ciencia ficción en español. También tengo (*algún / unas cuantas*) de misterio.

8. **A:** ¿Le gustan las películas románticas o las comedias?
   B: No, no me gustan (*ninguna / ni*) las películas románticas (*ni / nunca*) las comedias.

9. **A:** ¿Le gustan (*también / tampoco*) las telenovelas?
   B: No, (*también / tampoco*) me gustan las telenovelas.

10. **A:** ¿Conoce a (*algunos / algún*) actor o actriz de cine?
    B: No, no conozco a (*ningún / ninguno*).

11 Dime la verdad 👥 🎧

Con su compañero/a, sigan el modelo para crear oraciones negativas. Las respuestas deben empezar siempre con **no**.

> **MODELO** **A:** Dime si tienes **algún pariente cubano.**
>
> **B:** **No, no tengo ningún pariente cubano.**

Dime si...

1. siempre estás de buen humor.
2. ya tienes coche.
3. tu papá o tu tío tienen barba.
4. todavía duermes con un oso de peluche.
5. tienes cuñados.
6. conoces a alguien famoso.
7. también te gusta bailar.

¡Comunicación!

12 Nosotros y nuestras familias 👥 Interpersonal Communication

Trabaje con su compañero/a. Túrnense para hacerse estas preguntas y responderlas.

1. ¿Qué actividades hacen juntos en su familia? ¿Qué días?

2. ¿Qué actividades no comparten? ¿Por qué?

3. ¿Ya no vive en casa alguno(a) de sus hermanos(as)?

4. ¿Tiene algún hermano casado o alguna hermana casada?

5. ¿Ya tiene Ud. sobrinos?

6. ¿Es viudo alguno(a) de sus abuelos(as)?

7. ¿Hablan alguna otra lengua en su casa, además de español e inglés? Si es así, ¿cuál?

8. ¿Hacen algunas celebraciones con la familia extendida? Si es así, ¿cuáles son?

Una celebración familiar

¡Comunicación!

13 Vamos a la Pequeña Habana 👥 Interpersonal Communication

Imagine que Ud. y su compañero/a están de visita en la Pequeña Habana, en Miami. Lean el siguiente anuncio sobre este barrio y, luego, intercambien información sobre los lugares que quieren visitar. Usen algunas de las expresiones afirmativas y negativas de la lección y sigan el modelo como guía.

MODELO
A: ¿Alguna vez has ido al Paseo de las Estrellas?
B: No, nunca he ido.

Parque Máximo Gómez—Club del Dominó: entre la Ave. 15 y 16. Se juega dominó, cartas y ajedrez. Abierto diariamente de 9 AM a 6 PM

Paseo de la Fama de la Calle Ocho: en la Ave. 16. Destaca a varios artistas hispanos como Gloria Estefan, Thalía, María Conchita Alonso, Raphael y Julio Iglesias.

Restaurante Versailles: 3555 SW 8 St. El preferido de la comunidad cubana. Abierto diariamente de 8 AM a 2 PM

La Pequeña **Habana** ★ *Corazón latino de Miami* ★

Cuba Ocho: 1475 SW 8th St #106. Un lugar perfecto para tomarse un auténtico café cubano, muy fuerte y dulce. Es un sitio de encuentro artístico y literario.
Abierto de 11:00 AM a 1:00 AM de lunes a viernes, y los sábados de 11:00 AM a 3:00 AM. Cerrado los domingos.

Viernes culturales: para disfrutar de música y obras de arte al aire libre, galerías, centros culturales y auténtica comida cubana. Tienen lugar el último viernes de cada mes, de 6:30 PM a 11:00 PM

Cultura ^{PRE}AP

? Pregunta clave

¿Cómo se ve la presencia hispana en Estados Unidos?

Un sueño en común 🎧

Estados Unidos sigue siendo el país de las oportunidades, tanto para los hispanos de nacimiento[1], como para los miles de inmigrantes que llegan al país continuamente, por distintos medios y con diferentes motivos, pero casi siempre con un sueño en común: asegurar un futuro mejor para ellos y para sus familias.

El Parque Histórico de las Misiones de San Antonio, TX, es testimonio de la presencia hispana en territorio estadounidense por más de cuatro siglos.

Hoy más que nunca los hispanos pueden sentirse orgullosos de su origen, su lengua, su participación y su contribución a la cultura del país. En la actualidad[2], Estados Unidos es el segundo país del mundo con más hispanohablantes. Cuenta con una población de casi 50 millones de hispanos, que sigue creciendo en números y en influencia, y que poco a poco está cambiando el presente y el rumbo[3] futuro del país.

La presencia hispana en Estados Unidos ya no solo se ve representada en nombres de ciudades como Los Ángeles o San Francisco, o en edificaciones históricas como el Parque Nacional Histórico de las Misiones de San Antonio en Texas o La Misión de Santa Bárbara en California. También se ve representada en nombres de personas distinguidas como Sonia Sotomayor, Juez Asociada de la Corte Suprema de Justicia, la primera mujer latina en ocupar tan alta posición; la Dra. Ellen Ochoa, la primera mujer astronauta de la NASA; o la célebre escritora Isabel Allende; en deportistas de fama mundial como los beisbolistas Alex Rodríguez y Johan Santana; y en actores y actrices como Javier Bardem y Cameron Díaz, considerada como la hispana de mayores ventas de taquilla[4] en la historia de Hollywood.

[1] birth   [2] currently   [3] path   [4] box office

🔍 **Búsqueda:** herencia hispana de estados unidos, hispanos en estados unidos

Prácticas   🎧   Conéctese: los estudios sociales

La presencia hispana también se nota en la observación de días festivos como el Día de la Raza, el cual se celebra en todo el mundo hispano el 12 de octubre en conmemoración de la llegada de Cristóbal Colón a las Américas. En Estados Unidos, se conoce como el Día de la Hispanidad y se celebra con desfiles que atraen a multitudes.

Desfile por la Quinta Avenida de New York, en celebración del Día de la Hispanidad

14 Comprensión   Interpretive Communication

1. ¿Qué tienen en común los hispanos nacidos en Estados Unidos y los inmigrantes hispanos que llegan continuamente al país?

2. ¿Cómo contribuyen los hispanos a la cultura de Estados Unidos? Explique con ejemplos.

3. ¿Qué se conmemora en el Día de la Raza, y cuándo y cómo se celebra?

15 Analice

1. ¿Por qué puede decirse que la población hispana está cambiando el presente y el rumbo futuro del país? Explique su respuesta.

2. ¿Por qué son importantes las misiones españolas en la historia de Estados Unidos?

La Florida: Para muchos, un segundo hogar

Festival de la Calle 8, Miami, Florida

¿Conoce Ud. la Florida? ¿Sabía que San Agustín, la ciudad más antigua de lo que hoy se conoce como Estados Unidos, fue fundada por los españoles en 1565? ¡Esto sucedió 42 años antes del establecimiento de la colonia de Jamestown!

A través del tiempo, la Florida ha acogido[1] a muchas comunidades de hispanos, entre ellas, la comunidad cubana, formada originalmente por oleadas[2] de personas que, huyendo del régimen político de su país, encontraron en la Florida un segundo hogar. Fue así como surgió[3] la Pequeña Habana en Miami, un lugar donde pudieron empezar de nuevo al tiempo que mantenían intactas sus costumbres. La Calle 8 de la Pequeña Habana es el lugar donde hoy en día se realizan muchos eventos culturales, como el Carnaval de Miami y el Festival de la Calle 8.

Con una población de cerca de medio millón de hispanos, la Florida se ha vuelto un imán[4] de atracción para celebridades especialmente en el campo de la música y el entretenimiento[5]. Muchos ídolos latinos de la canción residen allí permanentemente o por temporadas, como es el caso de Gloria Estefan (una de las primeras cantantes en hacer el famoso "*cross over*"), Enrique Iglesias, Marc Anthony, Jennifer López, Paulina Rubio, Shakira y Ricky Martin.

[1] welcomed   [2] waves   [3] emerged   [4] magnet   [5] entertainment

Búsqueda: san agustín, la pequeña habana

Productos   Conéctese: la música

La Academia Latina de Artes y Ciencias de la Grabación estableció la entrega del premio Grammy Latino para reconocer la excelencia artística y técnica de la música grabada en español. La primera entrega anual del Grammy Latino se realizó en el año 2000 en Los Ángeles y fue transmitida (*broadcasted*) por la cadena CBS. Este fue el primer programa en español transmitido por una cadena nacional en horario de mayor audiencia.

16 Comprensión   Interpretive Communication

1. ¿Cómo surgió la Pequeña Habana y qué tipo de actividades se realizan allí en la actualidad?
2. ¿Por qué se convirtió la Florida en un sitio de atracción para ídolos latinos de la canción?

Comparaciones

¿Hay un barrio hispano en tu ciudad o en la región dónde vives? ¿Qué aspectos de los barrios hispanos te interesan más?

17 Analice

1. ¿Por que tuvieron que establecerse los cubanos en la Florida de forma permanente?
2. ¿De qué manera es el Grammy Latino evidencia de que la presencia hispana en Estados Unidos ha cambiado con el tiempo?

Vocabulario 2

Actividades en nuestra casa 🎧

el martillo y los clavos

clavar

la madera

el destornillador y los tornillos

el detector de humo

el extinguidor de incendios

la calefacción

enchufar

las cajas

regar las plantas

la terraza

el pasillo

El basurero está lleno. Es necesario **vaciarlo**.

El fregadero no está **funcionando**.

Desarmé la lavadora para arreglarla.

Nosotros tenemos **un cortacésped** nuevo.

Para conversar 🎧

T*o* talk about what you and other people do:

Estoy **decorando** mi cuarto. ¿Te imaginas?
¡Ya tengo mi **propio** cuarto!
I am decorating my room. Can you imagine? I have my own room now!

¿Ya **conectaste** tu computadora a la internet?
Did you connect your computer to the Internet already?

Todavía no. No hay conexión en la casa. No pusieron una cuando la **construyeron**.
Not yet. There is no connection in the house. They didn't put one in when it was built.

Para decir más

botar la basura	to throw away the garbage
la caja de herramientas	tool box
los electrodomésticos	appliances
el servicio de cable	cable TV service

En otros países

el basurero	el cubo/el contenedor de basura (España)
	la caneca de basura (Colombia)
	el bote/el tarro de basura (México)
el cortacésped	la podadora de pasto (Colombia)

18 ¿Qué están haciendo estas personas? 🎧

Seleccione la foto que corresponde con lo que oye.

A

B

C

D

E

F

19 ¿Qué función cumple cada uno?

Complete las oraciones con las palabras que correspondan según el contexto.

enchufan	propio	martillo	construyen

1. La estufa y el horno se __ en esa pared.
2. María está usando el __ para clavar un clavo en el mueble que está construyendo.
3. Se __ casas ecológicas con calefacción y aire acondicionado solar.
4. Alejandro tiene su __ cuarto. Está feliz porque no tiene que compartirlo con nadie.

Diálogo 🎧

¿Qué estás haciendo?

Natalia: ¿Qué estás haciendo, Romina?

Romina: Estoy reparando la aspiradora.

Natalia: ¿Ya la desarmaste?

Romina: Sí. La conecté pero todavía no funciona.

Natalia: ¿Por qué no la llevas a reparar a algún lugar?

Romina: No conozco ninguno.

Natalia: En este anuncio dicen que se reparan aspiradoras.

Romina: ¿Y las reparan en casa?

Natalia: No.

(Más tarde)

Romina: Buenas tardes. Mi aspiradora no funciona.

Dependiente: La voy a tener que desarmar. ¿Para cuándo la necesita?

Romina: Lo más pronto posible. Mi madre siempre está usándola para limpiar la casa.

20 ¿Qué recuerda Ud.? 🎧

1. ¿Qué está haciendo Romina?
2. ¿Por qué no lleva Romina la aspiradora a algún lugar?
3. ¿Qué dice el anuncio?
4. ¿Se reparan aspiradoras en casa?
5. ¿Por qué Romina necesita la aspiradora lo más pronto posible?

21 Algo personal 🎧

1. ¿Cuántas habitaciones hay en su casa? Descríbalas.
2. ¿Qué hace Ud. cuando algo no funciona?
3. ¿Le gusta construir o reparar cosas? ¿Qué puede Ud. construir o reparar?
4. ¿Tiene su propia habitación?

22 ¿Para qué se usa? 🎧

Escoja la letra del objeto que se usa en cada situación.

A

B

C

D

E

Los pronombres de complemento directo e indirecto

- Pronouns often replace nouns to avoid unnecessary repetition. In the following example, there is no need to repeat the word *plantas* in the second sentence. The direct object pronoun *las* replaces it.

*Mi tía riega **las plantas** todos los días.*	My aunt waters **the plants** every day.
***Las** riega por la mañana.*	She waters **them** in the morning.

- Pronouns can refer to people or things; direct object pronouns (*me*, *te*, *lo*, *la*, *nos*, *os*, *los*, *las*) answer the questions "what?" or "whom?"

*¿Sabes dónde está **el destornillador**?*	Do you know where **the screwdriver** is?
***Lo** vi en la cocina.*	I saw **it** in the kitchen.

- Indirect object pronouns (*me*, *te*, *le*, *nos*, *os*, *les*) answer the questions "to whom?" or "for whom?"

*¿Qué **le** diste para su cumpleaños?*	What did you give (to) **him** for his birthday?
***Le** dimos un cortadora de césped.*	We gave **him** a lawn mower.

23 Quehaceres

Túrnese con su compañero/a para hacer y responder las siguientes preguntas. Usen los pronombres de complemento que correspondan y sigan el modelo como guía.

MODELO   A: ¿Haces los quehaceres todos los días?
               B: Sí, los hago. (No, no los hago.)

1. ¿Preparas el desayuno por la mañana?
2. ¿Pones la mesa todos los días?
3. ¿Te ayudan tus hermanos/as a vaciar el basurero?
4. ¿Les enseñan sus padres a reciclar?
5. ¿Recogen tú y tus hermanos las hojas en otoño y la nieve en invierno?
6. ¿Riegas las plantas del jardín?
7. ¿Cuidas a tu perro y a tu gato?

Todos los días, ayudamos a nuestros padres con los quehaceres, y también los ayudamos a reciclar.

Gramática

El presente progresivo

- When you talk about actions that are taking place as you speak, you can use the simple present tense or the present progressive. *El presente progresivo* is formed with the verb *estar* in the present tense plus the present participle (*el gerundio*) of the verb. The *gerundio* is often equivalent to the **-ing** ending of verbs in English.

  Estoy barriendo la terraza.   **I am sweeping** the terrace.

- The *gerundio* is formed by adding *-ando* to the stem of *-ar* verbs and *-iendo* to the stem of *-er* and *-ir* verbs. Verbs that have a stem change in the third person of the preterite tense keep the same change in the present participle.

  clavar → clavando poner → poniendo cumplir → cumpliendo

  dormir: durmió → durmiendo servir: sirvió → sirviendo

- Verbs that end in *-aer*, *-eer*, and *-uir* form the present participle with *-yendo*, as do the verbs *ir* and *oír*.

  caer → cayendo leer → leyendo construir → construyendo

- You may place object pronouns either before the conjugated verb or attach them to the present participle. Notice in the second example below that you must add an accent mark to keep the stress on the correct vowel.

  ¿La casa? **La estamos construyendo** *allá.*
  ¿La casa? **Estamos construyéndola** *allá.*   The house? **We are building it** over there.

- Verbs like *andar*, *continuar*, and *seguir* are also used to form the progressive tense.

  Los vecinos **siguen vaciando** *las cajas.*   The neighbors **continue/keep emptying** the boxes.

---

24   Nuestros nuevos vecinos

Imagine que Uds. tienen nuevos vecinos, y los están ayudando. Forme oraciones completas para decir qué está haciendo cada uno.

MODELO   yo / vaciar / el basurero
Yo estoy vaciando el basurero.

1. mis hermanitas / regar / las plantas
2. mi papá / construir / una casa de perro
3. mis primas / decorar / los cuartos
4. mi mamá / poner / cuadros en las paredes
5. mis primos / pintar / la cocina
6. mi hermano / conectar / internet
7. mi cuñado / barrer / el patio
8. mi abuela / vaciar / las cajas

25 ¡Nos está volviendo locos!

Imagine que su hermana ha pasado todo el día en la ventana observando a sus vecinos y anunciando lo que están haciendo a cada momento en voz alta y por mensaje de texto. Los está volviendo locos. (*She is driving you crazy.*) Complete los mensajes con el presente progresivo de los verbos entre paréntesis, como se ve en el modelo.

MODELO   Miren, los vecinos (*seguir / sacar*) cajas del camión.

Miren, los vecinos **siguen sacando** cajas del camión.

Mensajes 〉

Laura Sánchez   15:17

¿No quieren ver? El perro de los vecinos (**1.** *seguir / dormir*). ja… ja

La nuera (**2.** *estar / pedir*) permiso para decorar el jardín con unas plantas nuevas.

El yerno les (**3.** *estar / decir*) cómo funciona el cortacésped.

El cuñado (**4.** *andar / buscar*) el martillo.

Veo que la suegra les (**5.** *seguir / traer*) limonada.

Creo que van a (**6.** *seguir / trabajar*) todo el día.

26 ¿Necesitan más ayuda?

Ahora túrnese con su compañero/a para preguntarle a su vecino en qué pueden ayudar. Usen el presente progresivo y los pronombres para contestar las preguntas, como se ve en el modelo.

MODELO   vaciar las cajas / mi hijo

A: **Señor, ¿vacío las cajas?**

B: **No, gracias, mi hijo ya las está vaciando. / Mi hijo ya está vaciándolas.**

1. barrer la terraza / mi nieto
2. vaciar el basurero / mi esposo
3. revisar la calefacción / mi yerno

4. lavar las cortinas / mi nuera
5. colocar el extinguidor de incendios / yo
6. conectar las lámparas / nosotros

¡Comunicación!

27 Excusas o explicaciones   Interpersonal Communication

Imagine que Ud. y su compañero/a tienen una reunión del colegio esta noche, pero todos están enviando mensajes de texto para cancelar. Representen una conversación donde comentan las razones que los demás dieron para no asistir. Usen el presente progresivo.

MODELO   A: **¿Por qué no puede venir Sofía?**

B: **Sus padres están trabajando tarde y tiene que cuidar a su hermanito.**

¿Por qué no vienen ellos?

Gramática

El uso de *se* en expresiones impersonales

- To make a generalized statement in Spanish, use **se** and the third person form of the verb. This is equivalent to saying "one does," "they do," "you do," or "people do" in English.

En mi casa **se come** *muy bien.*	In my house **one eats** very well.
En esa tienda **se venden** *martillos.*	In that store **they sell** hammers.

Note: If the subject of the sentence (*martillos*) is plural, the verb must be plural as well, as seen in the second example.

- *Se* is also commonly used for signs and for giving warnings.

Se vende cortacésped.	Lawn mower **for sale**.
Aquí **se habla** *español.*	Spanish **is spoken** here.
No **se permite** *entrar sin zapatos.*	Entering without shoes **is not allowed**.

Se construyen casas nuevas.

Se arreglan computadoras.

28 ¿Qué se hace aquí?

Con su compañero/a, hablen de lo que se hace en cada lugar de una casa. Usen el **se** impersonal. Sigan el modelo.

> **MODELO** el comedor
>
> A: ¿Qué se hace en el comedor?
> B: Se desayuna, se almuerza y se cena.

1. el ático	**4.** el cuarto	**7.** la cocina
2. el sótano	**5.** la sala	**8.** la terraza
3. el garaje	**6.** el patio	**9.** el jardín

29 En una red social

Ud. trabaja en la sección de anuncios de una red social y ayuda a los clientes a escribir los anuncios. Use los elementos dados y el **se** impersonal para hacerlo. Escriba una oración original para terminar el anuncio.

MODELO   construir / paneles solares
Se construyen paneles solares. ¡Es importante conservar energía!

1. vender / guitarras eléctricas
2. limpiar / piscinas
3. reparar / teléfonos celulares
4. instalar / redes de internet
5. conectar / sistemas de audio
6. planear / fiestas infantiles

30 Se busca...

Con su compañero/a, lean estos anuncios de un sitio web y decidan cuál es la mejor opción para estas personas.

1. El Sr. y la Sra. Ramos buscan una casa. Tienen cuatro hijos y la suegra de la Sra. Ramos vive con ellos.
2. La señorita Pérez vive sola.
3. Juanita y Miguel tienen dos perros grandes.
4. Patricia y María son estudiantes.
5. Alfonso es pintor y necesita un espacio con mucha luz.
6. Armando, Luis y Guillermo quieren abrir un restaurante.

www.tucasa.com

A Se alquila casa cómoda:
Patio, jardín, sala, cocina, comedor.

B Se ofrece local comercial:
Cerca de los cines Arcadia y Metropolitano. No se aceptan negocios con animales.

C MUY EXCLUSIVO:
Se vende elegante departamento de una habitación en el centro de la ciudad. Se necesitan referencias personales.

D Se alquila cuarto económico:
Dos camas, teléfono, conexión para computadora y baño privado.

E Se venden hermosas residencias:
De dos, tres y cuatro habitaciones.

F Se vende el ático de una casa antigua:
Tiene los techos altos y muchas ventanas.

¡Comunicación!

31 ¿Qué se celebra?   Interpersonal Communication

Use el **se** impersonal para describirle a su compañero/a algunas costumbres (*customs*) de las comunidades hispanas en Estados Unidos. Si es necesario, consulte la internet para obtener más información. Puede usar los verbos del recuadro como guía.

celebrar	comer	vender
ver	construir	hablar

MODELO   **En Miami se celebra el Festival de la Calle Ocho.**

Todo en contexto

¡Comunicación!

? Pregunta clave

¿Cómo se ve la presencia hispana en Estados Unidos?

32 ¿Y cómo es la vida aquí? **Interpersonal Communication**

Con sus compañeros, imaginen la siguiente situación. Ud. tiene 30 años y está casado/a. Su esposo/a y Ud. van a recibir la visita de sus suegros que son de Ecuador. Ellos acaban de llegar a Estados Unidos, hablan muy poco inglés y están preocupados por la adaptación al país. Uds. los reciben y los llevan de paseo a la Calle Ocho de la Pequeña Habana en Miami para que se sientan en casa. Represente la situación con sus compañeros y túrnense para hacer todos los papeles. Usen el gerundio y el **se** impersonal como se ve en el modelo.

Calle Ocho, Pequeña Habana, Miami

MODELO

A: **Estamos caminando por la Calle Ocho. Les gustará mucho.**

B: **Es el corazón latino de Miami. Acá se habla español y se come muy bien.**

C: **Allí veo un parque. Hay muchas personas paseando.**

A: **Sí, allí se juega dominó. También se juegan cartas y ajedrez. ¡Qué divertido!**

¡Comunicación!

33 ¡Inspiración para llegar a las estrellas! **Interpersonal Communication**

Imaginen que el astronauta José Hernández va a presentar su autobiografía en su colegio en el Día de la Hispanidad. Hablará sobre la influencia que su herencia hispana y su familia han tenido en su éxito profesional.

Hijo de campesinos mexicanos, empezó como trabajador del campo hasta llegar a ser astronauta de la NASA. Su mensaje es que nada es imposible; con esfuerzo y educación todo se puede lograr.

Representen la situación y túrnense para hacer el papel de Hernández y el de los estudiantes que le hacen preguntas en la presentación.

El astronauta José M. Hernández, de origen mexicano, quiere causar un impacto positivo en los jóvenes hispanos de Estados Unidos.

MODELO

A: **Buenos días. Soy José Hernández, y soy astronauta de la NASA.**

B: **¿Dónde nació Ud.?**

Lectura informativa

Antes de leer

1. ¿Conoce Ud. el museo de arte del Instituto Smithsonian?
2. ¿Qué tipo de obras se exponen allí?

Estrategia

Reading for information

Before you begin to read the selection, look at the title, subheads, and illustrations to get an idea of what the topic is about. Skim the reading for relevant information. Don't look up every word you don't know; rely on the context to help you understand.

www.artistaslatinosenusa.com

LATINOTICIAS EEUU A. Latina Mundo México Inmigración Salud Videos

Mes de la Hispanidad Lo Ultimo

Un homenaje para los artistas latinos en Estados Unidos

EFE / Oct 25 / 3:40 PM

El museo de Washington ha montado una exposición llamada "Nuestra América: la presencia latina en el arte de Estados Unidos".

El Museo de Arte Americano del Instituto Smithsonian de Washington inaugura una exposición[1] en la que, a través de casi un centenar[2] de cuadros, fotografías, esculturas y montajes[3], repasa la influencia de los artistas de origen hispano en el arte de Estados Unidos desde mediados del siglo XX.

"Nuestra América" -título tomado de un ensayo de José Martí, en el que reivindica[4] el panamericanismo- está formada por una amalgama[5] de piezas de diferentes soportes, estilos y temas que tienen en común la procedencia latina de sus artistas (de México, Puerto Rico, Cuba y la República Dominicana).

Los orígenes latinoamericanos o las referencias al contexto en que vivieron los artistas se combinan en esta exposición. ...También las fiestas populares y la vida cotidiana de los hispanos en Estados Unidos, así como la mirada latina a las costumbres estadounidenses, aparecen en la exposición, en cuadros que abarcan[6] desde la abstracción hasta el realismo.

Pero "Nuestra América" (exposición organizada por Carmen Ramos, curadora[7] de arte latino) también reserva un espacio para la crítica social y la reivindicación de los derechos de su comunidad, por ejemplo a los estereotipos de los estadounidenses respecto a los hispanos difundidos por la televisión, el cine, la publicidad y la prensa.

La exposición, en todo caso, trata de reflejar la diversidad de las comunidades latinas de Estados Unidos y de mostrar, según Ramos, "a los artistas latinos como los artistas estadounidenses que son".

"Nuestra América" supone la culminación de una iniciativa que está llevando a cabo el Museo de Arte Americano del Smithsonian para crear una colección de arte latino en la capital del país, en la que ha estado trabajando los últimos tres años. Tras finalizar su estancia en Washington, la exposición emprenderá una gira por seis ciudades de Estados Unidos.

[1] exhibition [2] hundred [3] montages [4] defends [5] melting pot [6] cover [7] curator

Búsqueda: smithsonian, artistas latinos en estados unidos

34 Comprensión 🎧 Interpretive Communication

1. ¿Cuál es el objetivo de esta exposición de arte?
2. ¿Qué temas se tratan en esta exposición?
3. ¿Qué pasará cuando la exposición en Washington se termine?

35 Analice 🎧

1. ¿Por qué cree Ud. que se le dio a esta exposición el nombre de Nuestra América?
2. ¿De qué manera contribuye esta exposición a la cultura de los Estados Unidos?

Extensión Conéctese: la literatura

El costumbrismo es un género literario característico de muchos autores españoles del siglo XIX en el cual se quieren retratar de manera fiel (*true*) las costumbres típicas de un país o de una región. Por extensión, todas las expresiones artísticas que reflejan las costumbres de pueblos, regiones, comunidades, etc., se pueden considerar "cuadros costumbristas". En el caso de la pintura o la fotografía, el costumbrismo cobra vida (*comes alive*) en las manos del artista quien, con herramientas, puede captar emociones o instantes de la vida diaria de una persona.

✏️Escritura

36 Proyecto de literatura Presentational Communication

Imagine que su clase va a hacer una exposición de fotografías con el tema: "Un día en la vida diaria de una familia hispana en Estados Unidos". Cada estudiante deberá contribuir a la exposición con una fotografía y una descripción de la misma. Primero, busque una foto en la internet que se preste para ilustrar bien el tema y piense en lo que quiere decir. Organice la información en un mapa de conceptos y escriba un párrafo sobre la historia detrás de su fotografía. Junto con sus compañeros, armen (*put together*) la exposición y presenten oralmente cada historia enfrente de la clase.

Un día en la vida de una familia hispana

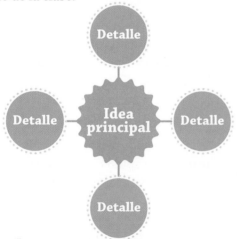

Para escribir más

los detalles vívidos	*vivid details*
las imágenes alegres	*lively images*
los sueños y las esperanzas	*dreams and hopes*
la vida de la ciudad	*city life*
la vida del campo	*country life*

Repaso de la Lección A

A | **Escuchar: Parientes y más parientes** 🎧 (pp. 56–57)

Escuche y diga si las seis conversaciones se tratan de parientes políticos (*in-laws*) o no.

B | **Vocabulario: ¡Ayúdenme con los quehaceres!** (pp. 66–67)

Empareje las preguntas con las respuestas que correspondan, según el contexto.

1. ¿Dónde tienes el martillo?
2. ¿Quién cuida las flores de tu jardín?
3. ¿Qué pasó con el cortacésped?
4. ¿Estás feliz de tener tu propio cuarto?
5. ¿Por qué hay tantas cajas en el pasillo?

A. Sí, y lo estoy decorando a mi gusto.
B. No sé. Dejó de funcionar ayer.
C. No las vaciamos todavía.
D. Está en esa caja, al lado de los clavos.
E. Mi abuela. Ella siempre las está regando.

C | **Vocabulario/Gramática: ¿Qué dice?** (pp. 60–61, 69)

Complete las respuestas con la palabra correcta.

1. **A:** ¿Siempre ayudas con los quehaceres?
   B: No, no lo hago (*nunca / nadie*).
2. **A:** ¿Ya repararon tu calefacción?
   B: Sí (*lo / la*) repararon ayer.
3. **A:** ¿Te gusta alguno de tus parientes políticos?
   B: No, no me gusta (*ninguno / tampoco*).
4. **A:** ¿Sabes algo del cuñado de Alberto?
   B: No. No sé (*ningún / nada*).

5. **A:** ¿Te contó Alicia lo que pasó en la fiesta?
   B: No, ella no (*me / los*) contó nada.
6. **A:** ¿Por qué vas a hablar con la vecina?
   B: (*nos / le*) tengo que pedir más cajas.
7. **A:** ¿Ya hiciste la tarea?
   B: (*Nunca / Todavía no*).
8. **A:** ¿Quién tiene que vaciar el basurero en tu casa?
   B: Mi hermanito (*la / lo*) tiene que vaciar.

D | **Gramática: ¿Qué están haciendo?** 👥 (p. 70)

Ud. y dos compañeros/as piensan en tres actividades que pueden hacer en la casa. Túrnense para hacer una pantomima de cada actividad. Sus compañeros tienen que adivinar lo que está haciendo y dónde lo está haciendo.

MODELO   **A:** (Represents *regar las plantas*.)
          B: **Estás regando las plantas en el jardín.**
          C: **Estás sacando al perro afuera.**

E | **Gramática: ¡Presta atención!** (p. 72)

Complete los siguientes anuncios o advertencias escogiendo la palabra apropiada entre paréntesis.

1. Se necesitan (*persona / personas*) para trabajar en construcción.
2. No se permiten (*tirar basura al suelo / los celulares en clase*).
3. Se prohíbe (*caminar por el césped / los animales por el césped*).

Haga una lista de los siguientes temas para hablar sobre la presencia hispana en los Estados Unidos y su influencia en la historia y cultura del país: la historia, las celebraciones, las tradiciones, el arte, la música, la literatura. Luego dé por lo menos un ejemplo para cada tema. Puede crear una gráfica para organizar sus ideas.

MODELO   las celebraciones → El Día de la Hispanidad es una celebración oficial en honor a la herencia hispana en los Estados Unidos.

Vocabulario

Miembros de la familia

el cuñado,
    la cuñada
los gemelos,
    las gemelas
la madrina
la nuera
el padrino
el suegro,
    la suegra
el yerno

Descripciones físicas

la barba
el bigote
castaño/a
lacio
rizado/a

Estado civil

casado/a
soltero/a
viudo/a

Partes de la casa

el pasillo
la terraza

Cosas que se necesitan en una casa

el basurero
la caja
la calefacción
el cortacésped
el detector de
    humo
el extinguidor
    de incendios

Verbos

clavar
conectar
construir (y)
decorar
desarmar
enchufar
funcionar
regar (ie)
vaciar

Herramientas

el clavo
el destornillador
el martillo
el tornillo

Otras palabras y expresiones

a diferencia de
los lentes
propio/a
sacar fotos

Gramática

Expresiones afirmativas y negativas

Las expresiones negativas se colocan delante del verbo. Cuando se colocan detrás del verbo, se añade **no** antes del verbo.

Nadie puede ayudar.
No puede ayudar nadie.

Alguno y **ninguno** cambian a **algún** y **ningún** antes de un sustantivo masculino y singular.

¿Ha visto Ud. algún zapato rojo?
No, no he visto ningún zapato rojo.

El presente progresivo

El presente progresivo se forma con el verbo **estar** + **gerundio**.

Estoy lavando los platos.
Nosotros estamos poniendo flores en la mesa.
Ella está corriendo por el parque.

Los verbos que terminan en **-aer**, **-eer** y **-uir** tienen un cambio ortográfico en el gerundio: **-yendo**.

Uds. están leyendo Don Quijote.

Se pueden añadir pronombres al final de un gerundio, o delante del verbo conjugado. Cuando se añaden al gerundio, se necesita escribir un acento.

Estoy oyendo música rock.
La estoy oyendo.
Estoy oyéndola.

Vocabulario 1

Estados Unidos

En la mañana

Mi familia es **numerosa**. Somos ocho personas y todos tenemos que compartir el baño. Por las mañanas es difícil, porque todos tenemos que **prepararnos** para salir.

el esmalte de uñas

el lápiz de labios

pintarse los labios

el secador

secarse el pelo

el cepillo de dientes

la pasta de dientes

cepillarse los dientes

paciente

el desorden

ponerse furiosa

el suelo mojado

Para conversar

*T*o express frustration:

¡Date prisa, Julia! ¿Cuánto **te falta** por terminar? Ya **me toca a mí** usar el baño.
Hurry up, Julia! How much longer before you are done? It's my turn to use the bathroom already.

¡Deja de ser **mandona**! Eres muy **impaciente** y **te enojas** por todo.
Stop being bossy! You are very impatient and you get angry over everything.

¡Ya es suficiente, niñas! ¡Dejen de **pelearse**!
That's enough, girls! Stop fighting!

Para decir más

enfadarse	to become angry
hacer las paces	to make up
irritarse	to get annoyed

Estrategia

Review and recycle ♻

acostarse (ue)	to go to bed
afeitarse	to shave
ducharse	to shower
levantarse	to get up
maquillarse	to put on makeup
peinarse	to comb one's hair
ponerse	to put on
vestirse (i)	to get dressed

1 Situaciones 🎧

Escuche los diálogos y diga a qué foto se refieren.

A

B

C

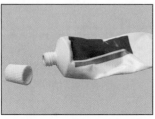

D

E

F

2 ¿Con qué se lava el pelo? 🎧

Diga qué usaría para hacer lo siguiente. Escriba una oración sobre lo que hace en cada caso.

MODELO   lavarse el pelo
     Yo me lavo el pelo con champú.

1. pintarse las uñas

2. cepillarse los dientes

3. secarse el pelo

4. secarse las manos

5. pintarse los labios

Diálogo

¿Por qué se pelean?

María: ¿Dónde está mi lápiz de labios rosado?

Analía: No sé, yo no me pinto con él.

María: ¿Estás segura? Tú siempre usas mis cosas.

Analía: ¡Sí, estoy segura! Eres una mandona.

Ricardo: Chicas, ¿por qué se pelean?

María: No encuentro mi lápiz de labios y creo que lo tiene Analía.

Analía: Siempre que te falta algo, te enojas conmigo.

Ricardo: ¿Lo buscaste en tu bolso?

María: No me fijé allí... Déjame ver... Ah, aquí está... Analía, te pido perdón...

Analía: Está bien, pero tienes que hacer algo con este desorden.

3 ¿Qué recuerda Ud.? 🎧

1. ¿Qué está buscando María?
2. ¿Por qué María cree que Analía tiene el lápiz de labios?
3. ¿Qué hace María siempre que le falta algo?
4. ¿Dónde está el lápiz de labios?
5. ¿Qué le dice Analía a María al final?

4 Algo personal 🎧

1. ¿Qué hace Ud. cuando no encuentra algo?
2. ¿Se pelea con sus parientes a veces? ¿Por qué?
3. ¿Usa las cosas de sus hermanos o de sus amigos? ¿Qué cosas?
4. ¿Hay una persona mandona en su familia? ¿Quién es?
5. ¿Es su familia numerosa?

5 Conclusiones lógicas 🎧

Escuche las siguientes oraciones. Escoja la letra de la conclusión lógica para cada una.

A. ¡Qué mandona es tu hermana!

B. A Cristina siempre le falta algo.

C. El suelo del baño está mojado.

D. Chicos, ¿por qué se pelean?

E. ¡Qué impaciente eres!

Gramática

Los verbos reflexivos

- When an action reflects back on the subject, you use a reflexive verb. Many of these verbs describe daily routine activities.

  Me pinto los labios todos los días.   **I put on lipstick** every day.

  Elena se prepara para salir.   Elena **gets ready** to go out.

- Reflexive verbs always include a reflexive pronoun (*me*, *te*, *se*, *nos*, *os*).

levantarse			
yo	me levanto	nosotros nosotras	nos levantamos
tú	te levantas	vosotros vosotras	os levantáis
Ud. él ella	se levanta	Uds. ellos ellas	se levantan

- When you use reflexive pronouns with a gerund or an infinitive, you may attach the pronoun to the gerund or infinitive, or place it before the conjugated verb. Note that you may need to add an accent when you attach the pronoun, as with *vistiéndose* shown below.

  Él está vistiéndose.   *Él se está vistiendo.*

  Voy a levantarme.   *Me voy a levantar.*

  Tienes que ducharte.   *Te tienes que duchar.*

6 ¿Cómo se preparan?

Ud. y su familia van a ver un baile folclórico en Los Ángeles. Describa cómo se preparan, formando oraciones con los verbos indicados.

1. Mi abuela __ temprano para preparar el desayuno. (*levantarse*)

2. Tú __ primero para ayudar con los niños pequeños. (*ducharse*)

3. Mi abuelito __ con cuidado. (*afeitarse*)

4. Mi hermano __ con un traje típico. (*vestirse*)

5. Mi media hermana __ los labios de color rosado. (*pintarse*)

6. Mi hermanita __ el pelo con mi secador. (*secarse*)

7. Ellas __ frente al espejo. (*maquillarse*)

8. La abuelita Inés __ un rato porque está cansada. (*acostarse*)

9. La tía Julia __ un sombrero mexicano. (*ponerse*)

10. Mi prima pequeña __ las uñas con los colores de la bandera mexicana. (*pintarse*)

11. Todos __ los dientes después del desayuno y antes de salir de la casa. (*cepillarse*)

Baile folclórico en Los Ángeles

7 ¿Sabes qué están haciendo?

Túrnese con su compañero/a para hablar de lo que están haciendo las personas en las fotos.

MODELO los primos

A: ¿Qué están haciendo los primos?
B: Los primos están bañándose.

1. Alfonso

2. la Sra. Reyes

3. Vanessa

4. Teresa y Cecilia

5. yo

6. el Sr. Reyes

¡Comunicación!

8 Un campamento de verano   Interpersonal Communication

Ud. y su compañero hacen los papeles de asistente y director(a) de un campamento de verano. Túrnense para hablar de las reglas que deben seguir los niños/as. Usen expresiones como **tienen que**, **deben**, **van a**, e incluyan un verbo reflexivo.

MODELO A: ¿A qué hora se deben acostar los niños?
B: Deben acostarse a las 9:00 en punto.

¡Comunicación!

9 La rutina diaria   Presentational Communication

Use las siguientes preguntas para hacerles una encuesta a cinco compañeros. Tome notas de sus respuestas y presente los resultados frente a la clase.

1. ¿Te gusta levantarte tarde o temprano?

2. ¿Prefieres bañarte o ducharte?

3. ¿Cuánto tiempo tardas en vestirte?

4. ¿Sueles cepillarte los dientes antes o después de desayunar?

5. ¿Vas a lavarte el pelo hoy?

MODELO Seis compañeros prefieren bañarse. Todos van a lavarse el pelo hoy.

Gramática

Otros usos de los verbos reflexivos

- Many reflexive verbs in Spanish are equivalent to "to become" or "to get," and are often used to express physical or emotional changes in the subject. These verbs include *aburrirse* (to get bored), *enojarse* (to get angry), *lastimarse* (to get hurt), *ponerse* (to become).

*Yo **me aburro** cuando tengo que quedarme en casa.*	I **get bored** when I have to stay at home.
*Papá **se enoja** cuando hacemos mucho desorden.*	Dad **gets angry** when we make a big mess.
*Mi abuelita **se pone feliz** cuando vienen visitas.*	Granny **gets happy** when she gets visitors.
*Mi hermano se cayó de la bicicleta y **se lastimó**.*	My brother fell off his bike and **got hurt**.

- Some verbs have a different meaning when used as a reflexive.

dormirse	*to fall asleep*	dormir	*to sleep*
irse	*to go away, to leave*	ir	*to go*
levantarse	*to get up*	levantar	*to raise, to lift*
parecerse a	*to look like*	parecer	*to seem*
reírse de	*to laugh at*	reír	*to laugh*

10 ¿Cómo reaccionan?

Complete las siguientes oraciones eligiendo el verbo apropiado entre paréntesis.

MODELO   Yo __ nervioso cuando tengo exámenes.
(*aburrirse / ponerse*)

Yo **me pongo** nervioso cuando tengo exámenes.

1. Mis primas __ cuando no pueden chatear con sus amigas por su red social favorita. (*aburrirse / acordarse*)
2. Cuando van al parque, mis hermanitos __ mucho. (*enojarse / divertirse*)
3. Mi tía Hilda __ triste cuando piensa en su papá que está lejos. (*ponerse / irse*)
4. Mi abuelo __ cuando le interrumpen la siesta. (*reírse / enojarse*)
5. Yo __ feliz cuando saco buenas notas en los exámenes. (*sentirse / enojarse*)
6. La madrina de mi hermana __ mucho de mis chistes. (*reírse / enojarse*)
7. Isabela __ cuando ve a su prima. (*alegrarse / sentirse*)
8. Uds. siempre __ cuando es la hora de lavar los platos. (*ponerse / irse*)
9. Mi mamá siempre __ en el sillón cuando mira la televisión. (*enojarse / dormirse*)
10. Emilio y Ernesto __ mucho; son gemelos. (*parecerse / reírse*)

Me pongo nervioso cuando hay un exámen.

11 ¡Ya no quiero más excusas!

Complete este diálogo entre Adriana y su abuela usando la forma apropiada de los verbos del recuadro.

¡Ojo! 👁

Remember, even though a reflexive verb is used in the infinitive, the reflexive pronoun must still agree with the subject of the sentence.

sentirse	dormirse	vestirse	irse
reírse	imaginarse	ponerse	equivocarse
enojarse	parecer	olvidarse	levantarse

Abuela: Rápido, Adriana. Tienes que **(1)** ahora mismo.

Adriana: Pero, Abuela, no **(2)** bien. Creo que estoy enferma.

Abuela: No te creo. Me **(3)** que no tienes ganas de ir al colegio.

Adriana: No, Abuela, **(4)**. De veras estoy enferma.

Abuela: No es así. Lo que yo creo es que tú siempre **(5)** de hacer la tarea y después **(6)** nerviosa porque no la hiciste.

Adriana: Ay, ¿pero por qué **(7)**, Abuela? Tú siempre **(8)** lo peor.

Abuela: Entonces, ¿por qué **(9)** de esa manera tan nerviosa?

Adriana: Está bien, Abuela, **(10)** en cinco minutos y **(11)** para la escuela.

¡Comunicación!

12 ¿Cómo se sienten los animales? 👥 Interpersonal/Presentational Communication

Imagine que su perro o su gato está un poco deprimido (*depressed*) últimamente. Ud. decide visitar a un psicólogo de animales para ver lo que le pasa. Con su compañero/a, inventen un diálogo entre el/la dueño/a (*owner*) del animal y el/la psicólogo/a. Pueden usar los siguientes verbos y expresiones, o agregar otros. Use el modelo como guía. Luego, presenten su diálogo frente a la clase.

alegrarse	olvidarse	sentirse bien/mal/triste/contento/cansado
ponerse nervioso/furioso	enojarse	acordarse
divertirse	aburrirse	quedarse

MODELO

Dueño/a: Mi perro se siente muy triste y no quiere jugar.

Psicólogo/a: ¿Lo saca Ud. a pasear a menudo?

Dueño/a: Bueno… A veces me olvido.

Psicólogo/a: Ajá. Ese es el problema…

Mi perro se siente muy contento.

Gramática

13 ¿Cómo se pone cuando...? 👥 Interpersonal/Presentational Communication

Haga una encuesta entre cinco estudiantes pidiéndoles que completen las oraciones del cuadro. Luego, comparen sus respuestas y hablen de lo que tienen en común. Presenten los resultados al resto de la clase.

nombre	me pongo furioso/a	me enojo	me peleo	me siento triste	me aburro	me alegro	me río	me duermo
Martha	cuando veo injusticias							
Lucía								

MODELO **Martha y Mark se ponen furiosos cuando ven injusticias.**

Acciones recíprocas

- The plural reflexive pronouns **nos** and **se** can be used to express what two people do for each other or to one another. These are called reciprocal actions.

  *Enrique y Ana **se escriben** mensajes de texto todo el tiempo.*

  Enrique and Ana **write each other** text messages all the time.

  *Eva y yo **nos ayudamos**.*

  Eva and I **help each other**.

- The following verbs can be used reciprocally.

abrazarse	*to hug each other*	**llamarse**	*to call each other*
ayudarse	*to help each other*	**llevarse**	*to get along with each other*
besarse	*to kiss each other*	**pelearse**	*to fight with each other*
conocerse	*to know, to meet each other*	**quererse**	*to love each other*
darse	*to give each other*	**saludarse**	*to greet each other*
escribirse	*to write each other*	**verse**	*to see each other*

14 ¿Se llevan bien o mal?

Complete las siguientes oraciones con la forma recíproca de los verbos entre paréntesis.

1. Mis hermanos y yo (*quererse*) mucho y nunca (*pelearse*).
2. ¿Por qué (*llamarse*) Uds. todo el tiempo si (*verse*) con frecuencia?
3. Ana y Sofía (*conocerse*) desde pequeñas y (*llevarse*) muy bien.
4. Normalmente, los chicos se dan la mano cuando (*saludarse*), pero las chicas generalmente (*besarse*) o (*abrazarse*).
5. Mis padres nunca (*darse*) regalos en su aniversario. Solo (*besarse*).

Las niñas se abrazan.

¡Comunicación!

15 Recíprocamente 👥 Interpersonal Communication

Con su compañero/a, describan las siguientes relaciones familiares.
Creen mini-diálogos según el modelo.

MODELO A: Mis hermanos y yo nos peleamos a
menudo. ¿Y Uds.?

B: No, no nos peleamos mucho. Nos llevamos bien.

I	II	III
mi hermano y su novia	escribirse	a menudo
los profesores y los estudiantes	pelearse	casi nunca
tú y yo	llevarse	a veces
mis abuelos	quererse	mucho/poco
mis hermanos y yo	verse	bien/mal
mi hermana y su suegra	ayudarse	todos los días
mi mejor amigo y yo	llamarse	los fines de semana

Mis hermanos y yo nos peleamos a menudo.

¡Comunicación!

16 Un día típico 👥 Presentational Communication

Describa un día típico de su vida. Use verbos reflexivos para explicar su rutina diaria y
verbos recíprocos para describir sus relaciones con otras personas. Luego, compare su
descripción con la de su compañero/a.

¡Comunicación!

17 Quererse unos a otros 👥 Presentational Communication

Con su compañero/a, inventen una historia de amor. Incluyan acciones recíprocas.
Pueden usar los verbos del recuadro como guía y agregar otros. Luego, presenten su
historia frente a la clase. Entre todos, decidan cuál es la historia más
original, la más romántica y la más trágica.

abrazarse	ayudarse	besarse	darse
escribirse	hablarse	llamarse	llevarse bien/mal
mirarse	pelearse	saludarse	verse

MODELO Jennifer y Oliver se conocieron por una de las
redes sociales. Ahora se ven todos los días.

Jennifer y Oliver se sacan fotos.

? Pregunta clave

¿Cómo se ve la presencia hispana en Estados Unidos?

¡Mi casa es su casa! 🎧

Muchos hispanos se sienten en casa en la Gran Manzana. Nueva York cuenta con cerca de medio millón de hispanos, en su mayoría puertorriqueños. Ellos, al igual que los cubanos en Miami, crearon allí una comunidad al llegar. Hicieron de El Barrio (*East Harlem*) su segundo hogar, donde preservan sus costumbres y se apoyan mutuamente. Los inmigrantes ya establecidos, quizá por haber vivido la dura experiencia de empezar de nuevo en otro país, siempre han estado dispuestos[1] a abrir sus puertas a sus compatriotas: familiares, amigos o amigos de amigos a quienes nunca han conocido. El lema[2] de hospitalidad del hispano en Estados Unidos y en todas partes sigue siendo "Mi casa es su casa".

La siguiente generación y los nuevos inmigrantes han encontrado en El Barrio una comunidad consolidada, que aún mantiene la conexión con el lugar de donde vinieron ellos o sus padres. La comunidad puertorriqueña creó el Museo del Barrio que —además de ser un lugar de exposición de pintura, fotografía y esculturas de artistas hispanos— es el centro de reunión y celebración de las fiestas tradicionales de la cultura hispana.

[1] willing   [2] slogan, motto

🔍 **Búsqueda:** puertorriqueños en nueva york, el barrio, reyes magos

El Barrio, East Harlem, Nueva York

Prácticas 🎧

El Día de los Reyes Magos es una gran fiesta hispana tradicional que se celebra el 6 de enero. De esta manera, la comunidad latina extiende la temporada navideña con fiestas y desfiles, y regalos para los niños. En California es una fiesta popular entre muchos hispanos; en Los Ángeles se celebra en la Calle Olvera y en Anaheim se celebra en Disney's California Adventure. Es tradicional comer la Rosca de Reyes, un delicioso pan dulce redondo con nueces y frutos secos (*dried fruits and nuts*). El Día de los Reyes Magos es una de las fiestas favoritas de los niños hispanos.

Los Reyes Magos en Disney

18 Comprensión   Interpretive Communication

1. ¿Qué hicieron las primeras generaciones de inmigrantes para beneficiar a aquellas que vinieron después?
2. ¿Cuál es la importancia del Museo del Barrio para los puertorriqueños de Nueva York?

19 Analice

1. ¿Han cambiado los valores de la cultura hispana con el tiempo? Explique su respuesta con ejemplos de la lectura.
2. ¿Por qué es tan popular la celebración del Día de los Reyes Magos en las comunidades hispanas de Estados Unidos?

Comparaciones

Antes del Día de los Reyes Magos, los niños escriben una lista de los regalos que quieren recibir. En la noche del 5 de enero, los niños dejan comida y agua para los reyes y sus camellos. En la mañana del Día de Reyes, los niños reciben sus regalos. ¿Hay fiestas similares en su cultura? ¿Cuáles? ¿Cómo se celebran?

La familia hispana llega a Hollywood

En el área de Los Ángeles y el sur de California es fácil encontrar barrios[1] habitados casi exclusivamente por mexicanos, salvadoreños y guatemaltecos. En otras áreas de este estado, los hispanos de distintas procedencias[2] están integrados en comunidades más diversas. Como quiera que sea, la herencia hispana se siente con fuerza. Una gran influencia de los hispanos en la sociedad estadounidense es el restablecimiento[3] de la importancia de la familia, tanto la cercana como la extendida, que incluye a abuelos, tíos, primos... ¡y hasta padrinos y ahijados[4]! El hogar, para los hispanos, es más que una casa con jardín; el hogar es el lugar de reunión de la familia. Esta característica les ha permitido a los latinos mantener su idioma, sus hábitos y sus costumbres. La relación entre la familia y la cultura hispana ha sido un tema constante de series de televisión populares, desde la clásica *I Love Lucy* hasta la contemporánea *Modern Family*.

La familia hispana incluye a abuelos, tíos, primos... ! y hasta padrinos y ahijados!

La serie "I Love Lucy"

Búsqueda: hispanos en california   [1]neighborhoods   [2]origins   [3]recovery   [4]godchildren

Productos

La importancia económica del mercado hispano ha transformado el rostro (*face*) de la publicidad en Estados Unidos. Cada vez es más frecuente ver a estrellas hispanas representando a las grandes marcas. Por ejemplo, la estrella colombiana Sofía Vergara promociona la marca Diet Pepsi y tiene su propia línea de ropa con la cadena de tiendas Kmart. La ex actriz de telenovelas mexicanas Thalía Sodi prepara una colección similar con Macy's. Estas líneas prometen productos a la medida de las mujeres latinas, como talles (*inseam*) más cortos, estampados (*prints*) coloridos y líneas ceñidas (*tailored*) al cuerpo. La meta es llegar a un público hispano diverso, venga de donde venga, sea la primera o la tercera generación.

20 Comprensión   Interpretive Communication

1. ¿Qué comunidades hispanas viven en Los Ángeles y el sur de California?

2. ¿Cuál es una gran influencia de los hispanos en la sociedad estadounidense?

3. ¿Qué significa el hogar para los hispanos?

4. ¿Cómo se nota la importancia económica del mercado hispano en Estados Unidos?

21 Analice

1. ¿Cree Ud. que las series de televisión como *I love Lucy* y *Modern Family* presentan situaciones realísticas de la relación entre la familia y la cultura hispana? ¿Por que sí o por qué no?

2. ¿Por qué es importante para la economía estadounidense tener en cuenta los gustos del público hispano? Explique con ejemplos.

Vocabulario 2

¡Tanto desorden! 🎧

Tener cuarto propio es **una ventaja**, pero tener que arreglarlo es **una desventaja**.

¡Qué cuarto tan desordenado!

la almohada

las sábanas
las fundas
el colchón
el colchón, las sábanas y las fundas

la cobija

el cubrecama

la mesa de noche

la cómoda

el sofá

los estantes

Para conversar 🎧

*T*o ask and say where things are:

¿Dónde **guardas** las fundas?
Where do you keep the pillowcases?

Dentro de la cómoda.
Inside the dresser.

¿Dónde están **las perchas**?
Where are the hangers?

En el suelo, **delante del** armario.
On the floor, in front of the closet.

Honestamente, Quique, ¿no puedes ser un poco más **ordenado**?
Honestly, Quique, can't you be a bit neater?

*T*o tell someone where to put something:

¿Dónde pongo estos estantes?
Where should I put these shelves?

No los quiero. Sácalos **fuera del** cuarto.
I don't want them. Take them out of the room.

Ven **acá** y ayúdame a mover este sofá, por favor.
Come here and help me move this couch, please.

¡Claro! ¿Adónde quieres moverlo?
Of course! Where do you want to move it?

¿Qué tal **enfrente de** esa pared, la que está **detrás de** la puerta?
How about in front of that wall, the one behind the door?

Estrategia

Review and recycle

barrer	*to sweep*
cambiar (las sábanas)	*to change (the sheets)*
colgar	*to hang*
limpiar	*to clean*
planchar	*to iron*
el mueble	*piece of furniture*

Para decir más

pulir	*to polish, shine (floor)*
lustrar	*to polish (shoes)*
el cajón	*dresser drawer*
el cojín	*cushion*

22 ¡Guarda las cosas!

Escuche los siguientes mandatos. Seleccione la foto que corresponde con lo que oye.

A

B

C

D

E

F

23 ¿Cuál es la palabra apropiada?

Elija la palabra que completa correctamente cada oración.

1. Compremos nuevas fundas para (*las cobijas / las almohadas*).

2. Por favor, pon los libros en (*los estantes / las perchas*).

3. Ana, guarda las camisetas en la (*mesa de noche / cómoda*).

4. Mis tíos van a comprar (*un colchón / un sofá*) nuevo para la sala.

5. Francisco es muy (*desordenado / ordenado*); guarda todo en su lugar.

6. En casa, cambiamos (*las sábanas / las almohadas*) una vez a la semana.

24 ¡Ordenemos juntos!

Imagine que tiene que arreglar su habitación y le pide ayuda a su hermano/a. Escriba cinco oraciones con las cosas que le pide a su hermano/a que haga.

MODELO   **Arregla los libros en los estantes.**

Diálogo

¡Pon tus cosas en orden!

María: ¿Por qué está tan desordenado el escritorio?

Analía: No tengo ningún estante para poner mis cosas.

María: Pero puedes guardarlas en la cómoda.

Analía: No hay lugar. Toda tu ropa está allí.

María: La saco ahora mismo.

Analía: ¿Y dónde la pones?

María: Dentro del armario.

Analía: Eres muy ordenada, María.

María: Ayúdame un poco y tráeme esas perchas...

Si cuelgas la ropa en las perchas, tienes más espacio.

Analía: ¿Qué hago ahora?

María: Cuelga tu ropa.

Analía: Eres muy eficiente, María.

María: No hables tanto, y date prisa, Analía.

---

25 **¿Qué recuerda Ud.?**

1. ¿Por qué está tan desordenado el escritorio de María y Analía?
2. ¿Por qué no hay lugar en la cómoda?
3. ¿Dónde pone María su ropa ahora?
4. ¿Qué hacen con la ropa? ¿Para qué?

26 **Algo personal**

1. ¿Comparte Ud. su cuarto con alguien?
2. ¿Está ordenado su cuarto?
3. ¿Dónde guarda Ud. su ropa?
4. ¿Qué quehaceres de la casa hace Ud.?
5. ¿Qué ventajas tiene ser ordenado?

---

27 **¡Ordena tu cuarto!**

Escoja la letra de lo que le dice a Orlando su madre en cada situación.

A. Arregla tus cosas.
B. Cuelga tu ropa en perchas dentro del armario.
C. Cámbialas.
D. Ponlos en los estantes.
E. Guárdalos dentro de sus cajas.

Ponlos en los estantes.

Gramática

Los mandatos informales afirmativos

- Affirmative commands are used to tell someone to do something. Use the informal affirmative commands for people you address as *tú*. These commands have the same form as the third-person singular of verbs in the present tense. Note that verbs with a spelling and/or stem change in the present tense have the same change in the informal affirmative command.

Saca la basura.	**Take out** the garbage.
Riega las plantas.	**Water** the plants.
Cuelga los cuadros.	**Hang** the paintings.
Construye una casa de perro.	**Build** a dog house.

- The following verbs have irregular informal command forms.

decir → *di*	*Di la lección.*	*salir* → *sal*	*Sal al patio.*
hacer → *haz*	*Haz tus tareas.*	*ser* → *sé*	*Sé sincero.*
ir → *ve*	*Ve al mercado.*	*tener* → *ten*	*Ten paciencia.*
poner → *pon*	*Pon los cubiertos.*	*venir* → *ven*	*Ven a jugar.*

- Direct and indirect object pronouns (*complementos*), as well as reflexive pronouns, are attached to the affirmative informal commands. When attaching these pronouns to a command form of more than one syllable, you must add an accent mark over the stressed syllable.

¿El pan? Ponlo en la cocina.	The bread? **Put it** in the kitchen.
Dime la verdad.	**Tell me** the truth.
Las ventanas están sucias. ¡Límpialas!	The windows are dirty. **Clean them**!
Lávate la cara.	**Wash** your face.
Mírate en el espejo.	**Look at yourself** in the mirror.
Esos son los pantalones de tu papá. ¡Cuélgalos en el armario!	Those are your father's pants. **Hang them** in the closet.

28 Los quehaceres de Dakota

La mamá de Dakota le dejó una lista de los quehaceres que tiene que hacer. Escriba mandatos informales, según la lista.

MODELO pasar la aspiradora
Pasa la aspiradora.

> Querida Dakota:
> Tengo una cita médica. Aquí te dejo una lista de los quehaceres que quedan por hacer:
> 1. limpiar el baño
> 2. barrer los cuartos
> 3. cambiar las sábanas
> 4. hacer las camas
> 5. guardar la ropa limpia en el armario
> 6. ir de compras al supermercado
> 7. poner el pollo en el horno
> 8. preparar la mesa para el almuerzo
> 9. sacar al perro
> 10. ¡y no te olvides de poner flores frescas en la mesa!
> Muchas gracias,
> Mamá

29 ¿Qué hago?

Un(a) amigo/a no puede tomar decisiones y le pide consejos. Con su compañero/a, creen diálogos según las indicaciones.

MODELO   ponerse la chaqueta azul

A: ¿Me pongo la chaqueta azul?

B: Sí, ponte la chaqueta azul.

1. cortarse las uñas
2. secarse el pelo
3. lavarse las manos

4. acostarse temprano
5. cepillarse los dientes
6. probarse los zapatos nuevos

7. quitarse los calcetines
8. irse ahora

30 Ayúdame a arreglar el cuarto

Pepe y Manolo están arreglando un cuarto y Pepe hace muchas preguntas. Complete este diálogo entre los dos amigos. Use mandatos informales y el complemento de objeto directo que corresponda a las palabras en cursiva.

Pepe: Manolo, no encuentro *las sábanas*.

Manolo: (**1.** *buscar*) en el armario. Deben estar ahí.

Pepe: ¿Saco también *la cobija*?

Manolo: Sí, (**2.** *sacar*) también porque la voy a necesitar.

Pepe: ¿Cubro *la almohada* con la funda amarilla?

Manolo: No, (**3.** *cubrir*) con la funda blanca.

Pepe: ¿Y dónde pongo *los cubrecamas*?

Manolo: ¡(**4.** *poner*) en las camas, tonto!

Pepe: ¿Y ahora qué hago? ¿Cuelgo *el cuadro*?

Manolo: Sí, (**5.** *colgar*) al lado de la puerta.

¿Lo cuelgo aquí?

Pepe: Entonces necesito *unos clavos*. ¿Sabes dónde están?

Manolo: (**6.** *buscar*) en la caja. Deben estar ahí.

Pepe: ¿Puedo usar *el martillo*?

Manolo: Sí, (**7.** *usar*), pero con cuidado.

31 Consejos para tener éxito

Su amigo/a quiere ser presidente del consejo estudiantil y, antes de las elecciones, tiene que dar un discurso (*give a speech*) a todos los estudiantes de la escuela. Como Ud. es su amigo/a, quiere darle algunos consejos sobre lo que debe decir. Use mandatos informales y las siguientes frases. Luego, añada dos consejos más.

1. prepararse bien para dar el discurso
2. hacer una lista de objetivos
3. vestirse bien para esa ocasión

4. hablarles de tu experiencia
5. ser amable con todos
6. decirles tus planes para la escuela

Expresiones de lugar

To answer the question *¿Dónde?*, use the following expressions:

| *cerca* | close | *aquí* | here | *allá* | there |
| *lejos* | far | *acá* | over here | *allí* | over there |

Other expressions are more specific:

a la derecha de	to the right of	*delante de*	in front of
a la izquierda de	to the left of	*dentro de*	inside of
al lado de	next to	*encima de*	on top of
alrededor de	around	*enfrente de*	across, facing
atrás / detrás de	behind	*entre*	between, among
cerca de	near, close to	*fuera de*	outside (of)
debajo de	under	*lejos de*	far from

32 ¿Dónde están?

Mire el cuarto y descríbalo usando expresiones de lugar.

MODELO **La computadora está encima del escritorio.**

 **¡Comunicación!**

33 ¿Cuánto es que cuesta? 👥 Interpersonal Communication   Conéctese: las matemáticas

Imagine que Ud. va de compras con su cuñado/a, que se ha mudado a Estados Unidos. Él viene de España y no está acostumbrado a usar el dólar, por eso, siempre está preguntándole el valor de cada cosa en euros, para saber cuánto está pagando. Represente la situación con su compañero/a y túrnense para hacer los dos papeles. Busquen por internet la tasa de cambio actual (*current exchange rate*) del dólar a euros, y ténganla en cuenta para sus cálculos.

sábanas y fundas ($35.00)	sofá ($1,500.00)	almohadas ($20.00 c/u)
mesas de noche ($150.00 c/u)	perchas ($10.00 por docena)	estantes ($15.00 c/u)

MODELO

A: Me falta una cómoda para el dormitorio principal. ¿Dice cuánto cuesta esa?

B: Cuesta $350.

A: ¿Cuánto es eso en euros?

B: Unos . . . euros.

A: ¡Qué bien! No es mucho. La compro.

Me falta una cómoda para el dormitorio principal.

¡Comunicación!

34 Querida Siempre Sabe 👥 Interpersonal/Presentational Communication

Imagine que Ud. vive con su familia extendida: dos hermanos, una hermanita, sus padres y sus abuelos. Aunque Ud. y sus hermanos nacieron en Estados Unidos, sus padres y sus abuelos son de un país hispano y tienen ideas bastante tradicionales sobre la familia. Ud. los quiere mucho, pero siempre hay conflictos debido al choque (*clash*) entre las dos culturas. Escríbale una carta a la señora Siempre Sabe, una gran experta en relaciones familiares, y explíquele los problemas específicos que están teniendo. Luego, intercambie su carta con la de su compañero/a que hará el papel de la experta y le ofrecerá algunas soluciones. Túrnense para hacer los dos papeles y representen la situación frente a la clase.

San Antonio Express-News

Querida Siempre Sabe:

» Te escribo para pedir tu consejo sobre una situación en mi casa. Mis papás son colombianos y son muy tradicionales. Tengo un novio y no me dejan salir con él. ¿Qué puedo hacer? Soy muy buena estudiante y muy responsable. No sé si es que no confían en mí.

Ayúdame, Siempre Sabe. —Desesperada en San Antonio.

Siempre Sabe

Querida Desesperada:

Habla con tus padres. La comunicación es lo más importante. Coméntales sobre tus buenas notas y tu responsabilidad. Pregúntales cuál es su preocupación. Recuérdales cómo se siente ser joven y estar enamorado…

Lectura literaria

Once
de *Sandra Cisneros*

Sobre la autora

Sandra Cisneros (1954–) es la más leída de todas las escritoras latinas en Estados Unidos. Nació en Chicago, en una familia de siete hermanos. Gracias a una beca, estudió escritura creativa en la Universidad de Iowa. Su novela más célebre es *The House on Mango Street*, donde explora la niñez en un gueto mexicano de la ciudad. Su última novela, *Caramelo*, describe una saga familiar con sus aventuras, vistas desde la perspectiva de un rebozo (*shawl, wrap*) mexicano. Otros de sus proyectos en años recientes son una colección de ficción llamada *Infinito* y un libro sobre escritura llamado *Writing in My Pajamas*.

Sandra Cisneros

Antes de leer

¿Alguna vez anticipó un día muy especial que no resultó así? ¿Qué sucedió?

35 Practique la estrategia

En el texto que va a leer a continuación, la escritora describe los sentimientos de una niña de once años. A medida que vaya leyendo, preste atención a las palabras o frases que describen cómo se siente Raquel y las razones por las cuales se siente de esa forma, y escríbalas en un diagrama de causa y efecto como el que se muestra.

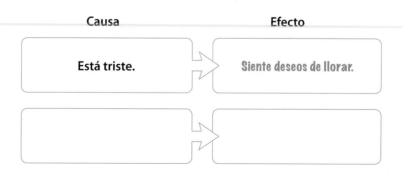

Causa	Efecto
Está triste.	Siente deseos de llorar.

cuatro y tres y dos y uno…

Comprensión

1. ¿Cómo es el modo en que uno se hace viejo?

2. ¿Cuántos años quisiera tener la niña? ¿Por qué?

3. ¿Cuánto tiempo ha estado el suéter en el ropero?

Analice

4. ¿Por qué la niña dice que no se siente de once años todavía?

Once 🎧
de *Sandra Cisneros*

Lo que no entienden de los cumpleaños y lo que nunca te dicen, es que cuando tienes once también tienes diez y nueve y ocho y siete y seis y cinco y cuatro y tres y dos y uno. Y cuando te despiertas el día que cumples once años, esperas sentirte de once, pero no te sientes. Abres los ojos y todo está igualito que ayer, sólo que es hoy y no te sientes como si tuvieras[1] once para nada. Todavía te sientes como si tuvieras diez. Y sí los tienes, por debajo del año que te vuelve once.

Como algunos días puede que digas algo estúpido y esa es la parte de ti que todavía tiene diez. Y otros días puede que necesites sentarte en el regazo de tu mamá porque tienes miedo y esa es la parte de ti que tiene cinco. Y tal vez un día, cuando ya seas grande, necesites llorar como si tuvieras tres y está bien. Eso es lo que le digo a mamá cuando está triste y necesita llorar. Tal vez se siente como si tuviera tres.

Porque el modo como uno se hace viejo es un poco como una cebolla o los anillos dentro de un tronco de árbol o como mis muñequitas de madera que embonan[2] una dentro de la otra, cada año dentro del siguiente. Así es como es tener once años.

No te sientes de once años. No, luego, luego. Tarda varios días, hasta semanas, a veces hasta meses antes de que digas once cuando te preguntan. Y no te sientes como una niña inteligente de once años, no hasta que ya casi tienes doce. Así es.

Sólo que hoy quisiera no tener tan sólo once años repiqueteando[3] dentro de mí como centavitos en una caja de Curitas[4]. Hoy quisiera tener ciento dos años en lugar de once porque si tuviera ciento dos hubiera sabido[5] qué decir cuando la Miss Price puso el suéter rojo sobre mi escritorio. Hubiera sabido cómo decirle que no era mío en lugar de quedarme sentada ahí con esa carota y sin poder decir ni pío[6].

"¿De quién es esto?", dice la Miss Price y levanta el suéter para que toda la clase lo vea. "¿De quién? Ha estado metido en el ropero durante un mes".

"No es mío", dice todo mundo. "No, no, mío no".

"Tiene que ser de alguien", la Miss Price sigue diciendo, pero nadie se puede acordar. Es un suéter bien feo con botones de plástico rojos y un cuello y unas mangas tan, tan estiradas que lo podrías usar como cuerda de saltar[7]. Tal vez tiene mil años y aunque fuera mío[8] nunca de los nuncas lo diría.

[1] as if you were [2] nest [3] ringing [4] Band Aids® [5] I would have known [6] not even a peep (word)
[7] jump rope [8] it were mine

Tal vez porque soy flaquita[1], tal vez porque no le caigo bien[2], esa estúpida de Sylvia Saldívar dice: "Creo que es de Raquel". Un suéter tan feo como ése, todo raído[3] y viejo, pero la Miss Price se lo cree. Miss Price agarra[4] el suéter y lo pone justo en mi escritorio, pero cuando abro la boca no sale nada.

"Ese no es, yo no, usted no está…. No es mío", digo por fin con una vocecita que tal vez era yo cuando tenía cuatro.

"Claro que es tuyo", dice la Miss Price. "Me acuerdo que lo usaste una vez". Porque ella es más grande y la maestra, tiene la razón y yo no.

"No es mío, no es mío, no es mío", pero Miss Price ya está pasando a la página treinta y dos y al problema de matemáticas número cuatro. No sé por qué, pero de repente me siento enferma adentro, como si la parte de mí que tiene tres quisiera salirme por los ojos, sólo que los cierro con todas mis ganas y aprieto bien duro los dientes y me trato de acordar que hoy tengo once años, once. Mamá me está haciendo un pastel para hoy en la noche y cuando papá venga a casa todos van a cantar *Happy birthday, happy birthday to you*.

Pero cuando se me pasan las ganas de vomitar y abro los ojos, el suéter rojo todavía está ahí parado como una montañota roja. Muevo el suéter rojo a la esquina de mi escritorio con la regla. Muevo mi lápiz y libros y goma tan lejos de él como sea posible. Hasta muevo mi silla un poquito pa' la derecha. No es mío, no es mío, no es mío.

Estoy pensando por dentro cuánto falta para el recreo, cuánto falta para que pueda agarrar el suéter rojo y tirarlo por encima de la barda[5] de la escuela o dejarlo ahí colgado sobre un parquímetro o hacerlo bolita y aventarlo[6] al callejón. Excepto que cuando acaba la clase de matemáticas, la Miss Price dice fuerte y enfrente de todos: "Vamos, Raquel, ya basta, porque ve que empujé el suéter rojo hasta la orillita de mi escritorio donde cuelga como una cascada[7], pero no me importa".

"Raquel", dice la Miss Price. Lo dice como si se estuviera enojando[8]. "Ponte ese suéter inmediatamente y déjate de tonterías".

"Pero si no es…".

"¡Ahora mismo!", dice Miss Price.

[1] skinny [2] she doesn't like me [3] worn out [4] grabs [5] wall [6] throw it out [7] waterfall
[8] as if she were getting angry

Comprensión

5. ¿Por qué dice Sylvia Saldívar que el suéter es de Raquel?

6. ¿Qué hace Raquel para alejarse del suéter?

7. ¿Qué quiere hacer Raquel con el suéter?

Analice

8. ¿Qué quiere decir Raquel con "porque ella es más grande y la maestra, tiene razón y yo no"? ¿Está de acuerdo con Raquel? Explique su respuesta.

Es cuando quisiera no tener once, porque todos los años dentro de mí—diez, nueve, ocho, siete, seis, cinco, cuatro, tres, dos y uno— están queriéndose salir desde adentro de mis ojos mientras meto[1] un brazo por una manga del suéter que huele a queso añejo[2] y luego el otro brazo por la otra y me paro[3] con los brazos abiertos como si el suéter me hiciera daño[4] y sí me hace, todo sarnoso[5] y lleno de microbios que ni siquiera son míos.

Y de repente todo lo que he estado guardando dentro desde esta mañana, desde cuando la Miss Price puso el suéter en mi escritorio, por fin sale y de pronto estoy llorando enfrente de todo mundo. Quisiera ser invisible pero no lo soy. Tengo once años y hoy es mi cumpleaños y estoy llorando enfrente de todos como si tuviera tres. Pongo la cabeza sobre el escritorio y entierro la cara en mi estúpido suéter de mangas de payaso. Mi cara toda caliente y la baba escurriéndome[6] de la boca porque no puedo parar los ruiditos de animal que salen de mí hasta que ya no me quedan lágrimas en los ojos y mi cuerpo está temblando[7] como cuando tienes hipo y me duele toda la cabeza como cuando bebes leche demasiado aprisa.

Pero lo peor sucede justo antes de que suene la campana para el recreo. Esa estúpida Phyllis López, que es todavía más tonta que Sylvia Saldívar, dice que se acuerda que el suéter rojo ¡es suyo! Me lo quito inmediatamente y se lo doy, pero la Miss Price hace de cuenta[8] que no hubiera pasado nada.

Hoy cumplo once años. Mamá está haciendo un pastel para hoy y cuando papá llegue a casa del trabajo nos lo vamos a comer. Va a haber velitas[9] y regalos y todos van a cantar *Happy birthday, happy birthday to you*, Raquel; sólo que ya pa' qué[10].

Hoy cumplo once años. Hoy tengo once, diez, nueve, ocho, siete, seis, cinco, cuatro, tres, dos y uno, pero quisiera tener ciento dos. Quisiera tener cualquier cosa menos once, porque quiero que el día de hoy esté ya muy lejos, tan lejos como un globo que se escapa, como una pequeña "o" en el cielo, tan chiquitita, chiquitita que tienes que cerrar los ojos para verla.

[1] I put [2] stale [3] I stand [4] harm [5] mangy [6] saliva dripping [7] trembling [8] pretends [9] candles
[10] what is the point [informal contraction of *para que*]

Comprensión

9. ¿Cómo se siente Raquel cuando empieza a llorar?

10. ¿Qué es lo peor que sucede?

11. ¿Qué quiere ahora Raquel?

Analice

12. ¿Por qué dice Raquel que no quisiera tener once años?

13. ¿Por qué dice Raquel que ya pa'qué?

Después de leer

A veces es cierto el dicho: "Un dibujo vale más que mil palabras". Haga una tira cómica para contar lo que le sucedió a Raquel, con base en la información que reunió en Practique la estrategia. Si lo prefiere, piense en un momento de su vida en que otras personas lo hayan hecho sentir tan mal como se sintió Raquel en la historia y cuente en la tira cómica su propia anécdota. Al terminar, compartan sus anécdotas en clase. Verán como todos, en algún momento, han vivido una experiencia similar.

Repaso de la Lección B

A Escuchar: ¿Se está arreglando? 🎧 (pp. 79–80, 90–91)

Escuche y diga **sí** si las seis personas se están arreglando en el baño. Diga **no** si no lo están haciendo.

B Vocabulario: Busque al intruso (pp. 79–80, 90–91)

Lea los siguientes grupos de palabras. Indique cuál no pertenece y por qué.

> MODELO ordenado / paciente / desventaja
> **desventaja: No es una cualidad**

1. fundas / cobijas / estantes
2. percha / tornillo / clavo
3. cómoda / sábanas / sofá
4. enojarse / secarse / pintarse
5. desordenado / enfrente de / delante de

C Vocabulario/Gramática: ¡Qué horror! (pp. 79–80, 82)

Complete el siguiente párrafo con las palabras o formas de los verbos del recuadro que correspondan según el contexto.

numerosa	desventaja	desorden	enojarse
prepararse	desordenada	paciente	cepillo de dientes

Nosotros somos una familia **(1)** y vivimos en una casa pequeña. La **(2)** es que hay un solo baño y todos tenemos que **(3)** para salir al mismo tiempo. Por las mañanas, es un horror. Mi hermana es muy **(4)** y se pone furiosa cuando yo le digo algo. Yo soy **(5)**, pero ya no aguanto su **(6)**. Deja todo en el suelo, el secador, el lápiz de labios, y hasta su **(7)**. Luego no encuentra nada y **(8)** conmigo. ¡Ya no aguanto más!

D Gramática: ¡Es un mandón! (p. 93)

Ud. comparte el cuarto con su hermano que es un desordenado. Use los mandatos informales de los verbos del recuadro y dígale qué tiene que hacer.

colgar la ropa	hacer la cama	poner las fundas
cambiar las sábanas	recoger los libros	mover la cómoda
sacar el sofá	colgar las cortinas	cubrir la cama

> MODELO guardar los zapatos
> **Guarda los zapatos dentro del armario.**

E Cultura: La importancia de la familia y la comunidad (pp. 88–89)

¿En qué se parecen y en qué se diferencian las costumbres de los estadounidenses y de los hispanos en cuanto a la familia y a la comunidad? Use la información de esta unidad y escriba los resultados en un diagrama de Venn. Presente el diagrama a la clase.

Vocabulario

Objetos del baño

el cepillo de dientes
el esmalte de uñas
el lápiz de labios
la pasta de dientes
el secador

Adjetivos

desordenado/a
furioso/a
impaciente
mandón, mandona
mojado/a
numeroso/a
ordenado/a
paciente

Verbos

cepillarse
enojarse
faltar
guardar
pelearse
pintarse
ponerse
prepararse
secarse
tocar

Muebles y otras cosas

la cómoda
el estante
la mesa de noche
la percha
el sofá
el suelo

Para hacer la cama

la almohada
la cobija
el colchón
el cubrecamas
la funda
la sábana

Expresiones de lugar

acá
delante de
dentro de
detrás de
enfrente de
fuera de

Otras palabras y expresiones

el desorden
la desventaja
la ventaja

Gramática

Los verbos reflexivos

Los verbos reflexivos indican que la acción del verbo vuelve a la persona que efectúa la acción. Se construyen con un pronombre reflexivo (*me*, *te*, *se*, *nos*, *os*) y la forma del verbo conjugado según el sujeto. También, se puede añadir el pronombre reflexivo al final del infinitivo o del gerundio. Si se añade a un gerundio, se necesita escribir un acento para mantener el énfasis original.

> ***Me seco*** *después de bañar**me**.*
> *Nosotros estamos cepill**ándonos** los dientes.*

Tenga cuidado con algunos verbos que cambian de significado cuando se usan de una manera reflexiva: ***dormir**(**se**)*, ***ir**(**se**)*, ***levantar**(**se**)*, ***parecer**(**se**)* y ***reír**(**se**)*.

Acciones recíprocas

Algunos verbos reflexivos expresan lo que pasa entre dos personas usando los pronombres reflexivos ***nos*** y ***se***: ***abrazarse***, ***ayudarse***, ***besarse***, ***conocerse***, ***darse***, ***escribirse***, ***llamarse***, ***llevarse***, ***pelearse***, ***quererse***, ***saludarse*** y ***verse***.

> ***Nos escribimos*** *correos electrónicos todos los días.*
> *Mis hermanos **se pelean** cada mañana.*

Los mandatos informales afirmativos

Para hacer mandatos informales afirmativos se usa la forma de la tercera persona singular (él/ella/Ud.). Se pueden añadir pronombres de complemento directo, indirecto y reflexivo al final del mandato, y se necesita escribir un acento para mantener el énfasis original.

> ***Cierra la*** *puerta.* ***Ciérrala.***

Algunos mandatos irregulares: ***di***, ***haz***, ***ve***, ***pon***, ***sal***, ***sé***, ***ten*** y ***ven***.

Para concluir

Proyectos

A ¡Manos a la obra!

Imaginen que hoy es el Día de la Hispanidad y que van a invitar a sus nuevos vecinos que acaban de llegar de México. En su honor van a hacer una fiesta y preparar esta receta. Trabajen en grupos, turnándose para dar las instrucciones de preparación. Usen el mandato informal de los verbos en infinitivo para darles instrucciones de preparación a sus compañeros, como se ve en el modelo.

MODELO   **Alicia, corta el tomate, el pimiento y la cebolla en tiras largas. Y tú, Carlos, corta el pollo en trozos pequeños rectangulares.**

Ingredientes:
1. Una libra de pollo
2. Dos cucharaditas de aceite de oliva
3. Un pimiento (chile morrón) grande
4. Una cebolla grande
5. Un tomate grande
6. Sal
8. Pimienta a gusto
9. Opcional para decoración: hojas de cilantro
10. Tortillas de harina de trigo bajas en grasa

Fajitas de Pollo Estilo Tex-Mex

Preparación:
1. Cortar el tomate, el pimiento y la cebolla en tiras (*strips*) largas.
2. Cortar el pollo en trozos (*pieces*) pequeños y rectangulares.
3. Poner a calentar el aceite de oliva en una sartén pesada (*heavy skillet*).
4. Añadir el pollo. Dejarlo cocinar hasta que esté 75 % cocido. Hacerlo a fuego alto, revolviendo (*stirring*) constantemente.
5. Añadir el pimiento y la cebolla. Bajar la temperatura a fuego medio.
6. Añadir el tomate, la sal y la pimienta, moviendo constantemente.
7. Cocinar las verduras hasta que estén listas.
8. Decorar con el cilantro.
9. Servirlo caliente, directamente de la sartén. ¡Buen provecho!

B En resumen

Complete el siguiente cuadro con información sobre la influencia hispana en varias regiones de Estados Unidos. Dé ejemplos sacados de las lecturas de la unidad. Tenga en cuenta las celebraciones, los nombres, el entretenimiento, la conexión con la comunidad, y cualquier otro dato que se le ocurra.

Influencia hispana en Estados Unidos	
California	En el área de Los Ángeles, se encuentran mexicanos, salvadoreños y guatemaltecos.
Florida	
Nueva York	
Texas	

C ¡A escribir!

Investigue a una persona famosa de Latinoamérica que se haya tenido que venir a vivir a Estados Unidos y escriba un párrafo sobre su experiencia. Tenga en cuenta las siguientes preguntas:

- ¿Qué hacía esa persona en su país?
- ¿Qué razones tuvo para dejarlo?
- ¿Qué obstáculos tuvo que superar al llegar a este país?
- ¿Logró adaptarse a su nueva vida y obtener tanto éxito como tenía antes?

Para escribir más

la discriminación	discrimination
el prejuicio	prejudice
perseverar	persevere
superar	overcome

Isabel Allende es una novelista chilena y nacionalizada estadounidense. Reside en California.

D ¿Qué edad le gustaría volver a tener? Conéctese: las matemáticas

Hagan una encuesta entre sus familiares o amigos de mayor edad para saber si es cierto que unas edades son mejores que otras. Háganles la siguiente pregunta: Si fuera (*it were*) posible volver el tiempo atrás, ¿qué edad le gustaría volver a tener? Luego, analicen las respuestas que obtuvieron, compárenlas y registren los datos. Representen los resultados en una gráfica de barras como la que se ve a la derecha. Según los resultados de la encuesta, ¿cuál es la mejor edad y por qué?

E Una artista hispana de renombre Conéctese: el arte

Carmen Lomás Garza, nacida en Kingsville, Texas, es una artista de ascendencia mexicana que se ha hecho famosa por sus cuadros de costumbres, a través de los cuales ha difundido las creencias y tradiciones de la cultura mexicoamericana en Estados Unidos. Prepare una presentación sobre el costumbrismo en el arte de Carmen Lomas Garza, en pinturas como *Sandía y Baile sí*. Primero, busque los cuadros en la internet y obsérvelos cuidadosamente. Luego, identifique el tema general y los detalles de los cuadros que corresponden con las características del costumbrismo. Resuma la información en uno o dos párrafos y, si es posible, use ilustraciones para respaldar (*support*) sus ideas. Para finalizar, haga su presentación enfrente de la clase.

Vocabulario de la Unidad 2

acá here 2B
a diferencia de unlike, contrary to 2A
la **almohada** pillow 2B
la **barba** beard 2A
el **basurero** garbage/trash can 2A
el **bigote** mustache 2A
la **caja** box 2A
la **calefacción** heating 2A
casado/a married 2A
castaño/a brown 2A
cepillarse to brush (one's hair, teeth) 2B
el **cepillo de dientes** toothbrush 2B
clavar to nail 2A
el **clavo** nail 2A
la **cobija** blanket 2B
el **colchón** mattress 2B
la **cómoda** dresser, chest of drawers, bureau 2B
conectar to connect 2A
construir (y) to build 2A
el **cortacésped** lawnmower 2A
el **cubrecamas** bedcover, comforter 2B
la **cuñada** sister-in-law 2A
el **cuñado** brother-in-law 2A
decorar to decorate 2A
delante de in front of 2B
dentro de inside of 2B
desarmar to take apart 2A
el **desorden** mess 2B
desordenado/a messy 2B
el **destornillador** screwdriver 2A
la **desventaja** disadvantage 2B
el **detector de humo** smoke detector 2A
detrás de behind 2B
enchufar to plug in 2A
enfrente de facing, in front of 2B
enojarse to get angry 2A
el **esmalte de uñas** nail polish 2B

el **estante** shelving, bookcase 2B
el **extinguidor de incendios** fire extinguisher 2A
faltar to be missing 2B
fuera de outside of 2B
funcionar to function, to work 2A
la **funda** pillow case 2B
furioso/a furious 2B
los **gemelos,** las **gemelas** twins 2A
guardar to put away, to keep 2B
impaciente impatient 2B
lacio straight (hair) 2A
el **lápiz de labios** lipstick 2B
los **lentes** eyeglasses 2A
la **madrina** godmother 2A
mandón, mandona bossy 2B
el **martillo** hammer 2A
la **mesa de noche** night table 2B
mojado/a wet 2B
la **nuera** daughter-in-law 2A
numeroso/a large (in numbers) 2B

ordenado/a neat 2B
paciente patient 2B
el **padrino** godfather 2A
el **pasillo** hall, corridor 2A
la **pasta de dientes** toothpaste 2B
pelearse to fight 2B
la **percha** hanger 2B
pintarse los labios (las uñas) to put on lipstick (paint one's fingernails) 2B
ponerse to become, to get 2B
prepararse to prepare oneself, to get ready 2B
propio/a one's own 2A
regar (ie) to water 2A

rizado/a curly 2A
la **sábana** sheet 2B
sacar fotos to take pictures 2A
el **secador de pelo** hair dryer 2B

secarse to dry (oneself) 2B
el **sofá** sofa 2B
soltero/a single 2A
la **suegra** mother-in-law 2A
el **suegro** father-in-law 2A
el **suelo** floor 2B
la **terraza** terrace 2A
tocar to be someone's turn 2B
el **tornillo** screw 2A
vaciar to empty 2A
la **ventaja** advantage 2B
viudo/a widower, widow, widowed 2A
el **yerno** son-in-law 2A

¿Sabía que...?

Los jóvenes españoles usan muchas palabras antiguas para decir *cool*, como la palabra **guay** que viene del árabe egipcio, *kuwayyis*, y significa bueno o bonito. **Guay** se ha usado en distintas épocas; a veces pasa de moda y, luego, se usa otra vez. ¡El español sí que es guay!

Noticias de ayer, de hoy y de siempre

Escanee el código QR para mirar el documental sobre los personajes de *El cuarto misterioso*.

Diga en qué se parecen Anna Ros y su personaje, y en qué se diferencian.
Dé un ejemplo del documental y explique su respuesta.

Pregunta clave

?

¿Cómo se manifiesta la historia de un país en su cultura actual?

¿Cómo se llama este parque de Madrid y cuál es su importancia histórica y actual?

España

Mis metas

Lección A   I will be able to:

▶ talk about headlines and events in the news
▶ use the preterite to talk about past activities
▶ discuss the influence of Spain's past on its present culture
▶ talk about festivals and other events covered by the media
▶ use **hace que** to talk about how long ago something happened
▶ use the imperfect to describe people and actions in the past
▶ read about what's new in entertainment and fashion in Spain

Lección B   I will be able to:

▶ comment on events in the news
▶ use the preterite and the imperfect correctly
▶ talk about the Spanish royal family and other Spanish customs rooted in the past
▶ describe a car accident
▶ use the past perfect to talk about past events
▶ use the relative pronouns **que** and **quien(es)** to link two parts of a sentence
▶ read and discuss an excerpt from ***Don Quijote de la Mancha*** by Miguel de Cervantes Saavedra

Los titulares de hoy 🎧

España

Finanzas | Política | Sociedad | Clasificados | Ocio | Deportes

🏠 〉 ¿Qué sucedió? 〉 *Noticias de última hora* 〉 MÁS TEMAS 〉 🎥◀ *España TV* ≫

DEPORTES

El portero del Real Madrid se lastimó en el partido. **¡No lo puedo creer!** Tal vez no pueda volver a jugar, dice **la prensa**.

➕ *Vea la sección de Deportes*

POLITICA

El Primer Ministro español **dio un discurso** sobre los problemas financieros de España.

➕ *Vea la sección de Política*

SOCIEDAD

¿Viste que **se casó** la hija del director? Parece que la boda fue todo un espectáculo.

➕ *Vea la sección de **Sociedad***

OCIO

¿Ya **averiguaste** cuales fueron las respuestas del **crucigrama** de la semana pasada?

➕ *Vea la sección de **Ocio***

CLASIFICADOS

No te pierdas la venta de coches usados que **tiene lugar** en la Plaza Mayor.

➕ *Vea la sección de **Clasificados***

FINANZAS

¿Sabes qué **sucedió** en la bolsa de valores de Madrid?

➕ *Vea la sección de **Finanzas***

Para conversar

To recall and talk about events in the past:

¿Leíste la noticia sobre el temblor que **destruyó** un pueblo en el norte de España?
Did you read the news about the earthquake that destroyed a town in northern Spain?

Sí, parece que se necesita mucha ayuda. Están llamando a todos a **contribuir**.
Yes, it seems they need a lot of help. They are asking everyone to contribute.

¿Leíste **el suplemento dominical**?
Did you read the Sunday supplement?

Te lo recomiendo. Se trata de **la prensa** y del **periodismo** en España.
I recommend it. It has to do with the press and journalism in Spain.

Para decir más

de última hora	*breaking news*
en primera plana	*on the front page*
estar al tanto	*to be up to date*

1 ¿Qué quiere saber?

Empareje los temas de información de la columna I con las secciones del periódico correspondientes de la columna II.

I	II
1. el discurso del presidente	A. ocio
2. el valor actual del dólar	B. clasificados
3. la hora de la telenovela	C. deportes
4. los anuncios de trabajo	D. política
5. las diversiones de todo tipo	E. finanzas
6. los resultados del partido	F. programación de televisión

2 ¿Qué sección del periódico? 🎧

¿En qué secciones aparecieron estas noticias? Indique la letra de la ilustración de la sección que corresponde a cada noticia que escucha.

3 ¿Cuál es la palabra?

Complete las oraciones con las palabras que corresponden.

clasificados   tuvo lugar   crucigrama

averiguar   discurso

suplemento dominical

1. El ministro dio un __ en el Palacio de la Moncloa.
2. Todos los domingos mi familia y yo leemos el __.
3. No pude encontrar la última palabra del __.
4. El accidente __ en una calle cerca de mi casa.
5. No pudimos __ qué sucedió ese día en la casa de Elena.
6. Encontré un trabajo fantástico en la sección de __.

En Madrid se leen muchos periódicos como El País, El Mundo y ABC.

Diálogo 🎧

¿Qué pasó?

José: ¿Leíste la sección de deportes de hoy, Carlos?

Carlos: No, ¿qué sucedió?

José: Enrique, el mejor jugador de baloncesto del Barcelona, se fue del equipo.

Carlos: ¿Estás seguro?

José: Sí, lo leí aquí... mira.

Carlos: No lo puedo creer. Pero, ¿por qué?

José: Se peleó con el presidente del equipo.

Carlos: ¿Por qué?

José: El presidente dio un discurso que a Enrique no le gustó.

Carlos: ¿Jugó Enrique el partido de anoche?

José: No, pero según la programación de televisión, va a jugar esta noche y van a dar el partido por TV1.

Carlos: ¿Lo vemos?

José: Bueno.

4 ¿Qué recuerda Ud.? 🎧

1. ¿Qué leyó José en la sección de deportes?
2. ¿Por qué se fue el jugador del equipo?
3. ¿Sobre qué fue la pelea?
4. ¿Qué dice la programación de televisión?
5. ¿En qué canal van a dar el partido?

5 Algo personal 🎧

1. ¿Qué sección del periódico lee Ud. con más frecuencia? ¿Por qué?
2. ¿Lee Ud. el suplemento dominical? ¿Qué sección le gusta más?
3. ¿Leyó Ud. alguna noticia importante esta semana? ¿Sobre qué?
4. ¿Cómo se entera Ud. mejor de las noticias, por el periódico, por la radio, por la televisión o por la internet?

6 ¿En qué sección está? 🎧

Escuche las siguientes noticias correspondientes a cada foto y las secciones en que pueden aparecer. Escoja la letra de la sección correcta.

1

2

3

4

El pretérito

- You know how to use the preterite tense to talk about past activities and events. Review the forms of regular verbs in the preterite.

hablar		comer		escribir	
hablé	hablamos	comí	comimos	escribí	escribimos
hablaste	hablasteis	comiste	comisteis	escribiste	escribisteis
habló	hablaron	comió	comieron	escribió	escribieron

- Verbs that end in *-car*, *-gar*, and *-zar* have a spelling change in the *yo* form of the preterite.

c → qu		g → gu		z → c	
buscar	→ busqué	jugar	→ jugué	comenzar	→ comencé
sacar	→ saqué	llegar	→ llegué	cruzar	→ crucé

Saqué una A en el examen.

7 ¿Qué hizo anoche?

Emilio describe lo que él y su familia hicieron anoche después de llegar a casa. Complete lo que dice con el pretérito de los verbos entre paréntesis.

> **MODELO** Anoche yo no (*salir*) de casa.
> Anoche yo no **salí** de casa.

1. Yo (*llegar*) a casa a las cinco.
2. Después (*buscar*) la sección de ocio del periódico.
3. Luego, mis hermanos (*tratar*) de hacer el crucigrama.
4. Yo no (*leer*) nada en la sección de política.
5. A las seis mi papá (*regresar*) del trabajo.
6. Él (*subir*) a su cuarto y (*comenzar*) a mirar los titulares.
7. Mi papá, mis hermanas y yo (*comer*) juntos.
8. Mi mamá (*llegar*) tarde y no (*comer*).
9. Después de comer todos (*mirar*) las noticias por televisión.
10. Nosotros (*acostarse*) sobre las diez.

Estrategia

Review and recycle

Estas expresiones de tiempo se usan a menudo con el pretérito.

anoche	*last night*
anteanoche	*night before last*
anteayer	*day before yesterday*
ayer	*yesterday*
de repente	*suddenly*
desde que	*since*
después	*after*
el año/mes pasado	*last year/month*
el otro día	*the other day*
la semana pasada	*last week*

Gramática

¡Comunicación!

8 **¿Cómo se comparan?** 👥 Interpersonal Communication

Primero, compare las actividades que Ud. y su familia hicieron anoche con las que Emilio describe en la actividad anterior. Luego, pregúntele a su compañero/a si él o ella y su familia hicieron lo mismo.

MODELO
A: Anoche, el padre de Emilio regresó del trabajo a las seis. Mi padre también regresó a esa hora. ¿A qué hora regresó tu padre del trabajo?

B: Mi padre regresó a las ocho de la noche.

Mi padre regresó del trabajo a las seis.

Verbos irregulares en el pretérito

- Some *-ir* verbs that have stem changes in the present, like *sentir* and *dormir*, also have stem changes in the preterite. The stem vowel changes from *e → i*, or *o → u*, but only in the third person singular (*él, ella, Ud.*) and plural (*ellos, ellas, Uds.*) forms.

  e → i sentir: sentí, sentiste, sintió, sentimos, sentisteis, sintieron

  o → u dormir: dormí, dormiste, durmió, dormimos, dormisteis, durmieron

- More verbs like *sentir* and *dormir*:

conseguir	divertirse	mentir	morir	pedir	preferir
reírse	repetir	seguir	sentirse	vestirse	

- The verbs *ver*, *dar*, *ser*, and *ir* are irregular in the preterite. Note that *ser* and *ir* have identical forms in this tense. The context of the sentence will indicate which verb is being used.

ver	vi	viste	vio	vimos	visteis	vieron
dar	di	diste	dio	dimos	disteis	dieron
ser/ir	fui	fuiste	fue	fuimos	fuisteis	fueron

- The verb *haber* has a single form, *hubo*, that means "there was" or "there were."

  Hubo una explosión en un edificio del centro.

  There was an explosion in a building downtown.

Hubo un incendio en un barrio de Sevilla.

9 Los titulares de ayer

Cree oraciones usando el pretérito según
las indicaciones.

MODELO   Nosotros lo (*leer*) en el periódico
de ayer.

Nosotros lo **leímos** en el
periódico de ayer.

No fue un accidente muy serio.

1. Ayer el gobernador (*dormirse*) durante una
   reunión de prensa.
2. El director del museo (*dar*) un discurso
   sobre el arte de Velázquez.
3. Los obreros de la empresa Vidal (*conseguir*)
   el aumento.
4. Los estudiantes del Instituto Cervantes
   (*pedir*) más días de vacaciones.
5. La reina Letizia (*ir*) a un concierto en el Auditorio Nacional.
6. Dos mujeres y un niño (*morir*) en un accidente de tráfico.
7. Muchas personas (*sentirse*) mal después de cenar en un restaurante del centro.
8. La gente del barrio de Salamanca (*ver*) con sorpresa llegar al presidente.
9. (*haber*) un accidente terrible en la Gran Vía.

10 ¡No me diga!

Complete las siguientes conversaciones con el pretérito de los verbos del recuadro que
correspondan en cada contexto. Algunos verbos se usan más de una vez.

conseguir	ser	pedir	ir
divertirse	ver	dar	sentirse

La estudiante le pidió ayuda a la
bibliotecaria.

1. **A:** ¿Sabes que el presidente __ un discurso anteayer en el congreso?
   B: No. ¿ __ tú a verlo en vivo?
   A: No, lo __ por televisión. __ muy informativo.
2. **A:** ¿ __ tú en la sección de sociedad que Elena se casó?
   B: ¡Claro! Mis padres __ a su boda y __ muchísimo.
   A: Y Elena, ¿cómo __ ella?
   B: Muy emocionada.
3. **A:** ¿ __ Uds. la información en la internet?
   B: No, nosotros __ a la biblioteca y le __ ayuda a la bibliotecaria.
4. **A:** ¿Sabes que ayer __ un programa en inglés por el canal Telecinco?
   B: ¿Te gustó?
   A: Sí, __ estupendo.

Gramática

¡Comunicación!

11 Una boda de alta sociedad 👥 **Interpersonal/Presentational Communication**

Imagínese que Ud. es periodista y que tiene que escribir un reportaje para la sección de sociedad del periódico sobre una boda muy prestigiosa. Primero tiene que entrevistar a un par de invitados para averiguar todos los detalles sobre la ceremonia, la recepción, los invitados y todo lo que sucedió. Trabajen en grupos de tres y túrnense para representar el papel del reportero y el de los invitados. Usen las palabras del recuadro y sigan el modelo como guía. Después escriban el artículo incorporando la información que hayan averiguado.

casarse	dar	divertirse	hacer	parecer	sentirse	servir

MODELO
A: Cuénteme, ¿cómo le pareció la boda?
B: Bueno, pues... fue una boda supremamente elegante, como se podrá imaginar.
A: Sí, por supuesto. Y ahora Ud. señora. ¿Me puede decir quiénes asistieron a la ceremonia en la iglesia?
C: Sí, claro. Asistió mucha gente de la alta sociedad.

Otros verbos irregulares en el pretérito

- Verbs that end in *-aer*, *-eer*, *-uir*, as well as the verb *oír*, change the *i* to *y* in the third person singular and plural forms. With the exception of verbs ending in *-uir*, these verbs have a written accent on the *i* in all the preterite forms.

leer	
leí	leímos
leíste	leísteis
leyó	leyeron

contribuir	
contribuí	contribuimos
contribuiste	contribuisteis
contribuyó	contribuyeron

- Other verbs like *leer* and *contribuir* include *oír*, *caerse*, *destruir*, and *construir*.
- The following verbs all have irregular preterite stems and share the same endings.

verb	stem	ending	verb	stem	ending
andar	anduv				
caber	cup				
estar	estuv	-e			-e
haber	hub	-iste	conducir	conduj	-iste
poder	pud	-o	decir	dij	-o
poner	pus	-imos	traer	traj	-imos
querer	quis	-isteis			-isteis
saber	sup	-ieron			-eron
tener	tuv				
venir	vin				

¿Viste la foto de la boda de Margarita y Luis en la sección de sociedad del periódico?

12 Las noticias que leímos

Use los elementos dados para decir lo que hicieron estos jóvenes.

MODELO   Tú no (*poder*) oír el discurso que dio el rey.
Tú no **pudiste** oír el discurso que dio el rey.

1. Clara y Pablo (*hacer*) una encuesta acerca de las redes sociales que leen los jóvenes.

2. María Antonieta (*oír*) en la radio una entrevista con el primer ministro.

3. Mis compañeros (*contribuir*) con varios artículos sobre el concierto de anoche.

4. Juana (*leer*) un artículo sobre la economía del país.

5. Pablo y yo (*traer*) varias fotos para poner en nuestro artículo.

6. Yo (*poner*) un anuncio en la sección de clasificados.

13 ¡Demasiadas excusas!

Use el pretérito de los verbos entre paréntesis para completar las excusas que dieron estas personas.

1. La profesora no (*querer*) explicar nada nuevo, porque nadie (*traer*) la tarea.

2. Mis hermanitas (*caerse*) y yo (*tener*) que cuidarlas.

3. Nosotros (*oír*) que el partido no (*tener*) lugar porque el huracán (*destruir*) el estadio.

4. ¿Sabes por qué (*irse*) Elisa sin despedirse?

5. Perdón, yo (*estar*) enferma y por eso no (*poder*) terminar la tarea.

6. ¡Pobre Ana! Ella no (*saber*) la respuesta porque no (*tener*) tiempo para estudiar.

7. Carlos no (*leer*) la novela porque no la (*conseguir*) en la internet.

8. ¡Qué pena! Nadie me (*decir*) ayer que mis tíos (*venir*) a visitarnos.

¡Comunicación!

14 ¿Qué hizo? 👥   Interpersonal Communication

Imagine que acaba de encontrarse con su mejor amigo/a a quien no ve desde el viernes, y están charlando sobre todo lo que hicieron el fin de semana. Represente la conversación con su compañero/a y túrnense para hacerse preguntas y contarse todo lo que hicieron. Usen las expresiones del recuadro y sus propias ideas. Sigan el modelo como guía.

| hacer algo interesante | ir a una fiesta | practicar algún deporte | salir con amigos | divertirse |

MODELO   A: Hola, Lisa, no te veo desde el viernes. ¿Qué hiciste el fin de semana?
B: Fíjate que tuve que irme de viaje con mis padres. ¿Y tú? ¿Qué hiciste?

¡Comunicación!

Ud. está de vacaciones en Madrid y quiere obtener más información sobre la parte antigua de la ciudad. Lea el siguiente artículo que un reportero escribió sobre sus experiencias en la ciudad y conteste las preguntas.

Un paseo por el antiguo Madrid

Comenzamos el paseo en la Plaza Mayor. Nos dijeron que hasta el siglo XIX, la Plaza Mayor fue escenario de muchos eventos públicos, como corridas de toros, ejecuciones[1] y fiestas con bailes y teatro. Bajo sus arcadas[2] vimos tiendas de paños[3], joyerías y pastelerías. Seguimos por la Calle Mayor hasta llegar a la Plaza de la Villa, que fue la sede[4] del Ayuntamiento[5] hasta el año 2008. Quisimos entrar allí pero no pudimos porque estaba cerrado. Continuamos por la Cava Baja, una calle donde hay muchos restaurantes con el sabor del viejo Madrid. Entramos en uno de ellos y nos trajeron unas tapas[6] deliciosas. Estuvimos allí más de dos horas. El dueño[7] del restaurante vino a saludarnos y luego

La Plaza Mayor, Madrid

nos sirvió unas natillas[8] exquisitas de postre. Regresamos al hotel cansados, pero felices. Fue una experiencia maravillosa.

[1]executions [2]arches [3]fabric [4]seat [5]local government [6]appetizers [7]owner [8]cream custards

1. ¿Dónde comenzaron el paseo?
2. ¿Qué les dijeron acerca de la Plaza Mayor?
3. ¿Qué vieron allí?
4. ¿Por dónde siguieron?
5. ¿Dónde quisieron entrar? ¿Pudieron hacerlo?
6. ¿Adónde fueron después?
7. ¿Qué les trajeron en el restaurante?
8. ¿Quién vino a saludarlos allí?
9. ¿Qué les sirvieron de postre?
10. ¿Cómo se sintieron cuando regresaron al hotel?
11. ¿Cómo fue la experiencia?

¡Comunicación!

Con su compañero/a, escriban un artículo sobre un paseo por el lugar donde viven, usando el pretérito de los verbos que aprendieron. Luego, presenten su artículo a la clase. Si pueden, incluyan fotos.

La Plaza de la Villa, Madrid

? Pregunta clave

¿Cómo se manifiesta la historia de un país en su cultura actual?

España: Un país donde el presente y el pasado se encuentran día a día 🎧

Si crees que los sucesos históricos de un país son noticias de ayer que ya no importan, ¡te equivocas! En la España contemporánea se mantiene viva la herencia de los griegos, romanos, árabes y judíos y otros pueblos que la ocuparon a través de su historia. Este legado[1] histórico se hace especialmente evidente en la arquitectura, en edificaciones como el acueducto de Segovia, el cual data de los tiempos del Imperio romano, y el palacio-ciudad de la Alhambra en Granada, el cual fue testigo[2] de ocho siglos de dominación árabe.

El acueducto de Segovia

En Madrid, la vida transcurre[3] en medio de lugares que han visto más de tres siglos de historia, como la Plaza Mayor, la Puerta del Sol y el Parque del Buen Retiro. La Plaza Mayor, la cual fue centro de eventos públicos, corridas de toros y hasta de ejecuciones en épocas pasadas, sigue siendo el alma[4] de la ciudad. En ella se realizan mercados, ferias, conciertos y muchos otros eventos culturales. La Puerta del Sol es una plaza rodeada de tiendas y restaurantes que atrae a madrileños y turistas por igual. Por encontrarse en el puro centro de Madrid y de España, la Puerta del Sol es el punto de origen del sistema de carreteras del país. El Buen Retiro fue el parque privado de descanso y recreación de la realeza española hasta mediados del siglo XIX. Hoy en día, es uno de los lugares más importantes y concurridos[5] de la ciudad y parte del patrimonio cultural e histórico del país.

El Parque del Buen Retiro

[1]legacy [2]witness [3]passes by [4]soul [5]busy

🔍 **Búsqueda:** acueducto de segovia, alhambra de granada, plaza mayor, puerta del sol, el buen retiro

---

17 Comprensión — Interpretive Communication

1. ¿Qué pueblos dejaron marcas permanentes en España a través de su historia?
2. ¿En qué lugares se hace evidente el legado histórico de España?
3. ¿Por qué son importantes la Plaza Mayor y la Puerta del Sol?
4. ¿Cuál es la importancia actual del Parque del Buen Retiro?

18 Analice

1. ¿Qué tienen en común el acueducto de Segovia y la Alhambra de Granada? ¿En qué se diferencian?
2. ¿Con qué otra obra de la literatura se puede comparar la obra del *Quijote*? ¿Por qué?

Productos 🎧

El ingenioso hidalgo don Quijote de la Mancha, la obra maestra de la literatura española, fue escrita por Miguel de Cervantes Saavedra y publicada por primera vez a comienzos del siglo XVII. *Don Quijote de la Mancha* es una de las obras más reconocidas de la literatura universal y el libro más traducido de la historia, después de la Biblia.

Fiestas en España

Una procesión de Semana Santa

España es un país de fiestas y tradiciones que tienen más de cinco siglos de historia. Un ejemplo es la Semana Santa[1], la cual se celebra en marzo o abril con grandes procesiones por las calles. La gente lleva a hombros plataformas con figuras religiosas rodeadas de flores y velas[2]. Hoy en día, muchas de las celebraciones de los españoles tienen una historia religiosa. La fiesta más tradicional de Madrid es la Fiesta de San Isidro, la cual se celebra el 15 de mayo en honor al santo patrón de la capital. Por cinco días los madrileños festejan[3] en las calles con actos religiosos que datan del siglo XII; con bailes, trajes típicos, y fuegos artificiales; y con los tradicionales desfiles de cabezones, los cuales se conocen en España desde la Edad Media[4] y constituyen una sátira del gobierno, la monarquía y la sociedad en general. También hay muchas celebraciones españolas seculares, como el Carnaval de Santa Cruz de Tenerife, el segundo carnaval más importante del mundo después del Carnaval de Río de Janeiro. Para prolongar sus fiestas, los españoles tienen la costumbre de "hacer puente": si un día festivo cae en jueves, se coge el viernes de vacaciones para disfrutar de un fin de semana extendido.

[1]Holy Week [2]candles [3]celebrate [4]Middle Ages

Búsqueda: semana santa, carnaval de santa cruz de tenerife, san isidro

Desfile de cabezones en el Festival de San Isidro

Productos

El flamenco

El baile del flamenco se conoce en España desde antes del siglo XVIII, pero al principio fue popular solo entre las jóvenes gitanas (*gypsies*) de la región de Andalucía en el sur de España. En la actualidad el flamenco es parte integral de la cultura de España y de su patrimonio nacional.

Comparaciones

¿Existe en su zona una celebración tradicional como el desfile de los cabezones? ¿En qué se parecen o se diferencian?

19 Comprensión · Interpretive Communication

1. Nombre y describa tres celebraciones españolas.
2. ¿Qué significado tienen los cabezones que se ven en muchos desfiles españoles?
3. Eplique la costumbre española de "hacer puente".

20 Analice

1. En su opinión, ¿es importante mantener tradiciones y costumbres a través de los años y los siglos? Explique.
2. ¿Qué aspectos negativos tiene la costumbre de "hacer puente"?

Recuerdos de mis festivales preferidos 🎧

Trinos ∨

Siguiendo 〉

Seguidores 〉

Favoritos 〉

Listas 〉

Premios España (ñ)

@PremiosEspaña
Trinos oficiales de la @AcademiaEspañola de cine para narrar todo lo que acontece en relación con los Premios España
premiosespaña.academiaespañolacine.com

TRINOS	SIGUIENDO	SEGUIDORES
1,198	205	45

+👤 Seguir

Seguir Premios España

Nombre

Correo

Contrañesa

Continuar

Penélope Cruz y Pedro Almodóvar posan durante **una sesión fotográfica** en **el Festival** de Cannes.

Ver detalles #Festival de Cannes

Entrevistaron a los actores en **la rueda de prensa** del Festival de Cine de Málaga, España.

Ver detalles #Málaga

Fotos y videos 〉

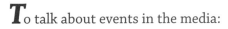

Marian Álvarez sonríe al **agradecer** el premio Goya a la mejor actriz, cuando lo **acepta** en la ceremonia.

Ver detalles #PremiosGoya

Juan Diego dio un discurso en **la ceremonia** de **entrega** de premios del Festival de San Sebastián.

Ver detalles #Festival de San Sebastián

Para conversar 🎧

To talk about events in the media:

Hola Anita, ¿viste **el reportaje** que le hicieron a Javier Bardem después del **estreno** de su nueva película?
Hi Anita, did you see the interview they did with Javier Bardem after the premiere of his new movie?

No, no lo vi. ¿Cuál es tu **opinión**?
No, I didn't see it. What is your opinion?

Al principio no me gustó mucho, pero luego se puso bastante interesante.
At the beginning, I didn't like it very much, but it got pretty interesting later.

Cuéntame más tarde. Ahora tengo que ir a recoger mi **ordenador** y **la (video)cámara digital** que se me quedaron en el colegio.
Tell me later. Right now I have to go pick up my computer and digital (video)camera that I left at school.

¡**Por supuesto**! ¡Nos vemos más tarde!
Of course! See you later!

Para decir más

el agradecimiento	*appreciation*
el escenario	*stage*
el (los) ganador(es)	*winner(s)*
el rodaje	*filming/shooting*
el trino	*tweet*

21 ¿Qué sucedía en el festival? 🎧

Escuche las siguientes situaciones. Seleccione la letra de la foto que corresponde con lo que oye.

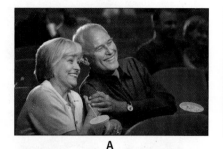

A

B

C

D

E

F

Había una rueda de prensa todos los meses.

22 Definiciones

Indique a qué palabra se refiere cada definición. Luego, escriba oraciones con tres de las palabras.

1. decir gracias por algo
2. cuando una película se pasa por primera vez
3. hacer preguntas a alguien sobre algo
4. el aparato que se usa para sacar videos digitales
5. una entrevista en la que varios reporteros hacen preguntas
6. el aparato que se usa para escribir y usar la internet
7. lo que una persona piensa sobre un tema
8. cuando se le da algo a alguien
9. una celebración de tema artístico o cultural en una comunidad
10. una frase para expresar que algo es absolutamente cierto

A. ¡Por supuesto!
B. agradecer
C. la videocámara digital
D. la entrega
E. la rueda de prensa
F. entrevistar
G. el festival
H. el estreno
I. la opinión
J. el ordenador

Diálogo

La entrevista

José: ¿Hace cuánto tiempo que trabaja como reportera?

Reportera: Empecé a trabajar como reportera hace 20 años.

Carlos: ¿Qué hacía al principio de su carrera?

Reportera: Iba con otros reporteros a hacer entrevistas.

José: ¿Cómo se hacían los reportajes antes?

Reportera: Escribíamos las preguntas y respuestas en papel y sacábamos fotos.

José: ¿Usaba el ordenador para escribir los artículos?

Reportera: No, porque no había ordenadores.

José: ¿Le gustaba ir a las ruedas de prensa?

Reportera: Sí, pero prefería entrevistar yo sola.

Carlos: ¿Era más difícil o más fácil entrevistar a gente famosa?

Reportera: Era más fácil porque había menos reporteros.

23 ¿Qué recuerda Ud.?

1. ¿Hace cuánto tiempo que empezó a trabajar la reportera?
2. ¿Qué hacía la reportera al principio?
3. ¿Cómo se hacían los reportajes antes?
4. ¿Por qué no usaba la reportera el ordenador para escribir los artículos?
5. ¿Por qué era más fácil antes entrevistar a personas famosas?

24 Algo personal

1. ¿Fue Ud. alguna vez a un festival de cine? ¿Qué películas vio?
2. ¿Qué piensa del trabajo de un reportero? ¿Le gustaría hacer ese trabajo?
3. ¿Con cuánta frecuencia usa el ordenador para enviar mensajes a sus amigos?
4. ¿Cuáles eran sus actividades favoritas hace cinco años?

25 Reportaje a un director

Escuche la siguiente entrevista a un famoso director de cine de los años sesenta.
Luego, conteste las preguntas. Puede tomar apuntes (*take notes*) mientras escucha.

1. ¿Qué tipo de películas hacía al principio de su carrera?
2. ¿Le gustaba participar en los festivales de cine?
3. ¿Asistía a las ceremonias de entrega de premios?
4. ¿Iba a los estrenos de sus películas?
5. ¿Por qué no usaba videocámaras digitales para grabar?

Expresiones de tiempo con hace

- To ask how long something has been going on, use *¿Cuánto tiempo hace que?* plus a verb in the present tense. To say how long something has been going on, use *hace* followed by an expression of time plus *que* and the present tense of the verb.

¿Cuánto tiempo hace que lees los clasificados en español?	**How long have you been reading** the classified ads in Spanish?
Hace dos años que leo los clasificados en español.	**I've been reading** the classified ads in Spanish **for two years**.

- To ask how long ago an event took place, use *¿Cuánto tiempo hace que?* plus a verb in the preterite. To say how long ago this event took place, use the preterite tense and *hace* plus an expression of time.

¿Cuánto tiempo hace que empezó la telenovela?	**How long ago did** the soap opera **start**?
Empezó hace media hora.	**It started half an hour ago.**

26 ¡Cuéntame!

Pregúntele a su compañero/a cuánto tiempo hace que hizo las siguientes actividades. Después, pueden agregar otras actividades.

MODELO empezar a estudiar español

A: **¿Cuánto tiempo hace que empezaste a estudiar español?**

B: **Empecé a estudiar español hace cuatro años.**

1. ir a una fiesta
2. levantarse
3. ver una película cómica
4. terminar de hacer la tarea
5. hacer un crucigrama
6. leer el suplemento dominical

27 Fechas importantes   Conéctese: las matemáticas

Lea con su compañero/a la siguiente lista de eventos importantes, junto con sus fechas. Luego, túrnense para preguntar y decir cuánto tiempo hace que tuvieron lugar esos sucesos. Pueden agregar otros sucesos más.

MODELO La Segunda Guerra Mundial empezó. (1939)

A: **¿Cuánto tiempo hace que empezó la Segunda Guerra Mundial?**

B: **Empezó hace . . . años.**

1. Cervantes escribió *Don Quijote*. (1605)
2. Estados Unidos obtuvo su independencia. (1776)
3. El hombre llegó a la luna. (1969)
4. Se construyó el museo Guggenheim de Bilbao. (1997)

El Museo Guggenheim de Bilbao

Gramática

El imperfecto

- You know how to use the imperfect tense (*el imperfecto*) to talk about past activities and events. To form this tense, remove the *-ar*, *-er*, or *-ir* from the infinitive and add the endings listed below.

hablar	comer	vivir
hablaba	comía	vivía
hablabas	comías	vivías
hablaba	comía	vivía
hablábamos	comíamos	vivíamos
hablabais	comíais	vivíais
hablaban	comían	vivían

- There are only three irregular verbs in the imperfect.

ir	ser	ver
iba	era	veía
ibas	eras	veías
iba	era	veía
íbamos	éramos	veíamos
ibais	erais	veíais
iban	eran	veían

- Use the imperfect to describe ongoing, habitual, or repetitive past actions and routines.

*Cuando **era** pequeño **me gustaba** ver dibujos animados.*	When **I was** little **I liked** to watch cartoons.
*Mi madre **trabajaba** para un periódico.*	My mother **used to work** for a newspaper.

- Use the imperfect to set the scene and describe the background in a narration in the past.

***Eran** las cinco de la tarde.*	**It was** five o'clock in the afternoon.
***Había** mucha gente en la entrega de premios.*	**There were** a lot of people at the awards ceremony.

- Use the imperfect to describe moods, feelings, intentions, or thoughts when talking about the past.

***Tenía** muchas ganas de asistir al estreno de una película famosa.*	**I** really **wanted** to attend the premiere of a famous film.
*Mis padres siempre **querían** viajar a España.*	My parents always **wanted** to travel to Spain.

28 Vida de periodista 🎧

María Antonia trabajaba de periodista para *La Vanguardia*, un periódico de Barcelona. Escriba lo que ella y sus colegas hacían usando el imperfecto.

1. María Antonia (*entrevistar*) a mucha gente conocida.
2. Ella y los otros reporteros (*compartir*) el trabajo con los fotógrafos.
3. Los fotógrafos (*ir*) a las ruedas de prensa.
4. Ellos (*sacar*) muchas fotos durante las sesiones fotográficas.
5. A veces María Antonia (*asistir*) a los estrenos de películas.
6. En el teatro todos los reporteros (*ver*) a artistas muy famosos.
7. Durante la ceremonia de entrega de premios los artistas (*agradecer*) al público.
8. Para María Antonia los festivales de cine (*ser*) una experiencia maravillosa.

29 Un sábado especial

Complete el siguiente párrafo con el imperfecto del verbo entre paréntesis que corresponda según el contexto.

(*1. ser*) un sábado por la tarde. (*2. hacer*) mucho frío y no (*3. haber*) mucha gente en la calle. El cielo (*4. estar*) nublado. Yo (*5. caminar*) por el barrio cuando vi en una esquina a un grupo de chicas que (*6. hablar*) con un hombre. Ellas (*7. parecer*) muy contentas. El hombre (*8. ser*) Alejandro Sanz, el famoso cantante español. Las chicas y yo (*9. querer*) pedirle un autógrafo pero Alejandro no (*10. poder*) porque ya (*11. ser*) las seis de la tarde y él (*12. tener*) que regresar al hotel. ¡Qué lástima!

30 ¿Qué hacían cuando eran pequeños?

Describa lo que Ud. y sus amigos hacían cuando eran pequeños/as. Use palabras o expresiones de cada columna y luego escriba oraciones de su propia creación.

MODELO **A menudo, mi hermanito rompía los juguetes.**

I	II	III
a veces	yo	viajar
todos los días/meses	Clara	romper los juguetes
a menudo	mi hermana y yo	compartir
de vez en cuando	Uds.	jugar
por lo general	Juan y José	montar en bicicleta
antes	mi hermanito	pelearse
cada año/semana	nosotros	pintar

Estrategia

Review and recycle ♻

A menudo, estas expresiones de tiempo se usan con el imperfecto.

a menudo	*often*
a veces	*at times*
antes	*before*
cada año/semana	*every year/week*
de vez en cuando	*from time to time*
en aquella época	*at that time*
por aquel entonces	*at that time*
por lo general	*in general*
todos los días/meses	*every day/month*

¡Comunicación!

Conteste las siguientes preguntas sobre cómo era su vida a los doce años. Luego, use las mismas preguntas para entrevistar a un(a) compañero/a. Si quiere, puede inventar más preguntas. Después, comparen sus respuestas.

1. ¿Cómo eras? ¿A quién te parecías?
2. ¿Dónde vivías? ¿Cómo era tu casa o apartamento?
3. ¿Tenías tu propio cuarto? ¿Qué había allí?
4. ¿A qué escuela ibas?
5. ¿Quién era tu mejor amigo o amiga? ¿Cómo era?
6. ¿Tenías un ordenador? ¿Lo sabías usar?
7. ¿Qué hacías para divertirte?
8. ¿Qué cosas te molestaban?
9. ¿Qué puedes hacer ahora que no podías hacer antes?
10. ¿ . . . ?
11. ¿ . . . ?

¡Comunicación!

Imagine que es periodista y que tiene que escribir artículos sobre los siguientes sucesos. Con su compañero/a, escriban por lo menos tres oraciones en el imperfecto para describir cada suceso. Incluyan (*Include*) el lugar, el tiempo, la hora, lo que hacían las personas y cómo se sentían. Presenten sus artículos a la clase.

- una conferencia de prensa
- una protesta
- un estreno de una película
- una ceremonia de premiación
- una tormenta

La periodista informaba al público sobre el incendio.

¡Comunicación!

Trabajen en grupos de cuatro para escribir un informe sobre cómo era la vida en su pueblo o ciudad hace cincuenta años. Usen los siguientes temas como guía. Si quieren, pueden acompañar su informe con fotos o ilustraciones de esa época.

la música

la televisión

la tecnología

los carros

los edificios

la comunicación   la ropa

En los años sesenta había coches como este.

Todo en contexto

? **Pregunta clave**

¿Cómo se manifiesta la historia de un país en su cultura actual?

¡Comunicación!

34 ¿Cuánto tiempo hace que . . . ?

Interpersonal/Presentational Communication
Conéctese: la historia, las matemáticas

Complete la siguiente línea cronológica con cuatro hechos importantes en la historia de España y la fecha en que ocurrieron. Puede buscar esta información en la internet o en algún libro de texto. Con un(a) compañero/a, pregunten cuánto hace que ocurrió cada hecho de la línea y túrnense para responder, como se ve en el modelo. Luego, comenten cómo estos hechos se manifiestan en la cultura actual.

Sucesos importantes en la historia de España

Reino de Fernando e Isabel: 1474–1516

Reino de Juan Carlos I y Sofía: 1975–2014

Guerra Civil española: 1936–1939

MODELO   1936 / el comienzo de la Guerra Civil española

A: ¿Cuánto tiempo hace que comenzó la Guerra Civil española?

B: La Guerra Civil española comenzó hace . . . años. Cuando terminó en 1939, empezó la dictadura de Franco, la cual tuvo un efecto profundo en la vida de los españoles.

¡Comunicación!

35 ¡Luces, cámaras, acción!   **Presentational Communication**

Imagine que Ud. y sus compañeros/as de clase tienen que hacer un documental sobre España para estrenarlo en un festival de cine. Incluyan algo sobre la historia del país, además de otros temas culturales de la actualidad. Cada miembro del grupo debe describir por lo menos dos eventos históricos o culturales que le gustaría incluir en la película, y explicar su importancia. Después, comenten todas las ideas y lleguen a un acuerdo sobre los temas históricos y culturales que formarán parte del documental. Hagan un esquema de la película y preséntenla delante de la clase. Deben estar preparados para justificar los temas.

Descubre la historia de la Plaza Mayor en Madrid.

Lectura informativa

Antes de leer 🎧

1. ¿Qué es lo que más te gusta del mundo del espectáculo y el entretenimiento (*entertainment*) en la actualidad?

2. ¿Has oído hablar alguna vez de Manolo Blahnik o del Fútbol Club Barcelona en España?

Estrategia

Fact or opinion
A fact is a piece of information that can be proven true. An opinion is a person's belief that can't be proven right or wrong. Being able to tell the difference between fact and opinion will help you draw better conclusions when you read.

HISPANICULAR.COM
El mundo del entretenimiento y el espectáculo en España 🎧

| Videojuegos | Moda | Música | Deportes | Trinos |

Videojuegos

Se lanzó[1] al mercado la versión 2 del juego "Castlevania: Lords of Shadow". La versión es para PS3 y Xbox 360 y la de PC salió unas semanas después. Castlevania salió a la venta cuando hay más de 140 millones de PS3 y Xbox 360 combinados en todo el mundo. ¿Logrará hacerse con la corona[2] del juego más vendido?

Moda

Manolo Blahnik debutó en Nueva York

El famoso diseñador español presentó su colección en Nueva York por primera vez. Blahnik decidió participar en la Semana de la Moda en Nueva York con la colección de la temporada otoño-invierno. Famoso por sus "stilettos", la serie televisiva *Sexo en Nueva York* lo hizo mundialmente[3] conocido.

Música

La banda anglo irlandesa One Direction hizo una gira[4] mundial de conciertos, que comenzó en Bogotá, Colombia, en abril. La banda se volvió famosa por el poder de las redes sociales. Empezaron en el 2010, cuando se unieron en el concurso *Factor X*. Han ganado cuatro Premios Brit y cuatro premios MTV de Videos Musicales.

Deportes

Shakira y Milan Piqué en el Camp Nou

Shakira y Milan no se pierden los encuentros de fútbol de su futbolista favorito, Gerard Piqué. Ellos animan[5] los partidos del Barça —el Fútbol Club Barcelona— y parecen darle suerte al equipo azulgrana[6]. Milan Piqué es el miembro más joven del club, desde que nació en enero del 2013.

[1] was launched [2] prize [3] worldwide [4] tour [5] cheer on [6] blue and red

🔍 **Búsqueda:** castlevania, one direction, manuel blahnik, camp nou, barça, shakira, piqué

36 Comprensión Interpretive Communication

1. ¿A dónde quiere llegar el videojuego Castlevania?
2. ¿Por qué es famoso Manolo Blahnik? ¿Qué lo hizo aún más popular?
3. ¿Cómo se hizo famosa la banda One Direction?
4. ¿Quién es el miembro más joven del Barça? ¿Qué papel juega en los partidos de su papá?

37 Analice

1. ¿Cuáles son los beneficios de tener seguidores en las redes sociales? ¿Cómo afecta a los famosos?
2. ¿Cree que se disemina demasiada información personal en estos medios? Explique su respuesta.

Extensión   Conéctese: el periodismo

Un reportaje es un relato informativo que se usa en periodismo. Combina la narración y la descripción de los sucesos. Para escribir un reportaje, hay que estar bien informado y la narración debe referirse a hechos verdaderos. Después de reunir la información, se hace un resumen de las ideas que se van a desarrollar. En el primer párrafo, debe haber una idea interesante que capte (*captures*) la atención del lector. Luego, se desarrolla el contenido con precisión e interés y, al final, se escribe una conclusión. Generalmente, el reportaje se acompaña con material gráfico, fotografías o ilustraciones.

🔍 **Búsqueda:** reportaje, periodismo

✏️ Escritura

38 Un reportaje en familia   Presentational Communication

Escriba un reportaje sobre la boda de alguien importante en su vida, ya sean amigos o familia. Primero, busque la información, haciendo preguntas a los invitados. Luego, reúna la información en un organizador gráfico, como el que se ve a continuación.

Hecho	Opinión

Los novios se veían contentos.

Entonces, escriba un borrador con la información que reunió. Acuérdese de usar el pretérito para narrar los hechos y el imperfecto para describir a las personas, los lugares y el tiempo. Pida a su compañero/a que lea su borrador y le sugiera correcciones. Escriba la versión final y agregue fotografías de las personas y los lugares. Presente su reportaje a la clase y, luego, compártalo con su familia o los protagonistas.

Para escribir más

Era un día hermoso de verano.	*It was a beautiful summer day.*
La novia se veía resplandeciente...	*The bride was glowing...*
Llevaba un vestido largo, blanco...	*She was wearing a long, white dress...*

Repaso de la Lección A

A Escuchar: ¿En qué sección debe buscar? 🎧 (pp. 108–109)

Elija la sección del periódico que corresponde a lo que oye.

1. **A.** la programación de televisión
   B. las noticias de última hora
2. **A.** la sección de clasificados
   B. la sección de espectáculos

3. **A.** la sección de política
   B. la sección de deportes
4. **A.** la sección de sociedad
   B. la sección de finanzas

B Vocabulario: Estamos al tanto (pp. 120–121)

Complete las oraciones con las palabras del recuadro que correspondan.

agradecía	entrega	ceremonia
estreno	aceptó	entrevistaron
recuerdo	rueda de prensa	festival

La **(1)** de premios del **(2)** Talento Joven tuvo lugar en una fantástica **(3)** en el auditorio del Teatro Colón este pasado sábado. Esteban Hernández, ganador del premio al mejor artista joven del cine **(4)** el premio con emoción al tiempo que **(5)** a su público por tan grande honor. En una **(6)** en la que **(7)** a todos los ganadores del evento, Esteban comentó que el **(8)** de su película tuvo tanto éxito, que él mismo no lo podía creer, y agregó que siempre llevará consigo el **(9)** de este festival por ser un momento tan importante de su vida artística.

C Gramática: ¡Gran inauguración! (pp. 112–113, 115)

Complete las siguientes oraciones con el pretérito del verbo en paréntesis, como se ve en el modelo.

MODELO   El gobierno ___ un nuevo edificio en la universidad de Madrid. *(construir)*
El gobierno **construyó** un nuevo edificio para la universidad en Madrid.

1. ___ celebraciones en todas partes. *(haber)*
2. Un incendio ___ el antiguo edificio. *(destruir)*
3. Los estudiantes ___ sus libros a la clase. *(traer)*

4. El ministro ___ un discurso de inauguración. *(dar)*
5. Los madrileños ___ fiestas para celebrar San Isidro. *(hacer)*

D Gramática: Cuando era pequeño... (p. 124)

Forme oraciones con el imperfecto, contando lo que ocurría cuando era pequeño y complételas con su propia información.

1. frecuentemente / mis hermanos y yo / jugar...
2. en aquella época / mi papá / trabajar...

3. cada verano / mi familia / ir...
4. todos los días / mi mamá / preparar...

Haga un resumen sobre las formas en que la historia de España se manifiesta en su cultura actual, según la información de la lección. Organice la información en un cuadro sinóptico como el que se ve a continuación.

Vocabulario

Secciones del periódico	En el festival de cine	Verbos	Otras palabras y expresiones
los clasificados	la cámara digital	aceptar	al principio
el crucigrama	la ceremonia	agradecer	dar un discurso
las finanzas	la entrega	averiguar	¡No lo puedo creer!
el ocio	el espectáculo	casarse	la opinión
la programación de televisión	el estreno	contribuir	el ordenador
la sociedad	el festival	destruir	el periodismo
el suplemento dominical	el reportaje	entrevistar	por supuesto
	la rueda de prensa	suceder	la prensa
	la sesión fotográfica		tener lugar
	la videocámara digital		

Gramática

Verbos irregulares en el pretérito

Dar, ser, ver e *ir* son irregulares en el pretérito. Además, los verbos que terminan en *-ir* y que tienen un cambio radical de **e → ie** o **e → i** en el presente, también sufren un cambio radical en el pretérito, pero solamente en la tercera persona (Ud./él/ella y Uds./ellos/ellas). Los verbos que terminan en *-aer, -eer* y *-uir* (y el verbo *oír*) cambian de **i → y** en el pretérito.

pedir (i, i)		morir (ue, u)		oír	
pedí	pedimos	morí	morimos	oí	oímos
pediste	pedisteis	moriste	moristeis	oíste	oísteis
pidió	pidieron	murió	murieron	oyó	oyeron

El imperfecto

caminar		correr		escribir	
caminaba	caminábamos	corría	corríamos	escribía	escribíamos
caminabas	caminabais	corrías	corríais	escribías	escribíais
caminaba	caminaban	corría	corrían	escribía	escribían

Recuerde que los verbos *ir, ser,* y *ver* son irregulares en el imperfecto.

¡Últimas noticias! 🎧

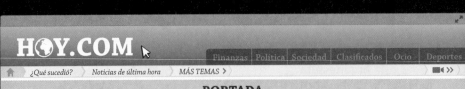

HOY.COM

Finanzas | Política | Sociedad | Clasificados | Ocio | Deportes

🏠 ¿Qué sucedió? › Noticias de última hora › MÁS TEMAS › ◼◀ ≫

PORTADA

✉ T+ T− ♥ 🌐

Explosión en Madrid ›
Terrible explosión en el centro de Madrid **causó** pánico, pero no dejó **víctimas**, según **anunció** el departamento de bomberos de la ciudad.

✉ T+ T− ♥ 🌐

Trujillo declarado inocente ›
El acusado Juan Pablo Trujillo se **declaró inocente** de su **crimen** cuando apareció hoy con su abogado.

✉ T+ T− ♥ 🌐

Inundaciones en Sevilla ›
Tormenta causa gran **inundación** en el barrio Santa Cruz de Sevilla.

✉ T+ T− ♥ 🌐

Ladrones arrestados ›
La policía acaba de **arrestar** a dos de **los** tres **ladrones** que cometieron el robo al Banco de la República, pero uno **logró** escaparse.

Para conversar

*T*o talk about the latest news:

¿Estás siguiendo **el juicio** de Trujillo en las noticias?
Are you following Trujillo's trial in the news?

No, solo sé que está en **la cárcel**.
No, I only know that he is in jail.

Fue acusado de **asaltar** y **matar** a un hombre.
He was accused of assaulting and killing a man.

El jurado lo declaró **culpable** y está esperando su **sentencia**.
The jury found him guilty, and he is awaiting sentencing.

¿Sabes si **la bomba** que **explotó** en el centro esta mañana dejó víctimas?
Do you know if the bomb that exploded downtown this morning left any victims?

Sí, oí que muchas personas se lograron **salvar**, pero no todas. ¡Qué triste!
Yes, I heard they managed to save many people, but not all of them. How sad!

Para decir más

deliberar	*to deliberate*
detener	*to detain, to arrest*
evacuar	*to evacuate*
un asesinato	*a murder*
la guerra	*war*
el juez /la jueza	*judge*
el juzgado	*court*
el terremoto	*earthquake*
implicado	*implicated*
premeditado	*premeditated*

1   El noticiero

Escuche las siguientes noticias y diga la letra de la foto a la que se refiere cada una.

A

B

C

D

E

F

Complete la siguiente noticia con las palabras apropiadas según el contexto.

anunció   arrestarlos   **cárcel**   asaltaron

culpables   explotaría   bomba   sentencia

Ayer, varios ladrones **(1)** un banco de Granada causando mucho pánico entre los empleados y las personas que gritaban y corrían de un lado a otro. Entonces, uno de los ladrones sacó una **(2)** y **(3)** que la **(4)** si los empleados no se callaban y si no se quedaban en su lugar. Después de robar todo el dinero, los ladrones dejaron el banco por la puerta de atrás. Afortunadamente, la policía logró **(5)** mientras trataban de escapar. Los ladrones se declararon **(6)** y, ahora esperan su **(7)** en la **(8)**.

3 ¿Qué ocurrió hoy?

Escuche los comentarios de las siguientes personas sobre las noticias del día.
Escoja la letra de la noticia a la que se refiere cada uno.

1. **A.** bomba
   B. crimen
   C. inundación

2. **A.** juicio
   B. crimen
   C. bomba

3. **A.** incendio
   B. tormenta
   C. robo

4. **A.** crimen
   B. ladrón
   C. huracán

5. **A.** víctima
   B. tormenta
   C. explosión

6. **A.** festival
   B. ceremonia
   C. robo

El policía arrestó al ladrón.

¡Comunicación!

4 ¡Cuénteme qué pasó!   Interpersonal Communication

Imagine que es Ud. reportero y va a entrevistar a una persona que fue testigo de un crimen o un desastre. Trabaje con su compañero/a, turnándose para ser periodista y la persona entrevistada. Escoja **dónde**, **cuándo** o **cómo** para formar preguntas que la persona entrevistada contesta. Sigan el modelo como guía.

> **MODELO**   el accidente
>
> A: **Señor/a, ¿cuándo pasó el robo?**
>
> B: **Pasó al mediodía cuando un tres ladrones entraron al banco.**

1. la explosión
2. la inundación
3. el huracán
4. el incendio
5. la tormenta
6. el temblor

Diálogo 🎧

¿Qué sucedió?

Pedro: ¿Viste el juicio de Diego Pérez Díaz por la televisión?

Silvia: No, ¿qué sucedió?

Pedro: Lo declararon inocente.

Silvia: ¡No lo puedo creer!

Pedro: Yo tampoco lo podía creer cuando me enteré. La gente no estaba de acuerdo con el jurado. Todos creían que él era culpable.

Silvia: Por supuesto… Pero, ¿por qué lo declararon inocente?

Pedro: Nadie lo vio en el lugar del crimen.

Silvia: Pero si estaba claro que él robó el banco y mató a dos personas.

Pedro: Sí, pero el jurado no estaba de acuerdo.

Silvia: Estoy segura que él se merecía ir a la cárcel.

Pedro: Yo también.

---

5 ¿Qué recuerda Ud.? 🎧

1. ¿De qué estaban hablando Pedro y Silvia?

2. ¿Cómo declararon a Diego Pérez Díaz?

3. ¿Cómo estaba la gente con la noticia? ¿Por qué?

4. ¿Por qué lo declararon inocente?

5. ¿Qué estaba claro acerca de Diego Pérez Díaz, según Silvia?

---

6 Algo personal 🎧

1. ¿Qué tipo de noticias prefiere ver Ud. por la televisión?

2. Describa un juicio que vio por televisión. ¿Quién era el acusado? ¿Cuál era el crimen? ¿Cómo declararon al acusado?

3. ¿Cómo reacciona Ud. cuando se entera de un acto violento como la explosión de una bomba o el asalto de un banco?

El jurado de un juicio escucha al abogado.

Gramática

Usos del pretérito y del imperfecto

You have used both the imperfect and the preterite to talk about the past.
Now review the differences between these two tenses.

Use the imperfect...

- to describe habitual past actions and routines.

  *De niña, **me gustaba** ver dibujos animados.*   As a child, **I liked** to watch cartoons.

  *Mi mamá **trabajaba** para un periódico.*   My mom **used to work** for a newspaper.

- to talk about moods, feelings, desires, and intentions.

  ***Estaba** contento.*   **I was** content.

  *Marta **tenía miedo** de las tormentas.*   Marta **was afraid** of storms.

  *Ellas **querían** ir al cine.*   They **wanted** to go to the movies.

Tenía miedo de las tormentas.

- to set the scene or provide background information.

  ***Era** la una.*   **It was** one o'clock.

  ***Había** muchos reporteros en la rueda de prensa.*   **There were** many reporters at the press conference.

Use the preterite...

- to talk about actions (or a series of actions) completed in the past at a specific time.

  *Ayer **hubo** un incendio. Los bomberos **llegaron** y **salvaron** a todas las personas.*   **There was** a fire yesterday. The firefighters **arrived** and **saved** everyone.

Hubo un temblor que dejó muchas víctimas.

Use the preterite and imperfect in the same sentence...

- to indicate that one action occurred (preterite) while another was in progress (imperfect).

  *Todos **estábamos** en el restaurante cuando de repente **oímos** una explosión.*   **We were** all in the restaurant when all of a sudden **we heard** an explosion.

- to report an action (preterite) that took place because of a condition (imperfect) that was in progress.

  *El acusado no **respondió** porque **tenía miedo**.*   The accused **didn't respond** because **he was scared**.

- to present an event where the preterite describes the action and the imperfect sets the stage or background for that action.

  *Ya **era** tarde cuando **anunciaron** los resultados de las elecciones.*   **It was** already late when **they announced** the election results.

7 ¿Por qué lo hicieron? 🎧

Diga por qué estas personas hicieron lo siguiente. Use el pretérito y el imperfecto.

MODELO la reportera / quitarse la chaqueta / tener calor
La reportera se quitó la chaqueta porque tenía calor.

1. tres ladrones / asaltar un banco / necesitar dinero
2. dos osos / robar comida de un camping / tener hambre
3. el presidente / despedirse de todos / ya ser las doce
4. dos niños / esconderse en el ático / tener miedo de la tormenta
5. la acusada / ir a la cárcel / ser culpable
6. la maestra / castigar a los estudiantes / hacer mucho ruido

La reportera no se puso chaqueta porque hacía calor.

8 ¿Cómo eran las fiestas?

Complete esta conversación entre Pablo y Julio, usando el pretérito o el imperfecto de los verbos entre paréntesis.

Julio: Pablo, ¿cuándo (**1.** *empezar*) tú a salir con tu novia?

Pablo: (**2.** *ser*) durante nuestro primer año en la universidad. En poco tiempo nos (**3.** *hacer*) buenos amigos.

Julio: ¿Cómo (**4.** *ser*) ella? ¿Qué le (**5.** *gustar*) hacer?

Pablo: Elena (**6.** *tener*) muchos amigos y a veces (**7.** *organizar*) fiestas en su casa.

Julio: ¿Qué (**8.** *hacer*) Uds. en las fiestas? ¿Cómo (**9.** *divertirse*)?

Pablo: (**10.** *haber*) mucha comida y la gente (**11.** *bailar*) y (**12.** *cantar*) hasta tarde.

Julio: ¿Y los vecinos no (**13.** *enojarse*) cuando hacían fiestas?

Pablo: Sí, una noche ellos (**14.** *llamar*) a la policía y le (**15.** *decir*) que nosotros (**16.** *hacer*) mucho ruido.

Julio: Entonces, ¿qué (**17.** *hacer*) Uds.?

Pablo: ¡(**18.** *invitar*) a nuestros vecinos, por supuesto!

9 ¡Robaron el Banco Central!

El siguiente artículo apareció en varios periódicos de Bilbao en el norte de España. Use el pretérito o el imperfecto de los verbos en paréntesis según corresponda.

N ÚLTIMA HORA ▸ *Bilbao ›*

EL CORREO

(**1.** *ser*) un viernes por la tarde y las calles (**2.** *estar*) llenas de gente. En el banco solo (**3.** *haber*) dos dependientes trabajando y una cliente. De repente, un coche (**4.** *pararse*) delante del banco. Un hombre (**5.** *salir*) del coche. (**6.** *ser*) bajo y calvo. (**7.** *llevar*) una maleta grande en la mano. El hombre (**8.** *entrar*) en el banco. Uno de los dependientes le (**9.** *preguntar*) al hombre si (**10.** *querer*) algo. El hombre le (**11.** *decir*): "Sí, deme todo el dinero que está en sus cajas." El hombre no (**12.** *ser*) un cliente. ¡(**13.** *ser*) un ladrón que (**14.** *venir*) a robar el banco!

¡Comunicación!

10 Ocurrió un desastre · Presentational Communication

El huracán causó mucho daño.

Imagine que Ud. y su compañero/a vieron una película donde ocurre un desastre. Puede ser un incendio, una explosión o un temblor. Con su compañero/a escriban un párrafo describiendo lo que veían o escuchaban en la película. Usen las preguntas siguientes como guía y el pretérito o el imperfecto según el contexto. Luego, presenten su descripción a la clase.

¿Qué desastre ocurrió?	¿Qué ropa llevaban?
¿Cuándo ocurrió?	¿Cómo era la música?
¿Dónde tuvo lugar?	¿Qué pasó al final?
¿Quiénes eran los personajes principales?	¿Les gustó la película? Explique por qué.

¡Comunicación!

11 Recuerdos de un actor · Interpretive Communication

Este artículo apareció en la revista del periódico *El Mundo* de Madrid. Relata los recuerdos de un actor madrileño cuando era niño. Después de leer el artículo, conteste las preguntas que siguen.

DEPORTES

Nos gustaba jugar al fútbol.

Ese es mi barrio, cerca de la Casa de Campo. Como todos los madrileños, y españoles, practicaba el fútbol y el campo era uno de los puntos sociales donde se reunía la gente para divertirse y celebrar competiciones.

Mis hermanas, como eran monas[1], eran las elegidas para dar los premios. Nunca me llevé una de esas copas[2]. Era el portero de reserva, siempre esperando mi oportunidad. Como me aburría, me cambié después a jugador, pero no era muy bueno. Entonces decidí ser actor. En mi zona había mucha gente de origen andaluz[3] y se escuchaba flamenco en todos los bares. Pasábamos todo el día en la calle jugando. En esa época no había ordenadores.

[1] pretty   [2] trophies   [3] from Andalucía

1. ¿Dónde vivía el chico?
2. ¿Qué deporte practicaba?
3. ¿Cómo eran las hermanas del chico?
4. ¿Para qué las elegían?
5. ¿Le gustaba al chico ser portero? ¿Cómo lo sabe?
6. ¿Cómo jugaba?
7. ¿Qué decidió ser entonces?
8. ¿Por qué se escuchaba flamenco en los bares?
9. ¿Cómo pasaban el día los chicos?
10. ¿Qué es lo que no había en esa época?

Gramática

¡Comunicación!

12 Se celebra un juicio   Interpersonal Communication

En grupos, van a representar delante de la clase una escena de un juicio. Los miembros del grupo van a hacer los papeles de juez (*judge*), acusado/a, abogado/a defensor/a, fiscal (*prosecutor*) y miembros del jurado. El/La abogado/a y el/la fiscal describirán las circunstancias del crimen usando el pretérito o el imperfecto, según corresponda. Los miembros del jurado van a deliberar y luego darán su veredicto (culpable o inocente) y el/la juez decidirá la sentencia. Incluyan la siguiente información.

- quién era el/la acusado/a
- cuál fue su crimen
- dónde tuvo lugar
- si hubo víctimas
- lo que declaró el/la acusado/a
- lo que realmente ocurrió

El juez decidirá la sentencia.

Cambios de significado en el pretérito y el imperfecto

A few verbs change meaning depending on whether they are used in the imperfect or the preterite.

	imperfecto	pretérito
conocer	La **conocía** bien. *I knew her well.*	La **conocí** en la universidad. *I met her in college.*
poder	**Podía** hacer los crucigramas. *I was able to do crossword puzzles.*	**Pudieron** salvar a la víctima. *They were able (managed) to save the victim.*
saber	¿**Sabías** usar la tableta? *Did you know how to use the tablet?*	¿**Supiste** lo que pasó en el juicio? *Did you find out what happened in the trial?*
querer	**Querían** arrestar al ladrón. *They wanted to arrest the thief.*	**Quisieron** arrestarlo anoche. *They tried to arrest him last night.*
no querer	**No queríamos** ver el noticiero. *We didn't want to watch the news.*	**No quisimos** hablar con ella. *We refused to speak to her.*

Complete cada diálogo con la forma correcta del pretérito o del imperfecto del verbo indicado.

saber

A: ¿Sabes que César estuvo en Bilbao durante la inundación?

B: No, no lo **(1)**. Y tú, ¿cuándo lo **(2)**?

A: Lo **(3)** ayer, cuando leí una noticia sobre la inundación en el periódico.

B: Pues yo hablé ayer con sus padres y ellos me dijeron que no **(4)** nada de él.

A: No entiendo cómo yo no lo **(5)** antes porque él siempre me cuenta todo.

querer

A: Ayer yo te **(6)** llamar, pero tu teléfono no funcionaba. ¿Qué hiciste?

B: Fui al teatro con mis padres. Ellos **(7)** ir a ver *La casa de Bernarda Alba*, de Federico García Lorca.

A: Yo también **(8)** verla, pero ya no había entradas.

poder

A: ¿Fuiste ayer a ver el juicio?

B: No, no **(9)** ir. ¿Tú estabas en el jurado, verdad?

A: Sí. Fue muy interesante porque nadie **(10)** decidir si el acusado era inocente o no.

B: ¿Y qué pasó entonces? ¿**(11)** Uds. llegar a un acuerdo?

A: No, (nosotros) no **(12)** porque no teníamos suficiente información.

conocer

A: ¿Dónde **(13)** a Mercedes Pantoja?

B: La **(14)** en una rueda de prensa. Ella vino a saludarme y me dijo que ya me **(15)**.

A: ¡Qué interesante! Entonces tú sí la **(16)**.

B: Bueno... yo no me acuerdo de ella, pero **(17)** mejor a su familia.

Complete el párrafo con el pretérito o el imperfecto de los verbos entre paréntesis para descubrir lo que le pasó a Esteban.

Yo no (**1.** *conocer*) bien a Rodolfo. Recuerdo que lo (**2.** *conocer*) el año pasado en una clase de música. Él (**3.** *querer*) aprender a cantar y a tocar la trompeta. Yo le pregunté si (**4.** *saber*) leer las notas. Él me dijo que no. Entonces, yo lo ayudé y en poco tiempo (**5.** *poder*) aprenderlas. Un día, Rodolfo me dijo que (**6.** *querer*) presentarme a una chica. Él la (**7.** *conocer*) muy bien porque era compañera de su hermana. Cuando yo la (**8.** *conocer*) me pareció muy simpática. Esa noche la invité a tomar algo, pero ella me dijo que no (**9.** *poder*) ir porque ya tenía una cita con Rodolfo.

Rodolfo quería aprender a cantar y a tocar la trompeta.

15 Quise pero no pude

Primero, conteste las siguientes preguntas. Luego, hágale estas preguntas a un(a) compañero/a y comparen sus respuestas.

1. ¿Conoció a alguien famoso alguna vez? Si es así, ¿a quién conoció?
2. ¿Conocía Ud. ya a muchos de sus compañeros/as cuando empezó esta clase? Si es así, ¿a quién(es) conocía Ud.?
3. ¿Quiso Ud. hacer algo alguna vez pero no pudo? ¿Qué fue?
4. ¿Hay algo que Ud. nunca pudo hacer bien? ¿Por qué no podía hacerlo?
5. Piense en un momento en que se enteró de una noticia muy importante. ¿Cómo lo supo? ¿Quién más lo sabía?

¡Comunicación!

16 ¿Supiste lo que pasó? Interpretive/Presentational Communication

Lea el artículo sobre lo que sucedió durante un festival de flamenco en Sevilla. Escriba un mínimo de cinco preguntas sobre la información que contiene para hacérselas a su compañero/a. Luego, con su compañero/a, escriban cuatro oraciones más para terminar la noticia. Traten de incluir el pretérito o imperfecto de los verbos **querer**, **poder**, **conocer** y **saber**.

MODELO   **El hospital no quiso dejar entrar a los aficionados de la cantante.**

www.periodico.com

MÚSICA >

¡Noticias de última hora!

Sevilla, España.— Hoy se supo que la conocida cantante sevillana Macarena está en el hospital. La artista se desmayó en un concierto que se celebró durante la Bienal de Flamenco y tuvo que abandonar el escenario. Aunque muchos reporteros querían entrevistarla, no pudieron hacerlo porque la cantante necesitaba descansar. Esta mañana hubo una protesta delante del hospital porque cientos de aficionados querían verla en persona.

? Pregunta clave

¿Cómo se manifiesta la historia de un país en su cultura actual?

Costumbres españolas arraigadas[1] en el pasado 🎧

Un peregrino en el Camino de Santiago

¿Alguna vez has caminado 700 km? Esa es la distancia del recorrido del Camino[2] de Santiago, el cual empieza en Roncesvalles, Navarra, cruza los Pirineos y termina en Santiago de Compostela, en el noroeste de España. El Camino de Santiago es una peregrinación[3] religiosa que ha tenido lugar en España desde la Edad Media, en honor al Apóstol Santiago[4]. Hoy en día muchos españoles y extranjeros hacen la peregrinación por diferentes motivos, ya sean espirituales, físicos, o por el simple placer de disfrutar de la naturaleza. Las personas tienen la opción de recorrer el camino a pie, en bicicleta, o a caballo, de acuerdo con las normas oficiales establecidas. El recorrido dura muchos días, pero hay refugios modestos y gente amable en el camino, siempre dispuesta[5] a ayudar y darle ánimos a la gente para seguir.

Famosas gracias a Ernest Hemingway, las fiestas de San Fermín también se originaron durante la Edad Media. Son tal vez las fiestas de toros más conocidas de esta polémica[6] tradición española. Las fiestas hacen noticia todos los años por el número de heridos que deja. Al mediodía del 6 de julio de cada año, multitudes de personas esperan ansiosas el chupinazo (la explosión de cohetes[7]) que marca el inicio de la fiesta. La salida de los toros que ocurre la mañana del día 7 dura dos o tres minutos. Los toros corren libres por la calle, abriéndose paso en medio de multitudes de personas. Esta loca carrera de personas, adelantándose a los toros que les vienen pisando los talones[8], se conoce como "el

Los encierros en las calles de Pamplona

encierro"[9] y es la parte más emocionante y famosa de esta celebración. Los San Fermines son nueve días de encierros, corridas de toros, desfiles, música en vivo y ¡mucha, mucha fiesta!

[1]rooted [2]path, way [3]pilgrimage [4]St. James [5]willing [6]controversial [7]rockets [8]heels [9]running of the bulls

🔍 **Búsqueda:** camino de santiago, san fermín, el encierro

---

17 Comprensión   Interpretive Communication

1. ¿Qué razones tienen las personas para hacer el recorrido del Camino de Santiago y cómo lo hacen?

2. ¿En qué consisten los "encierrros" de la fiesta de San Fermín y quién hizo famosa esta celebración?

18 Analice

1. ¿Cuáles cree Ud. que son los motivos de la gente que hace la peregrinación?

2. ¿Por qué cree Ud. que hay tanta controversia alrededor de la costumbre de las corridas de toros en la actualidad?

Perspectivas

"Es una fiesta española que viene de prole en prole (*offspring*) y ni el gobierno la abole (*abolish*) ni habrá nadie que la abola."

¿Cómo refleja este estribillo popular de Ricardo de la Vega y Chueca (escritor Español del siglo XIX) el pensamiento de los españoles con respecto a las corridas de toros, tradicionales en España desde el siglo XVI?

La familia real española

A unos 800 metros de altura sobe el nivel del mar se ve la Alhambra de Granada. Esta majestuosa fortaleza árabe se convirtió en la sede[1] de la corte cristiana cuando los Reyes Católicos, Fernando de Aragón e Isabel de Castilla, declararon en 1492 el fin del dominio islámico en España. Fue en este palacio, en el Salón de los Embajadores, donde los Reyes Católicos entrevistaron a Cristóbal Colón, dando comienzo a los eventos que habrían de cambiar el rumbo[2] de la historia.

La Alhambra de Granada

Cinco siglos después, un descendiente de estos reyes, el rey don Juan Carlos de Borbón, fue clave[3] en la transición de España hacia la democracia, después del final de la dictadura militar de Francisco Franco, lo cual retrasó[4] culturalmente al país y lo mantuvo en estado de aislamiento por cerca de cuarenta años. En 1981 el rey fue instrumental en evitar un golpe de estado[5] iniciado por los militares que querían regresar a una dictadura. Desde 1978 España es un estado social y democrático, con una monarquía representativa. En 2014 el rey decidió abdicar el trono y comenzó el reino de Felipe VI, hijo de Juan Carlos y la reina Sofía; esposo de Letizia, la nueva reina; y padre de Leonor y Sofía.

El Palacio Real de Madrid

[1]headquarters   [2]course   [3]key   [4]delayed   [5]coup

Búsqueda: la alhambra de granada, dictadura militar española, juan carlos de borbón, felipe vi

Productos

Los Premios Príncipe de Asturias, creados con el fin de exaltar y promover los valores científicos, culturales y humanísticos de España y del mundo entero, se entregan anualmente en una solemne ceremonia presidida por el antiguo príncipe de Asturias y actual rey de España, Felipe VI de Borbón y Grecia. Estos premios son los segundos en importancia después del premio Nobel y los más importantes que se entregan en España.

Premios Príncipe de Asturias

19 Comprensión — Interpretive Communication

1. ¿Qué es la Alhambra de Granada? ¿Qué importancia histórica tiene?

2. ¿En qué eventos de trascendencia histórica para los españoles participó el rey Juan Carlos de Borbón?

3. ¿Qué son los Premios Príncipe de Asturias?

20 Analice

1. Según la lectura, la reunión de Colón con los reyes Católicos fue un evento que habría de cambiar el rumbo de la historia. ¿En qué medida cambió ese evento el rumbo de la historia?

2. ¿Por qué cree Ud. que España ha mantenido una monarquía representativa?

Vocabulario 2

¡Hubo un accidente! 🎧

HOY.COM

Finanzas | Política | Sociedad | Clasificados | Ocio | Deportes

🏠 | ¿Qué sucedió? | Noticias de última hora | MÁS TEMAS >

PORTADA

Accidente en la carretera >
Terrible accidente en la carretera
hacia los Pirineos. **Menciona**
el reporte oficial que había muy
poca **visibilidad**.

Accidente en Barcelona >
Violento accidente en Barcelona.
Por suerte, no hubo heridos
graves, informan los noticieros.

Paramédicos ayudan a joven
herida >
Los paramédicos **rodearon** a la
joven que **se había desmayado**.
Su amiga la miraba **preocupada**.

Ambulancia llega a la escena >
Una ambulancia llegó para recoger
a **un conductor** herido y llevarlo
al hospital.

Choque en la carretera >
Camioneta choca contra otro coche en la carretera N-121-A que va de Pamplona a Behobia.

Víctimas de inundación >
Bomberos y voluntarios **rescatan** a víctimas de inundaciones causadas por fuertes lluvias.

Para conversar

*T*o talk about a scene of an accident:

¡**Socorro**! ¡Necesito ayuda!
Help! I need help!

Un conductor que pasaba les dio **los primeros auxilios**.
A driver that was passing by gave them first aid.

Para decir más

la autopista	*freeway, tollway*
la bolsa de aire	*airbag*
el camión	*semi-truck*
el choque de frente	*head-on crash*
el cinturón de seguridad	*seatbelt*
las heridas leves	*minor injuries*
la imprudencia	*recklessness*
la lesión	*injury*
¡Auxilio!	*Help!*

En otros países

la camioneta	*la furgoneta (España)*
	la picop/pickup (México)

21 Cuéntenos lo que pasó

Complete el relato de un accidente con la palabra de la lista que corresponda según el contexto.

camioneta	se desmayó	paramédicos
primeros auxilios	¡Socorro!	preocupados

Yo venía con mi esposa en la **(1)**. De repente, la chica apareció, gritó "**(2)**" y, ahí mismo, **(3)**. Paré para ver cómo estaba mientras mi esposa llamaba a la ambulancia. Estábamos muy **(4)** porque ella no parecía reaccionar. Los **(5)** llegaron casi inmediatamente, le dieron **(6)** y se fueron con ella al hospital.

Escuche las entrevistas a los testigos de diferentes accidentes. Seleccione la foto que corresponde con lo que oye.

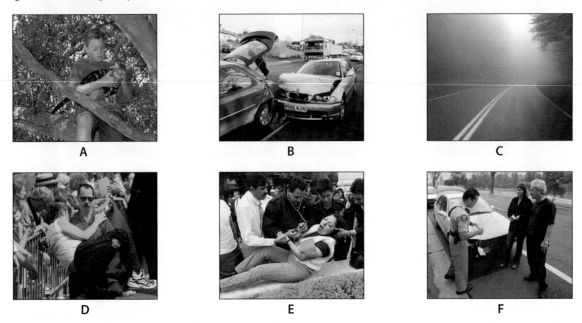

A

B

C

D

E

F

23 La respuesta correcta

Escoja la expresión entre paréntesis que completa correctamente cada oración.

1. Los paramédicos llegaron en la (*ambulancia / camioneta*) después del accidente.

2. La reportera entrevistó al (*acusado / conductor*) del coche.

3. Los bomberos ya habían (*rescatado / desmayado*) a las personas cuando llegó la ambulancia.

4. El accidente fue muy (*divertido / violento*). Había muchos heridos.

5. Cuando hay poca (*visibilidad / gente*), significa que no se puede ver bien en la carretera a causa de la neblina.

6. Cuando una persona necesita ayuda grita, ("*¡Presten atención!*" / "*¡Socorro!*").

7. Todos los amigos estaban alrededor de Ricardo. Lo habían (*rodeado / chocado*) para ayudarlo.

8. El conductor no había visto el otro coche en la carretera y (*corrió / chocó*) contra él.

9. Por suerte, no hubo heridos (*preocupados / graves*).

10. La víctima recibió (*los primeros auxilios / la visibilidad*) muy pronto.

Hubo un accidente.

Diálogo 🎧

¿Qué había pasado?

Pedro: ¿Qué le sucedió a Teresa?

Silvia: Se desmayó en la calle cuando salía de su casa.

Pedro: ¿Sabes por qué?

Silvia: No estoy segura, pero llevaba varios días enferma y sé que ya había hecho planes para ver a su doctor.

Pedro: ¿Quién ayudó? ¿Los paramédicos?

Silvia: No, un señor que caminaba por la calle ya la había ayudado cuando llegaron los paramédicos.

Pedro: ¿Y qué sucedió luego?

Silvia: Los paramédicos la llevaron en una ambulancia al hospital. Ella ya estaba bien pero tuvo que ir a ver a un doctor.

24 ¿Qué recuerda Ud.? 🎧

1. ¿Qué le pasó a Teresa?
2. ¿Por qué había hecho planes para ver a su doctor?
3. ¿Quién la había ayudado ya, cuando llegaron los paramédicos?
4. ¿Adónde la llevaron los paramédicos?

25 Algo personal 🎧

1. ¿Fue Ud. testigo de un accidente alguna vez? ¿Qué pasó?
2. ¿Hubo heridos graves? ¿Quiénes vinieron para rescatar a los heridos?
3. ¿Se desmayó Ud. alguna vez? ¿Qué le pasó?

26 ¿Cuál había sido la situación? 🎧

Indique la letra de la foto que corresponde con lo que oye.

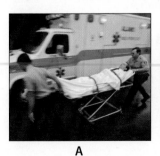

| A | B | C | D |

Gramática

El participio pasado y el pluscuamperfecto

- The *participio pasado* (past participle) is an adjective formed from a verb. To form the past participle of most *-ar* verbs, add *-ado* to the stem: *rescatado, mencionado*. To form the past participle of most *-er* and *-ir* verbs, add *-ido* to the stem: *agradecido, recibido*. The following verbs have irregular participles.

abrir	→	abierto	opened
cubrir	→	cubierto	covered
decir	→	dicho	said
describir	→	descrito	described
escribir	→	escrito	written
hacer	→	hecho	made, done
morir	→	muerto	died
poner	→	puesto	put, placed
resolver	→	resuelto	solved
romper	→	roto	broken
ver	→	visto	seen
(de)volver	→	(de)vuelto	returned

- The pluperfect tense (also called the past perfect or *pluscuamperfecto*) is formed by combining the imperfect form of *haber* and a past participle.

Pluscuamperfecto	
había llegado	habíamos llegado
habías llegado	habíais llegado
había llegado	habían llegado

- The pluperfect tense is often used to describe an action that *had* occurred before another action took place.

*Un hombre ya **había dado** los primeros auxilios cuando llegó la ambulancia.*

A man **had** already **administered** first aid when the ambulance arrived.

- Object and reflexive pronouns always precede the conjugated form of *haber*.

*Ellos **se habían acostado** cuando empezó la tormenta.*

They **had gone to bed** when the storm started.

*No lo conocían. Nadie **lo había visto** antes del accidente.*

They didn't know him. No one **had seen him** before the accident.

27 ¡Qué día!

Parece que fue un mal día para todos. Diga qué les pasó a estas personas, usando el pluscuamperfecto de los verbos entre paréntesis.

1. Iñigo fue a la tienda de videos pero cuando llegó, (ellos) ya la (*cerrar*).
2. Yo iba a usar mi nueva cámara digital, pero cuando quise sacar una foto, me di cuenta que mi hermanita la (*romper*).
3. María quería ir con Emilio al estreno de la última película de Almodóvar, pero él ya la (*ver*).
4. Hoy me invitaron a ver la entrega de premios, pero yo ya (*hacer*) planes para hacer otra cosa.
5. Ud. fue a visitar a su amigo, pero él ya (*salir*).
6. El policía trató de arrestar a los ladrones, pero ellos ya (*escaparse*).

28 ¡Desde Sevilla para ti!

Complete el siguiente e-mail que Amalia envió desde Sevilla, usando el pluscuamperfecto de los verbos entre paréntesis.

CORREO ∨ | Nuevo · Enviar · Insertar · Responder | ∨ · Eliminar · Archivar · Amalia

Entrada
Spam (12)
Borradores
Eliminados

Contactos
Notas

De: Amalia
Para: Nacho
Asunto: Un viaje inolvidable

Querido Nacho:

¡Saludos desde Sevilla! Yo (**1.** *pensar*) escribirte antes, pero (**2.** *estar*) muy ocupada hasta hace poco, visitando la ciudad. Como tú tampoco me (**3.** *escribir*), decidí mandarte este correo. Quería contarte lo que mi familia y yo (**4.** *hacer*) antes de tomar un descanso hoy. Mis tíos ya me (**5.** *decir*) que es una ciudad maravillosa, y tenían razón. Ayer fuimos a pasear por el Barrio de Santa Cruz, que es donde está la Giralda, la torre famosa de la catedral de Sevilla. Mi tío nos explicó que los árabes (**6.** *construir*) la Giralda en el siglo XII. Quisimos entrar en la Sacristía mayor porque mis padres (**7.** *estar*) allí antes y (**8.** *ver*) unos

La Giralda de Sevilla

cuadros magníficos del pintor sevillano famoso Esteban Murillo. Pero no pudimos hacerlo porque ya era tarde y (ellos) la (**9.** *cerrar*). Cuando regresamos al hotel nos encontramos con mis hermanas que ya (**10.** *volver*) de su excursión a Granada. Bueno, te cuento más en mi próximo correo electrónico.

A ver si me escribes pronto.

Un abrazo,

Amalia

Gramática

29 **Cuénteme antes de tomar un descanso hoy** 👥 **Interpersonal Communication**

Imagine que Ud. fue testigo de un accidente y que un/a periodista quiere hacerle una entrevista sobre lo que sucedió. Con su compañero/a, hagan los papeles de testigo y periodista usando el pluscuamperfecto o el pretérito según corresponda.

MODELO   A: ¿Qué vio Ud.?

B: Vi que un coche se había chocado contra otro.

¿Qué sucedió?

Los pronombres relativos *que, quien(es)*

- A relative pronoun is a word that links, or relates, two parts of a sentence. The most common relative pronoun in Spanish is *que* (that, which, who, whom), and it may refer to both people and things.

Don Martín es el hombre que fue testigo del accidente.	Martín is the man **who** was the witness to the accident.
Nadie vio al conductor del coche que chocó contra la camioneta.	No one saw the driver of the car **that** crashed with the pickup truck.

- After a preposition (*a, con, de, en*), use *que* to refer to things and *quien(es)* to refer to people.

Esa es la calle en que se explotó la bomba.	That is the street **where** the bomb exploded.
Ella no es la chica a quien viste en el partido.	She is not the girl **whom** you saw at the game.
Ellos son los reporteros con quienes fuiste al juicio, ¿verdad?	They are the reporters **with whom** you went to the trial, right?

- Use *el que*, *la que*, *los que*, or *las que* when you want to distinguish one subject from a group.

De todos los fotógrafos, Jaime es el que saca las mejores fotos.	Of all the photographers, Jaime is **the one who** takes the best pictures.
Mientras guardaba las fotos, encontré las que saqué del accidente.	While I was putting away photos, I found **the ones** I took of the accident.

- Use *lo que* to refer to a situation, action, or object not yet identified.

Julia no entendió lo que le dijeron.	Julia didn't understand **what** they said to her.

30 ¿Quién es?

Ud. fue testigo de un accidente e hizo una lista de las personas que estuvieron allí. Un policía quiere saber quiénes son. Con su compañero/a, hagan los papeles de testigo y policía. Usen **el que**, **la que**, **los que** y **las que**.

MODELO   ese joven con la cámara / sacó fotos del accidente

A: **¿Quién es ese joven con la cámara?**

B: **Es el que sacó fotos del accidente.**

1. esa chica hablando con los señores / rescató al niño
2. los chicos que están en la esquina / llamaron a la ambulancia
3. esa señora con la enfermera / se desmayó
4. ese reportero / entrevistó a los heridos
5. esas chicas jóvenes con mochilas / dieron primeros auxilios
6. el hombre del sombrero blanco / chocó contra la camioneta

31 Hay tanta gente

Imagine que Ud. conoce a mucha gente. Use las preposiciones **a**, **con**, **en** y **de** junto con **que**, **quien/quienes** para completar las oraciones. Luego, termínelas de una manera original.

MODELO   La chica __ tú salías…

La chica con quien tú salías acaba de entrar.

La chica a quien te presenté es paramédica.

1. Las chicas __ yo te vi anoche…
2. El reportero __ te hablé…
3. Esa es la cámara __ saqué…
4. El músico __ yo saludé…
5. El chico __ tú viniste a la fiesta…
6. El cantante __ yo le pedí un autógrafo…
7. Esta es la mesa __ coloqué…

¡Comunicación!

32 ¿Qué es lo que le gusta?   Interpersonal Communication

Conteste las siguientes preguntas y luego hágaselas a su compañero/a. Después, comparen sus respuestas.

1. De las noticias que vio Ud. ayer en la televisión, ¿cuál fue la que más le interesó? ¿Por qué?
2. De todos los libros que Ud. leyó este año, ¿cuáles son los que le gustaron más? ¿Cuáles son los que le gustaría leer otra vez? ¿Por qué? ¿Quién es el autor o la autora que más le gusta?
3. ¿Le importa mucho a Ud. lo que dicen en los noticieros? Explique por qué.
4. ¿Le interesan los festivales de cine? Si es así, ¿qué es lo que más le interesa? ¿Por qué?

? Pregunta clave

¿Cómo se manifiesta la historia de un país en su cultura actual?

¡Comunicación!

33 Un desastre 👥 Interpersonal/Presentational Communication **Conéctese: la historia**

Imagine que Ud. es periodista y tiene que hacer un reportaje sobre un desastre natural como el temblor que ocurrió en Granada, España, el 11 de abril de 2010 o un desastre causado por el hombre, como el derrame de petróleo que ocurrió a la entrada del puerto de La Coruña, España, en 1992. Trabaje con su compañero/a, y después de investigar los hechos del desastre que eligieron, representen la entrevista. Si eligen el derrame de petróleo, pueden representar una entrevista entre el reportero y un oficial de la compañía cuyo tanque petrolero fue la causa del desastre. Pueden hablar de lo que ha pasado desde entonces, por ejemplo, ¿hay nuevas leyes que regulen las compañías de petróleo? Si eligen el temblor, pueden representar la entrevista con un oficial del gobierno para saber más sobre los esfuerzos de rescate durante el desastre y cómo pueden mejorarse en el futuro. Después de representar la entrevista, escriban el reportaje y preséntenlo a la clase.

Temblor de 2010 en Granada

¡Comunicación!

34 Hay itinerarios para todos 👥 Presentational Communication

Imagine que Ud. y dos o tres compañeros/as trabajan como guías de turismo y quieren que sus clientes disfruten de su viaje a España. Como sus clientes tienen diferentes edades e intereses, Uds. tienen que hacer búsquedas en línea en conjunto para crear itinerarios interesantes para cada cliente. Usen las opciones de búsqueda que se dan para proponer itinerarios a cada cliente que se describe y añadan dos clientes más. Después, presenten sus ideas a la clase.

| MODELO | Cliente: | dos hermanos que siempre han soñado con hacer la peregrinación del Camino de Santiago (búsqueda en línea: peregrinaciones, España) |
| | Itinerario: | **Planear con ellos el recorrido del Camino de Santiago** |

1. un grupo de aficionados a las corridas de toros (búsqueda en línea: San Fermín, España)

2. un arquitecto interesado en los Premios Príncipe de Asturias (búsqueda en línea: Frank Gehry)

3. una persona interesada en la historia de la presencia árabe en España (búsqueda en línea: la Alhambra)

4. dos jóvenes admiradoras del rey Felipe VI de Borbón y la reina Letizia (búsqueda en línea: la familia real)

El Camino de Santiago

Lectura literaria

De la segunda salida de don Quijote 🎧
de *Miguel de Cervantes Saavedra*

Sobre el autor

Miguel de Cervantes Saavedra (1547–1616) es considerado como el escritor más brillante de la literatura española de todos los tiempos. Vivió en una época de agitación, guerras y problemas sociales en España, pero también la época donde florecieron el arte y la literatura, tanto así que se le conoce como el Siglo de Oro.

Cervantes se alistó con la marina española y participó en varias batallas. En una de ellas fue herido y perdió el movimiento de su brazo izquierdo, por lo que desde entonces se le conoció como el "manco[1] de Lepanto". Cervantes tuvo una vida difícil y de muchos sufrimientos. Fue tomado como esclavo y más tarde, después de ser libre, pasó un tiempo en la cárcel. En esos años fue cuando escribió su obra maestra, *El ingenioso hidalgo don Quijote de La Mancha*, que tuvo un éxito inmediato. Entre otras de las obras que escribió se cuentan: *La Galatea*, *Novelas ejemplares* y *Viaje del Parnaso*.

[1]one-armed man

Antes de leer 🎧

1. ¿Qué héroes de la literatura conoce Ud.? ¿Cómo son?

2. ¿Qué tienen en común los héroes de la literatura y los héroes de la vida real? ¿En qué se diferencian?

3. Don Quijote es un héroe de la literatura medieval. ¿Cómo se comparan los héroes ficticios de esa época con los héroes de la literatura contemporánea?

Estrategia

Use prior knowledge

Calling on prior knowledge will help you better understand a reading. Chances are you already know something about the character don Quixote. Cervantes wrote his masterpiece *El ingenioso hidalgo don Quijote de la Mancha* in the 17th century, and its hero became famous in literature and the arts. Don Quixote is known as the romantic idealist, whereas his companion, Sancho Panza, embodies common sense and world-weariness. The expression "tilting at windmills" originated from one of the iconic scenes and means attacking imaginary enemies or taking on impossible goals.

35 Practique la estrategia

Antes de leer, haga una búsqueda online por los tres personajes principales de la novela *El ingenioso hidalgo don Quijote de la Mancha*. Escriba los apuntes en la tabla.

Personajes	Aspecto físico	Personalidad	Sucesos
Don Quixote			
Sancho Panza			
Dulcinea			

De la segunda salida de don Quijote 🎧
de *Miguel de Cervantes Saavedra*

Comprensión

1. ¿Cómo era Sancho Panza?

2. ¿Qué pensaba don Quijote que podía ganar en una de sus aventuras?

3. ¿Por qué iba don Quijote más cómodo esta vez que la anterior?

Quince días estuvo don Quijote en casa muy sosegado[1]. Sin embargo, en este tiempo solicitó a un labrador[2] vecino suyo, hombre de bien, pero poco inteligente, que le sirviera de escudero[3]. Tanto le dijo, tanto le prometió, que el pobre se decidió a seguirlo.

Don Quijote le decía, entre otras cosas, que se dispusiera[4] a ir con él de buena gana, porque tal vez le podía suceder alguna aventura en que ganara alguna ínsula[5] y lo nombrara a él como gobernador de ella.

Con estas promesas (...) el labrador, llamado Sancho Panza, dejó a su mujer y a sus hijos y se fue como escudero de su vecino. Iba sobre su asno[6] con sus alforjas[7] y su bota[8], con mucho deseo de verse gobernador de la ínsula que su amo[9] le había prometido.

Don Quijote tomó el mismo camino de su primer viaje, por el campo de Montiel, y caminaba con menos pena que la vez pasada porque, por ser la hora de la mañana, los rayos del sol no le fatigaban.

---

[1] calm, relaxed [2] farmworker [3] squire [4] he should get ready [5] island [6] donkey

[7] saddlebags [8] wineskin [9] master

Analice

4. ¿Por qué era importante que don Quijote tuviera un escudero?

—Ya sabrás, amigo Sancho Panza, que los caballeros andantes[1] antiguos tenían por costumbre nombrar gobernadores a sus escuderos de las ínsulas o reinos[2] que ganaban, y yo tengo determinado no faltar a tan agradecida costumbre; antes pienso mejorarla, porque ellos, algunas veces, esperaban a que sus escuderos fueran viejos para darles algún título de conde[3] de algún valle; pero, si tú vives y yo vivo, bien podría ser que antes de seis días ganara yo un reino, que tuviera otros a él unidos, para coronarte[4] rey de uno de ellos.

En esto, descubrieron treinta o cuarenta molinos de viento[5] que hay en aquel campo, y así como don Quijote los vio, dijo a su escudero: —Tenemos más suerte de la que pudiéramos[6] desear; porque ves allí, amigo Sancho Panza, donde se descubren treinta, o pocos más, gigantes[7] con quienes pienso hacer batalla y quitarles a todos las vidas, con cuyos despojos[8] comenzaremos a ser ricos (…).

5. ¿Cómo piensa don Quijote mejorar la costumbre de los caballeros andantes de nombrar gobernadores a sus escuderos?

6. ¿A qué se refiere don Quijote cuando le dice a Sancho que tienen más suerte de la que pudieran desear?

Don Quijote y Sancho Panza por Alexandre Gabriel Decamps

—¿Qué gigantes? —dijo Sancho Panza.
—Aquellos que ves allí —respondió su amo —de los brazos muy largos.
—Mire vuestra merced[9] —respondió Sancho —que no son gigantes, sino molinos de viento, y lo que parecen brazos son las aspas[10], que movidas por el viento, hacen andar la piedra del molino.
—Parece —respondió don Quijote —que no estás ejercitado en esto de las aventuras: ellos son gigantes; y si tienes miedo, quítate de ahí, y ponte en oración[11] mientras yo voy a luchar con ellos.

Y diciendo esto, dio de espuelas[12] a su caballo Rocinante, sin escuchar a Sancho (…), él iba tan convencido de que eran gigantes que ni oía las voces:

7. ¿Qué le responde don Quijote a Sancho cuando él le advierte que no son gigantes?

[1] knights-errant   [2] kingdoms   [3] count (title of nobility)   [4] to crown you   [5] windmills
[6] that we could   [7] giants   [8] loot   [9] your grace   [10] blades   [11] pray   [12] spurred

Analice

8. ¿Por qué don Quijote buscaba tener todas estas aventuras?

Don Quijote y los molinos de viento por Francisco J. Torrome

Comprensión

9. ¿A quién se encomienda don Quijote antes de luchar con los gigantes?

10. ¿Qué le sucedió a don Quijote cuando atacó al primer molino?

Analice

11. ¿Por qué no reconoce don Quijote que los gigantes no son más que molinos?

—No huyan[1], cobardes[2] y viles criaturas; que un solo caballero es el que los ataca.

Como se levantó un poco de viento, las grandes aspas comenzaron a moverse; al ver esto don Quijote, dijo: —Pues aunque muevan más brazos que los del gigante Briareo, me lo van a pagar. Y diciendo esto, y encomendándose[3] de todo corazón a su señora Dulcinea (…)[4], bien cubierto con su rodela[5], arremetió con la lanza[6] a todo correr de Rocinante y se lanzó[7] contra el primer molino que estaba delante, dándole una lanzada en el aspa. La volvió el viento con tanta fuerza que hizo la lanza pedazos, llevándose tras sí al caballo y al caballero, que fue rodando por el campo. Sancho Panza se lanzó a socorrerlo a toda velocidad de su asno, y cuando llegó lo halló que no se podía mover: tal fue el golpe que dio con él Rocinante.

—¡Válgame Dios! —dijo Sancho.

[1] Don't flee   [2] cowards   [3] commending himself   [4] Character in the novel. Dulcinea is a woman of questionable morals whom Don Quijote believes to be the epitome of feminine virtue   [5] shield   [6] lance   [7] lunged forward

Después de leer

El *Quijote* es una obra que retrata de manera fiel cómo era la vida en España en esos años, cómo eran los personajes, cómo vestían, cómo vivían. En ese tiempo, el papel de los caballeros era muy importante y su deber ante todo era defender el honor de su rey y de su dama y para esto debían aprender a luchar, a manejar las armas y también a comportarse en sociedad de acuerdo con el Código de la Caballería. Esta época se ve reflejada en las aventuras de don Quijote y en muchas otras obras del género caballeresco que se caracterizan por contar las hazañas (*great feats*) de los caballeros andantes, hombres valientes y enamorados que luchan contra enemigos reales o imaginarios. Ahora es su turno de escribir una historia caballeresca suya, con base en lo que han leído. Escriban el guión (*script*) para una escena de teatro con dibujos para ilustrarlo. Representen la escena frente de la clase.

Repaso de la Lección B

A Escuchar: ¿Cierto o falso? 🎧 (pp. 132–133, 144–145)

Diga si lo que oye en las cinco oraciones es **cierto** o **falso**.

B Vocabulario: ¡Últimas noticias! (pp. 132–133, 144–145)

Complete el siguiente párrafo con las palabras que correspondan según el contexto.

terribles	ambulancias	rescate	paramédicos
anunciar	inundaciones	socorro	

Acaban de **(1)** que la tormenta está causando **(2)** **(3)** en los barrios del sur de la ciudad. Muchas casas están parcialmente sumergidas bajo el agua y sus dueños piden **(4)** desde los techos o las terrazas. Cantidades de bomberos, **(5)** y agentes de la policía están ayudando con el **(6)** y hay muchas **(7)** listas para llevar a la gente al hospital.

C Gramática: ¿Pretérito o imperfecto? (p. 136)

Complete las siguientes oraciones con la forma del pretérito o el imperfecto del verbo indicado entre paréntesis.

Hoy (**1.** *terminar*) el juicio de Augusto Pérez Delgado, uno de los hombres que organizaron la explosión que (**2.** *causar*) decenas de víctimas en el centro de la ciudad. Después de dos semanas, el jurado (**3.** *tomar*) una decisión y lo (**4.** *declarar*) culpable de múltiples crímenes. La decisión del jurado no (**5.** *ser*) una sorpresa para nadie, pues (**6.** *haber*) mucha evidencia que (**7.** *probar*) que Pérez delgado (**8.** *ser*) culpable.

D Gramática: ¿En qué orden pasó todo? (p. 148)

Imagine que Ud. fue testigo de un accidente y cuando llega la policía, ellos quieren que les explique detalladamente el orden en que pasaron los hechos. Corrija las declaraciones de la policía de acuerdo con la información entre paréntesis, como se muestra en el modelo.

MODELO Ud. se bajó de su coche, ayudó a la chica y llamó a la ambulancia.
(mi esposa ya / llamar a la ambulancia / yo bajarme del coche)
No, mi esposa ya había llamado a la ambulancia cuando yo me bajé del coche.

1. La chica se desmayó después de que Ud. llegó. (la chica ya / desmayarse / yo llegar)

2. Los paramédicos le prestaron primeros auxilios. (el chofer de la camioneta ya / prestarle primeros auxilios / los paramédicos llegar)

3. La chica despertó cuando los paramédicos la examinaron. (la chica ya / despertarse / los paramédicos examinarla)

4. Los bomberos llegaron y después la ambulancia se llevó a la chica al hospital. (ambulancia ya irse / los bomberos llegar)

Cultura: Costumbres españolas arraigadas en el pasado (pp. 142–143)

Conteste las siguientes preguntas.

1. ¿Qué motiva a las personas a hacer la peregrinación del Camino de Santiago?

2. ¿Por qué son famosas las Fiestas de San Fermín? ¿Por qué es controversial esa celebración en la actualidad?

3. ¿Por qué se crearon los premios Príncipe de Asturias?

Vocabulario

Las noticias	Para hablar de un juicio	En un accidente	Verbos	Otras palabras y expresiones
la bomba	el acusado,	la ambulancia	anunciar	la camioneta
el crimen	la acusada	el conductor,	arrestar	contra
la explosión	la cárcel	la conductora	asaltar	por suerte
la inundación	culpable	grave	causar	preocupado/a
el juicio	inocente	el paramédico,	chocar	¡Socorro!
el ladrón,	el jurado	la paramédica	declarar	terrible
la ladrona	la sentencia	los primeros auxilios	desmayarse	violento/a
la tormenta		la visibilidad	explotar	
la víctima			lograr	
			matar	
			mencionar	
			rescatar	
			rodear	
			salvar	

Gramática

El participio pasado y el pluscuamperfecto

Use el pluscuamperfecto para hablar de eventos que sucedieron antes de otro evento en el pasado.

imperfecto de *haber* + participio pasado		
había	habíamos	*-ar* verbs → *-ado*
habías	habíais	*-er* verbs → *-ido*
había	habían	*-ir* verbs → *-ido*

El pretérito vs. el imperfecto

El **pretérito** se usa para indicar:

- Una acción que se completó en un momento específico del pasado.

  *¿**Fuiste** al restaurante el sábado pasado?*
  *Ayer **fue** el día de la independencia de los EE.UU.*

- Una acción que interrumpe otra acción que está sucediendo en el pasado

  *Cuando yo estaba en el parque, **vi** unos fuegos artificiales.*

El **imperfecto** se usa para:

- Acciones habituales en el pasado

  *Todos los viernes, yo **almorzaba** a la una de la tarde con mi amigo.*

- Dos o más acciones que pasaban al mismo tiempo en el pasado

  *Mi hermana **hacía** el desayuno mientras mi madre **planchaba** la ropa.*

- Emociones, sentidos, deseos e intenciones en el pasado

  *Nosotros **queríamos** darle un regalo al profesor.*

- Escenas y condiciones en el pasado

  *El día **estaba** nublado.*

- Descripciones en el pasado

  *Mi abuela **era** muy cariñosa.*

Para concluir

Proyectos

A ¡Manos a la obra!

Imagine que ha ocurrido un robo o crimen en su ciudad y como Ud. es reportero/a va a investigar lo que pasó. Tendrá que entrevistar a los testigos, las víctimas y, posiblemente, al culpable. Trabaje con varios compañeros/as para crear el guión y luego representen sus entrevistas delante de la clase.

»ESPAÑA EXPRESS | Noticias al día

¡Aparece cuerpo de una niña!

El cuerpo de una niña de doce años apareció en un parque. Se cree que fue drogada y asfixiada. Era una niña muy inteligente y estudiosa, según sus maestros.
Su pueblo natal está muy triste. La policía investiga los hechos.

AIN—Agencia Internacional de Noticias

B En resumen Conéctese: la historia

Explique la importancia histórica y en la actualidad de los siguientes lugares, productos, tradiciones y celebraciones de España.

La Plaza Mayor, la Puerta del Sol y el Buen Retiro	
Don Quijote de la Mancha	
La Fiesta de San Isidro	
El flamenco	
El Camino de Santiago	
Las fiestas de San Fermín	
La Alhambra de Granada	
La realeza española	

El Parque del Buen Retiro, Madrid

C ¡A escribir!

Imagine que Ud. es Sancho Panza, el escudero de don Quijote, y ha decidido acompañarle en sus aventuras. En un diario registre sus observaciones sobre lo que hacen durante sus andanzas, descripciones de la gente y lugares que van conociendo al igual que las percepciones únicas de don Quijote y cómo Ud., Sancho, las interpreta. Escriba por lo menos tres entradas en el diario.

D Ya habían cerrado 👥

Imagine que Ud. está estudiando un semestre en Madrid. Quiere hacer excursiones para visitar museos, monumentos, edificios históricos y tantos lugares culturales como sea posible, pero también quiere divertirse. Desafortunadamente, los primeros días no ha tenido mucha suerte, porque por una razón u otra sus planes han fracasado. Trabaje con su compañero/a e intercambien información sobre las actividades que querían realizar o los lugares que querían visitar y las razones por las cuales no pudieron hacerlo. Usen las situaciones dadas a continuación o crean sus propios ejemplos y sigan el modelo como guía.

La maja vestida, Francisco de Goya, Museo del Prado, Madrid

MODELO   **A: ¿Lograste ver las obras de Francisco de Goya en el Museo del Prado?**

B: Fíjate que no pude. Cuando llegué al museo ya lo habían cerrado.

1. comprar boletos para el festival de flamenco
2. ir a de compras por la Gran Vía
3. escuchar el discurso del rey
4. ver una corrida de toros en la Plaza de Toros de las Ventas
5. ir a la entrega de premios Príncipe de Asturias

E ¿Hay caballeros andantes hoy en día? 👥

¿Existen figuras como don Quijote hoy en día, ya sean actores, políticos o deportistas? ¿Quiénes son? ¿En qué se parecen y en qué se diferencian del "caballero de la triste figura"? ¿Son figuras serias y respetables, o le parecen ridículas? Comente estas ideas con dos o tres compañeros y si opinan que no existen figuras como don Quijote, expliquen sus razones.

Don Quijote de la Mancha y Sancho Panza, Gustavo Doré, 1863

Vocabulario de la Unidad 3

aceptar to accept *3A*

el **acusado, la acusada**
   accused person *3B*

agradecer to thank *3A*

la **ambulancia** ambulance *3B*

anunciar to announce *3B*

arrestar to arrest *3B*

asaltar to assault *3B*

averiguar to find out *3A*

la **bomba** bomb *3B*

la **cámara digital** digital camera *3A*

la **camioneta** truck, station
   wagon *3B*

la **cárcel** jail *3B*

casarse to marry,
   to get married *3A*

causar to cause *3B*

la **ceremonia** ceremony *3A*

chocar to crash *3B*

los **clasificados** classifieds *3A*

el **conductor, la conductora**
   driver *3B*

contra against *3B*

contribuir (y) to contribute *3A*

el **crimen** crime *3B*

el **crucigrama** crossword puzzle *3A*

culpable guilty *3B*

dar un discurso to give a
   speech *3A*

declarar to declare *3B*

desmayarse to faint *3B*

destruir (y) to destroy *3A*

la **entrega de premios** awards
   ceremony *3B*

entrevistar to interview *3A*

el **estreno** premiere *3A*

la **explosión** explosion *3B*

explotar to explode *3B*

el **festival** festival *3A*

las **finanzas** finances *3A*

grave serious, grave *3B*

inocente innocent *3B*

la **inundación** flood *3B*

el **juicio** trial *3B*

el **jurado** jury *3B*

el **ladrón, la ladrona** thief *3B*

lograr to achieve, to obtain *3B*

matar to kill *3B*

mencionar to mention *3B*

¡No lo puedo creer!
   I can't believe it! *3A*

el **ocio** free time *3A*

la **opinión** opinion *3A*

el **ordenador** computer *3A*

el **paramédico, la**
   paramédica paramedic *3B*

el **periodismo** journalism *3A*

por suerte luckily *3B*

por supuesto of course *3A*

la **prensa** press *3A*

preocupado/a worried *3B*

los **primeros auxilios** first aid *3B*

al **principio** at the beginning *3A*

la **programación de televisión** TV
   guide *3A*

el **recuerdo** memory *3A*

el **reportaje** report, interview *3A*

rescatar to rescue *3B*

rodear to surround *3B*

la **rueda de prensa** press
   conference *3A*

salvar to save *3B*

la **sentencia** sentencing *3B*

la **sesión fotográfica** photo
   session *3A*

la **sociedad** society *3A*

¡Socorro! Help! *3B*

suceder to happen *3A*

el **suplemento dominical** Sunday
   supplement *3A*

tener lugar to take place *3A*

terrible terrible *3B*

la **tormenta** storm *3B*

la **víctima** victim *3B*

la **videocámara digital** digital
   video camera *3A*

violento/a violent *3B*

la **visibilidad** visibility *3B*

¿Sabía que...?

Puerto Rico es la Isla del Encanto y, por eso, es la isla de cruceros (*cruise ships*). El puerto de San Juan tiene la capacidad suficiente para albergar hasta diez grandes buques (*ships*) al mismo tiempo. En el año pueden anclar 900 buques y llevar casi un millón de viajeros.

Unidad

4

Menos conflictos y más comunicación

Escanee el código QR para mirar el documental sobre los personajes de *El cuarto misterioso*.

¿Qué trata de representar Ana con la máscara y el movimiento de su cuerpo? Explique su respuesta con ejemplos.

Pregunta clave

?

¿Cómo se difunde la cultura dentro y fuera de un país?

¿Cómo se llama esta parte de la ciudad de San Juan y qué representa?

Puerto Rico

epública Dominicana

Mis metas

Lección A I will be able to:

▶ describe friends, their feelings, and personalities

▶ use double object pronouns correctly

▶ discuss Puerto Rican culture on and off the island

▶ describe difficulties in friendships and relationships

▶ talk about what has taken place using the present perfect

▶ use adjectives correctly depending on their position in the sentence

▶ describe how teenagers communicate today

Lección B I will be able to:

▶ describe feelings and relationships with family members

▶ tell others what not to do using negative informal commands

▶ use the preposition **a** correctly

▶ talk about famous people from the Dominican Republic

▶ describe youth programs that have their roots in the Dominican Republic

▶ communicate by phone in Spanish

▶ describe ongoing past actions using the past progressive

▶ read and discuss a poem by Julia de Burgos

El blog de Julián: Mis amistades 🎧

JULIÁN | MIS FOTOS | VIDEOS | MI FAMILIA

DIARIO DE UN PUERTORRIQUEÑO EN NYC

Datos personales
Nací en San Juan de Puerto Rico el 5 de junio de 1998. Vivo en Nueva York desde hace 2 años. Soy simpático, divertido y muy popular. Por eso tengo muchos amigos.

Mi amiga Amalia es muy **considerada**. Siempre se preocupa por su familia; nunca **piensa en sí misma**.

🙂 **Carlos dice:**
Julián, estoy de acuerdo. Su familia siempre puede **contar con** su ayuda.

Estos son algunos de mis vecinos. Son muy divertidos, pero también son un poco **chismosos**. Todo lo que oyen se lo cuentan a los demás.

Esta es mi amiga Rosita. Es **increíble**. Sé que le puedo contar todos mis secretos y que nunca se los va a contar a nadie.

🙂 **Sofía dice:**
Es verdad. Es una amiga **en** quien puedes **confiar**.

Este es Ángel, mi mejor amigo. Tenemos las mismas clases y los mismos intereses. Siempre hacemos todo juntos.

🙂 **Camila dice:**
Julián, es verdad. Se nota que **tienen** muchos intereses **en común**.

Este es mi grupo de compañeros del colegio. Lo que más me gusta es que son muy buenos amigos. Siempre te ayudan y te **apoyan** cuando lo necesitas.

OTROS TEMAS

Mi familia

La escuela

Vacaciones

Deportes

Mis amistades

Esta es mi prima Catalina. Ella siempre **tiene celos de** su novio, Lucas. No **se da cuenta** de que él solo la quiere a ella, y que no mira a otras chicas ¡ni por curiosidad!

🙂 **Catalina dice:**
Gracias, primo.

Para conversar 🎧

*T*o talk about friends and hurt feelings:

Catalina, ¿vas a **reconciliarte** con Lucas?
Catalina, are you going to make up with Lucas?

¡No lo **perdono**! Anita me contó que estuvo todo el tiempo con mi prima en una fiesta, **haciéndole cumplidos** y bailando con ella.
I won't forgive him! Anita told me that he spent all night with my cousin at a party, complimenting her and dancing with her.

¿Anita? Todo el mundo sabe que es mentirosa y **entrometida**. Se mete en la vida de los demás para luego **chismear**. ¡Lucas es muy **honesto**! No seas **celosa**.
Anita? Everybody knows she is a liar and nosy. She meddles in people's lives so she can gossip later. Lucas is very honest! Don't be jealous.

Para decir más

desconsiderado	*inconsiderate*
descortés	*rude*
deshonesto	*dishonest*
impertinente	*impertinent*
presumido	*conceited*
prudente	*discreet*
rencoroso	*hateful*
tímido/a	*shy*
tolerante	*tolerant*

1   ¡Qué entrometido! 🎧

Indique la letra de la ilustración que corresponde con lo que oye.

A   B   C   D   E   F

2   ¿Quién es quién?

Complete las oraciones con una de las opciones del recuadro que corresponda según el contexto.

cumplido	entrometida	en común	honesta	contar	chismosa

1. Alguien que le cuenta a todo el mundo lo que le cuentan es una persona __.

2. Alguien que quiere enterarse de todo lo que pasa en la vida de otros es una persona __.

3. Una persona que siempre te apoya y escucha es alguien con quien siempre puedes __.

4. Una persona que comparte muchos de tus intereses es alguien con quien tienes mucho __.

5. Alguien que encuentra una billetera con dinero y la devuelve es una persona __.

6. Alguien que le dice a una chica que está muy bonita ese día, le está haciendo un __.

3   ¡Yo conozco a alguien así!

Piense en una persona que conozca que tenga una de las siguientes características. Explique por qué esa persona es así.

> **MODELO**   alguien increíble
> **Mi profesora de español es increíble porque siempre me ayuda con la tarea.**

1. alguien honesto
2. alguien chismoso
3. alguien entrometido
4. alguien considerado
5. alguien en quien puede confiar
6. alguien que apoya a Ud.

4   Me gusta que...

Describa lo que más le gusta o le disgusta de sus amigos. Use el vocabulario de la lección y siga el modelo como guía.

> **MODELO**   **Javier es honesto y considerado, y eso me gusta mucho.**
> **Graciela es un poco chismosa, y eso me molesta.**

Mis amigos y yo tenemos mucho en común.

5   ¿Cuál es su personalidad?   🎧

Escuche lo que dicen estas personas. Escoja la letra de la palabra que describe la personalidad de cada una.

1. **A.** honesta
   B. celosa
   C. increíble
2. **A.** considerado
   B. entrometido
   C. egoísta
3. **A.** estricto
   B. chismoso
   C. honesto
4. **A.** chismosa
   B. nerviosa
   C. ocupada
5. **A.** increíble
   B. sincero
   C. entrometido
6. **A.** sincero
   B. estudioso
   C. celoso

Diálogo

Te voy a contar un secreto

Diego: Te voy a contar un secreto pero no puedes decírselo a nadie.

Rita: ¿Qué es?

Diego: Miguel y Laura se reconciliaron.

Rita: ¿Estás seguro?

Diego: Sí, Laura lo perdonó. Por fin se dio cuenta de que Miguel es un chico sincero y honesto.

Rita: Sí, pero el problema de Laura es que es muy celosa y no confía en ningún chico.

Diego: Laura tiene que ser más considerada y aceptar a las amigas de Miguel.

Rita: Sí, pero Miguel no debe pensar tanto en sí mismo y comprenderla. No es fácil para ella. ¡Miguel tiene demasiadas amigas!

6 ¿Qué recuerda Ud.?

1. ¿Cuál es el secreto que le cuenta Diego a Rita?
2. ¿De qué se dio cuenta Laura, según Diego?
3. ¿Cuál es el problema de Laura, según Rita?
4. ¿Cómo tiene que ser Laura, según Diego?
5. ¿Por qué no es fácil para Laura salir con Miguel?

7 Algo personal

1. ¿Le contaron alguna vez un secreto que no podía decir a nadie?
2. ¿Pudo guardar ese secreto?
3. ¿Piensa Ud. en las otras personas más que en Ud. mismo/a?
4. ¿Qué tiene en común con su mejor amigo/a?
5. ¿Cómo se describe a sí mismo/a?

¡Comunicación!

8 Buenos consejos — Presentational Communication

Con un(a) compañero/a conversen sobre la relación de Miguel y Laura del Diálogo. ¿Qué creen que podrían hacer para mejorar su relación? Juntos escriban una lista de los consejos que se les ocurran.

MODELO **Laura debe confiar más en Miguel.**
Miguel debe ser más considerado.

Mis amigos me apoyan mucho.

Gramática

Más sobre verbos y pronombres

- Indirect and direct object pronouns, as well as reflexive pronouns, come before conjugated verb forms.

*Borré tu correo electrónico, pero **lo** leí.*	I erased your e-mail, but I read **it**.
***Les** escribo este fin de semana.*	I'll write **to them** this weekend.
*Tomás **se va** a las seis.*	Tomás **is leaving** at six.

- Pronouns are attached to the end of affirmative command forms. An accent must be added to maintain the stress on the correct syllable.

*Contésta**lo** ahora mismo.*	Answer **it** right now.
*Explíca**me** el problema.*	Explain the problem **to me**.
*¡**Cepíllate** los dientes!*	**Brush** your teeth!

Cuéntale que Elisa y yo nos reconciliamos.

- When pronouns are used with infinitives and present participles, they may either go before the conjugated verb or be attached to the infinitive or participle. The participle will pick up an accent mark to maintain the stress on the correct syllable.

***Te** voy a apoyar.*	I'm going to support **you**.
*Voy a apoyar**te**.*	
*¿**Me** estás diciendo la verdad?*	Are you telling **me** the truth?
*¿Estás diciéndo**me** la verdad?*	

¡Comunicación!

9 ¡Preparemos la fiesta! Interpersonal Communication

Ud. y su compañero/a están organizando una fiesta y tienen que preparar muchas cosas. Decidan quién va a hacer cada cosa de la lista de abajo y, si lo desean, añadan más preparativos. Sigan el modelo.

MODELO   hacer la lista de invitados

> A: **Hay que hacer la lista de invitados. ¿La hago yo?**
>
> B: **Sí, hazla tú. (No, compra los refrescos.)**

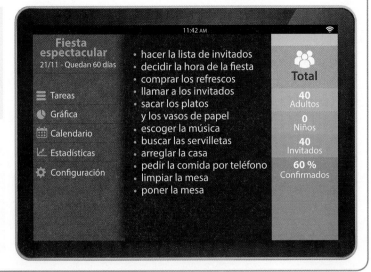

Gramática

Los complementos directos e indirectos en una misma oración

- Sometimes both an indirect object pronoun and a direct object pronoun are used in the same sentence.

Gloria me contó un secreto.

Gloria told **me** a secret.

Me lo contó ayer en la biblioteca.

She told **it to me** in the library yesterday.

Note: The indirect object pronoun *me* answers the question "to whom" and comes before the direct object pronoun *lo*, which answers the question "what."

- The indirect object pronouns *le* and *les* become *se* when followed by the direct object pronouns *lo*, *la*, *los*, or *las*.

Gloria también les contó el secreto a Uds.
Se lo contó hoy en el colegio.

Gloria also told the secret **to you**.
She told **it to you** at school today.

- Since the indirect object pronouns *le*, *les*, and *se* can refer to him, to her, to them, or to you, it is often necessary to provide additional information by adding *a* + the corresponding noun to avoid confusion.

Le pido favores a mi hermano, pero le hago favores a mi hermana.

I ask **my brother** for favors, but I do favors **for my sister**.

No se lo digas a nadie.

- Direct and indirect object pronouns can either precede conjugated verbs or be attached to infinitives and present participles. An accent mark must be added to the infinitive and the present participle to maintain the appropriate stress.

Se lo vamos a contar a Uds. más tarde.
Vamos a contárselo a Uds. más tarde.

We are going to tell **it to you** later.

Se la estoy escribiendo a él.
Estoy escribiéndosela a él.

I am writing **it to him**.

- In affirmative commands the object pronouns are attached to the command forms. Note that if the command form with the attached pronouns is three syllables or longer, it requires an accent mark over the stressed syllable.

Dáselo a ella.
Escúchala, te dice la verdad.
Préstamelas.

Give **it to her**.
Listen to **her**, she's telling you the truth.
Lend **them to me**.

10 Te los prestaría, pero...

¿Qué pasa con los videojuegos de José? Escoja el pronombre o los pronombres correctos para completar la conversación entre José y un amigo suyo.

MODELO Tú nunca __ pides nada a tus amigos. (*le / se la / les*)

Tú nunca **les** pides nada a tus amigos.

Le presto un videojuego a mi hermano.

A. José, ¿ **(1)** prestaste los videojuegos a Andrés? (*los / le / me los*)

B. No, **(2)** presté a Carolina. (*te los / se la / se los*)
Ella no **(3)** dio todavía. (*me los / me lo / te los*)

A. ¿Cuándo **(4)** prestaste a ella? (*te los / se los / me los*)

B. La semana pasada. Ella va a traér**(5)** mañana. (*melas / selas / melos*)

A. ¿ **(6)** puedes prestar a mí mañana? (*me las / me los / te los*)

B. Lo siento. No **(7)** puedo prestar a ti. (*te los / se los / me las*)
(8) prometí a mi hermano. (*se los / te las / se la*)
(9) quiero dar a él antes. ¡Primero están los hermanos! (*me los / se las / se los*)

11 Una nueva estudiante

Ha llegado una nueva estudiante a su colegio. Su compañero/a y Ud. están encargados de darle la información que necesita. Túrnese con su compañero/a para saber qué hizo cada uno.

MODELO explicarle el horario de la biblioteca

A: ¿Le explicaste el horario de la biblioteca?

B: Sí, se lo expliqué. / No, no se lo expliqué.

1. mostrarle el colegio
2. presentarle al director
3. llevarla al gimnasio
4. contestar sus preguntas
5. darle los números de teléfono
6. enseñarle la sala de computadoras
7. indicarle el camino a la cafetería

La llevé a la sala de computadoras.

¡Comunicación!

12 ¿Qué vas a hacer con...? Interpersonal Communication

Imagine que tiene muchísimo dinero y quiere reemplazar las cosas que se ven en las fotos por otras nuevas y mejores. Haga una lista de estas cosas que ya no quiere y lo que piensa hacer con ellas o a quién se las puede dar. Luego, intercambie información con su compañero/a y túrnense para decir qué le van a dar a quién y por qué. Usen los pronombres de complemento como se ve en el modelo.

MODELO   la cámara

A: ¿Qué vas a hacer con la cámara?

B: Se la voy a dar a mi primo Paco.

A: ¿Por qué a Paco?

B: Porque su cámara no funciona bien.

¡Comunicación!

13 ¡Todo un éxito! Interpersonal Communication

Imagine que Uds. contrataron los servicios de un nuevo salón de fiestas para hacer la reunión de graduación de su clase, y el administrador del lugar quiere saber su opinión sobre el servicio que obtuvieron. Hablen sobre la comida que pidieron y lo que les sirvieron, la atención de los camareros, la música que pusieron, en fin, la calidad del servicio en general. Trabajen en grupos de tres estudiantes y túrnese para hacer los papeles del administrador y los clientes.

MODELO   A: Cuéntenme, ¿qué fue lo que más les gustó o les disgustó del servicio?

B: Bueno, a mí me gustó mucho la comida. Fue exactamente lo que pedimos.

C: Estoy de acuerdo. Y los camareros nos la sirvieron rápidamente.

Puerto Rico: La isla de varias culturas 🎧

Se dice que Puerto Rico es la Isla del Encanto, y parte de ese encanto se lo debe a su mezcla de influencias culturales. La cultura de Puerto Rico es una amalgama[1] de costumbres y tradiciones indígenas, africanas y españolas. Se han transformado y difundido de generación en generación, como lo atestigua[2] su propio nombre, Borinquen, otorgado por los taínos, sus primeros pobladores[3]. De hecho, muchos puertorriqueños prefieren usar el término boricuas, en lugar de americanos, para describirse a sí mismos.

Viejo San Juan, Puerto Rico

Puerto Rico fue una de las últimas colonias de España y continuó bajo el dominio español hasta finales del siglo XIX, cuando se convirtió en estado asociado de Estados Unidos. A pesar del paso del tiempo, en Puerto Rico se mantiene viva la herencia cultural de España. Por ese motivo, aunque en la isla hay hoy en día dos idiomas oficiales, el inglés y el español, el español sigue siendo el idioma predominante, pues es el que habla la mayor parte de la población. La herencia cultural de España se manifiesta también en las calles y edificaciones coloniales del Viejo San Juan. Sigue viva en celebraciones como las Fiestas de la Calle San Sebastián, a finales de enero, en las cuales se celebra con bailes y procesiones el fin de la Navidad, otra tradición heredada de España.

Por su parte, los africanos, llevados a la isla por los españoles para labrar la tierra, también dejaron su huella en la cultura, sobre todo en la música. En cuanto a Estados Unidos, su influencia cultural, que es más reciente, se nota en celebraciones como el Día de la Independencia de Estados Unidos y el Día de Acción de Gracias.

[1] melting pot　　[2] proves　　[3] settlers

🔍 **Búsqueda:** mezcla de culturas en puerto rico, estado libre asociado de puerto rico

Tostones de plátano

Productos

La síntesis cultural puertorriqueña está presente en su cocina criolla (*creole*). El plátano es el acompañamiento más común, especialmente los tostones (*fried green plantains*) y el mofongo (*green plantain puree*). Los platos de origen taíno y africano se combinan con otros productos derivados de la cocina española, como las empanadas, los bacalaítos (*cod fritters*) y el arroz con pollo. ¡Qué rico!

14 Comprensión Interpretive Communication

1. ¿Qué culturas componen la cultura puertorriqueña actual?
2. ¿Por qué hay dos idiomas oficiales en Puerto Rico?
3. ¿Qué celebraciones tradicionales de Puerto Rico son resultado de la mezcla de culturas de la isla?

15 Analice

1. ¿Por qué cree Ud. que los puertorriqueños prefieren llamarse a sí mismos "boricuas"?
2. ¿Qué impacto cree Ud. que tuvo para los puertorriqueños la adopción del inglés como segundo idioma oficial de la isla?

La clave musical de Puerto Rico

Tito Puente

Con sus raíces[1] indígenas, africanas, europeas y americanas, la música es, sin duda, la expresión cultural más importante de Puerto Rico. En los últimos setenta años, la influencia de la diáspora[2] puertorriqueña en Nueva York ha llegado a los géneros más populares. La primera gran explosión musical fue la salsa, donde los ritmos caribeños se mezclaron con el jazz. Tito Puente fue el músico más conocido de su tiempo y dio a conocer un novedoso[3] instrumento de percusión parecido al tambor: los timbales. En la década de 1970, en el sur del Bronx, estas raíces se mezclaron con la cultura afroamericana para dar origen al *hip hop*. Hoy, el *hip hop* forma parte de la cultura popular de los jóvenes de todo el mundo.

Ricky Martin "Vida"

La música puertorriqueña actual tiene su embajador más popular en Ricky Martin. Uno de sus últimos éxitos fue haber ganado el concurso internacional de música para la Copa Mundial de Fútbol FIFA 2014 con su tema "Vida", que forma parte del álbum oficial de este gran evento deportivo. Ese mismo álbum también incluye el tema "Somos uno", interpretado por otra gran artista de ascendencia puertorriqueña, Jennifer López, junto con el estadounidense de origen cubano Pitbull y la brasileña Claudia Leitte.

[1] roots　[2] migration　[3] novel

Búsqueda: tito puente, ricky martin, temas musicales del mundial 2014

Prácticas

Desde el 2010, jugar al dominó en Puerto Rico dejó de ser un pasatiempo para convertirse en un deporte nacional. Este juego de mesa se inventó en China pero se popularizó en el Caribe como complemento perfecto para el carácter social de los latinos. La modalidad preferida es el dominó de 28 fichas que se juega en parejas.

Perspectivas

El estribillo de una canción interpretada por Ricky Martin dice: "Y del blanco tengo el alma / Y del negro los sabores / Y del indio la nobleza / Soy raza de mil colores". ¿Qué valor puertorriqueño se refleja en la letra de este estribillo?

16 Comprensión | Interpretive Communication

1. ¿Cuáles son los orígenes de la salsa y el *hip hop*?
2. ¿Quién fue Tito Puente?
3. ¿Con qué tema ganó Ricky Martin el concurso para la Copa Mundial FIFA 2014?

17 Analice

1. ¿Cómo se difunde la cultura a través de la música y el deporte?
2. ¿Como cree que una actividad como jugar al dominó vino a hacerse popular en Puerto Rico?

Vocabulario 2

El blog de Maritza: ¿Quién no comete errores? 🎧

| MARITZA | MIS FOTOS | VIDEOS | MI FAMILIA |

DIARIO DE UNA DOMINICANA EN NJ

Datos personales
Nací en Punta Cana, República Dominicana, el 27 de abril de 1999. Vivo en New Jersey desde hace un año. Mis amigos y yo **cometemos errores** todos los días.

Patricia **desconfía** de Miguel porque siempre está mirando a otras chicas. Lo peor es que él mismo lo **ha admitido** y ella ya **está perdiendo la paciencia**.

🙁 **Natalia dice:**
Ella **tiene la culpa**. Siempre lo termina perdonando.

OTROS TEMAS

Mi familia

Mi colegio

Mis amigos

Mis amistades

Susana e Isabela **dejaron plantados** a Andrés y Nicolás después del colegio.

🙁 **Pablo dice:**
¡Qué raro! Ellas dijeron que iban a recogerlos. ¡Algo les debe haber pasado!

Tatiana **ha llorado** mucho desde que **descubrió** que su novio tiene una amiga nueva. Está celosa.

🙁 **Adela dice:**
¡No estés triste! Sécate **las lágrimas**. Él también se pone celoso de ti.

Por error, mi prima Teresa les envió un mensaje de texto a sus amigos y ahora está muy preocupada.

🙁 **Sonia dice:**
Ellos son **comprensivos**. Van a entender que ella **lo hizo sin querer**.

Juliana tuvo **una discusión** con Arturo y no se están hablando. Él dijo que le prestó su DVD favorito y que ella no se lo **ha devuelto**. Ella dijo que ya se lo devolvió.

Mi hermanita Andrea tuvo **una pelea** con su mejor amiga, Jessica. Andrea dice que Jessica la **acusó** de decir una mentira.

🙁 **Gloria dice:**
¡Qué va! Lo siento por Andrea. Ya verás que pronto se reconciliarán.

Para conversar 🎧

*T*o apologize:

Discúlpame, pero tenemos que **posponer** nuestros planes.
Forgive me, but we have to postpone our plans.

No faltaba más. Yo **tengo la culpa** por avisarte
a último momento.
*Don't mention it. It's my fault for letting you know at
the last minute.*

¡Por favor! No **te eches la culpa**.
Please, don't blame yourself.

Para decir más

conmover	to move, to touch emotionally
derramar lágrimas	shed tears
estar locamente enamorado/a de	to be madly in love with
herir los sentimientos	to hurt someone's feelings
romper con alguien	to break up with someone

18 ¡Qué va! 🎧

Escuche las siguientes frases. Escoja la letra de la respuesta correcta.

1. **A.** Chévere.
   B. Discúlpame.
   C. ¡No faltaba más!
2. **A.** Lo hice sin querer.
   B. ¡Qué raro!
   C. ¡Qué va!

3. **A.** Lo hice sin querer.
   B. ¡Qué raro!
   C. ¡Chévere!
4. **A.** ¡No faltaba más!
   B. ¡Qué bueno!
   C. No fue mi culpa.

5. **A.** ¡Qué va!
   B. No fue mi culpa.
   C. ¡Qué raro!
6. **A.** ¡No faltaba más!
   B. Discúlpame.
   C. Chévere.

19 ¿Cuál es la definición?

Elija la definición que corresponde a cada palabra.

1. acusar
2. descubrir
3. la discusión
4. las lágrimas
5. posponer
6. admitir

A. una conversación de opiniones contrarias
B. lo que cae al llorar
C. dejar algo para hacerlo más tarde
D. aceptar la responsabilidad
E. enterarse de algo
F. decir que alguien tiene la culpa de algo

¡Comunicación!

20 A pedir disculpas 👥   Interpersonal Communication

Trabaje con un(a) compañero/a. Uno de Uds. debe mencionar un problema del
recuadro y su compañero/a debe darle un consejo. Usen el modelo como guía. Cuando
terminen, repitan la actividad intercambiando los papeles.

MODELO dejar plantado

A: Roberto me dejó plantada. Estoy furiosa.

B: No pierdas la paciencia con él. Lo hizo sin querer.

tener una discusión

romper una relación

devolver lo que me prestan

posponer una reunión

Diálogo 🎧

No ha sido mi culpa

Diego: ¿Por qué estás llorando, Rita?

Rita: He descubierto que saliste con Clara el viernes pasado.

Diego: ¿Quién te ha dicho eso?

Rita: Elena.

Diego: Yo no salí con ella. Clara me llamó porque tenía un problema y quería hablar con alguien.

Rita: Pero, ¿por qué no me lo contaste?

Diego: Porque me olvidé. Discúlpame, pero no ha sido mi culpa.

Rita: ¡Qué va! Tú siempre cometes esos errores. Estoy perdiendo la paciencia contigo.

Diego: Créeme. Lo hice sin querer. No puedes desconfiar así de mí.

Rita: No lo sé, Diego. Esta vez necesito pensarlo. Te llamo mañana.

---

21 ¿Qué recuerda Ud.? 🎧

1. ¿Por qué está llorando Rita?
2. ¿Quién ha visto a Diego con Clara?
3. ¿Por qué llamó Clara a Diego?
4. ¿Por qué no le avisó Diego a Rita que iba a ver a Clara?
5. ¿Por qué está perdiendo Rita la paciencia con Diego?

22 Algo personal 🎧

1. ¿Ha tenido Ud. una pelea con alguien? ¿Sobre qué?
2. ¿Reconoce cuando Ud. tiene la culpa o ha cometido un error?
3. ¿Pierde la paciencia con facilidad?
4. ¿Alguna vez le ha echado la culpa de algo a otra persona?

---

23 ¿Qué ha sucedido? 🎧

Escuche los siguientes diálogos. Diga a qué foto corresponde cada uno.

A

B

C

D

Gramática

Los participios pasados

- You are already familiar with the forms of the past participle in Spanish. For *-ar* verbs, the past participle ends in *-ado* (*llorado*); for *-er* and *-ir* verbs, the past participle ends in *-ido* (*perdido*, *discutido*).

Note: When the past participle is used as part of a compound tense, for example the present perfect, it is only used in its masculine singular *-o* form.

El pretérito perfecto

- The past participle is frequently used with the verb *haber* to describe what you have or have not done. This tense is called the present perfect (*pretérito perfecto*), and it is formed with a conjugated form of *haber* in the present tense + a past participle.

haber	participio pasado
he	
has	llorado
ha	perdido
hemos	discutido
habéis	
han	

Estrategia

Review and recycle ♻

Participios pasados irregulares

abrir	abierto
decir	dicho
(de)volver	(de)vuelto
escribir	escrito
hacer	hecho
poner	puesto
romper	roto
ver	visto

*Pedro **ha perdonado** a su novia.* Pedro **has forgiven** his girlfriend.

*Todos **hemos prometido** ir a la fiesta.* We **have** all **promised** to go to the party.

- Direct object, indirect object, and reflexive pronouns precede the form of *haber*.

*Sandra me **ha contado** un secreto.* Sandra has told **me** a secret.

*¿Se lo **ha dicho** a Uds.?* Has she told **it to you**?

Repaso rápido ♻

---

24 ¿Cómo han contestado?

Complete los siguientes diálogos con la forma correcta del pretérito perfecto de los verbos entre paréntesis.

1. **A:** Raúl, tú no me (*decir*) la verdad. ¿Por qué no (*ser*) honesto conmigo?

   B: Perdóname, Cristina, lo (*hacer*) sin querer. No (*querer*) ofenderte.

2. **A:** Yo (*enterarse*) que (*ver*) a tu antiguo novio.

   B: ¿A Nicolás? ¡Qué va! ¿Quién te (*contar*) ese chisme?

3. **A:** Jorge, ¿(*tener*) algún problema con Silvia?

   B: Ella es una irresponsable. Me (*dejar*) plantado y no me (*dar*) ninguna explicación.

4. **A:** Ana me (*acusar*) de decirle una mentira. ¡No es verdad!

   B: Lo sé. Ella (*cometer*) un error en acusarte de eso.

25 ¡Pobrecita Alejandra!

Complete el correo electrónico que Alejandra le escribió a su amiga Tere con la forma correcta del pretérito perfecto de los verbos del recuadro.

darse cuenta	discutir
pelear	perder
salir	pasar
estar	llorar
romper	ser

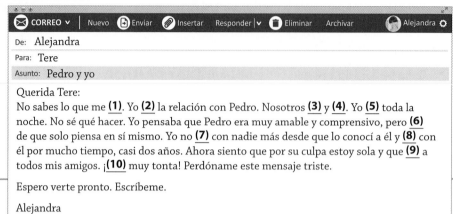

De: Alejandra
Para: Tere
Asunto: Pedro y yo

Querida Tere:

No sabes lo que me **(1)**. Yo **(2)** la relación con Pedro. Nosotros **(3)** y **(4)**. Yo **(5)** toda la noche. No sé qué hacer. Yo pensaba que Pedro era muy amable y comprensivo, pero **(6)** de que solo piensa en sí mismo. Yo no **(7)** con nadie más desde que lo conocí a él y **(8)** con él por mucho tiempo, casi dos años. Ahora siento que por su culpa estoy sola y que **(9)** a todos mis amigos. ¡**(10)** muy tonta! Perdóname este mensaje triste.

Espero verte pronto. Escríbeme.

Alejandra

¡Comunicación!

26 ¿Lo has hecho o no? Interpersonal Communication

Con su compañero/a, hablen sobre lo que ha hecho esta última semana. Usen el pretérito perfecto y la lista de actividades que sigue.

MODELO leer algún libro interesante

A: ¿Has leído algún libro interesante?

B: Sí, he leído… ¿Quieres leerlo tú?

1. estudiar algo interesante
2. hacer la tarea para todas las clases
3. ir al cine
4. ver un programa bueno por televisión
5. discutir con amigos o con tus hermanos/as
6. descubrir algo interesante

¡Comunicación!

27 ¿Alguna vez has…? Presentational Communication

Pregúnteles a tres compañeros si han hecho las siguientes cosas. Anote sus respuestas y comparta los resultados con la clase.

MODELO A: ¿Alguna vez le has echado la culpa a otra persona?

B: Sí, varias veces. / No, nunca lo he hecho.

A: Según mis resultados…

¿Alguna vez…?	Sí, varias veces.	No, nunca.
le has echado la culpa de algo a otra persona	√ √	√
le has dicho una mentira a tu mejor amigo/a		
has dejado plantado/a a alguien		
has tenido celos de tus hermanos/as		
has llorado durante una película		

Gramática

La posición del adjetivo y su significado

The following frequently used adjectives have two meanings, depending on whether they precede or follow the noun they are modifying. Observe the differences.

*Es una familia **pobre**.*	It's a **poor** family. (in poverty)
*¡**Pobre** chico! Su novia lo dejó plantado.*	The **poor** guy! (unfortunate) His girlfriend stood him up.
*Es un hombre **viejo**.*	He is an **old** man. (elderly)
*Es un **viejo** amigo mío.*	He is an **old** friend of mine. (longtime)
*Estos libros son muy **antiguos**.*	These books are **ancient**. (very old)
*Mi **antigua** escuela queda en Ponce.*	My **old** school is in Ponce. (former)
*La casa es **nueva**.*	The house is **new**. (brand new)
*Necesito una **nueva** computadora.*	I need a **new** computer. (another one)
*Es una **gran** ciudad.*	It is a **great** city.
*Es una ciudad **grande**.*	It is a **large** city.
*Es una **buena** profesora.*	She is a **good** teacher. (talented)
*Es una mujer **buena**.*	She is a **good** woman. (kind)
*Es el **único** mapa de San Juan que tenemos.*	It's the **only** map of San Juan we have.
*Es un mapa **único**.*	It's a **unique** map. (There's no other like it.)
*Es un estilo **diferente**.*	It is a **different** style.
*Hay **diferentes** estilos.*	There are **various** styles.

Es una buena profesora.

---

28 ¿Viejos amigos o amigos viejos?

Escoja la letra de la oración que mejor explique el significado de cada ejemplo.

1. Mi abuelo tiene amigos viejos.
   A. Se conocen desde que eran niños.
   B. Todos tienen más de 65 años.
2. ¡Pobre hombre!
   A. No tiene dinero.
   B. Tiene problemas.
3. Isabel todavía quiere a su antiguo novio.
   A. Es un hombre mayor.
   B. Ahora ella tiene otro novio.

4. El equipo necesita un gran jugador.
   A. Necesitan un jugador bueno.
   B. Necesitan un jugador muy alto.
5. Nuestra escuela es única.
   A. Es muy especial y diferente.
   B. No hay otras escuelas en la ciudad.

29 El parque nacional 👥

El Yunque es un parque nacional que está cerca de San Juan. Con su compañero/a lean las siguientes oraciones y decidan si los adjetivos entre paréntesis deben ir antes o después de las palabras en cursiva. Recuerde que algunos adjetivos cambian de significado según su posición. Compartan sus respuestas con la clase.

> **MODELO** El Yunque tiene ____ *animales* ____ que no existen en otros países. (*únicos*)
>
> El Yunque tiene **animales únicos** que no existen en otros países.

1. El Yunque es un __ *parque* __ que tiene 28.000 acres. (*grande*)

2. Es el __ *bosque lluvioso* __ del sistema forestal de Estados Unidos. (*único*)

3. Es también la __ *reserva forestal* más __ del hemisferio occidental. (*vieja*)

4. Tiene una torre de observación que ofrece una __ *vista* __ del noreste de la isla. (*grande*)

5. En las partes bajas de la reserva se encuentran especies de __ *plantas* __ que aparecieron hace cientos de años. (*antiguas*)

6. Uno de los animales más conocidos de El Yunque es la cotorra puertorriqueña. Dicen que después del huracán Hugo la __ *cotorra puertorriqueña* __ estaba en peligro de extinción. (*pobre*)

7. Pero gracias al __ *interés* __ que despertó la posible desaparición de esta ave, el número de cotorras ha crecido. (*nuevo*)

Bosque nacional El Yunque

¡Comunicación!

30 ¡Cuidado con el lugar del adjetivo! 👥 Presentational Communication

Trabaje con su compañero/a. Elijan uno de los siguientes pares de temas y escriban una oración con cada uno de ellos. Presten atención al lugar que ocupa el adjetivo. Luego, presenten sus oraciones a la clase.

- una gran persona / una persona grande

- un pobre hombre / un hombre pobre

- una gran ciudad / una ciudad grande

- un único amigo / un amigo único

Todo en contexto

¡Comunicación!

31 Hemos decidido que... 👥 Interpersonal Communication **Conéctese: los estudios sociales**

Imagine que Ud. y su compañero/a son los jefes de un negocio en Puerto Rico y deben decidir qué fiestas va a tomar la compañía en el año. La idea es apoyar la cultura hispana y la americana para evitar conflictos entre los empleados. Escojan fiestas que las dos culturas tengan en común y otras típicamente hispanas o americanas. Pueden buscar ideas en el texto de la página 172 y también hacer una búsqueda por internet. Intercambien opiniones sobre qué días podrían escoger y por qué. Túrnense los dos papeles. Después, hagan un calendario de los días de fiesta y preséntenlo a la clase. Sigan el modelo como guía y usen palabras o expresiones del recuadro.

¿Qué días de fiesta vamos a celebrar?

admitir	comprensivo	darse cuenta	discusión	posponer	¡Qué raro!
apoyar	considerado	descubrir	increíble	¡No faltaba más!	¡Qué va!

MODELO
A: Podríamos celebrar el Día de José de Diego en abril.

B: ¿Por qué?

A: Fue un gran defensor del idioma español y de la cultura puertorriqueña. ¿Vas a apoyarme en esto?

B: ¡Qué va! Estados Unidos y Puerto Rico no tienen esa fiesta en común.

¡Comunicación!

32 La herencia que nos dejaron Presentational Communication **Conéctese: la historia**

Piense en las características y las influencias de la cultura de Puerto Rico y en cómo se han mezclado y cambiado a lo largo del tiempo. Imagine que Ud. es un(a) sociólogo/a interesado en cómo se origina la cultura de un pueblo y cómo se difunde a través del tiempo. Elija cualquier ciudad o país del mundo hispanohablante e investigue cómo eran sus primeros habitantes, de dónde venían y qué lenguas hablaban. Describa el trabajo, la educación y las tradiciones, y su influencia sobre la cultura contemporánea. Tome notas y úselas como base para hacer una presentación oral frente a la clase. Concluya su presentación con una frase que ilustre cómo se difundió la cultura del lugar a través del tiempo.

Ciudad de Panamá, Panamá

Punta del Este, Uruguay

Lectura informativa

Antes de leer

¿Qué medio de comunicación prefiere Ud. para comunicarse con sus amigos/as?

Estrategia

Transitions

Transitional words and phrases signal a connection between ideas and therefore strengthen readers' comprehension. Some transitions indicate comparison and contrast (*sin embargo, por el contrario*), cause and effect (*de acuerdo con, por lo tanto*), or chronological organization (*luego, al mismo tiempo*). Understanding how an author has used transitions will help you progress from one idea to the next.

Página web | www.elespectador.com

EL ESPECTADOR

★★★★★

Lunes, 19 de mayo

SECCIONES BLOGS TOMA LA PALABRA

Me gusta Compartir Tuitear

¿Cómo se comunican hoy los adolescentes?

Entre los jóvenes una relación puede comenzar con el cambio de estado en Facebook, dice un estudio realizado por el laboratorio de investigación de Ericsson.

Por: Elespectador.com

Una relación entre adolescentes comienza con el cambio de estado en Facebook, los mensajes de texto son uno de sus medios favoritos pero no hay nada mejor que un encuentro físico, para los jóvenes el teléfono es una herramienta[1] social. Fueron algunas de las conclusiones de una investigación realizada, entre junio y noviembre de 2011, por el laboratorio del proveedor de telecomunicaciones Ericsson (Ericsson ConsumerLab), que indagó[2] sobre los medios que prefieren los adolescentes a la hora de comunicarse y socializar con los demás.

La encuesta muestra que el uso habitual de los mensajes de texto y Facebook ha cambiado la dinámica de las citas entre adolescentes. Los mayores cambios se pueden ver en el proceso de acercamiento previo en donde el objetivo es pedir a la otra persona una cita. Sin embargo, los adolescentes todavía prefieren el encuentro romántico cara a cara. Otro dato significativo es el hecho del cambio de su estado amoroso o romántico en Facebook, "en una relación" o "solo" es considerado por sus amigos como una declaración oficial del usuario.

Los mensajes de texto siguen siendo "la herramienta de elección" por el adolescente cuando el tiempo del encuentro presencial no es posible. La consideran como una herramienta que no interrumpe el flujo de sus vidas. La llamada de voz, por el contrario, la consideran más adecuada para el mundo de los adultos.

El estudio se realizó con 2.000 participantes de una muestra representativa de 20 millones de personas entre 13 y 17 años de edad, en los EE. UU. Por las características del estudio, el comportamiento observado es similar la de muchos otros países.

[1] tool   [2] inquired

Búsqueda: comunicación entre adolescentes

33 Comprensión 🎧 Interpretive Communication

1. ¿Por qué prefieren los jóvenes los mensajes de texto a las llamadas de voz?

2. Según el artículo, ¿cuál es el significado de "un cambio de estado" en Facebook?

3. ¿Prefieren los adolescentes mantener sus relaciones románticas solamente en forma virtual? Explique su respuesta.

34 Analice 🎧

1. ¿Cómo cree Ud. que se mejora o se afecta la vida social de un adolescente que no usa la tecnología?

2. ¿Cree que el uso de la tecnología representa algún peligro para los adolescentes?

Extensión

Una encuesta (*opinion poll, survey*) es un estudio para obtener datos, que consiste en una serie de preguntas dirigidas a un grupo de personas; puede ser a la totalidad o solo a una parte del grupo. El objetivo es saber lo que opinan las personas o qué características tienen, según las respuestas. Las encuestas pueden ser cara a cara, por teléfono, por correo o por internet (cuando las preguntas están en una página web).

✏️ Escritura

35 ¡Hagamos una encuesta! Presentational Communication

Ud. y sus compañeros/as de grupo tienen que hacer un informe sobre las nuevas tendencias de los jóvenes en cuanto a sus actividades y el tiempo que les dedican. Para empezar, elija (cada uno) a diez estudiantes del colegio, al azar (*randomly*), y hágales las siguientes preguntas. Pueden agregar otras preguntas que se les ocurran. Luego, reúnan todos los datos que obtuvieron y regístrenlos en una gráfica como la que se da de ejemplo. Para finalizar, hagan su informe a partir de los resultados y preséntenlo a la clase.

Tendencias actuales

Tiempo que los jóvenes dedican a sus actividades hoy en día				
Horas semanales dedicadas a la actividad	1 a 9 horas	10 a 20 horas	21 a 30 horas	Más horas
1. ¿Cuántas horas a la semana pasas viendo televisión?				
2. ¿Cuántas horas a la semana pasas socializando en la internet?				
3. ¿Cuántas horas a la semana pasas socializando personalmente con tus amigos?				

MODELO **Nuestros resultados indican que el 80 % de los jóvenes encuestados pasan de 21 a 30 horas semanales viendo televisión.**

Repaso de la Lección A

A Escuchar: ¿Qué pasa con ellos? 🎧 (pp. 164–165, 174–175)

Seleccione la foto que corresponde con lo que oye.

A

B

C

D

B Vocabulario: ¿Qué hacen y cómo son? (pp. 164–165, 174–175)

Complete las oraciones de la primera columna con las frases de la segunda columna
que correspondan según el contexto.

1. Alguien a quien le puedes contar todos tus secretos...

2. Si tienes la culpa en una pelea...

3. Alguien que se mete en las discusiones de otras personas...

4. Él sabe que puede contar con sus padres porque ellos...

A. debes admitir tu error y disculparte.

B. es alguien en quien puedes confiar.

C. es una persona entrometida.

D. siempre lo apoyan en todo.

C Gramática: ¡Conflictos y más conflictos! (pp. 168–169)

Complete los mini-diálogos con los pronombres de complemento que correspondan según el contexto.

1. **A:** ¿Quién te contó esa mentira tan grande?

   B: Elena __ __ contó.

2. **A:** ¿Le dijiste a Claudia que desconfías de ella?

   B: No, claro que no __ __ dije. ¡No faltaba más!

3. **A:** ¿Apoyaste a tus hermanos cuando lo necesitaban?

   B: No, no __ apoyé como debía y debo pedir__ perdón.

4. **A:** ¿ __ pediste disculpas a Claudia?

   B: Sí, __ hice, pero ella no __ quiere perdonar.

D Vocabulario/Gramática: ¿Lo ha hecho? (pp. 177)

Diga si ha hecho o no ha hecho lo que se indica en el recuadro. Use el pretérito perfecto y palabras
como **siempre**, **algunas veces**, **ya** y **nunca** como se ve en el modelo.

MODELO   decirle la verdad a mi novio/a

Ya le he dicho la verdad a mi novio/a.

> **tener una pelea**
>
> **romper una relación**
>
> **dejar plantado a alguien**
>
> **perder la paciencia**

E Cultura: Puerto Rico y su cultura (pp. 172–173)

Explique por qué los siguientes temas son ejemplos de cómo se difunde la cultura de un país.

- el viejo San Juan
- las fiestas de la Calle San Sebastián
- la salsa y el *hip hop*
- el dominó
- el Día de Acción de Gracias
- la cocina criolla

Vocabulario

Descripciones	Verbos	En las peleas	Otras palabras y expresiones
celoso/a	acusar	la culpa	cometer un error
chismoso/a	admitir	la discusión	darse cuenta (de)
comprensivo/a	apoyar	el error	dejar plantado/a a alguien
considerado/a	confiar (en)	las lágrimas	Discúlpame.
entrometido/a	contar (con)	la pelea	echar la culpa a alguien
honesto/a	chismear		hacer un cumplido
increíble	desconfiar		hacerlo sin querer
	descubrir		¡No faltaba más!
	devolver		pensar en sí mismo/a
	llorar		perder la paciencia
	perdonar		¡Qué raro!
	posponer		¡Qué va!
	reconciliarse		tener celos
			tener (intereses, gustos, cosas) en común
			tener la culpa

Gramática

Los pronombres de complemento directo e indirecto

Los pronombres de complemento directo e indirecto se pueden usar juntos en una frase, y el indirecto siempre precede al directo.

*Sebastián **me** sirvió la cena.*
*Sebastián **me la** sirvió.*

Se usa el pronombre **se** en lugar de **le** y **les** delante de los pronombres **lo**, **la**, **los** y **las**. Además, el pronombre reflexivo siempre precede al pronombre de complemento directo o al complemento indirecto.

*Uds. le enviaron **los documentos** a Elena por correo electrónico.*
*Uds. **se los** enviaron por correo electrónico.*
***Me** lavé las manos.*
***Me las** lavé.*

Se les puede añadir los pronombres de complemento directo e indirecto a los infinitivos y a los gerundios. Cuando se le añade al gerundio, es necesario escribir un acento para mantener el énfasis original.

*Puedo traer **el boleto** al colegio.*
*Puedo traer**lo** al colegio.*
*¿**Le** está escribiendo Ud. **una carta** a mi hermano?*
*¿Está escribiéndo**sela** Ud. a mi hermano?*

El participio pasado y el pretérito perfecto

Use el pretérito perfecto para eventos que ya han pasado.

presente de **haber**	+	participio pasado
he	hemos	**-ar** verbs → **-ado**
has	habéis	**-er** verbs → **-ido**
ha	han	**-ir** verbs → **-ido**

*Marcos **ha** com**ido** mucho hoy.*
***He** cocin**ado** bistec, arroz y una ensalada.*

¿Cómo tratas a tu familia? 🎧

Catalina, discúlpate inmediatamente con tu abuelo. Sabes que es **un adulto** y lo debes **respetar**.

Mírame cuando te hablo, por favor. No me gusta este **comportamiento**, **tal como** te he dicho muchas veces.

¿Por qué siempre **reaccionas** y me **levantas la voz** cuando discutimos?

¡Tenemos que **ponernos de acuerdo**! Si tú dices SÍ y yo digo NO, ella no nos va a obedecer a ninguno de los dos.

Gracias por **hacer las paces** con tu abuelita. Sabes que ella te quiere mucho y debes tenerle paciencia.

Tienes **la obligación** de pagar las cuentas. ¿Vas a **avisar** al banco?

—¡No me **critiques** más!
—Prima, es que tú nunca me **haces caso**.

Felipe, ¡**estás equivocado**! Yo no soy la única que tiene la culpa. La culpa es de los dos.

Para conversar 🎧

*T*o talk about family relationships:

Luisa, ¿por qué le quitaste el celular a Laurita sin **consultarme**? Sobre eso tenemos **diferencias de opinión**.

Luisa, why did you take Laurita's phone away from her without checking with me? Regarding that, we have a difference of opinion.

Tú deberías apoyarme. Si no, nunca dejaremos de tener **conflictos** en esta **relación**.

You should support me. If you don't, we'll never stop having conflicts in this relationship.

Para decir más

la actitud	*attitude*
alabar	*to praise*
contradecir	*to contradict*
dañar / hacer daño	*to hurt*
entrometerse	*to meddle, to interfere*
equivocarse	*to be mistaken*
insultar	*to insult*
irritar	*to irritate*
ofender	*to offend*
grosero/a	*rude*
insoportable	*unbearable*

1 ¿Conflicto u obligación? 🎧

Diga si cada oración que escucha se refiere a **un conflicto** o a **una obligación** en una relación.

2 Conflictos en familia

Complete la siguiente conversación con las palabras del recuadro.

aceptar	obligación	paces
caso	equivocado	reacciona

Padre: Tienes que hacer las **(1)** con tu hermano. No pueden pelearse así.

Hija: Él siempre **(2)** mal cuando le pido ayuda para ordenar el cuarto.

Padre: Pero es su **(3)** mantener el cuarto ordenado.

Hija: Sí, pero a él no le importa. Dice que no es un chico ordenado y que lo debo **(4)** como es.

Padre: Está **(5)**. Tengo que hablar con él.

Hija: Él tiene que hacerte **(6)** a ti.

¡Tienes que ordenar tu cuarto!

¡Comunicación!

3 Cómo llevarnos bien 👥 Presentational Communication

Con un(a) compañero/a, hagan una lista de reglas que se pueden seguir para evitar conflictos con la familia. Luego, presenten la lista a la clase.

MODELO No debo levantar la voz en una discusión.

Es importante pedir disculpas cuando cometemos un error.

Diálogo 🎧

¡No vuelvas tarde a casa!

Juan: Mamá, me voy a una fiesta.

Madre: ¿Adónde?

Juan: A una fiesta en la casa de Sebastián.

Madre: Yo no sabía nada de esta fiesta. ¿Por qué no me avisaste antes?

Juan: Me olvidé.

Madre: No me gusta ese comportamiento. Respétame un poco.

Juan: Pero, mamá, ¿por qué reaccionas así?

Madre: No me levantes la voz, Juan.

Juan: Pero si estamos hablando...

Madre: Estoy muy enojada.

Juan: Discúlpame, por favor. ¿Hacemos las paces?

Madre: Tu única obligación es avisarme adónde vas.

Juan: Lo sé... ¿Pero puedo ir a la fiesta?

Madre: Bueno, puedes ir, ¡pero no vuelvas tarde a casa!

4 ¿Qué recuerda Ud.? 🎧

1. ¿Adónde quiere ir Juan?
2. ¿Por qué no le avisó Juan a su mamá que iba a la fiesta?
3. ¿Por qué reacciona mal la mamá de Juan?
4. ¿Cuál es la obligación de Juan?

5 Algo personal 🎧

1. ¿Cómo es su relación con sus padres?
2. ¿Qué obligaciones tiene en su casa con sus padres?
3. ¿Cómo reaccionan sus padres cuando no les avisa algo?

6 ¿Qué dice cada diálogo? 🎧

Escuche los siguientes diálogos y escoja la palabra que complete las oraciones sobre cada uno.

1. Rodolfo y Mario
   - **A.** han tenido muchas obligaciones.
   - **B.** han hecho las paces.
   - **C.** no se han puesto de acuerdo.
2. Paola
   - **A.** está levantando la voz.
   - **B.** respeta mucho a Clara.
   - **C.** está haciendo las paces.

3. Tomás no quiere
   - **A.** hacerles caso a sus padres.
   - **B.** estar equivocado.
   - **C.** hacer las paces.
4. Eugenia y su madre tienen
   - **A.** una obligación.
   - **B.** una diferencia de opinión.
   - **C.** un comportamiento.

Gramática

Los mandatos negativos informales

- Use negative informal commands to tell those you address informally not to do something. To form a negative informal command, use the *yo* form of the verb and remove the *-o*. Then add *-es* to *-ar* verbs, and *-as* to *-er* and *-ir* verbs.

reaccionar	*¡No reacciones así!*	**Don't react** like that!
cometer	*No cometas ese error.*	**Don't make** that mistake.
discutir	*No discutas conmigo.*	**Don't argue** with me.

- For verbs with stem changes and irregular *yo* forms , start with the *yo* form of the verb as well.

contar	*No cuentes chismes.*	**Don't spread** gossip.
poner	*No te pongas nervioso.*	**Don't get** nervous.

- Four verbs have with irregular negative *tú* commands.

ir	dar	estar	ser
No vayas a la fiesta.	No me des más consejos.	No estés triste.	No seas entrometido.
Don't go to the party.	**Don't give** me more advice.	**Don't be** sad.	**Don't be** nosy.

- Object pronouns and reflexive pronouns in negative *tú* commands appear between *no* and the command. If there are two object pronouns, the indirect object pronoun comes first.

No te vayas.	**Don't leave**.
No se lo des.	**Don't give it to her**.

Estrategia

Review and recycle

For verbs that end in…

car → change the *c* to *qu* before *e*.

criticar: *¡No* me criti*ques*!

gar → change the *g* to *gu* before *e*.

llegar: No lle*gues* tarde.

zar → change the *z* to *c* before *e*.

empezar: ¡No empie*ces* a llorar!

ger/gir → change *g* to *j* before *a* and *o*.

recoger: No me reco*jas* después del colegio.

---

7 ¡No molestes!

Es el primer día de clase de su hermano menor. Túrnese con su compañero/a para decirle lo que no debe hacer en clase. Pueden agregar dos o tres consejos más.

MODELO hablar en clase sin permiso
No hables en clase sin permiso.

1. llegar tarde
2. comer en clase
3. dormir en clase
4. discutir con los otros chicos
5. gritar en la escuela
6. hacerle preguntas a tu compañero
7. levantar la voz
8. criticar a los otros estudiantes

¡No comas esa naranja!

8 ¿Qué mas va a decir?

La madre de Mario siempre le está diciendo qué hacer. Complete cada oración con la forma correcta del verbo entre paréntesis que corresponda según el contexto.

1. No levantes la voz y, por favor, no (*avisar / empezar*) otra discusión.

2. Ve a hablar con tu hermanita y no (*tener / perder*) la paciencia.

3. Ábrele la puerta a Diego. No lo (*poner / hacer*) esperar.

4. Explícaselo a tu padre. No me lo (*admitir / explicar*) a mí.

5. No (*ser / tener*) tan celoso de tu hermanito. Los queremos a los dos.

9 Eso no se permite 👥 🎧

Trabajando con un(a) compañero/a, diga a cuál de las siguientes situaciones corresponde cada foto. Luego, escriban el mandato negativo informal que la madre o el padre le da a cada uno de los jóvenes.

1. A Julito su papá no le permite usar aretes.

2. A Verónica su mamá no la deja ponerse maquillaje.

3. A Juan José su mamá no le permite mirar televisión mientras come.

4. A Magdalena su madre no le permite subirse al árbol.

5. A Ricardo su papá no le permite tocar la guitarra por la noche.

A

B

C

D

E

10 ¡No, no, no...!

Imagine que hoy tiene que cuidar a Sarita, la hija de sus vecinos. Ella anda metida en todo y Ud. ya está perdiendo la paciencia. Complete lo que Ud. le dice a Sarita con el mandato negativo del verbo entre paréntesis y los pronombres que correspondan según el contexto. Siga el modelo como guía.

¡No molestes al perro!

MODELO   Sarita, deja en paz al perro. (*molestar*)
No lo molestes.

1. Sarita, acabo de abrir las ventanas porque hace mucho calor. (*cerrar*)

2. Sarita, estoy guardando tu ropa en el armario. (*sacar*)

3. ¿No ves que estoy hablando por teléfono? (*interrumpir*)

4. Yo ya le di comida al perro. (*dar*)

5. La estufa está encendida. (*acercarte*)

11 ¿Qué debo hacer?

Imagínese que un(a) amigo/a de otro barrio va a empezar a asistir a su colegio. Está un poco nervioso/a y Ud. le da consejos sobre lo que debe o no debe hacer en distintos lugares del colegio. Represente la situación con su compañero/a, turnándose para hacer los dos papeles. Usen el vocabulario del recuadro y sigan el modelo como guía.

la cafetería	el gimnasio	el auditorio	el patio	la biblioteca	la clase de...

MODELO
A: ¿Qué debo hacer en la clase de español?
B: Contesta siempre en español. No hables inglés.

¡Comunicación!

12 Más consejos — Presentational/Interpersonal Communication

Reúnanse en grupos de cuatro. Para cada una de las siguientes preguntas, piensen en tres consejos que darían como respuesta. Después, comparen los consejos e intercambien opiniones con los otros grupos.

¿Qué hago para...	Compañero/a 1	Compañero/a 2	Compañero/a 3
tener buenas notas en todas las clases?	Haz las tareas todos los días.	No salgas con tus amigos durante la semana.	No hables con tus compañeros en la clase.
no tener problemas con mis padres?			
resolver un conflicto con mi mejor amigo/a?			
no pelearme con mis amigos o hermanos/as?			
mantener buenas relaciones con mi familia?			

¡Comunicación!

13 ¡Respeten, por favor! — Presentational Communication

Piense en cosas que otras personas hacen y que a Ud. le irritan. Intercambie información con su compañero/a y hagan una lista de las cosas más irritantes. Luego, hagan carteles (*signs*) con esa información y compártanlos con el resto de la clase. Usen las palabras del recuadro, si lo desean, y sigan el modelo como guía.

¡No entre sin llamar!

entrar	cerrar	usar	sacar	tomar
saltar	abrir	poner	subir	dejar

Gramática

Los usos de la preposición *a*

The preposition *a* has five main uses:

- to express motion or destination

*¿Por qué no vamos **a la playa**?*	Why don't we go **to the beach**?
*No llegaremos **al teatro** si no te apuras.*	We won't get **to the theater** on time if you don't hurry up.

- to express location or proximity in certain circumstances

*La panadería está **a dos cuadras** de aquí.*	The bakery is **two blocks** from here.
*¿La ves? Está **a la izquierda**.*	Do you see it? It's **on the left**.

- to introduce the direct object, when the direct object is a person (personal *a*)

*Debes llamar **a tu tía**.*	You should call **your aunt**.
*Esperé **a Juan** en la esquina.*	I waited for **Juan** at the corner.

- to introduce rates and proportions

*¿**A cuánto** están las manzanas hoy?*	**How much** are the apples today?
*Ana corre **a seis millas por hora**.*	Ana runs **six miles an hour**.

- to introduce an infinitive after certain common verbs, such as *ir, venir, aprender, empezar,* and *comenzar*

*Voy **a salir** en un rato.*	**I'm going to go out** in a while.
*Mi amiga **viene a cenar** esta noche.*	My friend **is coming to have dinner** with us tonight.
*Josecito **ha aprendido a leer**.*	Josecito **has learned to read**.
*Si **empiezas a discutir**, me voy.*	If **you start to argue**, I'll leave.

---

14 Vamos a completar con *a*

Complete los siguientes diálogos con la preposición **a** solo cuando sea necesario. Luego, lea los diálogos en voz alta con su compañero/a.

Ha comenzado a llover.

1. **A:** ¿Quieres venir __ la casa de Fernando? Vamos __ estudiar para el examen.
   B: Lo __ siento, pero los viernes no puedo. Tengo que ir __ clase. Estoy aprendiendo __ conducir.

2. **A:** Hace mucho tiempo que no veo __ Tomás. ¿Sabes __ algo de él?
   B: Sí, hoy he visto __ su hermana. Me ha dicho que él se ha ido __ la piscina. Está __ unas cuatro cuadras de aquí.

3. **A:** ¿Conoces __ la hermana de Julián?
   B: No, no __ la conozco, pero dicen que se parece mucho __ su hermano.

4. **A:** ¡Ay! Ha empezado __ llover y tengo que volver __ casa caminando.
   B: ¿Cómo? ¿No viene __ buscarte tu mamá?

15 ¿Qué ha hecho últimamente?

Conteste las siguientes preguntas según su experiencia, usando la preposición **a**.
Luego, hágale las mismas preguntas a su compañero/a y comparen sus respuestas.

1. ¿Ha conocido a alguien famoso últimamente? ¿A quién?
2. ¿Adónde va generalmente después del colegio? ¿Qué hace allí?
3. ¿A cuántas millas de su casa está el centro comercial más cercano? ¿Ha ido Ud. allí esta semana?
4. ¿Ha visto Ud. a otra persona hacer algo peligroso esta semana? ¿A quién? ¿Qué hizo?
5. ¿Ha ido Ud. al supermercado esta semana? ¿Se ha fijado en los precios de la fruta? ¿A cuánto está la libra de manzanas?
6. ¿A quiénes respeta Ud. más? ¿Por qué?

¡Comunicación!

16 Conflictos de familia   Interpersonal Communication

Una revista para jóvenes hace una encuesta entre sus lectores. Conteste las preguntas.
Luego, piense en otras preguntas parecidas sobre relaciones familiares e intercambie
opiniones con su compañero/a, como se ve en el modelo.

ENCUESTA

1. ¿Cuántas veces a la semana discutes con tus padres o con los adultos de tu familia? 1-2 ○ 3-4 ○

2. ¿Cuáles son las causas principales de esos conflictos? ¿Tu comportamiento? ¿Una diferencia de opiniones? ¿Otra cosa? Explica.

3. ¿Respetas las opiniones de tus padres? Explica por qué sí o por qué no. sí ○ no ○

4. ¿Y las de tus hermanos o hermanas mayores? Explica por qué sí o por qué no. sí ○ no ○

5. ¿Y las de otros adultos de tu familia? Explica por qué sí o por qué no. sí ○ no ○

6. ¿Piensas que tus padres te respetan a ti? ¿Por qué? sí ○ no ○

7. ¿Tus padres te aceptan tal como eres? Explica tu respuesta. sí ○ no ○

MODELO A: ¿Con quién tienes más conflictos en tu familia?

B: Con mi mamá. Siempre se está quejando de mi comportamiento.

Embajadores dominicanos de renombre 🎧

La presencia de la cultura de la República Dominicana se hace sentir más allá de sus fronteras. A partir de la segunda mitad del siglo pasado, muchos dominicanos dejaron su país por razones políticas y económicas, y así se difundió[1] su cultura en el mundo. Entre ellos, se cuenta el escritor Junot Díaz, criado y educado en Estados Unidos y ganador del Premio Pulitzer en el 2008 por su novela bilingüe *La breve y maravillosa vida de Óscar Wao*. En esta saga de tres generaciones de la familia de Óscar Wao, se entrelaza[2] de forma humorística la realidad de la vida del inmigrante latino en Estados Unidos y la historia del pueblo dominicano durante la dictadura de Rafael Trujillo, que se extendió desde 1930 hasta 1961.

Otro dominicano destacado, que aunque nunca emigró a otro país, es Juan Luis Guerra quien con su música ha difundido su cultura dentro y fuera de la Republica Dominicana. Ha logrado fama internacional por sus merengues, bachatas y música de pop latino, con las cuales ha ganado dos premios Grammy y 15 Grammy Latinos. Además de cantar en español, Guerra ha grabado varias canciones en portugués, inglés e incluso dos en la lengua indígena de la isla. Juan Luis Guerra también se destaca a nivel mundial por su trabajo filantrópico.

Finalmente, otro dominicano de renombre internacional fue el diseñador de modas y filántropo Oscar de la Renta, quien fundó su propia casa de modas en 1965. Fue uno de los diseñadores preferidos de las primeras damas estadounidenses, desde Nancy Reagan hasta Michelle Obama. Aunque renunció a su nacionalidad para hacerse ciudadano estadounidense, de la Renta tuvo una conexión fuerte con su país natal.

[1]spread   [2]intertwine

🔍 **Búsqueda:** república dominicana dictadura, junot díaz, juan luis guerra, oscar de la renta

Perspectivas

Mi moda y mi vida llevan ese amor por la vida que es muy nuestro. Todos hablan siempre de mi "pasión hispana". [...] Crecí en Santo Domingo, rodeado de color, de flores, de fragancias y de mujeres muy femeninas. [...]. Amo la música latina y la alegría que tenemos, y mi deseo de embellecer a la mujer y rodearla de colores y de detalles muy ricos es parte de mi herencia latina.

¿Cómo se refleja su aprecio por la herencia cultural dominicana en estas palabras de Oscar de la Renta?

---

17 Comprensión — Interpretive Communication

1. ¿Cómo difunden los dominicanos su cultura cuando emigran a otros países?

2. ¿Cuál es el tema general de *La breve y maravillosa vida de Óscar Wao*?

3. ¿Cómo difunde Juan Luis Guerra la cultura dominicana dentro y fuera de su país?

18 Analice

1. ¿Cómo se difunde la cultura a través de la literatura?

2. ¿Cómo se difunde la cultura a través de la música? ¿Y de la moda?

3. ¿Cómo se difunde la cultura estadounidense fuera del país? Dé ejemplos.

Donde los jóvenes les susurran[1] a las ballenas...

En la actualidad, los medios de comunicación no solo permiten difundir la cultura de un país, sino que también pueden aprovecharse para que se conozcan sus recursos naturales con fines ecológicos. Un ejemplo de ello es un programa de la oficina de turismo de la República Dominicana en Alemania para conocer y proteger a las ballenas jorobadas[2]. El programa se titula "Susurrador de ballenas" y es un concurso donde se invita a los jóvenes alemanes a convertirse en embajadores de las ballenas que viajan cada año a la península de Samaná, en el noreste de la República Dominicana, entre los meses de enero y marzo.

El ganador o la ganadora del concurso tiene que observar a las ballenas y publicar en las redes sociales todas sus experiencias, al tiempo que promueve el turismo respetuoso con el medio ambiente. Esta es una increíble oportunidad de viajar y disfrutar de la naturaleza y de otra cultura y al mismo tiempo participar de una maravillosa causa ecológica y socializar con seguidores de todo el mundo.

[1]whisper   [2]humpback whale

Búsqueda: ballenas jorobadas, península de samaná

Productos   Conéctese: la literatura

¡Léeme! Nada nos enriquece más que la lectura.

"Botellas Literarias" es un concurso nacional patrocinado por la Biblioteca Infantil y Juvenil República Dominicana (BIJRD), diseñado con el propósito de promover el cuidado del medio ambiente, al tiempo que se difunde el interés por el arte y la literatura dominicanos. Cada participante recibe tres botellas en cada una de las cuales se ha incluido un fragmento de una obra literaria de un autor dominicano. Después de leer los respectivos fragmentos, los estudiantes deben usar las botellas y otros objetos de reciclaje para crear una obra de arte que comunique el mensaje de la obra literaria. Los ganadores son elegidos por un jurado encargado de premiar la creatividad y originalidad de la obra de arte y su relación con la obra literaria.

19 Comprensión   Interpretive Communication

1. ¿Qué animales viajan a la península de Samaná cada año?
2. ¿Qué tienen que hacer los ganadores del concurso "Susurrador de ballenas"?
3. ¿Cómo se pueden comunicar los embajadores de las ballenas con sus *fans* alrededor del mundo?

Comparaciones

Donde Ud. vive, ¿hay algún programa que promueva las artes o el medio ambiente? Si no es así, ¿qué tipo de programa podría implementarse allí?

20 Analice

1. ¿De qué manera contribuyen los medios sociales a la difusión de la cultura?
2. ¿De qué manera se difunde la cultura dominicana con el programa "Botellas Literarias"?

Por teléfono 🎧

Siempre que viajamos, nos toca **cargar las baterías** de los celulares en el aeropuerto.

el cargador

Es la operadora. Tiene una llamada de cobro revertido de Andrés. ¿La acepta?

¿Aló? ¿Quién habla?

¿Con el 555-7878?

No, tiene el número equivocado.

Tengo que hacer **una llamada de larga distancia** y necesito **el código** del país. Llamaré a la operadora para consultarlo.

sonar

marcar

colgar

el teléfono inalámbrico

Mensajes

Andrea   9:25
Hola, Mario. Gracias por contarme tu problema. ¡Cuenta conmigo!

Mario   9:26
Hola, Andrea. Gracias por ser tan comprensiva. Confío en ti completamente.

la tarjeta telefónica

el mensaje

el contestador automático

el mensaje de texto

la guía telefónica

las redes sociales

Para conversar

*T*o talk about problems when making phone calls:

Mira, **la recepción** está muy mala y no te oigo. Voy a colgar y te vuelvo a llamar.
Look, I have really bad reception and I can't hear you. I am going to hang up and call you back.

¡Qué raro! Yo sí te oigo. ¿Será que tu **línea** tiene mala señal? Espero tu llamada.
How odd! I can hear you. It may be your signal. I'll wait for your call.

Para decir más

el cargador para el carro	*car charger*
el código de área	*area code*
el mensaje de voz	*voicemail*
las páginas amarillas en la red	*online yellow pages*
el puerto USB	*USB port*
el tono de ocupado	*busy signal*

21 Sobre el teléfono

Escuche las oraciones y diga a qué foto corresponde cada una.

A

B

C

D

E

F

22 ¿Qué palabra no está relacionada con las otras? 🎧

Diga qué palabra no está relacionada con las demás. Luego, escoja un grupo de cuatro palabras y escriba una oración con ellas.

1. **A.** mensaje
   B. grabar
   C. cargar
   D. contestador

2. **A.** marcar
   B. número
   C. avisar
   D. teléfono

3. **A.** mensaje
   B. batería
   C. cargar
   D. teléfono celular

4. **A.** ¿Aló?
   B. ¿Quién habla?
   C. ¡Qué va!
   D. Diga.

5. **A.** llamada local
   B. tarjeta telefónica
   C. llamada de cobro revertido
   D. llamada de larga distancia

23 Recomendaciones

Complete las oraciones con la opción del recuadro que corresponda según el contexto.

cargador	de larga distancia	de cobro revertido	guía telefónica
mensajes de texto	red social	tarjeta telefónica	

1. Si está en otro país y necesita llamar a Estados Unidos, pero no tiene suficiente dinero, puede hacer una llamada __.

2. Debe conseguir un buen plan de llamadas __ si habla mucho con familiares de otros países.

3. También es bueno que su plan permita enviar __ fuera del país. Las llamadas a veces son muy costosas.

4. Si está de vacaciones, puede usar su __ para que sus amigos sigan las novedades de su viaje.

5. Si necesita el código de un país para hacer una llamada, puede consultarlo en la __ o en el sitio web.

6. Es buena idea conseguirse una __ si su plan de teléfono no cubre llamadas a otros países.

7. Recuerde que es importante llevar el __ de su teléfono cuando va de viaje.

¡Comunicación!

24 Número equivocado 👥 Interpersonal Communication

Imagine que Ud. llama por teléfono a un(a) compañero/a, pero ha marcado el número equivocado. Juntos representen el diálogo que tendrían en esa situación. Usen las frases del recuadro.

perdón	¿Quién habla?	¿Aló?	número equivocado	¿Con el...?

Diálogo

¿Qué estabas haciendo?

Madre: ¿Por qué no contestabas el teléfono, Juan? Te dejé dos mensajes en el contestador automático. ¿Qué estabas haciendo?

Juan: Estaba hablando con Pedro por mi teléfono celular.

Madre: ¡Pedro! ¡Ay, no! Pero si él vive en Caracas. ¿Él te llamó?

Juan: No, yo lo llamé. Necesitaba hablar con él.

Madre: ¡Pero estabas haciendo una llamada de larga distancia!

Juan: Usé una tarjeta telefónica. Es mucho más barato.

Madre: ¿Y puedes hacer llamadas locales con esa tarjeta?

Juan: Creo que sí. Si quieres, le preguntamos a la operadora...

Madre: Buena idea... así ahorramos dinero.

25 ¿Qué recuerda Ud.?

1. ¿Qué estaba haciendo Juan cuando lo llamó su madre?
2. ¿Dónde vive Pedro?
3. ¿Qué tipo de llamada estaba haciendo Juan?
4. ¿Qué usó Juan para hacer la llamada? ¿Por qué?

26 Algo personal

1. ¿Hace llamadas de larga distancia? ¿A quién?
2. ¿Usa alguna vez tarjetas telefónicas? ¿Cuánto cuestan?
3. ¿Tiene en su casa un contestador automático?
4. Si necesita alguna información para hacer una llamada, ¿consulta la guía telefónica o llama a la operadora?
5. ¿Hace llamadas de cobro revertido? ¿Por qué?

27 ¿Cuál es la palabra?

Escuche las definiciones y escoja la letra de la palabra a la que se refiere cada una.

1. **A.** sonar
   B. colgar
   C. consultar
2. **A.** código
   B. año
   C. día

3. **A.** diccionario
   B. revista
   C. guía telefónica
4. **A.** moverse
   B. sonar
   C. cargar

5. **A.** escribir
   B. indicar
   C. marcar
6. **A.** recepción
   B. sonido
   C. batería

Gramática

El imperfecto progresivo

- Use the imperfect progressive tense when speaking about past actions that lasted for an extended period of time. Form this tense with the imperfect of the verb *estar* plus the present participle (*gerundio*) of another verb.

estar	gerundio
estaba	
estabas	hablando
estaba	comiendo
estábamos	escribiendo
estabais	
estaban	

Estaba hablando con mi novio.	**I was talking** to my boyfriend.
Estábamos cargando la batería.	**We were charging** the battery.

- When you need to use direct or indirect object pronouns or reflexive pronouns with the past progressive, you have two options: You can place the pronouns before the conjugated form of *estar* or attach them to the present participle. Remember that sometimes you will have to include an accent mark when you attach pronouns to present participles.

Te estaba buscando. *Estaba buscándote.*	**I was looking for you**.
Te estabas secando el pelo. *Estabas secándote el pelo.*	**You were drying** your hair.

- When an ongoing action in the past is interrupted by another event, the imperfect progressive is used for the ongoing action and the preterite to describe the interruption.

Estaba saliendo de casa cuando Jorge ***llamó*** *por teléfono.*	**I was leaving** the house when Jorge **called**.
Estábamos caminando cuando ***empezó*** *a llover.*	**We were walking** when **it started** to rain.

Estábamos preparando la cena cuando llamaron por teléfono.

28 ¿Qué estaban haciendo cuando...?

Use el imperfecto progresivo de los verbos entre paréntesis para decir lo que estaba haciendo cada persona.

1. Yo te (*enviar*) un mensaje de texto cuando perdí la conexión.

2. ¿Me (*buscar*) (tú) cuando yo llegué?

3. ¡Nosotros (*chismear*) sobre ti cuando llegaste!

4. El teléfono (*sonar*) cuando abrí la puerta.

5. Yo te (*enviar*) un e-mail cuando recibí el tuyo.

6. Ellas (*despedirse*) cuando se cortó la comunicación.

Estábamos comiendo pizza cuando tú entraste.

29 ¿Por qué no contestaste?

La semana pasada, un amigo suyo lo/la llamó por teléfono varias veces, pero nunca logró comunicarse con Ud. Imagínese que se encuentra con él y debe disculparse usando las excusas de abajo. Con un(a) compañero/a, representen el diálogo siguiendo el modelo. Pueden inventar otras excusas.

MODELO   el sábado por la mañana / estudiar en la biblioteca

   A: Te llamé el sábado por la mañana, pero no contestaste. ¿Qué estabas haciendo?

   B: Estaba estudiando en la biblioteca.

1. el domingo por la mañana / correr en el parque

2. el martes al mediodía / visitar a mi amiga de Santo Domingo

3. el miércoles muy temprano / dormir

4. el jueves por la tarde / tocar guitarra

5. el viernes por la noche / cenar con amigos

¡Comunicación!

30 Grandes acontecimientos   Interpersonal Communication

Con su compañero/a, piensen en una noticia importante de los últimos cinco años. Puede ser, por ejemplo, un asunto político, un desastre natural, un accidente, un campeonato deportivo, un crimen o un acontecimiento en la vida de una persona famosa. Túrnense y pregúntense qué estaban haciendo amigos o diferentes miembros de su familia cuando se enteraron de la noticia.

MODELO   **A: ¿Qué estaban haciendo tus primos cuando murió Gabriel García Márquez?**

   B: Estaban mirando la televisión cuando anunciaron la noticia.

Todo en contexto

¡Comunicación!

31 ¡No quiero verte más! 👥 Interpersonal Communication

Miguel, un alemán de madre dominicana, pasó cuatro semanas en la península de Samaná, después de ganar el concurso "El susurrador de ballenas". Luego fue a Santo Domingo a visitar a su novia, Sandra, pero cuando llegó, ella no quería verlo. Estaba furiosa porque él había estado publicando noticias y fotos de su experiencia en las redes sociales, pero en cambio a ella no la había llamado por teléfono ni una vez, ni le había contestado sus mensajes de texto. Él le dice que trató de comunicarse muchas veces y le da miles de explicaciones, pero ella no quiere dejar de pelear. Con un(a) compañero/a, hagan los papeles de Miguel y Sandra y dramaticen la situación enfrente de la clase.

No lo creas si no quieres, pero te estoy diciendo la verdad.

> MODELO
>
> A: Miguel, ¿por qué no me llamaste mientras estabas de viaje?
>
> B: Bueno... te llamé muchas veces, pero tu línea siempre estaba ocupada.

¡Comunicación!

32 Yo digo... Presentational Communication

Julia Álvarez es otra escritora de origen dominicano que, a través de su obra, ha dado a conocer aspectos de su cultura y de su propia experiencia como inmigrante hispana en Estados Unidos. En su novela *Cómo las hermanas García perdieron su acento*, ella trata el tema de las diferencias culturales a través de la historia de una familia dominicana que tiene que empezar una nueva vida en Nueva York. ¿Qué aspectos de la cultura dominicana se pueden observar en los siguientes fragmentos de la novela, y cómo se relacionan con aspectos de la cultura de Estados Unidos? Analice los fragmentos y reaccione al texto como se ve a continuación.

1. **El texto dice:** "En la isla siempre había un chofer que les abría la puerta o un jardinero que se llevaba la mano al sombrero y media docena de sirvientas y niñeras que se comportaban como si la salud y el bienestar de los niños de la Torre García fueran un asunto de interés público. Sin embargo, por llevar el apellido de la Torre, a las niñas también se las hacía sentir personas importantes".

   Yo digo: Se puede inferir que en la República Dominicana, ... En cambio en Estados Unidos...

2. **El texto dice:** "Se había retirado de la universidad, enamorada. Había aceptado un puesto de secretaria y seguía viviendo en casa porque su padre había amenazado con desheredarla si se iba a vivir por su cuenta".

3. **El texto dice:** "Todos los sueños caribeños del abuelo por tener un heredero varón ... habían aflorado (*surfaced*). Como naciste aquí, hasta puedes llegar a ser presidente, le canturreaba. También podrás ir a la luna, o tal vez a Marte, cuando tengas mi edad. [...] Era detestable que él siguiera con sus alabanzas (*praises*) mientras a su lado estaba su nietecita, con los ojos muy abiertos y tristes al oír todas las cosas que su hermanito, que no era más grande que una de sus muñecas, podría llegar a hacer por el simple hecho de ser varón".

"A Julia de Burgos"
de *Julia de Burgos*

Sobre la autora

Al cumplirse cien años del nacimiento de esta destacada poetisa puertorriqueña, hubo diversos homenajes. En "El Barrio" (sector de East Harlem en Nueva York donde vivió en algunas etapas de su vida), hay un mural, un centro cultural y una calle con su nombre, entre otros.

Julia de Burgos (1914–1953) nació en Puerto Rico, la mayor de trece hermanos en una familia pobre. Sin embargo, sus padres insistieron en que tuviera una buena educación y fue la única de sus hermanos que se certificó como maestra, en la Universidad de Puerto Rico.

Parque Julia de Burgos, Willimantic, Connecticut

Su poesía abarca (*encompasses*) los temas feministas, los emocionales y la justicia social. Perteneció a las "Hijas de la libertad" del Partido Nacionalista de Puerto Rico que promovía el ideal de independencia. Ella luchó (*struggled/fought*) con sus conflictos internos hasta el día de su muerte. Entre sus poemas se destacan: "Río Grande de Loíza", "Noche de amor en tres cantos", "Poema de la cita eterna", "Velas sobre un recuerdo" y "A Julia de Burgos".

Antes de leer

¿Alguna vez ha pensado que parece ser dos personas distintas, como si tuviera dos personalidades diferentes dependiendo de dónde está o con quién está?

Estrategia

Inferring the poet's attitude

In poetry, every word must carry weight and add something to the poet's expression of an idea. This means that you can infer a poet's attitude toward the subject of a poem by examining his or her choice of words. As you read the following poem, pay attention to the poet's use of repetition, especially of the words *tú* and *yo*. Ask yourself questions such as: "To what two parts of the poet do *tú* and *yo* refer?"; "What are the differences between these two parts?"; "What point is the poet trying to make?"

33 Practique la estrategia

En el poema, la autora hace un contraste entre quién es "tú" y quién es "yo", utilizando palabras y frases que indican que una persona es lo contrario de la otra. Mientras lee, o después de leer, complete la siguiente tabla con la palabra o frase que se opone a la que se da en cada caso. Siga la primera línea como ejemplo.

tú	yo
ropaje	esencia
egoísta	
dama casera	
a ti todos te mandan	
flor de aristocracia	
lo tienes todo y a todos se lo debes	

"A Julia de Burgos" 🎧
de *Julia de Burgos*

Comprensión

1. ¿De quién habla la autora en este poema?

Ya las gentes murmuran[1] que yo soy tu enemiga
porque dicen que en verso doy al mundo tuyo.
Mienten, Julia de Burgos. Mienten, Julia de Burgos.
La que se alza[2] en mis versos no es tu voz: es mi voz;
porque tú eres ropaje[3] y la esencia soy yo;
y el más profundo abismo[4] se tiende[5] entre las dos.
Tú eres fría muñeca[6] de mentira social,
y yo, viril destello[7] de la humana verdad.
Tú, miel[8] de cortesanas[9] hipocresías; yo no;
que en todos mis poemas desnudo[10] el corazón.
Tú eres como tu mundo, egoísta; yo no;
que todo me lo juego a ser lo que soy yo...
Tú eres de tu marido, de tu amo[11]; yo no;
yo de nadie, o de todos, porque a todos, a todos,
en mi limpio sentir y en mi pensar me doy...
Tú en ti misma no mandas; a ti todos te mandan;
en ti mandan tu esposo, tus padres, tus parientes,
el cura[12], la modista[13], el teatro, el casino,
el auto, las alhajas[14], el banquete, el champán,
el cielo y el infierno, y el qué dirán social.
En mí no, que en mí manda mi solo corazón,
mi solo pensamiento; quien manda en mí soy yo.
Tú, flor de aristocracia; y yo la flor del pueblo.
Tú en ti lo tienes todo y a todos se lo debes,
mientras que yo, mi nada a nadie se la debo.
Tú, clavada al estático dividendo ancestral,
y yo, un uno en la cifra[15] del divisor social,
somos el duelo a muerte[16] que se acerca fatal.

2. ¿Qué quiere decir "en ti mandan (…) el auto, las alhajas, el banquete, el champán"?

3. ¿Por qué "tú" y "yo" son tan diferentes?

Analice

4. ¿Cree que Julia de Burgos hace un retrato de su propia personalidad en este poema? Explique.

[1] mutter [2] rises up [3] clothing [4] abyss [5] stretches out [6] doll [7] sparkle, gleam
[8] honey [9] courtly [10] bare [11] master [12] priest [13] dressmaker [14] jewels [15] number, digit
[16] duel to the death

Después de leer

El símil o comparación consiste en relacionar dos palabras con una cualidad similar. Es fácil identificarlo por las palabras "como" o "cual". Vuelva al poema y encuentre ejemplos de comparación. Luego, escriba cuatro versos sobre sí mismo. Describa su yo "interior" y su yo "exterior" usando la comparación.

Repaso de la Lección B

A Escuchar: ¿Resolvieron el conflicto? 🎧 (pp. 186–187)

Escuche los cinco mini-diálogos y diga **sí** si las personas resolvieron el conflicto o **no** si no lo resolvieron.

B Vocabulario: Buenas recomendaciones (pp. 186–187, 196–197)

Complete las oraciones con las palabras del recuadro que correspondan según
el contexto.

admitirlo	cargador	contestador	línea	red social
batería	discusiones	mensaje de texto		se dé cuenta

1. Si sabes que cometiste un error, debes __ personalmente. Nunca lo hagas dejando un mensaje en el __ automático o por e-mail.

2. ¿Me prestas tu __? Tengo que cargar la __ de mi celular.

3. No pongas demasiada información personal en tu __. No es bueno que todo el mundo __ de todo lo que pasa en tu vida.

4. Si necesitas decirle algo urgente a tu amigo pero su __ suena ocupada, puedes enviarle un __.

5. Sabes que puedes participar en __ en los sitios web, pero no siempre debes confiar en todo lo que ves.

C Gramática: ¿Qué me recomiendas? (p. 189)

Imagine que su mejor amigo/a tiene muchos problemas en sus relaciones personales
y Ud. le está dando consejos. Complete lo que le dice con el mandato negativo
que corresponda según el contexto.

MODELO   El comportamiento de Rosita está horrible en estos días. (*hacerle caso*)
No le hagas caso.

1. Respeta a tus abuelos. (*levantarles la voz*)

2. Sé honesto con Natalia. (*decirle mentiras*)

3. Hazle caso a otros y considera su opinión. (*pensar en ti mismo*)

4. Respeta a tu hermana. (*criticarla*)

5. Tu hermano y tú tienen diferencias de opinión. (*discutir mucho*)

6. Tu amiga dice algo que no te gusta. (*reaccionar mal*)

D Gramática: ¿Qué estaban haciendo? (p. 200)

Use el imperfecto progresivo para decir lo que estaba haciendo cada persona.

1. Ellos (*correr*) en el parque cuando empezó a llover.

2. ¿(*dormir*) cuando te llamé?

3. Él (*buscar*) información en el sitio web cuando se cortó lo conexión.

4. Yo (*vestirme*) cuando sonó el teléfono.

5. Nosotros (*hacer*) las paces cuando entraron nuestro padres.

6. Mi novio me (*criticar*) cuando empecé a llorar.

E — Cultura: La presencia dominicana (pp. 194–195)

Explique cómo estas personas y eventos difunden o han difundido la cultura dominicana en la isla y en el mundo entero.

- Junot Díaz
- Juan Luis Guerra
- Oscar de la Renta
- el "Susurrador de ballenas"
- las "Botellas Literarias"

Vocabulario

Relaciones con los parientes	Verbos	Expresiones	Por teléfono	
el adulto, la adulta	avisar	estar equivocado/a	la batería	el mensaje de texto
el comportamiento	cargar	hacer caso	el cargador	el número equivocado
el conflicto	colgar (ue)	hacer las paces	el código	el operador, la operadora
la diferencia de opinión	consultar	levantar la voz	el contestador automático	la recepción
la obligación	criticar	ponerse de acuerdo	la guía telefónica	la red social
la relación	marcar	¿Quién habla?	la línea	la tarjeta telefónica
	reaccionar	tal como	la llamada de cobro revertido	el teléfono inalámbrico
	respetar		la llamada de larga distancia	
	sonar (ue)		el mensaje	

Gramática

Los mandatos negativos informales

Use esta tabla para crear un mandato negativo informal.

infinitivo	→	presente de *yo*	→	omitir *-o*	→	añadir *-es* o *-as*
hablar	→	habl**o**	→	habl-	→	habl**es**
correr	→	corr**o**	→	corr-	→	corr**as**
decir	→	dig**o**	→	dig-	→	dig**as**

No hables tan rápido.

No digas mentiras.

Los mandatos negativos informales irregulares incluyen **ir**, **ser**, **dar** y **estar**. Recuerde que los verbos que terminan en *-car*, *-gar*, *-zar* y *-ger* tienen un cambio ortográfico para mantener la pronunciación original.

El imperfecto progresivo

El imperfecto progresivo se usa para describir acciones del pasado que duran por mucho tiempo.

imperfecto de *estar*		+	gerundio		
estaba	estábamos		*-ar* verbs	→	-ando
estabas	estabais		*-er* verbs	→	-iendo
estaba	estaban		*-ir* verbs	→	-iendo

¿Qué estaba pasando cuando llegó el profesor?

Estábamos leyendo el texto de García Lorca.

Para concluir

Proyectos

A ¡Manos a la obra! 👥

Imagine que tiene un abuelo que a menudo critica la cultura contemporánea del país e insiste en que hace años todo era mejor. Él critica lo que considera falta de modales, la manera en que se comunican los jóvenes, y también lo que considera una obsesión con los aparatos electrónicos de comunicación. Represente la situación con su compañero/a y túrnense para hacer los dos papeles: el del abuelo que se queja de todo y el del nieto que trata de convencerlo de que la cultura de hoy no está tan mal como él la ve.

B En resumen

Piense en ejemplos de cómo se difunde la cultura dentro de un país y de un país a otro país, según la información que leyó en las secciones de Cultura de esta unidad. Luego, escriba esos ejemplos en una tabla de categorías como la que se muestra a continuación y agregue otros ejemplos de su propio conocimiento.

¿Cómo se difunde la cultura?			
Puerto Rico		República Dominicana	
Dentro del país	**De un país a otro**	**Dentro del país**	**De un país a otro**

C Influencias culturales 👥

Con un compañero/a, analicen y comenten distintas influencias culturales de otros países en la región donde viven. Pueden mencionar, entre otras cosas: personas famosas, costumbres, celebraciones, comidas y bebidas típicas, palabras en otros idiomas, géneros musicales. Piensen en cómo han llegado hasta allí y cuál es su origen.

Para decir más

la influencia	*influence*
adoptar	*to adopt*
provenir	*to come from*
extranjero/a	*foreign*
típico/a	*typical*

D Ayer y hoy 👥 Conéctese: el lenguaje

Los idiomas también cambian a través del tiempo; algunas expresiones adquieren nuevos significados. Con el uso de las nuevas tecnologías, muchas palabras que ya se usaban adquieren otros sentidos. Con ayuda de un diccionario o un buscador de internet, averigüe el significado tradicional de estas palabras y el que adquirieron en el ámbito de las nuevas tecnologías. Complete la tabla con un(a) compañero/a y luego compárenla con las de otras parejas.

Expresión	Signficado anterior	Nuevo significado
red		
navegar		
explorador		
pestaña		
ventana		
nube		

E ¿Y si todos fuéramos bilingües? 👥 Conéctese: los estudios sociales

Su estado está debatiendo si debe ser bilingüe o monolingüe y unos compañeros y Ud. van a debatir el tema. Unos van a estar a favor del bilingüismo y otros en contra. Piense en las ventajas y desventajas de vivir en un lugar donde haya dos idiomas oficiales. ¿Cómo cree que cambiará la cultura de un lugar si pasa de ser monolingüe a bilingüe? Divídanse en grupos de cuatro estudiantes y debatan el tema con otro grupo. Todos los estudiantes votarán por el argumento que los convenza más a todos.

A favor	En contra

F A comentar 👥 Conéctese: la tecnología

Piense en cómo las nuevas tecnologías han cambiado los medios de comunicación a nivel global y personal. Comente con sus compañeros/as el efecto que estas tecnologías han tenido y siguen teniendo en su vida, por ejemplo, cómo se entera Ud. de las últimas noticias, cómo sigue en contacto con amigos o familiares que viven lejos y cómo mantiene relaciones con amigos. Incluya tanto los aspectos que ayudan como los que dificultan la comunicación.

Vocabulario de la Unidad 4

acusar to accuse *4A*
admitir to admit *4A*
el **adulto**, la **adulta** adult *4B*
apoyar to support, to back (another person) *4A*
avisar to let someone know *4B*
la **batería** battery *4B*
el **cargador** charger *4B*
cargar (la batería) to charge (the battery) *4B*
celoso/a jealous *4A*
chismear to gossip *4A*
chismoso/a gossipy *4A*
el **código** (country/area) code *4B*
colgar (ue) to hang up *4B*
cometer un error to make a mistake *4A*
el **comportamiento** behavior *4B*
comprensivo/a understanding *4A*
confiar (en) to trust *4A*
el **conflicto** conflict *4B*
considerado/a thoughtful, considerate *4A*
consultar to check *4B*
contar con to count on (someone) *4A*
el **contestador automático** answering machine *4B*

criticar to criticize *4B*
la **culpa** fault *4A*
darse cuenta (de) to realize *4A*
dejar plantado/a a alguien to stand someone up *4A*
desconfiar to mistrust *4A*
descubrir to find out, to discover *4A*

devolver (ue) to return (an item) *4A*
la **diferencia de opinión** difference of opinion *4B*
Discúlpame. Forgive me. *4A*
la **discusión** discussion *4A*

echar la culpa a alguien to blame someone else *4A*
el **error** error *4A*
entrometido/a nosy *4A*
estar equivocado/a to be wrong *4B*
la **guía telefónica** phone book *4B*
hacer caso to listen to, to pay attention, to obey *4B*
hacer las paces to make up (with someone) *4B*
hacerlo sin querer to do something without meaning to *4A*
hacer un cumplido to compliment (someone) *4A*
honesto/a honest *4A*
increíble incredible *4A*
las **lágrimas** tears *4A*
levantar la voz to raise one's voice *4B*
la **línea** line *4B*
la **llamada de cobro revertido** collect call *4B*
la **llamada de larga distancia** long-distance call *4B*
llorar to cry *4A*
marcar to dial *4B*
el **mensaje** message *4B*
el **mensaje de texto** text message *4B*
¡No faltaba más! Don't mention it! *4A*

el **número equivocado** wrong number *4B*
la **obligación** obligation *4B*
el **operador**, la **operadora** operator *4B*
la **pelea** fight *4A*
pensar en sí mismo/a to think of oneself *4A*
perder la paciencia to lose patience *4A*
perdonar to forgive *4A*
ponerse de acuerdo to reach an agreement *4B*
posponer to postpone *4A*
¡Qué raro! How odd! *4A*
¡Qué va! No way! *4A*
¿Quién habla? Who is it? (telephone greeting) *4B*
reaccionar to react *4B*
la **recepción** (telephone) reception *4B*
reconciliarse to make up (with someone) *4A*
la **red social** social network *4B*
la **relación** relation(ship) *4B*
respetar to respect *4B*
sonar (ue) to ring *4B*
tal como just as *4B*
la **tarjeta telefónica** calling card *4B*
el **teléfono inalámbrico** cordless phone *4B*

tener celos to be jealous *4A*
tener (intereses, gustos, cosas) en común to have (interests, likes, things) in common *4A*
tener la culpa to be someone's fault *4A*

¿Sabía que...?

Entre Chile y Argentina se encuentra el glaciar Perito Moreno. Mide 30 km de largo por 5 de ancho y 60 de alto. Es un destino turístico popular. A medida que el glaciar se mueve, se desprenden secciones de hielo que caen al lago en un espectáculo digno de admiración.

La vida de la ciudad y del campo

Escanee el código QR para mirar el documental sobre los personajes de *El cuarto misterioso*.

¿Qué hace Alejandro Manzano en este documental y cómo afecta su opinión sobre *El cuarto misterioso*?

Pregunta clave

?

¿Cómo se transportan las personas en otros países y adónde van?

Mis metas

Lección A   I will be able to:

▶ talk about driving in the city
▶ identify road signs
▶ tell others what to do using formal commands
▶ make suggestions using **nosotros** commands
▶ describe transportation options in Buenos Aires
▶ talk about the national dance of Argentina
▶ talk about moving about in the city
▶ use **pedir** and **preguntar** correctly
▶ use the subjunctive to make requests and generalizations
▶ talk about Condorito, a famous Chilean cartoon character

Lección B   I will be able to:

▶ talk about train travel
▶ express opinions using the subjunctive with impersonal expressions
▶ describe ways to move about and have fun in Chile
▶ talk about camping activities and supplies
▶ talk about the countryside
▶ use **por** and **para** correctly
▶ use the subjunctive for desires, demands, and wishes
▶ read and discuss a short story by Isabel Allende

¿Dónde queda este museo peatonal y por qué se llama así?

Chile   Argentina

Manejando en la ciudad 🎧

la glorieta

Sea prudente.
¡No acelere tanto!

Tenga paciencia conmigo.

la licencia de conducir

el espejo retrovisor

pisar el acelerador

prohibido doblar

la calle de una sola vía

la calle de doble vía

el semáforo

pare

el estacionamiento

el espacio vacío

Para conversar 🎧

*T*o talk about rules for safe driving:

Preste atención a **las normas de tránsito**.
Pay attention to the traffic rules.

Antes de encender el motor, **ajuste** el espejo retrovisor.
Before starting the engine, adjust the rearview mirror.

Para salir del garaje, ponga **la marcha atrás** y pise el acelerador **despacio**.
To exit the garage, put the car into reverse and press the accelerator slowly.

Disminuya la velocidad al llegar a una glorieta y **ceda el paso**.
Slow down when you reach a traffic circle and yield the right of way.

Es mejor que **estacione** en un estacionamiento.
It is better to park in a parking lot.

Está prohibido estacionar aquí.

Para decir más

las direccionales	*directionals, turn signals*
el freno de emergencia	*emergency brake*
los limpiaparabrisas	*windshield wipers*
el parabrisas	*windshield*
arrancar	*to start*
poner las luces	*to turn the (head) lights on*

En otros países

el estacionamiento	*el aparcamiento, el parking (España)*
la licencia de conducir	*el carnet (carné) de conducir (España)*
	el pase (Colombia)
	la licencia de manejar (México)
las normas de tránsito	*las reglas de tránsito (muchos países)*
estacionar	*aparcar (España)*
pare	*alto (España y México)*

1 Busque al intruso

Diga qué expresión no pertenece al grupo y explique por qué.

MODELO   ceder el paso / parar / acelerar

acelerar: Parar y ceder el paso se tratan de disminuir la velocidad.

1. parar / estacionar / calle de doble vía
2. ser prudente / tener paciencia / pisar el acelerador
3. espejo retrovisor / calle de una sola vía / glorieta
4. licencia de conducir / normas de tránsito / paciencia
5. poner la marcha atrás / ajustar el espejo / cometer errores

2 ¡Respetemos las señales! 🎧

Indique la letra de la foto que corresponde con lo que oye.

A

B

C

D

E

F

3 Lógico

Complete en forma lógica cada frase de la izquierda con la correspondiente de la derecha.

1. Ponga la marcha atrás
2. Respetemos
3. Disminuyamos
4. La señal dice
5. Mis padres estacionaron el coche
6. Mariano debe pisar

A. en el estacionamiento del barrio.
B. el acelerador con cuidado.
C. las normas de tránsito.
D. para salir del estacionamiento.
E. la velocidad.
F. prohibido doblar.

¡Comunicación!

4 ¡A tomar la prueba de manejar! 👥   Interpersonal Communication

Ud. y su compañero/a se están preparando para tomar la prueba de manejar. Antes de entrar a las oficinas se hacen estas preguntas para estar seguros de que están listos. Túrnense para hacer las preguntas y responderlas.

1. ¿Cuándo debemos ponernos el cinturón?
2. Al llegar a una glorieta, ¿qué haces?
3. ¿Van los coches en un sentido solamente en una calle de doble vía?
4. Si el semáforo se pone amarillo, ¿qué haces?
5. ¿Cuándo debemos ajustar el retrovisor?
6. ¿Cuándo debemos seguir las normas de tránsito?
7. ¿Qué puedes hacer cuando el semáforo está verde?
8. ¿Qué debes hacer para ir marcha atrás?
9. ¿...?

Diálogo 🎧

¡No acelere!

María: Quiero obtener la licencia de conducir. Hoy es mi primera clase.

Instructor: Muy bien. Súbase a este coche. ¿Ya sabe todas las normas de tránsito?

María: Sí. ¿Me pongo el cinturón de seguridad?

Instructor: Por supuesto. Siempre debe ponérselo.

María: ¿Qué hago ahora?

Instructor: Primero ajuste el espejo retrovisor y luego encienda el motor.

María: ¿Acelero?

Instructor: No, no acelere todavía. Busque el freno... Pise el acelerador con mucho cuidado. Al principio debe ir despacio. No quite las manos del volante...¡Con cuidado! ¡Disminuya la velocidad!

María: Profesor, tenga más paciencia conmigo.

5 ¿Qué recuerda Ud.? 🎧

1. ¿Cuándo se debe poner María el cinturón de seguridad?

2. ¿Qué debe hacer para acelerar?

3. ¿Cómo debe ir al principio?

4. ¿Qué le dice el instructor a María al final?

6 Algo personal 🎧

1. ¿Sabe conducir coches?

2. ¿Tiene licencia de conducir?

3. ¿Conoce las normas de tránsito? ¿Es prudente cuando conduce?

4. ¿Qué errores comete la gente o Ud. al conducir?

7 Para conducir 🎧

Escuche cada diálogo y escoja la frase que completa correctamente cada oración.

1. Roberto quiere tener (*la licencia de conducir / la señal de tránsito*).

2. Carla debe ajustar primero (*el acelerador / el espejo retrovisor*).

3. Víctor pone la marcha atrás porque va a (*estacionar / acelerar*) el coche.

4. Los conductores le (*ceden / disminuyen*) el paso a la señora.

Gramática

Los mandatos formales singulares y plurales

- To tell a person you address as *Ud.* what to do, use a formal command. To form this command, use the *yo* form of the present tense and drop the final *-o*. Then add *e* for *-ar* verbs, and add *a* for *-er* and *-ir* verbs. The same rule applies to stem-changing and spelling-changing verbs. To form a plural (*Uds.*) command, add *n* to the singular command.

Muéstreme la licencia de conducir.

(estacionar) **Estacione** el coche.	**Park** the car.
(leer) **Lean** las normas de tránsito.	**Read** the traffic rules.
(salir) **Salgan** del estacionamiento.	**Leave** the parking lot.
(pensar) **Piense** en su seguridad.	**Think** about your safety.
(conducir) **Conduzca** con cuidado.	**Drive** carefully.

- Affirmative and negative formal singular and plural commands have the same forms. To make a command negative, add *no*.

No doble aquí.	**Don't turn** here.
No enciendan los faros.	**Don't turn on** the headlights.

- The following five verbs have irregular formal commands:

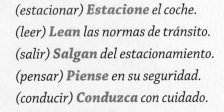

	Ud.	Uds.
dar	dé	den
estar	esté	estén
ir	vaya	vayan
saber	sepa	sepan
ser	sea	sean

Sea prudente y **sepa** las normas de conducir.	**Be** cautious and **know** the driving rules.
No sean impacientes y **vayan** despacio.	**Don't be** impatient and **go** slowly.

- Attach object and reflexive pronouns to the end of formal affirmative commands. These same pronouns precede negative commands.

Muéstreme la licencia de conducir.	**Show me** your driver's license.
Abróchense los cinturones.	**Fasten** your seatbelts.
No me dé órdenes.	**Don't give me** orders.

8 Conduzca con cuidado 🎧

La señora Cánova está aprendiendo a manejar. ¿Cuáles son las instrucciones que le da la instructora?

MODELO   no cruzar en rojo   **No cruce en rojo.**

1. no estar nerviosa
2. abrocharse el cinturón de seguridad
3. obedecer las señales de tránsito

4. no ir rápido
5. disminuir la velocidad
6. ser prudente

9 ¿Qué debe hacer?

Escriba un mandato formal, singular o plural, para cada señal usando los verbos indicados.

MODELO   **Abróchense los cinturones de seguridad.**

1.

2.

3.

4.

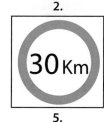
5.

6.

ceder   *parar*

(no) doblar   *abrocharse*

seguir

disminuir   (no) estacionar

💬 ¡Comunicación!

10 ¡Pónganse de acuerdo! 👥   Interpersonal Communication

Imagine que Ud. es un instructor de manejo recién recibido. Como es la primera vez que va a dar una clase, lo acompaña un instructor con experiencia, que lo corrige cuando da instrucciones equivocadas. Represente la situación con un un(a) compañero/a turnándose para hacer el papel de cada instructor. Usen las expresiones de abajo y los mandatos formales, como se ve en el modelo.

MODELO   doblar a la derecha en esa calle
   A: **Doble a la derecha en esa calle.**
   B: **Esa calle es de una sola vía. Doble a la izquierda.**

1. estacionar en esta calle
2. ajustar el espejo retrovisor

3. pisar rápido el acelerador
4. parar en la glorieta

5. no ceder el paso
6. poner la marcha atrás

Gramática

11 **Consejos para los conductores jóvenes**  Interpretive/Presentational Communication

Trabajen en un grupo de tres o cuatro estudiantes. Lean el anuncio y escojan las cinco recomendaciones más importantes. Formen con ellas mandatos e intercambien sus mandatos con los otros estudiantes de la clase. ¿Cuál es la recomendación más importante y por qué lo es?

PARE

Dirección General de Tráfico
Recomendaciones para jóvenes conductores
¿Acaba de sacarse la licencia de conducir?
¡ENHORABUENA!

PERO RECUERDE:

- Conducir siempre con precaución
- Revisar su vehículo: frenos, luces, gasolina, etc.
- Obedecer las normas de tránsito
- No usar teléfonos celulares o dispositivos electrónicos
- No conducir con sueño o cansancio
- Respetar las señales de tráfico

- Respetar a los peatones
- Llevar siempre el cinturón de seguridad abrochado
- No conducir si se han tomado medicamentos
- Respetar las velocidades máximas
- Ser prudente

CONDUCIR NO ES UN JUEGO

Los mandatos con *nosotros*

- You have learned to use "*¡Vamos a . . .!*" to suggest doing an activity or going to a place. You may also use a *nosotros* command to suggest that others do an activity with you. It is equivalent to saying "Let's (do something)" in English. Form the *nosotros* command by substituting the *-o* of the present tense *yo* form of a verb with *-emos* for most *-ar* verbs, or *-amos* for most *-er* and *-ir* verbs.

Estacionemos aquí.	**Let's park** here.
Disminuyamos la velocidad en la curva.	**Let's slow down** at the curve.
Pidamos direcciones.	**Let's ask for** directions.

- As with formal commands, object and reflexive pronouns are attached to affirmative *nosotros* commands and precede negative commands.

Entreguémosle su licencia.	**Let's give him** his license.
No se lo enviemos por correo.	**Let's not send it to him** by mail.

Note: Pronouns attached to affirmative *nosotros* commands of reflexive verbs drop the final consonant:

> *olvidemos* + *nos* = *olvidémonos*

Abrochémonos los cinturones.	**Let's fasten** our seat belts.
Pongámonos las gafas de sol.	**Let's put on** our sunglasses.

12 ¿Seguimos o no?

Un conductor de otro país le hace preguntas a su amigo/a de Buenos Aires. Conteste sus preguntas usando un mandato con **nosotros**. Use la forma afirmativa o negativa según se indica entre paréntesis.

La Avenida 9 de Julio, Buenos Aires

> **MODELO**
> A: ¿Encendemos los faros? (*no*)
> B: **No, no los encendamos.**

1. ¿Adónde vamos? ¿Al Tigre? (*sí*)
2. ¿Por dónde tomamos? ¿Por la Avenida General Paz? (*no*)
3. ¿Doblamos a la derecha? (*no*)

4. ¿Seguimos derecho? (*sí*)
5. ¿Preguntamos cómo llegar? (*sí*)
6. ¿Paramos aquí? (*no*)
7. ¿Le pedimos ayuda a ese señor? (*sí*)

¡Comunicación!

13 ¿Qué hacemos? Interpersonal Communication

Ud. y su compañero/a están manejando por Buenos Aires y tienen algunos problemas. Decidan qué van a hacer para resolverlos. Usen mandatos con **nosotros**. Ofrezcan dos opciones para cada situación.

> **MODELO** No encuentran lugar para estacionar el coche.
> A: **Busquemos estacionamiento en otra calle.**
> B: **No, tratemos de encontrar un lugar en esta calle.**

1. El semáforo está en rojo.
2. No pueden encontrar el restaurante que buscan.

3. Perdieron el mapa con las indicaciones.
4. Hay un coche que quiere pasarlos.

5. No pueden ver bien por el espejo retrovisor.
6. El freno no funciona bien.

¡Comunicación!

14 Indicaciones útiles Interpersonal Communication

Imagine que Ud. y un(a) compañero/a tienen que realizar una actividad para la cual se deben seguir instrucciones, como preparar una receta. Primero, elijan la actividad. Luego, piensen en las instrucciones e intercambien información sobre los pasos que deben seguir y el orden en que deben seguirlos. Usen los mandatos de **nosotros** y túrnense para ponerse de acuerdo, como se ve en el modelo.

> **MODELO** (instrucciones para hacer una tortilla española: cortar las papas)
> A: **¿Cortamos las papas primero?**
> B: **Sí, cortémoslas. / No, no las cortemos. Primero, pelémoslas.**

Pregunta clave

¿Cómo se transportan las personas en otros países y adónde van?

¿Cómo se movilizan los porteños[1]?

Colectivo argentino

¿Cómo se transporta Ud. donde vive? ¿Existen medios de transporte público eficaces[2]? ¿O se necesita un coche? Para los porteños, movilizarse por la capital de Argentina es fácil a pesar del tamaño de la ciudad. El medio de transporte más rápido dentro de la ciudad es el subterráneo (el metro), o el subte, como lo llaman los residentes de Buenos Aires. También existen líneas de tren, taxis y tranvías[3] que sirven a los viajeros para movilizarse dentro de la ciudad y a las afueras. Pero el medio de transporte de mayor uso y tradición es el colectivo. Los colectivos son autobuses que forman parte de una red de cerca de 200 rutas que recorren toda la ciudad y la conectan con los municipios de la capital. Los colectivos son muy llamativos[4]. Están pintados de un color que indica la ruta que recorren para que el usuario los identifique más fácilmente. El colectivero (conductor) puede decorar la parte delantera o posterior de su colectivo con pinturas especiales o con mensajes divertidos que se conocen como "fileteado" (dibujos artísticos). El colectivero también puede agregar objetos ornamentales detrás de su asiento y en el volante.

Ejemplo de fileteado porteño

Una forma práctica de pagar el viaje en cualquier sistema de transporte es mediante la tarjeta SUBE (Sistema Único de Boleto Electrónico), que es una tarjeta magnética recargable[5].

[1] residents of Buenos Aires   [2] efficient   [3] trams   [4] flashy   [5] refillable

🔍 **Búsqueda:** transporte en buenos aires, fileteado porteño

Comparaciones

¿Existe en su región un medio de transporte que se pueda usar en alquiler (*as a rental*)?

Prácticas

En Buenos Aires los porteños también se movilizan por "Ecobici", un sistema de transporte público de bicicletas. Solo se necesita registrarse, buscar una bicicleta en la estación y retornarla en la estación más cercana a su destino. Se puede usar la bicicleta durante una hora y el servicio es gratuito. Así la gente se moviliza de un sitio a otro de manera saludable y sin contaminar el aire.

15 Comprensión — Interpretive Communication

1. ¿Qué medios pueden utilizar los habitantes de Buenos Aires para viajar dentro de la ciudad?
2. ¿Qué son los colectivos? ¿Por qué son llamativos?
3. ¿Qué es Ecobici y cómo se usa?

16 Analice

1. ¿De qué manera es bueno que una ciudad y sus municipios cercanos tenga medios variados de transporte?
2. Si Ud. fuera (*you were*) colectivero, ¿como decoraría su colectivo?

¿Adónde vamos a bailar tango? 🎧

Para bailar tango, no hay lugar mejor que Buenos Aires, la capital mundial de este baile tan famoso. Allí, no solo los porteños[1] sino también muchísimos extranjeros disfrutan de esta danza; asisten a espectáculos en vivo, clases y milongas, que es el nombre de los sitios donde se baila tango. Desde que el tango fue declarado Patrimonio Inmaterial de la Humanidad, existe un lugar especializado, el Teatro de la Ribera, ubicado[2] en el barrio de La Boca, que dedica su programación exclusivamente a esta música porteña. Aquí se puede bailar, tomar clases, visitar exposiciones y ver espectáculos. También se realizan en la ciudad eventos y festivales a lo largo de todo el año. El más importante es el Festival y Mundial de Tango que tiene lugar en el mes de agosto y que ha llegado a reunir hasta 550.000 personas en más de 200 espectáculos gratuitos.

El tango nació en el barrio de La Boca en Buenos Aires entre gentes sencillas: inmigrantes italianos y españoles no muy afortunados, gauchos[3] y negros descendientes de los esclavos. Con los años, su música y sus formas de bailar y de sentir se fueron mezclando hasta convertirse en esas melodías llenas de nostalgia, historias y secretos que son los tangos. Inicialmente los grupos contaban con flautas, guitarras y violines y después llegaron otros instrumentos como el bandoneón[4], tan típico del tango, que tiene origen alemán.

El tango nació en el barrio de La Boca.

Al principio, en Buenos Aires el tango era considerado una música de arrabal[5], de poca categoría social. Sin embargo, una vez que el tango se hizo famoso en Europa, los porteños de la alta sociedad empezaron a bailarlo en sus salones. Hoy en día, el tango es la danza nacional de la Argentina y uno de los bailes de salón más elegantes del mundo.

[1] residents of Buenos Aires [2] located [3] Argentinian cowboys
[4] type of accordion [5] suburban slum

🔍 **Búsqueda:** tango, la boca buenos aires

Productos 🎧 Conéctese: el arte

Caminito es el primer museo peatonal al aire libre del mundo. Es una calle en el barrio de La Boca en Buenos Aires donde además de sus casas con colores característicos, se puede disfrutar del arte en la calle y adquirir artesanías únicas en el mundo. Se le dio ese nombre en honor al tango que lleva el mismo nombre. Caminito es una atracción turística de la ciudad de Buenos Aires que nadie se debe perder.

17 **Comprensión** Interpretive Communication

1. ¿Qué son las milongas?
2. Nombre tres sitios adonde se puede ir a disfrutar del tango.
3. ¿Qué habitantes del barrio de La Boca contribuyeron sus costumbres musicales para dar origen al tango?
4. ¿Cómo se llama el primer museo peatonal del mundo y de dónde viene su nombre?

18 **Analice**

1. ¿Por qué cree Ud. que una música como el tango se hizo famosa primero en otros países y después sí fue reconocida en la Argentina?
2. ¿Qué cree Ud. que se necesita para que un baile se considere un símbolo nacional?

Vocabulario 2

La ciudad y el tránsito 🎧

la bocacalle

el cruce de peatones
la peatona

el parquímetro

la obra en construcción

la estación de servicio

la autopista

el atasco

el callejón sin salida

la zona verde

el kiosco

Para conversar 🎧

*T*o ask for and give directions:

Disculpe, ¿sabe **dónde se encuentra** el nuevo museo?
Excuse me, do you know where the new museum is located?

Está en **las afueras**.
It is in the suburbs.

¿Nos puede decir cómo llegar? Estamos **perdidos**.
Could you tell us how to get there? We are lost.

Perdone, ¿sabe **dónde queda** una estación de servicio?
Excuse me, do you know where a service station is?

Sí, hay una dos cuadras **más allá de** esa obra
en construcción.
Yes, there is one two blocks beyond that construction site.

Para decir más

la calle peatonal	pedestrian street
el carril	(driving) lane
el embotellamiento	traffic jam
la gasolinera	gas station
el peaje	toll
la vía de servicio	frontage road
la zona de carga y descarga	loading and unloading zone

19 Es mejor que... 🎧

Indique la letra de la foto que corresponde con lo que oye.

A

B

C

D

E

F

20 Busque al intruso

Diga qué expresión no pertenece al grupo y explique por qué.

1. bocacalle / calle de una vía / espejo retrovisor / callejón sin salida

2. estación de servicio / gasolina / tanque / multa

3. kiosco / gasolina / coche / camioneta

4. multa / exceder / velocidad / perdido

Diálogo

¡Creo que estamos perdidos!

María: ¿Dónde queda la casa de Marisa?

Raúl: Creo que es esa... No, me parece que no.

María: ¿No tienes su dirección?

Raúl: No, me la olvidé en casa.

María: No lo puedo creer.

(Más tarde)

María: ¿Y tú has ido alguna vez a su casa?

Raúl: Sí, recuerdo que estaba cerca de una estación de servicio... ¿O era de un callejón sin salida?

María: ¡No veo ni un callejón sin salida ni una estación de servicio!

Raúl: Creo que estamos perdidos. ¿Tienes un mapa?

María: No, no tengo. Es mejor que llamemos a Marisa por teléfono y le digamos que estamos perdidos. ¿Tienes su número?

Raúl: ¿De teléfono? Pues... no.

21 ¿Qué recuerda Ud.?

1. ¿Qué le sucedió a Raúl?
2. ¿Dónde estaba la casa de Marisa, según Raúl?
3. ¿Qué es lo que no ve María?
4. ¿Qué dice María que es mejor?
5. ¿Tiene Raúl el número de teléfono de Marisa?

22 Algo personal

1. ¿Se perdió alguna vez en la ciudad? ¿Qué sucedió?
2. ¿Qué puede hacer la gente cuando se pierde?
3. ¿Va a las afueras de la ciudad? ¿Qué hace allí?
4. ¿Le han puesto alguna vez una multa a un miembro de su familia? ¿Por qué?

23 Al conducir un coche

Escuche los siguientes diálogos. Diga a qué foto corresponde cada uno.

A

B

C

D

Preguntar y pedir

Preguntar and *pedir* both mean "to ask" in English. However, in Spanish they are not interchangeable. *Preguntar* means "to ask" as in to ask a question, or to inquire about someone or something. *Pedir* means "to ask for or request something." Compare the uses in the following examples.

> Le **pregunté** a mamá el precio de las peras y le **pedí** dinero para comprarlas.
>
> **I asked** mom the price of the pears, and **I asked** her **for** money to buy them.

Note: *Pedir* has the additional meaning of "to order" in a restaurant.

> Mmm... voy a **pedir** una hamburguesa con papas fritas.
>
> Mmm... I'm going **to order** a hamburger with fries.

Le pregunté a mamá el precio de las peras y le pedí dinero para comprarlas.

24 ¿Pedimos o preguntamos?

Complete las siguientes oraciones con la forma correcta del presente de **pedir** o **preguntar**.

1. ¿Por qué no le ___ tú a ese señor si hay una zona verde cerca de aquí?

2. Nuestros padres nos ___ adónde vamos.

3. Nosotros le ___ el menú al mesero.

4. ¿Les ___ tú ayuda a tus vecinos?

5. No, solo les ___ si saben dónde está mi gato.

6. ¡Estoy harta! Mis amigos siempre me ___ favores.

7. Ahora, Juan me ___ dinero prestado porque tiene que llenar el tanque de gasolina.

8. En ese restaurante argentino yo siempre ___ carne. ¡Es deliciosa!

¿Van a pedir el plato del día?

Gramática

El subjuntivo: Verbos regulares y con cambios ortográficos

- In addition to using the verb *pedir* to make a request, you can use the subjunctive mood. Sentences in the subjunctive usually contain a verb of will such as *querer*, *desear*, or *mandar* in the first (independent or main) clause. The verb in the independent clause is in the indicative while the verb in the second (dependent or subordinate) clause is in the subjunctive. The two clauses have different subjects, and the two clauses are connected by the conjunction *que*.

*El policía quiere **que pares** ahora mismo.*	The police officer wants **you to stop** right now.
*El instructor nos manda **que estacionemos** aquí.*	The instructor orders **us to park** here.

- You can also use the subjunctive to suggest something. In the main clause, use impersonal expressions such as *es necesario*, *es importante*, or *es mejor* followed by *que* and a verb in the subjunctive.

*Es necesario **que aprendas** a manejar.*	It's necessary **that you learn** to drive.
*Es importante **que Ud. llene** el tanque.*	It's important **that you fill** the tank.
*Es mejor **que no excedan** la velocidad.*	It's better **that you don't go over** the speed limit.

- Like formal (*Ud.*) commands, the subjunctive is formed by taking the *yo* form of the present tense and dropping the final *-o*. For *-ar* verbs, add the endings *-e*, *-es*, *-e*, *-emos*, *-éis*, and *-en*. For *-er* and *-ir* verbs, add the endings *-a*, *-as*, *-a*, *-amos*, *-áis*, and *-an*. Note that the first person singular and third person singular forms are the same.

llenar	ceder	salir
llen⊗	ced⊗	salg⊗
llene	ceda	salga
llenes	cedas	salgas
llene	ceda	salga
llenemos	cedamos	salgamos
llenéis	cedáis	salgáis
llenen	cedan	salgan

- Verbs that have spelling changes, such as *buscar*, *pagar*, and *comenzar* in the *Ud.* command form, and verbs that have irregular *yo* forms, such as *traigo*, *pongo*, *parezco*, and *escojo*, keep these changes in the subjunctive.

*No quiero que me **pongan** una multa.*	I don't want them **to give** me a fine.
*¿Quieres que lo **busque**?*	Do you want me **to look for** it?
*Es importante que **traigas** el permiso.*	It's important that **you bring** your permit.

Es importante que aprendas a estacionar.

Es importante que no aceleren.

25 Es necesario que…

Mientras Ud. conduce con unos amigos por las calles de Buenos Aires, les hace unas observaciones acerca de los buenos conductores. Forme oraciones con el subjuntivo para decirles qué es **necesario** o **importante**.

> MODELO   tú / respetar las normas de tránsito
> **Es necesario que respetes las normas de tránsito.**

1. nosotros / no acelerar en las curvas
2. nosotros / mirar el mapa
3. Uds. / tener cuidado en el cruce de peatones
4. yo / no exceder la velocidad
5. el conductor / ceder el paso
6. Ud. / no tocar el claxon
7. los conductores / abrocharse el cinturón
8. todos / conducir cuidadosamente
9. tú / entrar en la glorieta con cuidado
10. yo / pisar el acelerador despacio

26 ¿Qué quieres que hagamos?

Complete las frases de la columna de la izquierda con una frase apropiada de la columna de la derecha. Use el presente de subjuntivo del verbo entre paréntesis.

1. El instructor manda que
2. El guía de turismo desea que
3. El policía manda que
4. Los conductores no quieren que
5. Nosotros deseamos que
6. Mis padres no quieren que
7. Los estudiantes quieren que
8. El peatón quiere que
9. El guía de turismo no quiere que
10. El instructor no quiere que

A. mi hermano (*salir*) con el coche.
B. nuestros padres nos (*permitir*) usar el coche.
C. los turistas le (*preguntar*) cosas tontas en el tour.
D. el conductor (*pagar*) una multa.
E. el instructor (*tener*) paciencia con ellos.
F. yo (*poner*) marcha atrás sin mirar.
G. los turistas (*comprar*) un mapa en el kiosco.
H. todos los estudiantes (*aprender*) a manejar bien.
I. los policías les (*poner*) una multa.
J. los conductores (*disminuir*) la velocidad.

Es necesario que el policía dirija el tráfico.

¡Comunicación!

27 ¿ Qué debemos hacer? 👥 Interpersonal Communication

Con su compañero/a, creen diálogos para aconsejar qué deben hacer en las siguientes situaciones. Usen **es mejor que**, **es importante que** y **es necesario que** en sus respuestas. Pueden usar las siguientes opciones o inventar otras. Luego, presenten uno de sus diálogos delante de la clase.

MODELO   tener el tanque casi vacío / poner gasolina

A: Tengo el tanque casi vacío.

B: Es necesario que pongas gasolina. Más allá de aquel callejón sin salida hay una estación de servicio. Puedes llenar el tanque.

Situaciones	Opciones
1. estar perdido	• tomar otra autopista
2. conducir por primera vez	• doblar
3. haber un atasco por aquí	• ser prudente
4. estar en un callejón sin salida	• poner monedas en el parquímetro
5. buscar estacionamiento	• mirar/comprar un mapa
6. tener prisa	• acelerar/no exceder la velocidad

¡Comunicación!

28 Quiero que tengas éxito 👥 Interpersonal Communication

Uno de sus amigos está aprendiendo español y Ud. quiere que tenga mucho éxito en sus estudios. Use expresiones como **es necesario que**, **es mejor que** y **es importante que** y el subjuntivo de las expresiones de abajo para darle buenos consejos. Es posible que él/ella no esté de acuerdo con sus consejos, así que prepárese para debatir un poco. Use algunas de las siguientes ideas o invente otras. Escojan la mejor conversación que hayan preparado y preséntensela a la clase.

asístir siempre a clase

usar un buen diccionario

hacer la tarea   escribir en español   mirar programas en español

leer libros en español

practicar mucho

tener amigos hispanos

Todo en contexto

? Pregunta clave

¿Cómo se transportan las personas en otros países y adónde van?

¡Comunicación!

29 **Tomemos el colectivo** 👥 **Interpersonal Communication**

Imagine que Ud. y su mejor amigo/a están de visita en Buenos Aires y están tratando de decidir adónde ir y cómo hacerlo. Represente la situación con su compañero/a y túrnense para hacer diferentes sugerencias. Usen los mandatos de nosotros y el subjuntivo, como se ve en el modelo.

MODELO   A: ¿Por qué no vamos a La Boca en subte?

B: No, mejor tomemos el colectivo. Es mejor que veamos adónde vamos.

Caminemos en lugar de tomar el colectivo.

¡Comunicación!

30 **Normas de seguridad para pasajeros** 👥 **Presentational Communication**
Conéctese: el arte

Imagine que su clase va a participar en un concurso de fileteado y normas de seguridad para los pasajeros de colectivos en Buenos Aires. Trabajen en grupos de tres o cuatro estudiantes. Piensen en cinco normas de seguridad y escríbanlas usando el subjuntivo y expresiones impersonales como **es importante que**, **es necesario que** o **es mejor que**, como se ve en el modelo. Elijan una de las normas que escribieron y piensen en el tipo de diseño que quieren hacer para decorar el colectivo. Hagan un diseño original y creativo para la norma elegida. Presenten todos los carteles en la clase y elijan el mejor de todos para enviar al concurso.

MODELO   **Es importante que tenga cuidado al bajar.**

Queremos que promuevan la seguridad entre los pasajeros.

Lectura informativa

Antes de leer

1. ¿Le gustan las tiras cómicas?
2. ¿Prefiere las tiras cómicas de humor o las que tienen personajes de acción? Explique su respuesta con ejemplos.

Estrategia

Predict content using supporting visuals

Illustrations, photographs, charts, and other visuals do more than just attract the reader's attention. Graphics that accompany a reading provide additional support of some aspect of a reading and often depict what takes place in the selected text. Learning to look for these visual supports can enhance your reading comprehension.

Una sonrisa en la vida diaria

Una forma divertida de conocer sobre la forma en que se vive en un país es a través de los personajes de caricatura[1]. En América Latina existen personajes que se han ganado el corazón de varias generaciones con sus opiniones y ocurrencias[2].

Un personaje muy querido y difundido[3] es Condorito, que fue creado por el caricaturista chileno René Ríos Boettiger, más conocido como Pepo. Cuando lo creó en 1949, su autor pensó en hacer algo diferente a lo que era común en las historietas en ese momento: superhéroes o personajes de fantasía y de cuentos de hadas[4]. Por eso, los personajes de Condorito son personas del común, de las que todos encontramos diariamente en el camino.

El protagonista, Condorito, es el único que no es una persona: es un cóndor, el ave que se encuentra en el escudo[5] de Chile. Condorito vive en el mundo real, donde tiene todo tipo de experiencias divertidas en el barrio, la casa, el campo o en cualquier lugar donde se encuentre. Condorito es tan popular, que muchas personas usan la expresión "¡plop!" para referirse a algo que sorprende o desconcierta[6].

[1] cartoon [2] wisecracks [3] widespread [4] fairy tales [5] emblem [6] disconcerts, unsettles

Búsqueda: condorito

31 Comprensión 🎧 Interpretive Communication

1. ¿Cuál es el nombre y la nacionalidad del autor de Condorito?

2. ¿Qué tipo de animal es Condorito? ¿Por qué es un símbolo de Chile?

3. ¿Qué tipo de situaciones se muestran en las tiras cómicas de Condorito?

32 Analice 🎧

1. ¿Por qué cree que el autor quería hacer un personaje diferente de lo común?

2. ¿De qué manera sirven las caricaturas para conocer la cultura de un país?

Extensión

En las historietas, lo que el autor quiere contar está distribuido en recuadros o espacios llamados viñetas. En cada viñeta va la ilustración de los personajes, y el texto de lo que dicen o piensan se encierra en un globo cuya forma depende de si el personaje está pensando o hablando y si lo hace en voz alta o baja.

Escritura

33 Cree su propia historieta   Presentational Communication

Observe con atención la historieta que se encuentra en la lectura anterior. Luego, complete un cuadro como el siguiente, en el que organice sus ideas para crear una historieta con cuatro viñetas. Para cada viñeta piense qué personaje(s) aparecerán, qué dirán y qué tipo de ilustraciones puede incluir. Haga su historieta y póngale un título. Por último, muéstresela a sus compañeros. ¿Les pareció divertida?

Viñeta	Personaje(s)	Diálogo	Ilustraciones
1.			
2.			
3.			
4.			

Para escribir más

Te apuesto que...	*I bet you that...*
¡Ni lo sueñes!	*Don't even dream about it!*
Yo lo pensaría dos veces.	*I would think twice about it.*
Nunca me imaginé que fuera(n) tan...	*I never imagined you'd be so...*

Repaso de la Lección A

A **Escuchar: ¿Es lógico?** 🎧 (pp. 212–213, 222–223)

Diga **sí** si lo que oye es lógico. Diga **no** si es ilógico.

B **Vocabulario: ¡Qué confusión!** (pp. 212–213, 222–223)

Un policía hizo parar a un conductor en una calle. El conductor cuenta la conversación que tuvo con el policía, pero está tan alterado que el relato no se entiende. Con la ayuda de un(a) compañero/a, ordenen las partes de la conversación para entender lo que pasó.

A. Bueno, pero en el futuro, sea prudente.

B. Tenga paciencia conmigo, por favor. No conozco el centro. Soy de las afueras.

C. Muéstreme su licencia de conducir.

D. En esta calle la velocidad es de 30 km. Ud. iba a 50 km.

E. Disculpe Sr. policía, pero no entiendo por qué me paró.

F. ¿Me va a poner una multa?

G. Es importante que Ud. no exceda la velocidad.

H. Cierto. Siempre trato de prestar atención a las normas de tránsito.

C **Gramática: Es importante y necesario...** (pp. 216, 226)

Complete la siguiente conversación entre Nora y su instructora de autoescuela con la forma correcta del subjuntivo del verbo en paréntesis.

Instructora: No es necesario que Ud. (**1.** *acelerar*).

Nora: Pero no me doy cuenta que voy acelerando.

Instructora: Es importante que (**2.** *entrar*) en la glorieta con cuidado.

Nora: Hay muchos coches y me ponen nerviosa.

Instructora: Es mejor que (**3.** *ser*) prudente; no acelere.

Nora: Es mejor que yo (**4.** *sacar*) mi licencia lo más pronto posible.

Instructora: Primero, es necesario que Ud. (**5.** *aprender*) las normas de tráfico.

Nora: ¿Es necesario que nosotros (**6.** *ir*) por esta calle?

Instructora: No, no (**7.** *doblar*). Es una calle de una sola vía.

D **Gramática: ¿Qué piensa Ud.?** (p. 226)

Túrnese con su compañero/a para hacer y responder las siguientes preguntas sobre cómo conducir en su comunidad.

1. ¿Es necesario tener una licencia de conducir para ser popular?

2. ¿Es mejor que todos los adolescentes sepan conducir? ¿Por qué (no)?

3. ¿Cuándo es mejor que seamos prudentes?

4. ¿A qué edad es importante saber conducir? ¿Por qué?

5. ¿Es importante que los padres enseñen a conducir a sus hijos o es mejor que alguien que no sea pariente lo haga?

E Cultura: Una ciudad fácil de visitar (pp. 220–221)

Imagine que está de visita en Buenos Aires. ¿Cómo puede ir de un lugar a otro? ¿Qué lugares le gustaría visitar? Complete las gráficas.

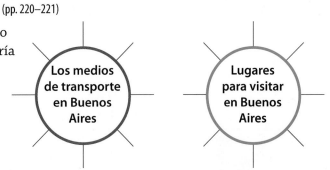

Los medios de transporte en Buenos Aires

Lugares para visitar en Buenos Aires

Vocabulario

En el coche

el acelerador
el espejo retrovisor
la licencia de
   conducir

Al conducir

ceder el paso
el estacionamiento
la marcha atrás
las normas de
   tránsito
la velocidad

Las señales

la calle de doble vía
la calle de una
   sola vía
la glorieta
pare
prohibido doblar
el semáforo

La ciudad

las afueras
el atasco
la autopista
la bocacalle
el callejón sin
   salida
el cruce de
   peatones
la estación de
   servicio
la gasolina
el kiosco
la obra en
   construcción
el parquímetro
el peatón, la
   peatona
la zona verde

Verbos

acelerar
ajustar
disminuir
estacionar
exceder
llenar el tanque
pisar
poner una multa

Para pedir instrucciones

¿Dónde queda…?
¿Dónde se
   encuentra…?
más allá de
perdido/a

Expresiones y otras palabras

despacio
paciencia
prudente
vacío/a

Gramática

Los mandatos formales y plurales

Use la tabla para crear un mandato formal.

infinitivo	→	presente de *yo*	→	omitir -*o*	→	añadir -*e* o -*a*
hablar	→	hablo	→	habl-	→	hable
correr	→	corro	→	corr-	→	corra
decir	→	digo	→	dig-	→	diga

Añada -**n** al mandato formal para convertirlo en un mandato formal en plural.

Cedan paso en la glorieta.
Pisen el acelerador despacio.

Añada -**emos** o -**amos** en vez de -**e** o -**a** en los verbos de la tabla de arriba para crear mandatos con nosotros.

Paremos en el estacionamiento.
Disminuyamos la velocidad.
No se lo demos a él.

Recuerde que los siguientes verbos tienen mandatos formales irregulares: **dar**, **estar**, **ir**, **saber** y **ser**.

Usos del subjuntivo

Uno de los usos del subjuntivo es el de pedir y sugerir algo a otra persona. El subjuntivo se forma de la misma manera que los mandatos formales.

*Quiero que **hagas** la tarea.*
*Es importante que **él pague** la multa.*
*El profesor les pide que **ellos** los **busquen**.*

Note que cada una de estas frases tiene dos cláusulas con dos sujetos que se conectan con **que**.

Vocabulario 1

El blog de Margarita: Un viaje en tren 🎧

| MIS VIAJES | MI ESCUELA | MIS AMIGOS | MI FAMILIA |

Me llamo Margarita. Voy a visitar a mis abuelos este fin de semana. ¿Has viajado en tren alguna vez? Es fácil.
Primero, compremos el boleto en **la boletería**.

Después, busquemos **el andén** de donde sale el tren.

la boletería

el andén

Hay varios tipos de trenes: **el local** y **el rápido**.

el tren local

el tren rápido

¡Subamos! El tren está **a punto de partir**.

el vagón

el asiento de la ventanilla

el coche cama

el coche comedor

la viajera

el viajero

la inspectora

el inspector

Es malo
que tengamos que
hacer **transbordo**.

Sí, no me
gusta cambiar
de tren.

¡Qué bueno!
El tren no llegó **con
retraso**, llegó **puntual**.

Para conversar

*T*o talk about train travel:

Es increíble que no tengan ni un boleto en **primera
clase**. ¿Podría hacer algo?
*It's incredible that you don't have any tickets in first class.
Could you help me?*

Es inútil que (yo) siga buscando, pero hay boletos **de segunda clase** si le interesa.
It's useless for me to continue searching, but there are tickets in second class if you are interested.

Para decir más

el ferrocarril	railway
la sala de espera	waiting room
el tren de cercanías	commuter train
el tren de largo recorrido	long-distance train
la vía	track

1 Viajar en tren

Indique la letra de la foto que corresponde con lo que oye.

A

B

C

D

E

F

2 Con retraso…

Escriba oraciones con las palabras dadas.

asiento   *local*   a punto de
con retraso   *el inspector*
transbordo   **andén**   clase

MODELO   **El tren de las doce va a llegar con retraso.**

Diálogo 🎧

¿A qué hora sale el tren?

Mario: Papá, ¿de qué andén sale el tren que va a Valdivia?

Papá: Del andén 7.

Mario: ¿A qué hora sale el tren?

Papá: ¿El tren local o el rápido?

Mario: El que llegue antes.

Papá: Llega antes el rápido, pero hoy está con retraso.

Mario: Entonces, ¿cuál de los dos trenes es mejor que tome?

Papá: El tren local sale en 20 minutos, pero tarda una hora en llegar. El tren rápido sale en 40 minutos y tarda media hora.

Mario: Es mejor que tome el local porque llega casi a la misma hora que el rápido.

Papá: Sí, es una lástima que el rápido vaya con retraso.

Mario: No importa, tengo más tiempo para mirar el paisaje por la ventanilla.

---

3 ¿Qué recuerda Ud.? 🎧

1. ¿Adónde quiere ir Mario?
2. ¿Cómo está hoy el tren rápido?
3. ¿Qué tren decide tomar Mario? ¿Por qué?
4. ¿Para qué tiene más tiempo Mario durante el viaje en el tren local?

4 Algo personal 🎧

1. ¿Viaja Ud. en tren? ¿Adónde?
2. ¿Le gusta mirar el paisaje por la ventanilla? ¿Por qué?
3. ¿Qué prefiere: el tren rápido o el local? ¿Por qué?

---

5 ¡Qué lástima! 🎧

Escuche las siguientes expresiones. Escoja la letra de la oración que dice la expresión de otra manera.

1. **A.** ¡Qué lástima que el tren rápido no vaya a Valdivia!

   B. Es una suerte que el tren vaya directo a Valdivia.

2. **A.** No viajo en un coche cama porque me encanta dormir en los viajes.

   B. No viajo en un coche cama porque nunca puedo dormir mientras viajo.

3. **A.** Por suerte, el tren sale con una hora de retraso.

   B. Es un problema que el tren salga una hora más tarde.

4. **A.** Por suerte, no debemos cambiar de tren en Valparaíso.

   B. Es una suerte que debamos cambiar de tren en Valparaíso.

Gramática

El subjuntivo: Verbos irregulares y más expresiones impersonales

- There are six verbs that have irregular forms in the subjunctive.

dar	estar	haber
dé	esté	haya
des	estés	hayas
dé	esté	haya
demos	estemos	hayamos
deis	estéis	hayáis
den	estén	hayan

ir	saber	ser
vaya	sepa	sea
vayas	sepas	seas
vaya	sepa	sea
vayamos	sepamos	seamos
vayáis	sepáis	seáis
vayan	sepan	sean

- You have already learned to use the subjunctive with certain verbs of will such as *desear*, *mandar*, and *querer*, and after certain impersonal expressions that indicate opinions about actions and events, such as *es importante que*, *es necesario que*, and *es mejor que*. Here are some other impersonal expressions that often require the use of the subjunctive.

Expresiones impersonales			
es bueno que	*it's good that*	es inútil que	*it's useless (that)*
es malo que	*it's bad that*	es una lástima que	*it's a pity that*
es increíble que	*it's incredible that*	es una suerte que	*it's fortunate that*

Es malo que no haya un coche comedor en este tren.

It's bad that there isn't a dining car on this train.

Es una lástima que ella no sepa la verdad de su novio.

It's a pity that she **doesn't know** the truth about her boyfriend.

6 ¿Qué es mejor? 🎧

Cambie los verbos en infinitivo indicados en cursiva a la forma correspondiente del subjuntivo según los sujetos indicados entre paréntesis.

1. Es importante *tomar* el tren rápido para llegar antes. (nosotros)

2. Es malo *llegar* con retraso a la estación. (el tren)

3. Es necesario *hacer* transbordo en Santiago. (Ud.)

4. Es mejor *comprar* boleto de ida y vuelta. (ellos)

5. Es bueno *comer* en el coche comedor. (los viajeros)

6. Es una lástima no *ver* el paisaje. (yo)

7. Es una suerte *estar* sentado al lado de la ventanilla. (tú)

8. Es inútil *esperar* en el andén. (Uds.)

7 ¿Qué dicen los viajeros?

Complete las siguientes oraciones de forma lógica escogiendo uno de los verbos dados y usando la forma correcta. Algunos verbos se pueden usar más de una vez.

1. Es mejor que tú le __ los boletos al inspector.
   Es necesario que él los __.

2. Es una suerte que tú __ dónde tenemos que bajarnos.

3. Es una lástima que nosotros __ lejos del coche comedor.

4. Es increíble que __ tantos viajeros esperando en el andén.

5. ¿Quiere Ud. que ellos __ con nosotros?

6. Es bueno que __ trenes rápidos a Chillán todos los días,
   pero es necesario que nosotros __ en un tren local.

7. Es importante que tú __ puntual. No quiero que nosotros __ tarde a la estación.

haber **ver**

dar *estar* *ir*

ser *saber*

llegar `venir`

8 Al partir en tren

Complete el siguiente diálogo entre Ana e Isabel, dos amigas chilenas, con el subjuntivo del verbo apropiado.

Ana: ¿No es increíble que el tren (**1.** *salir / haber*) a tiempo?

Isabel: ¡Es una suerte! Es mejor que nosotras (**2.** *saber / llegar*) a Valparaíso temprano.

Ana: El tren va a salir en cinco minutos. Es mejor que tú (**3.** *dar / subir*).

Isabel: ¡Espera! Es necesario que les (**4.** *decir / ir*) adiós a mis hermanitos.

Ana: ¡Ay! Es una lástima que ellos no (**5.** *viajar / ser*) con nosotras.

Isabel: Pero es mejor que (**6.** *quedarse / saber*) en Santiago.

Ana: Sí, claro, es necesario que tus hermanos (**7.** *partir / ir*) a la escuela.

Isabel: Es increíble que ellos ya (**8.** *venir / estar*) tan grandes. ¡Cómo pasa el tiempo!

¡Comunicación!

9 ¿Qué me aconseja? 👥 Interpersonal Communication

Trabaje con un(a) compañero/a y túrnense para crear diálogos entre un(a) viajero/a y un(a) agente de viajes. Uno/a presentará una situación y el/la otro/a ofrecerá algunos consejos. Usen expresiones impersonales y el subjuntivo en los consejos.

MODELO **A: Quiero ir a Buenos Aires, pero no me gusta viajar en avión.**

B: Entonces, es mejor que vaya en tren.

Gramática

El subjuntivo: Verbos con cambio de raíz

- Stem-changing verbs that end in *-ar* and *-er* have the same stem changes in the present subjunctive as they do in the present indicative. The stem changes follow the shape of a shoe or a boot.

pensar	
piense	pensemos
pienses	penséis
piense	piensen

volver	
vuelva	volvamos
vuelvas	volváis
vuelva	vuelvan

- **E → ie** and **o → ue** stem-changing verbs that end in *-ir* have a stem change in all forms of the present subjunctive. The *nosotros* and *vosotros* forms change **e → i** and **o → u**. The other forms follow the same change as the regular pattern for subjunctive: put the verb in the *yo* form, drop the *–o*, and add *-a*, *-as*, *-a*, *-an*. These stem changes also follow the shape of a shoe or a boot.

sentir	
sienta	sintamos
sientas	sintáis
sienta	sientan

dormir	
duerma	durmamos
duermas	durmáis
duerma	duerman

Espero que vuelvas pronto.

10 Es importante que... 👥

Haga una lista de consejos para viajeros, usando expresiones impersonales y verbos en subjuntivo. Luego, léale los consejos a su compañero/a para ver si está de acuerdo o no. Si no está de acuerdo, debe ofrecer otro consejo.

MODELO   bueno / encontrar

A: **Es bueno que encontremos los asientos antes de partir.**

B: **No, es bueno que encontremos el coche comedor antes de partir.**

1. importante / pedir
2. malo / sentarse
3. necesario / conseguir
4. mejor / dormir
5. importante / volver
6. bueno / vestirse

Observe los dibujos siguientes. Túrnese con su compañero/a para decir a cuál de las situaciones corresponde cada dibujo. Luego escriban oraciones usando **es necesario que**, **es importante que** o **es mejor que** que se refieran a lo que deben hacer los pasajeros en cada situación.

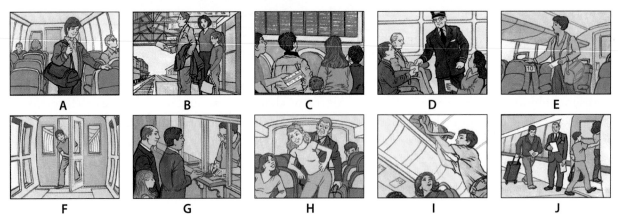

1. entender el horario
2. conseguir los boletos en la boletería
3. esperar en el andén
4. subir al tren con cuidado
5. mostrar su boleto al inspector

6. encontrar el número de su asiento
7. poner su equipaje en el lugar indicado
8. sentarse en el asiento correspondiente
9. no quedarse de pie en el corredor
10. no ir de un vagón a otro

¡Comunicación!

12 Vamos a dar una fiesta 👥   Interpersonal Communication

Ud. y su compañero/a están organizando una gran fiesta para juntar dinero para su clase. Primero, decidan el tema de la fiesta. Después, piensen en cómo la van a preparar, dónde van a comprar las cosas necesarias, cómo serán las decoraciones, etc. Comenten las diferentes opciones y den su opinión, utilizando expresiones impersonales y el subjuntivo.

- tema de la fiesta
- tipo de decoraciones
- comida y bebida

- invitaciones e invitados
- lugares donde hacer la fiesta
- música y baile

MODELO A: ¿Por qué no hacemos una fiesta con el tema de un viaje a la luna?

B: Es mejor que usemos el tema de viajar en tren por los Andes.

![Chilean flag] **Cultura** PRE AP

emcpassport.com
WB 8–9
LA 4

? Pregunta clave

¿Cómo se transportan las personas en otros países y adónde van?

De punta a punta: El transporte en Chile 🎧

Isla de Pascua

Viña del Mar
★ Santiago
San Antonio

Patagonia
Parque Nacional de las Torres del Paine
Estrecho de Magallanes
Punta Arenas
Cabo Froward
Isla Grande de Tierra del Fuego

Villa de las Estrellas

Chile es el país más largo del mundo. De norte a sur, su extensión abarca unos 4200 kilómetros. Otra característica sorprendente de su particular geografía es que posee territorios en América del Sur, Oceanía (la Isla de Pascua) y la Antártida (Villa de las Estrellas). En un país tan extenso, ¿cómo se moviliza la gente?

Casi todas las regiones de Chile están conectadas por un sistema de carreteras y autopistas, por donde circulan más de cuatro millones de vehículos. Debido a las grandes distancias, los viajes en auto pueden llevar demasiado tiempo; por ejemplo, conducir desde Santiago hasta Punta Arenas lleva unas 40 horas. De cualquier forma, no es posible llegar por carretera hasta el extremo sur de Chile. Hay que hacer trasbordos en ferry o pasar por Argentina para poder llegar allí. Si se prefiere el autobús, hay para todos los gustos. Por ejemplo, los anfibios[1] se usan en rutas turísticas para cruzar ríos o lagos, pero también pueden ser útiles durante la estación lluviosa en las ciudades.

Durante mucho tiempo, los ferrocarriles[2] fueron el medio de transporte principal de carga[3] y de pasajeros del país e impulsaron el desarrollo[4] económico, pero poco a poco, la gente dejó de usarlos. Sin embargo, en la actualidad, el gobierno está poniendo en marcha algunos ferrocarriles con fines turísticos. El Expreso del Recuerdo, que va de Santiago hasta San Antonio, es el primero de ellos. Los pasajeros hacen el mismo recorrido que se hacía en los años veinte, en coches ambientados al estilo de la época.

Coche comedor del Expreso del Recuerdo

[1] amphibious   [2] railroads   [3] cargo   [4] development

🔍 **Búsqueda:** transporte en chile, ferrocarriles de chile

13 Comprensión   Interpretive Communication

1. ¿Por qué se puede decir que Chile es un país tricontinental?
2. ¿Por qué lleva tanto tiempo hacer viajes por tierra en Chile?
3. ¿Qué usos tienen los autobuses anfibios?

14 Analice

¿Por qué cree Ud. que es importante poder transportarse con facilidad dentro y fuera de un país?

Perspectivas

En 1971, el entonces presidente de Chile, Salvador Allende, decía: "El transporte constituye una herramienta fundamental en el desarrollo del comercio exterior y en la vinculación de Chile con los demás países del mundo."

Explique la importancia del transporte para los chilenos, teniendo en cuenta la cita de Allende y la geografía del país.

Un viaje al sur chileno

Chile tiene de todo. Debido a sus dimensiones, el clima allí es muy variado y se pueden realizar distintas actividades en cada época del año. Tanto los chilenos como los extranjeros aprovechan esa diversidad.

Si visitas Chile en invierno, tienes muchas opciones. El sur de Chile es una región turística muy atractiva para quienes disfrutan de las actividades de invierno. Entre junio y septiembre, el clima es muy frío en el extremo sur y el paisaje se cubre de nieve.

Torres del Paine

Telesilla rumbo al Cerro Mirador

Este extremo del país, que recibe el nombre de Patagonia chilena, cuenta con zonas naturales muy hermosas y áreas deportivas: el Parque Nacional de las Torres del Paine, los archipiélagos de las islas australes[1] y el Estrecho de Magallanes, que es el paso natural de mayor importancia entre los océanos Pacífico y Atlántico. En esta región, es posible hacer todo tipo de actividades al aire libre, como senderismo[2], cabalgatas[3], campamentos, *snowboarding* o navegar por los lugares más fantásticos del planeta. También se pueden realizar viajes en kayak de cuatro días que llegan hasta el Cabo Froward, el punto más austral del continente americano.

En Punta Arenas, una de las bellas ciudades de la Patagonia, los turistas pueden visitar el centro de esquí Club Andino. El centro cuenta con un telesilla[4] que recorre 1200 metros de longitud y tiene una pendiente[5] de 200 metros. Cada hora, pueden trasladarse unas 600 personas hasta la cima[6] del Cerro Mirador. El recorrido desde la estación base dura ocho minutos. Desde las pistas de esquí, es posible ver el Estrecho de Magallanes y la Isla Grande de Tierra del Fuego, territorio compartido con la República Argentina.

[1] southern [2] trekking [3] horseback rides [4] chair lift [5] slope [6] summit

Búsqueda: patagonia chilena, chile atracciones turísticas

Productos

En la ciudad de Viña del Mar, en el parque la Quinta Vergara, se realiza anualmente el Festival Internacional de la Canción. Este festival se creó con el fin de promover (*promote*) el folclor popular chileno, pero con el tiempo se empezaron a destacar las participaciones de artistas invitados de todo el mundo. El público de la Quinta Vergara (hasta 16.000 personas) es conocido como "el monstruo". Son ellos quienes deciden quién sale de allí con premios y quién debe retirarse avergonzado (*ashamed*).

Los premios del Festival Internacional de la Canción

15 Comprensión

1. ¿Por qué es Chile un buen destino turístico para quienes disfrutan de las actividades de invierno?

2. ¿Qué lugares de atractivo turístico se encuentran en la Patagonia chilena?

3. ¿Por qué se da el nombre de "el monstruo" al público de la Quinta Vergara?

16 Analice

1. ¿Con qué regiones de Estados Unidos comparte características la Patagonia chilena?

2. ¿Cómo se beneficia el turismo de Chile por su clima y su geografía?

Vocabulario 2

El blog de Tomás: Vamos al campo 🎧

| INICIO | MIS VIAJES | MI ESCUELA | MIS AMIGOS | MI FAMILIA |

Me llamo Tomás. Me encanta **acampar**. Mi familia y yo vamos a viajar al **campo** este fin de semana. Es un viaje muy divertido. ¿Y a ti te gusta acampar?

En el campamento **recomiendan** hacer muchas actividades y **exigen** dejar todo limpio.

el campamento

Para acampar necesitamos:

ir al pueblo

la linterna

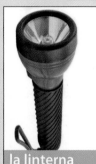
los binoculares

el sendero

dar una caminata por el sendero

la brújula

la tienda de acampar

los sacos de dormir

ir al valle

la roca

escalar

el casco

los fósforos

Para conversar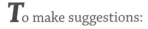

*T*o make suggestions:

Hay muchos **mosquitos** en **los arbustos**.
Te **sugiero** que te pongas **repelente de insectos**.
There are many mosquitos in the bushes.
I suggest that you put on some insect repellent.

la fogata

Para decir más

el amanecer	*dawn*
el atardecer	*dusk*
la autocaravana	*camper*
la caña de pescar	*fishing pole*

17 En el campamento...

Escuche las oraciones y diga a qué foto corresponde cada una.

B

A

C

D

E

F

18 Voy a acampar por primera vez

Antonio quiere ir a acampar y le pide consejos. Dígale lo que necesita para cada actividad.

1. ¿Qué necesito para dormir en un campamento?

2. ¿Qué necesito para protegerme de los insectos?

3. ¿Qué necesito para escalar las rocas?

4. ¿Qué necesito para encender una fogata?

5. ¿Qué necesito para no perderme?

6. ¿Qué más necesito para acampar?

Diálogo 🎧

Te sugiero que lleves botas

Mario: Lucas, es la primera vez que me voy de campamento. ¿Qué debo llevar?

Lucas: Te recomiendo que lleves un repelente de insectos. Hay muchos mosquitos en el campo.

Mario: Y para escalar, ¿qué cosas necesito?

Lucas: Te sugiero que lleves un casco. Si te caes te puede ayudar.

Mario: ¿Y si quiero dar una caminata por la noche?

Lucas: Es mejor que tengas una linterna. ¿Llevas la tienda de acampar?

Mario: No, Rubén la lleva.

Lucas: ¿Y el saco de dormir?

Mario: Sí, compré uno ayer. ¿Tienes algún otro consejo?

Lucas: Recuerda que es bueno que lleves botas. Puede llover.

19 ¿Qué recuerda Ud.? 🎧

1. ¿Por qué le recomienda Lucas a Mario que lleve un repelente de insectos?

2. ¿Por qué es mejor que Mario tenga una linterna?

3. ¿Qué debe recordar Mario? ¿Por qué?

20 Algo personal 🎧

1. ¿Ha ido alguna vez de campamento? ¿Le gustó la experiencia?

2. Su amigo/a se va de campamento. ¿Qué le recomienda que lleve?

3. ¿Le gustan las actividades al aire libre? ¿Cuáles?

21 ¿Qué me recomienda? 🎧

Escuche las siguientes preguntas y escoja la foto que corresponde a cada una.

A

B

C

D

E

F

Gramática

Para y por

You already know some of the ways *para* and *por* are used. Remember that even though *por* and *para* are equivalent to "for" in English, they are not interchangeable.

Use *para* to express:

- Destination

    *Salimos **para** la estación.*   We're leaving **for** the station.

    *Vamos **para** las montañas.*   We're headed **for** the mountains.

- Who or what something is for

    *Estos binoculares son **para** tu papá.*   These binoculars are **for** your dad.

    *Y esta brújula es **para** ti.*   And this compass is **for** you.

- When something is due

    *Debe estar listo **para** la semana que viene.*   It must be ready **for** next week.

- Purpose

    *¿**Para** qué sirve esto?*   What is this **for**?

    *Son fósforos **para encender** la fogata.*   They are matches **to light** the bonfire.

    *Vine aquí **para dártelos**.*   I came here **to give them to you**.

Use *por* to express:

- Movement through space

    *Los amigos caminaron **por** todo el valle.*   The boys walked **all over** the valley.

    *¿Han ido **por** ese sendero?*   Have you gone **along** that path?

- Duration of time

    *Acamparon en el bosque **por** cinco noches.*   They camped in the forest **for** five nights.

- Manner or means

    *Envié la carta **por** correo.*   I sent the letter **by** mail.

    *Se enteró **por** internet.*   He found out **through** the Internet.

- Reason, motive, or on behalf of (someone)

    *Me caí **por** no usar la linterna.*   I fell down **because** I did not use the flashlight.

    *Trabajé **por** Juan anoche.*   I worked **for** Juan (in his place) last night.

- Proportion, rate, or exchange

    *Pagué ciento cincuenta dólares **por** esta tienda de acampar.*   I paid one hundred fifty dollars **for** this tent.

    *El límite de velocidad es de 65 millas **por** hora.*   The speed limit is 65 miles **per** hour.

22 Hablar del campo

Complete el diálogo que sigue usando **por** o **para**.

Elena: Mira, aquí tengo un regalo **(1)** ti.

Juanita: ¿ **(2)** mí? ¿Qué es?

Elena: Algo necesario **(3)** el campamento.

Juanita: ¡Una brújula! ¡Chévere! Gracias **(4)** el regalo. ¿Adónde vamos ahora?

Elena: ¿Vamos **(5)** el pueblo?

Juanita: ¿ **(6)** dónde quieres ir? ¿ **(7)** la carretera o **(8)** el sendero?

Elena: No sé, quiero pasar **(9)** la tienda **(10)** comprar repelente. Anoche no pude dormir **(11)** los mosquitos. … Oye, ¿pagaste mucho **(12)** esas botas?

Juanita: ¡No pagué nada! Me las regalaron mis padres **(13)** mi cumpleaños. Creo que las compraron **(14)** internet. ¿ **(15)** qué lo preguntas?

Elena: **(16)** saber dónde puedo comprarlas. ¡Vamos! Se nos hace tarde.

23 Un correo electrónico para su tío

Esteban le escribe a su tío. Complete el mensaje usando **por** o **para**.

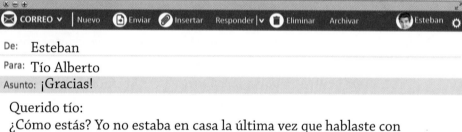

CORREO ˅ | Nuevo | Enviar | Insertar | Responder |˅ | Eliminar | Archivar | Esteban

De: Esteban
Para: Tío Alberto
Asunto: ¡Gracias!

Querido tío:
¿Cómo estás? Yo no estaba en casa la última vez que hablaste con mamá **(1)** teléfono y no pude darte las gracias **(2)** los binoculares que me mandaste. ¡Son fantásticos **(3)** acampar! Sabes cómo me gusta andar **(4)** la montaña. **(5)** las vacaciones pienso irme de campamento **(6)** un mes, y voy a llevar los binoculares. Mamá me dijo que vas a venir a visitarnos. Quiero que te quedes mucho tiempo, así vamos a poder pasear **(7)** el pueblo.
Muchos abrazos,
Esteban

¡Comunicación!

24 No hay que regatear

Interpersonal/Presentational Communication

Ud. y su compañero/a reciben este folleto de publicidad que anuncia una gran venta (*sale*) en su tienda favorita. Primero, complétenlo usando **por** o **para**; después, intercambien ideas para crear un folleto similar que anuncie otro producto. Por último, escriban el folleto y léanlo delante de la clase.

20 años

(1) celebrar
20 años de comercio

"Todo **(2)** el campamento" ofrece los mejores precios **(3)** el público **(4)** diez días solamente. Un diez y un quince **(5)** ciento menos de los precios regulares en tiendas de acampar y sacos de dormir. ¡No se lo pierda! **(6)** recibir más información **(7)** correo o internet, vaya a http://www.campa.com.

Gramática

Más sobre el subjuntivo

- You already know that the verb *querer* is followed by *que* and the subjunctive when there is a change in subject.

  *Mi hermano **quiere que yo vaya** a acampar con él.*

  My brother **wants me to go** camping with him.

- Here are some other verbs that indicate desire, demand, will, or wish and require the subjunctive in the dependent clause when there is a change in subject from the independent clause.

aconsejar	to advise	exigir	to demand	ordenar	to order (command)
decir	to tell (someone to do something)	insistir en	to insist on	pedir	to ask for, to request
desear	to wish, to want	mandar	to order (command)	recomendar	to recommend
esperar	to wish, to hope for	necesitar	to need	sugerir	to suggest

*Te **aconsejo que lleves** agua si das una caminata.*

I advise you to take water if you take a walk.

*El guía nos **dice que usemos** los cascos para escalar las rocas.*

The guide **tells us to wear** our helmets to climb the rocks.

Note: When there is no change in subject between the two clauses, the second verb is either in the infinitive form or in the indicative.

*Mi padre **insiste en hacer** una fogata.*

My father **insists on making** a campfire.

*Mi padre **insiste en que él va a hacer** una fogata.*

My father **insists** that **he's going to make** a campfire.

---

25 Por primera vez 🎧

Es la primera vez que Rolando va de campamento. Todos quieren que él haga algo. Forme oraciones completas para indicar qué quieren que haga.

MODELO su hermano recomendarle / llevar unas buenas botas

Su hermano le recomienda que lleve unas buenas botas.

1. sus amigos insistir en / usar un saco de dormir
2. su madre pedirle / no ir a dar caminatas solo
3. el guía querer / llevar un casco para escalar montañas
4. el vendedor esperar / comprar los binoculares más caros
5. sus compañeros sugerirle / dormir en la tienda de acampar
6. el instructor pedirle / encender la linterna
7. las reglas exigirle / no acampar cerca de las rocas
8. todos decirle / usar la brújula para no perderse

Quieren que lleve un casco.

26 Unos consejos 👥

Primero, complete las oraciones de la columna II con el subjuntivo de **usar**, **llevar**, **ponerse** o **tener**. Luego, con un(a) compañero/a escoja el consejo de la columna II que mejor corresponda a cada situación de la columna I.

I

1. Voy a escalar las rocas.
2. ¿Hago una fogata?
3. Queremos ir al valle.
4. El sendero está cubierto de hielo.
5. Hay muchos mosquitos.
6. No queremos perdernos.
7. Quiero observar los pájaros.

II

A. Te aconsejo que __ los binoculares.
B. Entonces, insisto en que tú __ las botas.
C. Está bien, pero les sugiero que __ el sendero.
D. Te pido que __ el casco.
E. Les aconsejo que __ la brújula.
F. Sí, pero espero que tú __ cuidado con la fogata.
G. Espero que __ el repelente de insectos.

¡Comunicación!

27 ¿Qué sugieren Uds.? 👥   Interpersonal Communication

Con su compañero/a, túrnense para darse consejos sobre las siguientes situaciones.

MODELO   estar cansados

A: **Estamos cansados después de escalar.**

B: **Les aconsejo que descansen.**

Les recomiendo que lleven binoculares

1. observar los pájaros
2. estar lloviendo
3. no tener saco de dormir
4. estar lejos del pueblo
5. no tener fósforos para encender la fogata
6. estar perdidos
7. haber mucha nieve en la tienda de acampar
8. estar oscuro
9. escalar las rocas
10. haber muchos mosquitos

¡Comunicación!

28 ¿Se lo recomiendan o se lo exigen? 👥   Presentational Communication

Ud. y su compañero/a son consejeros de un campamento para niños. Hagan una lista de por lo menos ocho consejos que darían a los niños usando el subjuntivo como se ve en el modelo.

MODELO   **Les digo que no se acuesten muy tarde. Mañana hay mucho que hacer.**

Todo en contexto

? Pregunta clave

¿Cómo se transportan las personas en otros países y adónde van?

💬 ¡Comunicación!

29 Lo mejor del desierto 👥 Interpersonal Communication

Imagine que Ud. y su compañero/a van a viajar al norte de Chile y quieren aprovechar para conocer el desierto de Atacama, pero no pueden ponerse de acuerdo en ninguno de los planes. Investiguen esta región del país en la internet y, con base en esa información, hagan los preparativos finales para el viaje. Intercambien ideas y decidan a qué lugares van a ir; si van a quedarse en hoteles o campamentos; cómo van a transportarse y qué actividades van a realizar. Usen verbos y expresiones que requieran el uso del subjuntivo en su conversación, como se ve en el modelo.

La cordillera de la Costa en el desierto de Atacama

MODELO

A: **Yo quiero que acampemos en el desierto. Dicen que es una experiencia increíble.**

B: **Y yo insisto en que nos quedemos en un hotel. En el desierto hace mucho frío por la noche y hasta podemos perdernos.**

A: **Claro que hace mucho frío, pero podemos llevar ropa apropiada y hacer una fogata si tenemos frío.**

B: **...**

💬 ¡Comunicación!

30 ¿Qué nos recomienda? 👥 Presentational Communication **Conéctese: la geografía**

Imagine que Ud. es agente de viajes y un grupo de personas le pide consejos sobre unas vacaciones en Chile. Durante su viaje quieren visitar por lo menos dos ciudades. Use la internet o una guía de turismo para obtener la información. Haga una presentación delante de la clase usando un programa para presentaciones o cualquier otra herramienta de tecnología o audiovisual que tenga disponible. Use verbos y expresiones que requieran el uso del subjuntivo para dar sus opiniones, recomendaciones y consejos. Incluya información sobre las dos ciudades y su situación geográfica. Incluya también datos sobre el transporte a los lugares de interés turístico dentro de cada ciudad y el transporte recomendado entre las ciudades seleccionadas.

Dos palabras
de *Isabel Allende*

Sobre la autora

Isabel Allende (b. 1942) es chilena, pero nació en Lima, Perú. Su padre era un diplomático chileno que vivía en Perú con su familia. En 1945, su madre regresó a Chile con sus hijos, pero a causa del golpe de estado (*coup*) de 1973 en Chile, Isabel tuvo que salir del país. No regresó hasta 1990 para recibir el premio Gabriela Mistral; para entonces, ya era famosa. Su primera novela, *La casa de los espíritus*, se publicó en 1982 y se convirtió de inmediato en un éxito total. Su siguiente obra, *De amor y de sombras*, recibió excelentes calificativos de la crítica y confirmó que su éxito no era producto de la suerte. Estas primeras novelas han sido adaptadas para el cine. Otros de sus libros son: *Cuentos de Eva Luna* (1989) que incluye "Dos palabras", *Paula* (1994), *Mi país inventado* (2003), *El cuaderno de Maya* (2011) y *El juego de Ripper* (2014). Isabel Allende reside en San Rafael (California) desde 1987, pero mantiene el contacto cotidiano con su madre, que sigue viviendo en Chile. En el 2014, Allende fue condecorada por el Presidente Obama con la mayor distinción otorgada a un civil, *the Medal of Freedom*.

Antes de leer 🎧

1. ¿Cree que las palabras tienen poder? Explique su respuesta.

2. ¿Alguna vez le dijeron algo que nunca ha podido olvidar por más que haya querido?

Estrategia

Sequence of events

It is important to recognize the sequence of events in a story. Words or phrases like *primero, luego, enseguida, después, más tarde,* etc., indicate the sequence or order in which events take place. Recognizing order of events will help you understand how one action may cause another to happen in a story.

31 Practique la estrategia

A medida que lee el fragmento de "Dos palabras", identifique las palabras o frases de secuencia que preceden a los siguientes sucesos. Luego, elija tres de ellas y úselas en oraciones.

1. __ Belisa Crepusculario se enteró que las palabras andan sueltas sin dueño y cualquiera con un poco de maña (*knack*) puede apoderárselas (*take them over*). [...]

2. __, __, se encontraba Belisa Crepusculario en el centro de una plaza. [...] Era día de mercado y había mucho bullicio (*noise*) alrededor.

3. Se escucharon __ galopes y gritos, ella levantó los ojos de la escritura y vio __ una nube de polvo y __ un grupo de jinetes (*horsemen*) que irrumpió en el lugar.

4. __ el Coronel se convirtió en el político más popular. [...]

5. Y __ en que esas dos palabras venían a su mente, evocaba la presencia de Belisa Crepusculario [...]

6. [...] hasta que __ un día el jefe no pudo más y le confesó que la culpa de su ánimo eran esas dos palabras que llevaba clavadas en el vientre.

Comprensión

1. ¿En dónde trabajaba Belisa Crepusculario?

Dos palabras (*fragmento*) 🎧
de *Isabel Allende*

Tenía el nombre de Belisa Crepusculario, pero no por fe de bautismo[1] o acierto[2] de su madre, sino porque ella misma lo buscó hasta encontrarlo y se vistió con él. Su oficio era vender palabras. Recorría[3] el país, desde las regiones más altas y frías hasta las costas calientes, instalándose en las ferias y en los mercados, donde montaba cuatro palos con un toldo de lienzo[4], bajo el cual se protegía del sol y de la lluvia para atender a su clientela. [...] Vendía a precios justos. Por cinco centavos entregaba versos de memoria, por siete mejoraba la calidad de los sueños, por nueve escribía cartas de enamorados, por doce inventaba insultos para enemigos irreconciliables. También vendía cuentos, pero no eran cuentos de fantasía, sino largas historias verdaderas que recitaba de corrido sin saltarse nada. Así llevaba las nuevas de un pueblo a otro. [...]

A quien le comprara cincuenta centavos[5], ella le regalaba una palabra secreta para espantar[6] la melancolía. No era la misma para todos, por supuesto, porque eso habría sido un engaño[7] colectivo. Cada uno recibía la suya con la certeza de que nadie más la empleaba para ese fin en el universo y más allá. [...]

Belisa Crepusculario salvó la vida y además descubrió por casualidad la escritura. Al llegar a una aldea[8] en las proximidades de la costa, el viento colocó a sus pies una hoja de periódico. Ella tomó aquel papel amarillo y quebradizo[9] y estuvo largo rato observándolo sin adivinar su uso, hasta que la curiosidad pudo más que su timidez. Se acercó a un hombre que lavaba un caballo en el mismo charco turbio[10] donde ella saciara su sed.

—¿Qué es esto? —preguntó.

—La página deportiva del periódico —replicó el hombre sin dar muestras de asombro[11] ante su ignorancia.

2. ¿Por qué eligió ella como oficio el de vender palabras?

Analice

3. ¿Por qué cree Ud. que vender palabras resultaba un buen negocio?

Ese día Belisa Crepusculario se enteró que las palabras andan sueltas sin dueño y cualquiera con un poco de maña puede apoderárselas para comerciar con ellas. Consideró su situación y concluyó que aparte de prostituirse o emplearse como sirvienta en las cocinas de los ricos, eran pocas las ocupaciones que podía desempeñar. Vender palabras le pareció una alternativa decente. [...]

Varios años después, en una mañana de agosto, se encontraba Belisa Crepusculario en el centro de una plaza, sentada bajo su toldo vendiendo argumentos de justicia a un viejo que solicitaba su pensión desde hacía diecisiete años. Era día de mercado y había mucho bullicio a su alrededor. Se escucharon de pronto galopes y gritos, ella levantó los ojos de la escritura y vio primero una nube de polvo y enseguida un grupo de jinetes que irrumpió en el lugar. Se trataba de los hombres del Coronel, que venían al mando del Mulato, un gigante conocido en toda la zona por la rapidez de su cuchillo y la lealtad hacia su jefe. [...]

[1] baptism certificate   [2] choice   [3] She traveled   [4] linen sunshade
[5] To whomever bought 50 cents worth   [6] to scare away   [7] fraud   [8] village   [9] brittle
[10] muddy puddle   [11] surprise

—¿Eres la que vende palabras? —preguntó.

—Para servirte —balbuceó ella oteando[1] en la penumbra para verlo mejor.

El Coronel se puso de pie y la luz de la antorcha que llevaba el Mulato le dio de frente. La mujer vio su piel oscura y sus fieros ojos de puma y supo al punto que estaba frente al hombre más solo de este mundo.

—Quiero ser Presidente —dijo él. [...] —Para eso necesito hablar como un candidato. ¿Puedes venderme las palabras para un discurso? —preguntó el Coronel a Belisa Crepusculario.

Ella había aceptado muchos encargos, pero ninguno como ese, sin embargo no pudo negarse, temiendo que el Mulato le metiera un tiro[2] entre los ojos o, peor aún, que el Coronel se echara a llorar. [...] Toda la noche y buena parte del día siguiente estuvo Belisa Crepusculario buscando en su repertorio las palabras apropiadas para un discurso presidencial. [...] Descartó[3] las palabras ásperas y secas, las demasiado floridas, las que estaban desteñidas[4] por el abuso, las que ofrecían promesas improbables, las carentes[5] de verdad y las confusas, para quedarse solo con aquellas capaces de tocar con certeza el pensamiento de los hombres y la intuición de las mujeres. Haciendo uso de los conocimientos comprados al cura por veinte pesos, escribió el discurso en una hoja de papel. [...] Le pasó el papel y aguardó, mientras él lo miraba sujetándolo con la punta de los dedos.

—¿Qué carajo dice aquí? —preguntó por último.

—¿No sabes leer?

—Lo que yo sé hacer es la guerra —replicó él.

Ella leyó en alta voz el discurso. Lo leyó tres veces, para que su cliente pudiera grabárselo en la memoria. Cuando terminó vio la emoción en los rostros[6] de los hombres de la tropa que se juntaron para escucharla y notó que los ojos amarillos del Coronel brillaban de entusiasmo, seguro de que con esas palabras el sillón presidencial sería suyo.

—¿Cuánto te debo por tu trabajo, mujer? —preguntó el jefe.

—Un peso, Coronel.

—No es caro —dijo él abriendo la bolsa que llevaba colgada del cinturón con los restos del último botín[7].

—Además tienes derecho a una ñapa[8]. Te corresponden dos palabras secretas —dijo Belisa Crepusculario.

—¿Cómo es eso?

Ella procedió a explicarle que por cada cincuenta centavos que pagaba un cliente, le obsequiaba una palabra de uso exclusivo. El jefe se encogió de hombros, pues no tenía ni el menor interés en la oferta, pero no quiso ser descortés con quien lo había servido tan bien. Ella se aproximó sin prisa al taburete de suela[9] donde él estaba sentado y se inclinó para entregarle su regalo. Entonces el hombre sintió [...] el aliento de yerbabuena[10] susurrando en su oreja las dos palabras secretas a las cuales tenía derecho.

[1] scrutinizing him   [2] would shoot her   [3] She eliminated   [4] faded   [5] lacking   [6] faces
[7] loot   [8] bonus   [9] foot stool   [10] peppermint

4. ¿Por qué el Coronel acude a Belisa Crepusculario?

Analice

5. ¿Qué quiere decir que se quedó solamente con las palabras "capaces de tocar con certeza el pensamiento de los hombres y la intuición de las mujeres"?

6. ¿Cómo cree Ud. que Belisa Crepusculario escogió las dos palabras secretas para el Coronel?

—Son tuyas, Coronel —dijo ella al retirarse—. Puedes emplearlas cuanto quieras.

En los meses de septiembre, octubre y noviembre el Coronel pronunció su discurso tantas veces, que de no haber sido hecho con palabras refulgentes[1] y durables el uso lo habría vuelto ceniza[2]. Recorrió el país en todas direcciones, entrando a las ciudades con aire triunfal y deteniéndose también en los pueblos más olvidados, allí, donde solo el rastro de basura indicaba la presencia humana, para convencer a los electores que votaran por él. Pronto el Coronel se convirtió en el político más popular. [...]

—Vamos bien, Coronel —dijo el Mulato al cumplirse doce semanas de éxito.

Pero el candidato no lo escuchó. Estaba repitiendo sus dos palabras secretas, como hacía cada vez con mayor frecuencia. Las decía cuando lo ablandaba[3] la nostalgia, las murmuraba dormido, las llevaba consigo sobre su caballo, las pensaba antes de pronunciar su célebre discurso y se sorprendía saboreándolas en sus descuidos. Y en toda ocasión en que esas dos palabras venían a su mente, evocaba la presencia de Belisa Crepusculario y se le alborotaban[4] los sentidos[...], hasta que empezó a andar como un sonámbulo[5] y sus propios hombres comprendieron que se le terminaría la vida antes de alcanzar[6] el sillón de los presidentes.

—¿Qué es lo que te pasa, Coronel? —le preguntó muchas veces el Mulato, hasta que por fin un día el jefe no pudo más y le confesó que la culpa de su ánimo eran esas dos palabras que llevaba clavadas en el vientre[7]. [...]

Cansado de ver a su jefe deteriorarse como un condenado a muerte, el Mulato se echó el fusil[8] al hombro y partió en busca de Belisa Crepusculario. [...]

—Tú te vienes conmigo —ordenó.

Ella lo estaba esperando. [...]

Tres días después llegaron al campamento y de inmediato condujo a su prisionera hasta el candidato, delante de toda la tropa.

—Te traje a esta bruja para que le devuelvas sus palabras, Coronel, y para que ella te devuelva la hombría —dijo apuntando el cañón de su fusil a la nuca[9] de la mujer.

El Coronel y Belisa Crepusculario se miraron largamente, midiéndose desde la distancia. Los hombres comprendieron entonces que ya su jefe no podía deshacerse del hechizo de esas dos palabras endemoniadas[10], porque todos pudieron ver los ojos carnívoros del puma tornarse mansos[11] cuando ella avanzó y le tomó la mano.

[1]brilliant [2]ash [3]soften up [4]disturb [5]sleepwalker [6]reaching [7]stomach [8]rifle
[9]back of her neck [10]wicked [11]calm

Después de leer

¿Cuáles cree Ud. que fueron esas dos palabras que tuvieron tal efecto en la vida del Coronel? Explique su respuesta.

Repaso de la Lección B

A   Escuchar: ¿Lógico o ilógico? 🎧   (pp. 234–235, 243–244)

Diga **sí** si lo que oye es lógico. Diga **no** si es ilógico.

B   Vocabulario: Dos buenos amigos   (pp. 234–235, 243–244)

Complete el diálogo con las palabras del recuadro.

escalar	el transbordo	local	el repelente	unas linternas
fósforos	ventanilla	el andén	la tienda de acampar	la brújula

Juan: Me alegra que vengamos desde Arica para **(1)** y acampar en el Cerro El Plomo a un lado de Santiago, pero no hemos elegido bien el transporte.

David: ¿Por qué? ¿No te gusta viajar en tren? ¿Quieres que te cambie mi asiento de **(2)**?

Juan: No es eso; **(3)** en la estación de Antofagasta estuvo muy malo. Nos perdimos dos veces y ahora, venimos en este tren **(4)** que va demasiado lento. Cambiando de tema, traes todo lo necesario, ¿verdad?

David: ¡Claro! **(5)** de insectos, **(6)** para caminar sin perdernos y mi saco de dormir. ¿Y tú?

Juan: Sí. Traigo mi saco de dormir, muchos **(7)** para hacer fogatas y **(8)** para ver de noche. ¿Dónde está **(9)**? Te la di en Antofagasta.

David: ¡¿No la traes tú?! ¡Uf! Creo que se quedó en **(10)** de la estación.

C   Gramática: ¿*Para* o *por*?   (p. 246)

Complete las oraciones con **para** o **por** según corresponda.

Ayer recibí un mensaje de Raúl **(1)** correo **(2)** invitarme a su fiesta de cumpleaños. Compré un regalo **(3)** él **(4)** internet. Según mis cálculos, **(5)** el miércoles ya estará aquí.

D   Gramática: Recomendaciones   (p. 248)

Ud. y su mejor amigo/a quieren acampar en Punta Arenas estas vacaciones y Ud. ha pedido consejos a sus otros amigos. Ahora, Ud. le cuenta a su mejor amigo/a sobre las recomendaciones que le han hecho.

> MODELO   Ricardo / querer / nosotros / tener cuidado si escalamos rocas
>
> **Ricardo quiere que nosotros tengamos cuidado si escalamos rocas.**

1. Nora y María / esperar / tú / divertirse en el campo
2. Pablo / insistir en / nosotros / dar caminatas por los senderos
3. Ana y Juan / aconsejar / yo / usar repelente de insectos
4. Bernardo / sugerir / nosotros / ir al pueblo en el valle
5. Juanita / recomendar / yo / comprar los boletos de tren ahora
6. Rosa y yo / pedir / tú / limpiar la tienda de acampar antes de regresársela

Como Chile, Estados Unidos es un país de distancias enormes. Compare la topografía y el transporte de los dos países en un diagrama de Venn, como el que se ve a continuación.

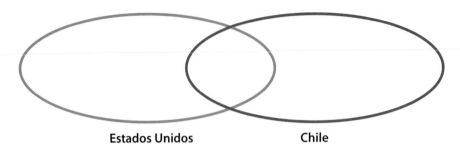

Estados Unidos   Chile

Vocabulario

En el tren
el andén
el asiento
el coche cama
el coche comedor
el inspector, la inspectora
local (tren)
rápido (tren)
el vagón
la ventanilla
el viajero, la viajera

En la estación de tren
la boletería
de primera (segunda) clase
el transbordo

En el campo
el arbusto
el campo
el pueblo
la roca
el sendero
el valle

En el campamento
los binoculares
la brújula
el campamento
el casco
la fogata
los fósforos
la linterna
el mosquito
el repelente de insectos
el saco de dormir
la tienda de acampar

Verbos
acampar
escalar
exigir
partir
recomendar (ie)
sugerir (ie)

Expresiones y otras palabras
a punto de
con retraso
dar una caminata
Es increíble que…
Es inútil que…
puntual

Gramática

El subjuntivo: verbos irregulares y expresiones impersonales

El subjuntivo se usa con expresiones impersonales para expresar opiniones sobre acciones y eventos. Recuerde que los verbos que terminan en -car, -gar, -zar y -ger tienen un cambio ortográfico para mantener la pronunciación original.

> **Es bueno que** Ud. **estudie** mucho.
> **Es una lástima que** no **podamos** asistir al concierto.
> **Es una suerte que** mi hermano **llegue** temprano.

Recuerde que los siguientes verbos son irregulares en el subjuntivo: **dar**, **estar**, **haber**, **ir**, **saber** y **ser**.

El subjuntivo con verbos de obligación

Use el subjuntivo para expresar deseos, mandatos o aspiraciones.

> **Espero que** ellas **conduzcan** con cuidado.
> **Necesitas que** **tengamos** buena actitud.
> Uds. **exigen que** el testigo **diga** la verdad.

Para vs. por

When to use *para*	When to use *por*
Destination	Movement
Due date	Duration
Purpose	Manner or means
	Reason or motive
	Proportion, rate, or exchange

Para concluir

Proyectos

? Pregunta clave

¿Cómo se transportan las personas en otros países y adónde van?

A   ¡Manos a la obra!   👥   Conéctese: los estudios sociales

Imagine que su pueblo o ciudad quiere promover (*promote*) el transporte público para que los habitantes no dependan tanto de sus autos. Trabaje con dos o tres compañeros/as y organicen un plan para crear interés en usar el transporte público. Mencionen las ventajas de usar autobuses, trenes o el metro para desplazarse de un lugar a otro. Diseñen también rutas entre los lugares más populares de la ciudad. Piensen en cómo pueden usar las nuevas tecnologías tanto para darle un formato atractivo (videos, presentaciones interactivas, etc.) al mensaje como para difundirlo entre la población (redes sociales, blogs, etc.).

El transporte público le ahorra tiempo y dinero.

B   En resumen

En el siguiente diagrama aparecen medios de transporte y lugares para visitar de Chile y Argentina. Complete los recuadros de la derecha indicando el país al que pertenece y algunas características particulares de cada uno.

el colectivo	Argentina. llamativos, coloridos, fileteado porteño
los anfibios	
el sistema "Ecobici"	
el Expreso del Recuerdo	
el Club Andino	
el Teatro de la Ribera	
Viña del Mar	
Caminito	

Extensión

Elija otro país hispanohablante e investigue en internet cuáles son sus medios de transporte característicos y qué lugares se pueden visitar.

C ¡A escribir!

Imagine que Ud. piensa escribir un libro que se va a
titular *Guía para pasarlo bien en el campo*. Será un libro
dirigido a los que viven en la ciudad. Escriba por lo menos
cuatro sugerencias y desarrolle un párrafo para cada una.
Presente las ideas para que estas usen verbos de obligación
o expresiones impersonales con el subjuntivo. Luego, lea
algunas de sus ideas delante de la clase.

D ¿Cuál es su transporte favorito?

Piense en cómo le gustaría viajar. ¿Cuál es su medio de transporte
preferido? ¿Adónde puede ir con este transporte? Luego, trabaje con un
grupo de cinco o seis compañeros/as y comenten los transportes que
prefieren y por qué. Voten para elegir el transporte favorito del grupo.
Busquen en internet algún recorrido que se pueda hacer con ese medio de
transporte y señálenlo en un mapa interactivo en línea. Luego, presenten
su "candidato" delante de la clase y expliquen por qué lo han seleccionado.
Cuando todos los grupos hayan hecho su presentación, voten por
su favorita.

*Viajar en bicicleta le permite
parar y ver todo de cerca.*

E Folleto turístico

Imagine que Ud. y su compañero/a trabajan en el ministerio de turismo de Argentina
o Chile y quieren promover el turismo en su país. Busquen información sobre los
lugares de interés y las actividades que los turistas pueden hacer tanto en las ciudades
como en el campo. Conversen sobre los lugares y escriban una lista "final" de los
mejores. Hagan un folleto o una presentación digital para describirlos. Incluyan las
siguientes secciones: "Sitios de interés", "Qué hacer", "Cómo llegar", "Cuándo venir" y
"Dónde alojarse". Ilustren cada sección con una foto.

F Una vuelta por el barrio

Ud. y tres o cuatro compañeros/as van a organizar un recorrido turístico por un
barrio de su ciudad (verdadero o imaginario) para que los visitantes lo conozcan.
Trabajen juntos para diseñar el recorrido. Incluyan sitios de interés, con datos
históricos e información sobre ellos, y festivales típicos. Agreguen también los medios
de transporte disponibles en el barrio e indicaciones para ir de un lugar a otro. El
diseño puede incluir audio o videos para ilustrar, por ejemplo, la música o los bailes
del barrio.

Vocabulario de la Unidad 5

a punto de (partir) about (to leave) *5B*

acampar to camp *5B*

el **acelerador** gas pedal *5A*

acelerar to speed (up) *5A*

las **afueras** suburbs *5A*

ajustar to adjust *5A*

el **andén** train platform *5B*

el **arbusto** bush *5B*

el **asiento** seat *5B*

el **atasco** traffic jam *5A*

la **autopista** highway *5A*

los **binoculares** binoculars *5B*

la **bocacalle** street entrance *5A*

la **boletería** ticket office *5B*

la **brújula** compass *5B*

la **calle de doble vía** two-way street *5A*

la **calle de una sola vía** one-way street *5A*

el **callejón sin salida** blind alley *5A*

el **campamento** camp site *5B*

el **campo** countryside, field *5B*

el **casco** helmet *5B*

ceder el paso to yield *5A*

el **coche cama** sleeping car *5B*

el **coche comedor** dining car *5B*

con retraso delayed *5B*

el **cruce de peatones** pedestrian crosswalk *5A*

dar una caminata to take a walk *5B*

despacio slowly *5A*

disminuir to slow (down) *5A*

¿Dónde queda…? Where is…? *5A*

¿Dónde se encuentra…? Where is…? *5A*

Es increíble que… It's incredible that… *5B*

Es inútil que… It's useless that… *5B*

escalar to climb *5B*

el **espejo retrovisor** rearview mirror *5A*

la **estación de servicio** gas station *5A*

el **estacionamiento** parking lot *5A*

estacionar to park *5A*

exceder to exceed *5A*

exigir to demand *5B*

la **fogata** camp fire *5B*

los **fósforos** matches *5B*

la **gasolina** gas *5A*

la **glorieta** traffic circle *5A*

el **inspector**, la **inspectora** inspector *5B*

el **kiosco** kiosk *5A*

la **licencia de conducir** driver's license *5A*

la **linterna** flashlight *5B*

llenar el tanque to fill up the gas tank *5A*

la **marcha atrás** reverse (gear) *5A*

más allá de beyond *5A*

el **mosquito** mosquito *5B*

las **normas de tránsito** traffic rules *5A*

la **obra en construcción** construction site *5A*

la **paciencia** patience *5A*

pare stop *5A*

el **parquímetro** parking meter *5A*

partir to leave *5B*

el **peatón**, la **peatona**, pl. **peatones** pedestrian *5A*

perdido/a lost *5A*

pisar to step on *5A*

poner una multa to give a ticket *5A*

de **primera (segunda) clase** first (second) class *5B*

prohibido doblar do not turn *5A*

prudente cautious *5A*

el **pueblo** village *5B*

puntual on time *5B*

recomendar (ie) to recommend *5B*

el **repelente de insectos** insect repellent *5B*

la **roca** rock *5B*

el **saco de dormir** sleeping bag *5B*

el **semáforo** traffic light *5A*

el **sendero** path *5B*

sugerir (ie) to suggest *5B*

la **tienda de acampar** tent *5B*

el **transbordo** transfer *5B*

el **tren local** local train *5B*

el **tren rápido** express train *5B*

vacío/a empty *5A*

el **vagón** train car *5B*

el **valle** valley *5B*

la **velocidad** speed *5A*

la **ventanilla** window (transportation) *5B*

el **viajero**, la **viajera** traveler *5B*

la **zona verde** green space *5A*

¿Sabía que…?

Esta playa está en el archipiélago
de San Blas, en Panamá. Panamá
cuenta con un paisaje de volcanes,
playas y más de mil islas, además de
una reserva con cerca de 944 aves
registradas, más de las que hay en
los Estados Unidos y Canadá juntos.
Y todo esto... ¡a menos de una hora
de distancia de la capital!

Unidad

6

¡Vamos de viaje!

Escanee el código QR para mirar el documental sobre los personajes de *El cuarto misterioso.*

En la filmación de *El cuarto misterioso* participaron seis personas de diferentes países. ¿Quiénes son ellos, de dónde son y qué trabajo realizó cada uno?

Pregunta clave

?

¿Por qué viaja la gente a otros países?

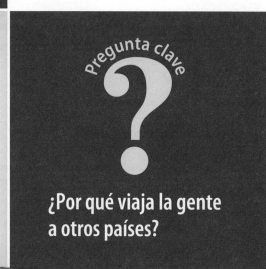

¿Dónde queda el Parque Internacional La Amistad y por qué es importante?

Costa Rica   Panamá

Mis metas

Lección A   I will be able to:

▶ make and adjust travel plans

▶ use the subjunctive to say when something might happen

▶ discuss the Panama Canal and other tourist attractions in Panama

▶ talk about delays at the airport due to the weather

▶ use the future tense to talk about what will happen

▶ use the subjunctive to express doubt, denial, and uncertainty

▶ read about and discuss **el Centro de Observación de la Ampliación en Colón, Panamá**

Lección B   I will be able to:

▶ register at a hotel

▶ talk about lodging and amenities

▶ use the conditional tense to talk about what would happen

▶ use the conditional tense to express probability and make requests in a polite manner

▶ discuss tourism in Costa Rica

▶ talk about nature and environmental issues

▶ use the subjunctive to express emotions, likes, and dislikes

▶ read and interpret a poem by Marco Aguilar

¡A soñar viajando!

> Estamos planeando un viaje a Panamá.

 **Agencia de viajes virtual**

Destinos de sueño

➤ Planear un viaje

➤ Buscar excursiones

▼ ¡Promociones y **descuentos**!

Para **detalles**, haz click aquí.

Excursiones por Panamá

▲ Horarios de excursiones **sujetos a cambios** a causa del tiempo.

Haz click para ver el folleto.

Para hacer una confirmación

▼ Para **confirmar** necesita:

Número de la reserva:

Nombre:

Destino:

Fecha de reserva: 📅

Para hacer una cancelación

▼ Para **cancelar** necesita:

Número de la reserva:

Nombre:

Destino:

Fecha de reserva: 📅

No se permite hacer cancelaciones **a último momento**.

Una excursión a Panamá

Visite las hermosas playas de San Blas.

DESCUENTOS de 50% en hoteles pasajes y excursiones.
Desde $450

Visite el Canal de Panamá y **observe** de cerca cómo funciona.

HAGA SUS RESERVAS ¡AHORA MISMO! ▼

Haga una excursión al **volcán** Barú.

DESCUENTOS de 50% en hoteles pasajes y excursiones.
Desde $500

Tenemos excursiones al lago Gatún.

Buscar hoteles

Hacer reserva

➤ Ciudad: [_____]

Fecha de entrada: 📅

Fecha de salida: 📅

➤ Número de personas: [__]

Buscar vuelos

◉ ida y vuelta

◯ ida

Ciudad de salida [_____]

Ciudad de llegada [_____]

Fecha de salida: 📅

Fecha de regreso: 📅

➤ Número de pasajeros [__]

Formas de pago

Tarjetas de crédito

Cheques de viajero

Panamá

 Si quieres más detalles, haz click para ver el folleto.

Para conversar

*T*o make and adjust travel plans:

Le puedo ofrecer el boleto con una excursión para **atravesar** el Canal de Panamá.
I can offer you the ticket with a trip to go through the Panama Canal.

¡Fantástico! Pensé que tendría que **gastar** más dinero. ¿Debo pagar **por adelantado**?
Great! I thought that I would have to spend more money. Should I pay in advance?

Sí, para que no haya **malentendidos**, debe pagar **tan pronto como** confirme la reserva.
Yes, to avoid any misunderstandings, you should pay as soon as you confirm the reservation.

Si necesita cancelar, avísenos con anticipación. No aceptamos cancelaciones **sin previo aviso**.
If you need to cancel, let us know in advance. We don't accept cancellations without advance notice.

Recuerde que no debe hacer las reservas de hotel **hasta que** haya comprado sus boletos de avión.
Remember that you should not make your hotel reservations until you have purchased your plane tickets.

Para decir más

un día feriado	*an observed holiday*
un viaje de negocios	*a business trip*
pasear en canoa	*to canoe*
pasear en kayak	*to kayak*
con anticipación	*in advance*

---

1 En la agencia de viajes

Escuche las siguientes oraciones. Indique qué frase o palabra completa correctamente cada oración para que su significado sea similar al de la oración que oye.

1. Los pasajes hay que pagarlos (*dos semanas antes / dos semanas después*).

2. Los viajes en avión (*no cambian / pueden cambiar*) si hay mal tiempo.

3. El folleto ofrece (*descripciones / reservas*) interesantes sobre la excursión al Volcán Porú.

4. En la excursión, las personas (*vuelan / cruzan*) la selva tropical.

5. Para (*cancelar / aceptar*) la reserva de hotel, hay que llamar a la agencia de viajes.

6. El precio del hotel es un diez por ciento (*más barato / más caro*).

Parque Nacional Volcán Porú

Visite el volcán

2 Definiciones

Empareje las definiciones de la izquierda con la palabra o frase que corresponda de la derecha.

1. la acción de anular o deshacer un plan hecho antes
2. el documento bancario que se usa como dinero en el extranjero
3. la prueba o el recibo de haber separado un sitio para uso personal
4. el acto de ir a un museo o dar una caminata para estudiar o relajarse
5. la acción de reafirmar un plan
6. la acción de pasar de un lado a otro de un sitio

A. la reserva
B. atravesar
C. confirmar
D. cancelar
E. la excursión
F. el cheque de viajero

3 De vacaciones

Complete las oraciones con las palabras del recuadro.

cheques de viajero	descuento	malentendido
previo aviso	reserva	volcán

1. Cuando compramos los boletos nos hicieron un __ de 10 % por mayor.
2. Susana y Ricardo discutieron a causa de un __.
3. Tan pronto como supieron que no podían viajar, cancelaron la __.
4. No se puede cancelar el viaje sin __ .
5. Desde el hotel podíamos observar el fuego que salía del __.
6. Cuando una persona viaja a otro país es común que pague con __.

4 ¡Qué problemas!

Complete el siguiente diálogo con las palabras entre paréntesis que correspondan según el contexto.

Agente: Buenos días. ¿En qué puedo ayudarla?

Lilia: Buenos días. Creo que hay un (**1.** *malentendido / aviso*).

Agente: Veamos los (**2.** *volcanes / detalles*) de su reserva.

Lilia: Viajo con dos amigas —tres en total— y hemos recibido una tarifa mucho más cara de lo que creíamos.

Agente: De acuerdo con la reserva, al principio solo eran dos. El (**3.** *momento / descuento*) de tarifa se aplica a las primeras dos personas. La tercera paga la tarifa completa porque hicieron este cambio (**4.** *a último momento / por adelantado*). Además, toda venta está (**5.** *sujeta a cambios / sin previo aviso*) si la reserva cambia.

Lilia: Bueno, pero ese cambio no se hizo sin (**6.** *cheques de viajero / previo aviso*); yo misma hablé por teléfono con una persona de su agencia hace tres semanas.

Agente: En ese caso, permítame investigar más.

Diálogo

¿Tiene los pasajes?

Rosa: Venimos a buscar los pasajes para Panamá.

Agente: ¿Cuándo hicieron la reserva?

Marcos: El lunes pasado…

Agente: Permítanme mirar la información en la computadora.

Rosa: ¿Tiene los pasajes?

Agente: No, aquí dice que Uds. no los confirmaron.

Marcos: Claro que los confirmamos. Tan pronto como supimos que podíamos viajar, llamamos a la agencia para hacer la confirmación.

Agente: ¿Y pagaron los boletos?

Rosa: No, nos dijeron que hasta que no pasáramos a buscarlos no teníamos que pagarlos.

Agente: Creo que ha habido un malentendido… Pero no se preocupen, podemos hacer una nueva reserva.

5 ¿Qué recuerda Ud.? 🎧

1. ¿Cuándo hicieron la reserva Rosa y Marcos?

2. ¿Qué información da la computadora sobre los pasajes?

3. ¿Qué hicieron Marcos y Rosa tan pronto como supieron que podían viajar?

4. ¿Cuándo les dijeron que tenían que pagar los pasajes?

5. ¿Qué dice la agente que ha habido?

6 Algo personal 🎧

1. ¿Ha planeado alguna vez un viaje? ¿Adónde?

2. ¿Ha tenido que cancelar algún viaje? ¿Cuándo?

3. Si tiene que viajar, ¿hace las reservas con una agencia de viajes?

4. ¿Ha tenido algún malentendido con alguien? Explique.

7 Daniel y su viaje a Panamá 🎧

Escuche la siguiente historia. Después de cada párrafo va a oír dos preguntas. Escoja la mejor respuesta para cada una.

1. **A.** gastó el dinero
   B. confirmó su reserva

2. **A.** la reserva del hotel
   B. la reserva del carro

3. **A.** con dinero
   B. con cheques de viajero

4. **A.** atravesar la selva
   B. atravesar la ciudad

5. **A.** con anticipación
   B. el día del viaje

6. **A.** si no leía el detalle del viaje
   B. si cancelaba sin previo aviso

Gramática

El subjuntivo con cláusulas adverbiales

- The subjunctive is used after the following conjunctions to talk about events that have not happened yet or that may never happen.

antes de que	*before*
cuando	*when*
después de que	*after*
en cuanto	*as soon as*
hasta que	*until*
para que	*so that / in order that*
tan pronto como	*as soon as*

Llámame tan pronto como aterrices.

*Vamos a confirmar el viaje **tan pronto como** sepamos la tarifa.*

We're going to confirm our trip **as soon as** we know the fare.

*Recibirán los pasajes **cuando** confirmen la reserva.*

You will receive your tickets **when** you confirm the reservation.

- The subjunctive is not used after these conjunctions if the action refers to events in the past or if they are habitual actions.

*Confirmamos el viaje **tan pronto como** supimos la tarifa.*

We confirmed the trip **as soon as** we found out the fare.

*Recibieron los pasajes **cuando** confirmaron la reserva.*

They received their tickets **when** they confirmed the reservation.

*Generalmente confirmamos un viaje **en cuanto** sabemos la fecha de salida.*

Generally we confirm a trip **as soon as** we know the departure date.

*Siempre reciben los pasajes **después de que** confirman la reserva.*

They always receive their tickets **after** they confirm the reservation.

- ***Antes de que*** is the exception to the previous rule. You must always use the subjunctive with ***antes de que***, regardless of the time reference.

*Apaguen los celulares **antes de que** empiece la clase.*

Turn off your phones **before** class starts. (Class hasn't started yet.)

*Siempre apagan los celulares **antes de que** empiece la clase.*

They always turn off their phones **before** class starts.

- ***Para que*** indicates that an action has not yet been completed, and for that reason it will always trigger the subjunctive.

*Te llamo mañana **para que** hablemos de los detalles del viaje.*

I'll call you tomorrow **so that** we can talk about the details of the trip.

8 ¿Qué dicen?

Complete cada diálogo con la forma correcta del subjuntivo del verbo apropiado del recuadro.

acabarse	poder	estar	dar
regresar	enviar	haber	enterarse

1. **Ana:** Toni, ¿ya estás decidido a hacer el viaje?

   Toni: No. No puedo decidirme antes de que mis padres me __ permiso, ¿y tú?

   Ana: Sí, yo voy a hacer la reserva tan pronto como __.

2. **Agente:** ¿Piensa Ud. planear sus vacaciones con nosotros?

   Cliente: Sí, voy a llamar cuando __ seguro de la fecha.

   Agente: Llame pronto, antes de que __ los pasajes con descuento.

3. **Cliente:** ¿Cuándo me van a devolver el dinero de los pasajes?

   Agente: Después de que usted nos __ la nota firmada por su médico.

   Cliente: Gracias, pero no se la puedo mandar hasta que él __ de vacaciones.

4. **Cliente:** Por favor, dígame cuáles son las condiciones para que no __ malentendidos.

   Agente: Bien, se las voy a leer para que Ud. __.

9 Miranda y Luisa van de viaje

Miranda va de viaje con sus padres y quiere que su amiga Luisa vaya con ellos. Lea los e-mails de las chicas y complételos con la forma del subjuntivo del verbo entre paréntesis que corresponda según el contexto.

Para: Luisa
De: Miranda
Asunto: ¡Bocas del Toro!

Querida Luisa:

¡No sabes lo contenta que estoy! Finalmente mis padres han decidido ir a Bocas del Toro para las fiestas. Espero que tú (**1.** poder / salir) ir con nosotros. ¡Nos vamos a divertir muchísimo! Pídeles permiso a tus padres y contéstame en cuanto (**2.** hablar / preguntar) con ellos. Espero que te (**3.** seguir / decir) que sí. Escríbeme tan pronto como te (**4.** decidir / saber) para que nosotros (**5.** estar / poder) hacer la reserva.

Hasta pronto,

Miranda

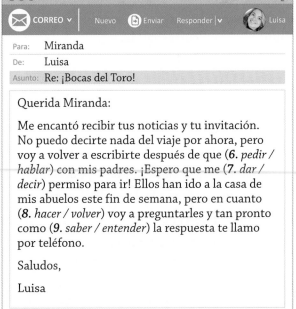

Para: Miranda
De: Luisa
Asunto: Re: ¡Bocas del Toro!

Querida Miranda:

Me encantó recibir tus noticias y tu invitación. No puedo decirte nada del viaje por ahora, pero voy a volver a escribirte después de que (**6.** pedir / hablar) con mis padres. ¡Espero que me (**7.** dar / decir) permiso para ir! Ellos han ido a la casa de mis abuelos este fin de semana, pero en cuanto (**8.** hacer / volver) voy a preguntarles y tan pronto como (**9.** saber / entender) la respuesta te llamo por teléfono.

Saludos,

Luisa

10 Lo vamos a hacer cuando podamos

Complete las oraciones con la forma correcta del indicativo o subjuntivo del verbo entre paréntesis.

1. Es mejor que compres el pasaje antes de que (*gastar*) el dinero en otra cosa.

2. Tan pronto como (*terminar*) de hacer estos ejercicios, voy a hacer la reserva.

3. En cuanto (*pagar*) el vuelo, voy a buscar un hotel en La Chorrera.

4. Cuando (*recibir*) la confirmación voy a pagar el pasaje.

5. Llamaron a sus padres tan pronto como (*llegar*) al hotel.

6. Normalmente, no viajo hasta que (*llegar*) el verano.

7. Cuando (*tener*) dinero siempre lo gasto en ropa.

8. No voy a poder ir de viaje hasta que (*ahorrar*) el dinero que necesito.

9. Me puse las botas después de que (*empezar*) a llover.

Confirme la reserva tan pronto como sea posible.

11 Cuando estemos en Panamá

Dos amigos están haciendo planes para visitar la Ciudad de Panamá. Haga oraciones lógicas sobre sus planes, uniendo las expresiones de la primera columna con una palabra o expresión de la segunda y una frase de la tercera. Use el indicativo o el subjuntivo según corresponda.

I	II	III
1. Te llamaré...		(nosotros) estar muertos de sueño
2. Te voy a mandar un mapa...	cuando	(tú) ir de excursión
3. Siempre hago la maleta...	hasta que	(nosotros) no tener más dinero
4. Atravesaré el canal...	para que	(yo) recibir los pasajes
5. Iremos al Parque Natural Metropolitano...	después de que	llegar la confirmación del hotel
6. Iremos de compras a la Avenida Central...	tan pronto como	(nosotros) encontrar un buen hotel
7. No vamos a descansar...	antes de que	(nosotros) tener unas horas libres
8. Siempre compras recuerdos...		(tú) saber adónde vamos a ir

¡Comunicación!

12 Un viaje perfecto — Interpersonal Communication

Uno de sus amigos o amigas quiere hacer un viaje a Panamá, pero nunca ha salido del país y por eso tiene muchas preguntas. Como Ud. ha viajado mucho, le da buenos consejos. Trabaje con su compañero/a y túrnense para hacer los dos papeles. Usen el subjuntivo con cláusulas adverbiales en las respuestas y sigan el modelo como guía.

MODELO **A: ¿Cuándo debo comprar los pasajes?**
B: Cómpralos antes de que se acaben las ofertas especiales.

¿Qué necesito para el viaje?

¡Comunicación!

13 ¡Tantos detalles! — Interpersonal Communication

Trabaje con dos compañeros/as y representen una conversación entre un(a) agente de viajes y dos clientes que están planeando un viaje a Panamá. Incluyan los temas del recuadro en su conversación y túrnense para hacer los papeles. Usen el presente de subjuntivo con cláusulas adverbiales en las respuestas, como se ve en el modelo.

la fecha en que piensan viajar	las actividades que quieren realizar
los lugares que quieren visitar	la cantidad de dinero que tienen para gastar
la forma de transporte	lo que necesitan llevar
la duración del viaje	lo que tienen que hacer antes de viajar

MODELO **A: ¿Cuándo piensan viajar?**
B: Viajaremos tan pronto como bajen las tarifas aéreas.
C: Sí, después de que terminen las vacaciones escolares.

Lo mejor de Panamá

¿Qué acontecimiento[1] dio a conocer el nombre de Panamá en el mundo entero? La construcción del Canal de Panamá es, sin duda alguna, la respuesta. Fue una de las más grandes obras de ingeniería de todos los tiempos, la realización de un sueño de casi 400 años: conectar el océano Atlántico con el Pacífico. Antes de su construcción, los barcos debían rodear el continente sudamericano en un viaje de semanas que ahora dura unas cuantas horas. En la actualidad, el Canal de Panamá además de ser imprescindible[2] para el comercio global, es el ícono más representativo del país y una atracción turística sin igual, tanto para las líneas de cruceros como para aquellos que visitan el país.

El Canal de Panamá

El canal está construido por encima de la superficie[3] de ambos océanos, debido a que cada uno tiene una altura diferente. Para cruzar de un extremo a otro, un barco debe ser elevado hasta la altura máxima del canal y luego descendido hasta el nivel del mar del otro lado. Este tránsito se realiza con un sistema de esclusas[4], o compuertas que se abren a secciones aisladas del canal.

En el siglo xx, un 80 % de los países del mundo usaron el canal con fines comerciales. Actualmente, cerca de 14.000 barcos transitan por el canal cada año. Sin embargo, los nuevos buques de carga[5] y barcos de crucero[6] son tan anchos que no caben por algunos sectores del canal. Por esa razón, se están realizando obras de ampliación del canal que duplicarán su capacidad y triplicarán el comercio de la zona.

[1] event [2] indispensable [3] surface [4] locks [5] cargo ships [6] cruise ships

Búsqueda: historia del canal de panamá, ampliación del canal de panamá

Productos

La Zona Libre de Colón en Panamá es la segunda zona franca (*trade zone*) más grande del mundo, después de Hong Kong. Por eso, para promover el turismo de negocios y capitalizar la ampliación del Canal de Panamá, se planea construir un nuevo centro de convenciones en la Ciudad de Panamá que multiplicará el área del tradicional Centro de Convenciones Atlapa (por las abreviaturas de "Atlántico" y "Pacífico"). Con este nuevo centro de convenciones, Panamá aspira a consolidarse como el principal centro de negocios y convenciones de América Latina.

Vista nocturna de la Cinta Costanera de Panamá, donde se encuentra la zona franca

14 Comprensión — Interpretive Communication

1. ¿Cuál es la importancia del Canal de Panamá en la actualidad?
2. ¿Cómo funciona el sistema de esclusas del canal?
3. ¿Qué impacto tendrá la ampliación del canal en la economía mundial? Explique su respuesta.

15 Analice

1. ¿Qué pasaría si no se construyera la ampliación del Canal de Panamá?
2. ¿Qué relación hay entre la obra de ampliación del canal y la construcción del nuevo centro de convenciones?

Otras atracciones turísticas 🎧

Parque Internacional La Amistad (PILA), Panamá

La naturaleza, que fue el gran enemigo durante la construcción del Canal de Panamá, se ha convertido en el principal atractivo turístico del país. Panamá comparte con su vecina Costa Rica una reserva ecológica de gran biodiversidad que atrae cada vez a más visitantes. Mientras en el mundo aumenta el número de especies amenazadas[1], Panamá ofrece un refugio para muchas de ellas. Gracias a su situación geográfica y a su clima lluvioso tropical, se han podido conservar las áreas naturales donde habitan estas especies. Aunque Panamá apenas tiene el tamaño de Carolina del Sur, sus parques nacionales ocupan cinco millones de acres. Entre ellos, se encuentran el Parque Nacional Darién, el área protegida más grande de Centroamérica y el Caribe; y el Parque Internacional La Amistad (PILA), que contiene una rica flora, más de cien especies de mamíferos y más de cuatrocientas especies de aves. Fue declarado Patrimonio Mundial de la UNESCO.

Una mujer kuna muestra sus molas.

Además de atraer a los turistas por su naturaleza, Panamá también atrae a visitantes con intereses culturales. En Panamá se mantiene viva la cultura de seis pueblos indígenas, como los kuna, pueblo originario[2] de las islas de San Blas. Los kuna son conocidos mundialmente por sus molas, unas piezas de tela bordadas con gran colorido y trabajo manual que sirven como vestimenta o como elemento decorativo. Estas piezas de artesanía de gran atractivo para los turistas son la principal fuente de ingreso[3] de las mujeres kuna y contribuyen a preservar la identidad cultural y las tradiciones de su pueblo.

[1] endangered   [2] native   [3] source of income

🔍 **Búsqueda:** áreas protegidas de panamá, parque nacional darién, parque internacional la amistad

16 Comprensión   Interpretive Communication

1. ¿Por qué se encuentra en Panamá una variedad única de especies en peligro de extinción?

2. ¿Por qué es importante el PILA? ¿Qué características tiene?

3. ¿Qué son las molas?

17 Analice

1. ¿Por qué cree que la naturaleza fue el peor enemigo de la construcción del Canal de Panamá?

2. ¿Por qué cree Ud. que las artesanías contribuyen a preservar la identidad cultural de un pueblo?

Perspectivas

Eduardo Espinosa, periodista panameño, escribió un artículo titulado "En las entrañas de la PILA", publicado en el diario *La Prensa* (25/10/2010), donde dice: "Se trata de una zona de gran belleza natural, rodeada de un ambiente que merece ser visitado no solo para admirarlo sino para tener presente la importancia de su conservación." ¿Qué sentimientos panameños se manifiestan en la cita del artículo de Espinosa?

Vocabulario 2

El blog de Sandra: Retraso en el aeropuerto 🎧

| PERFIL | MIS VIAJES | MI ESCUELA | MIS AMIGOS | MI FAMILIA |

Me llamo Sandra y soy de Panamá. Me gusta viajar en avión. Hoy voy a Costa Rica. Acaban de anunciar que habrá **un retraso** de varias horas. Espero que no **perdamos** nuestro vuelo de conexión.

Todos los vuelos estarán **retrasados** a causa de la tormenta.

los relámpagos

las nubes

el aguacero

la niebla

Nuestro vuelo está confirmado. Ya tenemos **la tarjeta de embarque** y en unos instantes vamos a **presentarnos** para **embarcar**.

Tenemos que **hacer fila** para abordar el avión.

El avión **se mueve** muy despacio antes de despegar.

Para conversar

To talk about travel delays due to the weather:

Es mejor que **nos relajemos**. La espera será larga.
We had better relax. We've got a long wait.

Mejor así. No me gustaría volar con
tanta **turbulencia**.
*Better that way. I wouldn't want to fly with so
much turbulence.*

A mí tampoco. No puedo **negar** que **me asusto**
con **los truenos**.
*I wouldn't either. I can't deny that I'm frightened
by thunder.*

Para decir más

facturar el equipaje	*to check baggage*
reclamar el equipaje	*to claim baggage*
la aduana	*customs*
algo/nada que declarar	*something/nothing to declare*
el control de seguridad	*security*
exceso de equipaje/peso	*excess baggage/weight*
libre de impuestos	*duty free*

---

18 No creo que...

Indique la letra de la foto que corresponde con lo que oye.

A

B

AEROLÍNEAS SOL

RAMOS / CARMEN
DL2296534155
LXXSL 1
VUELO DL127　FECHA 07JAN　CLASE L　ORIGEN MADRID
OPERADO POR AEROLÍNEAS SOL　TURISTA　DESTINO NYC–KENNEDY
PUERTA DE SALIDA OPS　•••••• PASAJERO EN CONEXIÓ
BCN MAD070

C

D

E

F

---

19 ¿Qué palabra?

Escoja la palabra o frase que completa correctamente cada oración.

1. Todos los aviones están retrasados. El agente dice que el (*relámpago / retraso*) será de tres horas.

2. Dudo que José y Mario (*se presenten / pierdan*) el vuelo. Ellos nunca se retrasan.

3. El ruido de (*las nubes / los truenos*) era muy fuerte. No podíamos dormir en el avión.

4. Nos (*embarcaremos / asustaremos*) tan pronto como encontremos las tarjetas de embarque.

5. El avión se movía mucho. Había mucha (*turbulencia / niebla*).

6. Para subir al avión, tendré que (*hacer fila / negar*) en la puerta de embarque.

Diálogo 🎧

No creo que haya tormenta

Marcos: ¿Sabes cuál es nuestro número de vuelo, Rosa?

Rosa: No. Es mejor que nos fijemos en la pantalla de información.

Marcos: Aquí está. Es el vuelo 137... pero dice que está retrasado.

Rosa: ¿Por qué estará retrasado? No creo que haya tormenta.

Marcos: Todavía no está lloviendo, pero dijeron en las noticias que habrá un gran aguacero a la hora que sale nuestro avión.

Rosa: ¡Yo no quiero embarcarme si hay una tormenta!

Marcos: Relájate, Rosa. No tienes que asustarte. Piensa que el avión no saldrá hasta que pare la tormenta.

Rosa: Tienes razón.

20 ¿Qué recuerda Ud.? 🎧

1. ¿Qué sucede con el vuelo 137?
2. ¿Qué dijeron en las noticias?
3. ¿Qué no quiere hacer Rosa si hay tormenta?
4. ¿Cuándo saldrá el avión?

21 Algo personal 🎧

1. ¿Viajó alguna vez en avión durante una tormenta? ¿Cómo fue el viaje?
2. ¿Puede relajarse mientras viaja en avión o se pone nervioso/a?
3. ¿Qué siente cuando hay turbulencias en el avión?
4. ¿Qué hace si su avión está retrasado?
5. ¿Perdió alguna vez un avión porque llegó tarde? ¿Qué hizo entonces?

22 En el aeropuerto 🎧

Escuche los siguientes anuncios en un aeropuerto. Diga a qué foto corresponde cada uno.

A

B

C

D

Gramática

El futuro

- You already know how to use *ir a* + infinitive to talk about plans for the future.

  Voy a visitar Panamá el próximo mes.   I am going to visit Panama next month.

- The future tense is generally used to talk about a more distant time in the future than *ir a* + infinitive. Form the future tense by adding the following endings to the infinitive of the verb: *-é, -ás, -án, -emos, -éis, -án*. These endings are the same for all verbs. Note the accent marks.

viajar	ver	ir
viajaré	veré	iré
viajarás	verás	irás
viajará	verá	irá
viajaremos	veremos	iremos
viajaréis	veréis	iréis
viajarán	verán	irán

  *En las vacaciones, **iré** a Costa Rica.*   On my vacation, **I will go** to Costa Rica.

  ***Buscaré** unos pasajes con descuento.*   **I will look for** discounted tickets.

  ***Nos quedaremos** allí por diez días.*   **We will stay** there for ten days.

- Even though some verbs have an irregular stem in the future tense, they still have the same endings as regular verbs.

decir	dir-	querer	querr-
haber (hay)	habr-	saber	sabr-
hacer	har-	salir	saldr-
poder	podr-	tener	tendr-
poner	pondr-	venir	vendr-

  *El avión **saldrá** con media hora de retraso.*   The plane **will leave** half an hour late.

  *El piloto nos avisa que **habrá** mucha turbulencia durante el vuelo.*   The pilot warns us that **there will be** a lot of turbulence during the flight.

- The future tense is also used to express uncertainty or probability in the present (*el futuro de probabilidad*). This is the equivalent to the English "probably" or "I wonder…"

  *¿Qué hora **será**?*   **I wonder** what time **it is**. (What time do you think it is?)

  ***Serán** las cinco.*   **It's probably** 5 o'clock.

¿Cuándo llegará el avión?

23 En el aeropuerto

Forme oraciones con el futuro de los verbos en infinitivo para saber qué pasará en el aeropuerto.

MODELO   El auxiliar de vuelo / anunciar la salida del vuelo
El auxiliar de vuelo anunciará la salida el vuelo.

1. el avión / moverse mucho si hay turbulencia
2. ellas / perder el avión si no se dan prisa
3. Victoria / asustarse mucho con la tormenta
4. los pasajeros / presentarse en la puerta
5. el avión / no salir hasta que pare la tormenta
6. haber / mucha gente haciendo fila
7. nosotros / no poder embarcarnos hoy
8. el aguacero / ser muy fuerte

24 ¿Qué ocurrirá?

Complete los comentarios de los pasajeros con el futuro del verbo entre paréntesis para expresar qué ocurrirá en cada situación.

1. Mis tíos no confirmaron la reserva. No (*poder*) viajar.
2. Tan pronto como nos llamen para embarcarnos, (*subirse*) al avión.
3. Mis abuelos no están aquí. Ellos no (*querer*) volar en medio de una tormenta.
4. Estoy muy cansado. (*dormir*) todo el viaje aunque haya truenos.
5. Los truenos no me (*despertar*), pero si el avión se mueve, yo (*asustarse*).
6. Antes de que el avión aterrice, Ud. (*abrocharse*) el cinturón, ¿verdad?

25 Mini-diálogos 👥

Con su compañero/a, completen cada diálogo con el futuro del verbo apropiado del recuadro.

estar	hacer	salir	haber
ser	tomar	llover	llegar
perder	poder	terminar	conseguir

1. **A:** Mañana a esta hora nosotras ya __ en Panamá.

   B: Sí, pero si tú no dejas de hablar no __ hacer el equipaje y nosotras __ el vuelo.

2. **A:** ¿Cuánto tiempo __ el viaje?

   B: Pienso que __ un viaje muy corto. Los chicos __ de aquí a las cinco de la mañana y a __ las siete.

   A: ¿Te parece que ellos __ un taxi a esa hora?

   B: Sí, no __ ningún problema.

3. **A:** ¿Sabes el pronóstico del tiempo para mañana?

   B: Sí, __ .

   A: No, dicen que __ de llover esta noche y que mañana __ buen tiempo.

26 ¿Cómo lo estarán pasando?

Trabaje con su compañero/a e imaginen que unos amigos suyos están de viaje. Use el futuro de probabilidad para hacerse preguntas sobre estos amigos y el viaje que están haciendo. Traten de hacer dos o tres preguntas para cada una de las situaciones a continuación.

MODELO   el lugar donde están
¿Dónde estarán?

1. si tienen problemas
2. las personas que han conocido
3. si tienen la ropa adecuada para el tiempo que hace
4. cómo lo pasan, si se divierten o no
5. la comida típica del lugar
6. el dinero que gastan
7. si les gusta ese lugar o no
8. las actividades que están haciendo

¿Dónde estarán?

¡Comunicación!

27 ¿Qué dice el pronóstico del tiempo?   Presentational Communication

Con su compañero/a, escojan una ciudad de Panamá y busquen el pronóstico del tiempo en un periódico en español o por internet. Fíjense en el tiempo que hará para el fin de semana en la ciudad que escogieron. Con la información, describan en un párrafo qué tiempo hará el sábado y el domingo. Mencionen si habrá niebla, humedad, tormentas, lluvia o sol, frío o calor, y sugieran algunas actividades apropiadas según el tiempo. Después, lean el pronóstico y la lista de actividades delante de la clase.

EL TIEMPO

CIUDAD DE PANAMÁ

Parcialmente nublado
Temp. 27°
máx. 28 / min. 23

Humedad:	84 %
Viento:	N/14° Km/h
Salida del sol:	6:08
Puesta del sol:	17:54

OTRAS CIUDADES

BOCAS DEL TORO   **Temp. 29°**
Parcialmente nublado   máx. 30 / min. 23

SAN JOSÉ DE DAVID   **Temp. 29°**
Parcialmente nublado   máx. 31 / min. 23

SANTIAGO DE VERAGUAS   **Temp. 30°**
Parcialmente despejado   máx. 30 / min. 21

Gramática

El subjuntivo para expresar duda o negación

- The subjunctive is often used to convey doubt, uncertainty, or denial. As such, it is used after verbs like the following:

no creer que	to not believe that
dudar que	to doubt that
no estar seguro/a de que	to not be sure that
negar que	to deny that
no pensar que	to not think that

Dudo que lleguemos a tiempo.	**I doubt** we will arrive on time.
No creo que nieve hoy.	**I don't believe** it will snow today.
No estoy segura de que podamos embarcarnos.	**I am not sure** we will be able to board.

- Note that the subjunctive is not required after expressions of certainty such as *pensar que*, *creer que*, and *estar seguro/a de que*. Nor is the subjunctive used after the impersonal expressions *es verdad que*, *es cierto que*, and *es evidente que*, since these expressions confirm information and certainty, and they do not express subjective opinions.

Creo que el avión saldrá a tiempo.	**I believe** the plane will leave on time.
Pienso que hará buen tiempo en Panamá.	**I think** the weather will be good in Panama.
Estoy seguro de que llegaremos a tiempo.	**I am sure** we will arrive on time.

- However, the subjunctive is needed after the following expressions of uncertainty or possibility to express events that have not yet occurred and that may never occur.

tal vez: Tal vez tomemos el autobús.	**We might** take the bus.
quizá(s): Quizá tome mucho tiempo.	**It might** take a long time.
ojalá: Ojalá que no cueste mucho dinero.	**I hope** it doesn't cost a lot of money.

---

28 ¿De qué duda Ud.?

Complete los comentarios siguientes con la forma apropiada del subjuntivo del verbo entre paréntesis.

1. Mariano duda que sus amigos (*tener*) vacaciones ahora.

2. Los pasajeros no creen que el avión (*llegar*) con retraso.

3. Mi papá no cree que él y mi mamá (*poder*) viajar este mes.

4. No creo que (*haber*) mucha gente en el aeropuerto.

5. Dudamos que (*hacer*) mal tiempo mañana.

6. Ella no está segura de que ese (*ser*) el número del vuelo.

29 ¡Ojalá que haga buen tiempo!

Unos amigos están escuchando el pronóstico del tiempo. La primera oración de cada grupo de oraciones a continuación es el pronóstico que escuchan. Las oraciones siguientes son sus reacciones. Complete las oraciones con la forma apropiada del subjuntivo o del indicativo de los verbos del recuadro. Usará cada verbo más de una vez.

caer	llover	parar	estar

1. Mañana __ todo el día.

   A: Estoy seguro/a de que __.

   B: Yo no pienso que __.

2. Hoy por la tarde __ de llover.

   A: ¡Ojalá que __!

   B: Yo creo que __.

3. __ nublado por la mañana temprano.

   A: Es cierto que __ nublado.

   B: Yo no creo que __ nublado.

4. Es evidente que __ un aguacero en cualquier momento.

   A: Yo dudo que __ un aguacero.

   B: Ojalá que no __ un aguacero.

¿Cuál será el pronóstico para mañana?

30 Dudo que tengas ganas de verme

Trabaje con su compañero/a y completen los dos correos electrónicos que siguen. Elijan el subjuntivo o el indicativo de los verbos entre paréntesis de acuerdo al contexto.

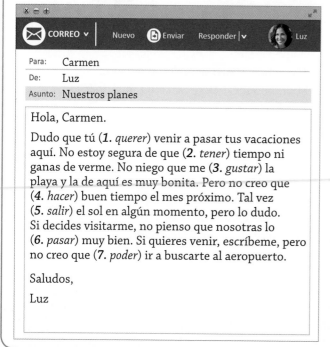

CORREO ▾ | Nuevo Enviar Responder ▾   Luz

Para: Carmen
De: Luz
Asunto: Nuestros planes

Hola, Carmen.

Dudo que tú (**1.** *querer*) venir a pasar tus vacaciones aquí. No estoy segura de que (**2.** *tener*) tiempo ni ganas de verme. No niego que me (**3.** *gustar*) la playa y la de aquí es muy bonita. Pero no creo que (**4.** *hacer*) buen tiempo el mes próximo. Tal vez (**5.** *salir*) el sol en algún momento, pero lo dudo. Si decides visitarme, no pienso que nosotras lo (**6.** *pasar*) muy bien. Si quieres venir, escríbeme, pero no creo que (**7.** *poder*) ir a buscarte al aeropuerto.

Saludos,

Luz

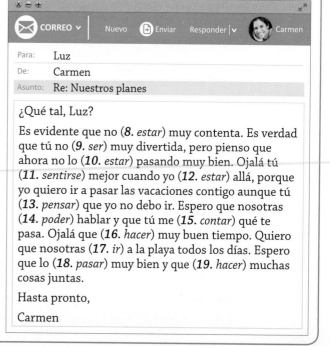

CORREO ▾ | Nuevo Enviar Responder ▾   Carmen

Para: Luz
De: Carmen
Asunto: Re: Nuestros planes

¿Qué tal, Luz?

Es evidente que no (**8.** *estar*) muy contenta. Es verdad que tú no (**9.** *ser*) muy divertida, pero pienso que ahora no lo (**10.** *estar*) pasando muy bien. Ojalá tú (**11.** *sentirse*) mejor cuando yo (**12.** *estar*) allá, porque yo quiero ir a pasar las vacaciones contigo aunque tú (**13.** *pensar*) que yo no debo ir. Espero que nosotras (**14.** *poder*) hablar y que tú me (**15.** *contar*) qué te pasa. Ojalá que (**16.** *hacer*) muy buen tiempo. Quiero que nosotras (**17.** *ir*) a la playa todos los días. Espero que lo (**18.** *pasar*) muy bien y que (**19.** *hacer*) muchas cosas juntas.

Hasta pronto,

Carmen

Con su compañero/a, expresen opiniones diferentes sobre las siguientes situaciones usando el futuro y el subjuntivo con expresiones de duda.

MODELO   El cielo está nublado y se oyen truenos. *(llover)*

A: **¿Lloverá?**

B: **No creo que llueva.**

1. En una tienda del centro ven una camiseta que les gusta mucho. *(costar)*

2. Su profesora le hace una pregunta a una de sus compañeras que parece muy nerviosa. *(saber)*

3. Tienen una cita con un amigo a las tres, pero se olvidaron el reloj. *(ser)*

4. Están en el teatro y la obra es muy larga y aburrida. *(terminar)*

5. Se levantan para ir a la escuela. Cuando miran por la ventana, ven que hay mucha nieve en las calles. *(haber)*

¡Comunicación!

32 **¡Adivine!** 👥   Presentational Communication

Trabaje con tres o cuatro compañeros/as de clase y túrnense para predecir el futuro de cada uno. Escriba por lo menos cuatro oraciones sobre lo que el futuro les traerá. Puede hacer predicciones sobre sus estudios, su trabajo, sus viajes y vacaciones, sus relaciones con amigos/as o familiares, etc. Use el futuro y el subjuntivo con expresiones de duda.

MODELO   **Tendrás éxito en los exámenes.**

No creo que te cases muy joven.

Estrategia

Using graphic organizers

Use simple charts or tables to organize your thoughts before making a final draft.

¡Comunicación!

33 **¿De qué están seguros?** 👥   Presentational Communication

Trabaje con su compañero/a para hablar de cosas que están seguros/as de que pasarán, cosas que dudan que pasen, cosas que tal vez pasen y cosas que esperan que pasen. Luego, hagan una lista de por lo menos tres cosas en cada categoría. Pueden incluir acontecimientos escolares, deportivos, políticos, ambientales o lo relacionado con sus amigos/as, familia o comunidad. Comparen sus listas con otras dos parejas y decidan en qué se parecen y en qué se diferencian.

MODELO   mi viaje a Panamá

Estoy segura de que lo pasaré muy bien.

Todo en contexto

¡Comunicación!

34 Para que todo esté bien... Interpersonal Communication

Con su compañero/a hagan los papeles de dos amigos/as que van a hacer un viaje a Panamá. Como uno/a de ellos nunca ha salido del país, tendrá bastantes preguntas sobre lo que tienen que hacer antes y durante el viaje. Túrnense para hacer preguntas y contestarlas. Usen el tiempo futuro y el subjuntivo cuando haga falta.

MODELO
> A: ¿Habrá un lugar en el aeropuerto donde podemos cambiar cheques de viajero?
>
> B: No estoy seguro que haya uno, pero tan pronto como llegues al hotel, pregunta dónde hay un banco.
>
> A: ¿Debemos confirmar nuestra reserva de hotel antes de salir?
>
> B: ...

¡Comunicación!

35 ¡Visiten Panamá! Presentational Communication Conéctese: la geografía

Imagine que Ud. y su compañero/a trabajan para el Ministerio de Turismo de Panamá y quieren promover sus atracciones turísticas. Investiguen y conversen sobre los lugares que les parecen más interesantes del país. Después, diseñen un cartel o un folleto que describa uno o más de estos lugares. Presenten su cartel de turismo delante de la clase. Incluyan imágenes e información del clima, las excursiones que los turistas podrán hacer, las tarifas, los horarios, y otra información necesaria e interesante.

Relájese en las hermosas playas de Panamá.

Lectura informativa

Antes de leer

1. ¿Ha utilizado folletos turísticos o sitios web para planear sus viajes?

2. ¿Cree que estos folletos o sitios son útiles?

Estrategia

Using formatting clues to predict meaning

Before beginning to read, examine how the material is formatted. Look at the title, the subtitles, the photos, the graphics, and the layout to predict what you will be reading.

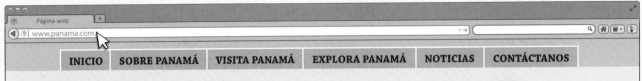

| INICIO | SOBRE PANAMÁ | VISITA PANAMÁ | EXPLORA PANAMÁ | NOTICIAS | CONTÁCTANOS |

Centro de Observación de la Ampliación en Colón

¿Conoces la Ampliación del Canal de Panamá? Ven al Centro de Observación en el Atlántico, abierto de 8:00 AM a 4:00 PM todos los días.

Provincia de Colón

Ahora cuenta con un nuevo atractivo para vivir plenamente la experiencia del Canal de Panamá.

El nuevo Centro de Observación de la Ampliación en Colón es un concepto tipo parque, basado en terrazas y plataformas abiertas, techadas[1] y escalonadas[2], en un área de cuatro hectáreas[3] que facilitan la visión, sin obstrucción, de hasta 400 visitantes de forma simultánea. En un entorno[4] de exuberante belleza, rodeado por la naturaleza tropical, podrá observar los trabajos de construcción de las nuevas esclusas del Canal de Panamá en el Atlántico. Al mismo tiempo, desde su privilegiada ubicación, los visitantes observan el majestuoso lago Gatún, por donde los barcos siguen su tránsito por la vía interoceánica.

El edificio en forma de un circuito de un lazo[5] cerrado se proyecta hacia todos los espacios posibles en su entorno, y una estructura a la altura de las copas de los árboles facilitará al visitante la posibilidad de admirar y contemplar la naturaleza en todo su esplendor.

El mirador, suspendido a 60 metros sobre el nivel del mar y a 50 metros de distancia del canal, cuenta con un sendero hacia el bosque.

Desde el nuevo Centro de Observación el turista nacional y extranjero podrá ver un espectáculo natural, con vista al canal, al lago Gatún y disfrutar de una aventura ecológica.

[1] covered [2] tiered [3] ten acres [4] setting [5] bow

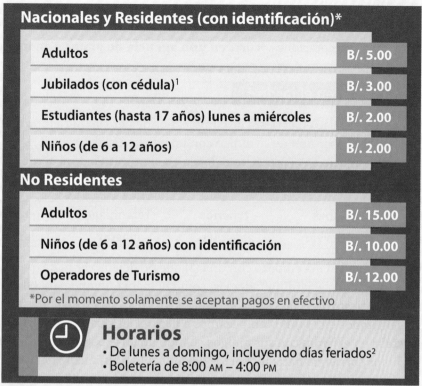

Nacionales y Residentes (con identificación)*	
Adultos	B/. 5.00
Jubilados (con cédula)[1]	B/. 3.00
Estudiantes (hasta 17 años) lunes a miércoles	B/. 2.00
Niños (de 6 a 12 años)	B/. 2.00
No Residentes	
Adultos	B/. 15.00
Niños (de 6 a 12 años) con identificación	B/. 10.00
Operadores de Turismo	B/. 12.00

*Por el momento solamente se aceptan pagos en efectivo

Horarios
• De lunes a domingo, incluyendo días feriados[2]
• Boletería de 8:00 AM – 4:00 PM

[1] Retired (with ID)   [2] holidays

Búsqueda: centro de observación del atlántico, lago gatún

36 Comprensión — Interpretive Communication

1. ¿En qué región se encuentra el Centro de Observación del Atlántico?

2. ¿Qué atractivos turísticos se pueden observar desde el nuevo centro?

3. ¿Qué características del mirador hacen que se pueda observar el entorno natural y el paisaje del lugar?

4. ¿Quiénes pagan más para entrar al Centro?

37 Analice

¿Qué hace que una obra en construcción se convierta en un atractivo turístico?

Escritura

38 Presentación — Presentational Communication

Lea nuevamente la lectura sobre el Centro de Observación de las obras de ampliación. ¿Cree que la información que se da es suficiente para el visitante?

Elabore Ud. de manera creativa, un folleto informativo o una imagen de un sitio web, para que los turistas se interesen en visitar este nuevo centro u otro sitio turístico de un país hispanohablante. Asegúrese de que la información que Ud. dé esté completa, sea clara y se encuentre fácilmente.

Repaso de la Lección A

A Escuchar: ¿Dónde están? 🎧 (pp. 262–263, 272–273)

Decida si lo que escucha en las seis oraciones ocurre en **una agencia de viajes** o en **un aeropuerto**.

B Vocabulario: ¡Una fiesta en el jardín! (pp. 262–263, 272–273)

Su mejor amigo le cuenta lo que pasó en la fiesta de cumpleaños de Leticia. El tiempo arruinó la fiesta. Complete la descripción de su amigo con una de las palabras en el recuadro. Si es un verbo, conjúguelo en el pretérito o déjelo en el infinitivo de acuerdo con la situación.

niebla	nubes	truenos	relámpago	aguacero
cancelar	observar	asustarse	gastar	planear

¡No lo vas a creer! ¡Pobre Leticia! El día empezó con una **(1)** que no dejaba ver nada, pero como los padres de Lety **(2)** tanto dinero arreglando el jardín y, además, como no había tiempo para **(3)** la fiesta, el plan siguió en marcha. Lety **(4)** la fiesta para las seis de la tarde. A las tres, ella **(5)** que unas **(6)** grises cubrían todo el cielo. Los pocos invitados que fuimos empezamos a llegar a las seis y media y también los primeros **(7)**. Lety ya estaba en el jardín con sus amigos cuando un **(8)** le pegó a un árbol en el extremo del jardín y Lety **(9)**. Salimos corriendo hacia los carros dejando a Lety en medio del **(10)**.

C Gramática: ¿Subjuntivo o no? (p. 266)

Complete las oraciones siguientes escogiendo la forma correcta del verbo según el contexto.

1. Ana y yo vamos a planear el viaje cuando (*sepamos / sabemos*) cuánto dinero tenemos.

2. Estoy preocupado. Llámame tan pronto como (*puedes / puedas*).

3. Rogelio canceló la reserva en cuanto (*supo / sepa*) que no podía ir de viaje.

4. No pagaste los boletos hasta que (*recibiste / recibas*) la confirmación del hotel.

5. Manuel y Hortensia pasaron a verme después de que (*lleguen / llegaron*) de su viaje.

6. Teresa va a dar un aviso una semana antes del viaje para que la agencia no (*cancele / cancela*) su viaje.

D Gramática: ¡Qué verano! (p. 275)

Ud. y sus amigos/as se divirtieron mucho en el viaje que hicieron el verano pasado. Les gustaría volver al mismo sitio y divertirse de la misma manera. Cambie el tiempo del verbo de estas oraciones del pretérito al futuro para decir lo que Uds. harán o lo que pasará este verano.

1. Tú hiciste las reservas para Panamá con la agencia de viajes.

2. Mis amigos y yo compramos los boletos de avión.

3. Martín y José confirmaron las reservas del hotel.

4. Olga organizó las excursiones a Portobelo.

5. Luisa y Delia se asustaron en el vuelo porque hubo mucha turbulencia.

6. Yo pude ir al volcán de Chiriquí.

7. Tú y Rosa pagaron por la cena de cumpleaños de Martín.

8. No hubo ningún problema.

Complete un cuadro como el que sigue con los nombres de cinco lugares que uno puede visitar en Panamá y las actividades que uno puede realizar en esos lugares.

De Visita en Panamá	
¿Adónde puede ir?	¿Qué puede hacer allí?

Vocabulario

En la agencia de viajes

la cancelación
el cheque de viajero
la confirmación
el descuento
el detalle
la excursión
la reserva

En el aeropuerto

retrasado/a
el retraso
la tarjeta de embarque
la turbulencia

El tiempo

el aguacero
la niebla
la nube
el relámpago
el trueno

Verbos

asustarse
atravesar (ie)
cancelar
confirmar
embarcar
gastar
mover(se) (ue)
negar (ie)
observar
perder (ie)
planear
presentarse
relajarse

Otras expresiones

a último momento
hacer fila
hasta que
el malentendido
por adelantado
sin previo aviso
sujeto a cambio
tan pronto como
el volcán

Gramática

El futuro

El futuro se usa para hablar de cosas o eventos que pasarán más adelante. Se forma agregando estas terminaciones al infinito del verbo: **-é, -ás, -án, -emos, -éis, -án**.

Recuerde que los siguientes verbos son irregulares en el futuro: **decir, haber, hacer, poder, poner, querer, saber, salir, tener** y **venir**.

Ellos **hablarán** la próxima semana sobre los resultados.
Saldré por las montañas para dar una caminata este fin de semana.
Mi hermano le **escribirá** a mi mamá desde Panamá.

El subjuntivo con cláusulas adverbiales

Use el subjuntivo después de estas palabras o expresiones para hablar sobre cosas o eventos que todavía no han ocurrido.

antes de que	hasta que
cuando	para que
después de que	tan pronto como
en cuanto	

Voy a hablar con mi amiga **cuando** ella llegue aquí.
Escribiremos un e-mail a la profesora **después de que** salgamos de la clase.
Regresen a casa **tan pronto como** oigan la señal.

Alojarse en un hotel 🎧

Hice una reserva a nombre de Roldán e incluí un cheque con **el depósito**. ¿Estaría ya **disponible** la habitación?

Sí, firme **el registro**, por favor.

Nuestro hotel ofrece habitaciones de varios tipos.

la habitación con cama doble

la habitación con cama sencilla

la bañera

la habitación con bañera

El hotel también ofrece **servicios** útiles las 24 horas del día.

la conserje / el conserje

la lavandería

las canchas de tenis

Para conversar 🎧

To talk about lodging arrangements:

¿Por qué no nos alojamos en un **albergue juvenil**? Es más barato.
Why don't we stay at a youth hostel? It is cheaper.

No, preferiría quedarme en un hotel con mejores servicios y una habitación que no **dé** al estacionamiento.
No, I would prefer to stay at a hotel with better services and a room that doesn't face the parking lot.

To make requests while staying at a hotel:

Disculpe, el colchón de mi cama es muy **blando** y no puedo dormir. ¿Sería posible cambiarlo por uno más **firme**?
Excuse me, the mattress on my bed is very soft and I can't sleep. Would it be possible to exchange it for a firmer one?

Para decir más

el encargado de turno	*manager on duty*
el jacuzzi	*hot tub, jacuzzi*
el limpiador/la limpiadora	*cleaning person*
la pensión	*boarding house*
la planta (del edificio)	*floor (of a building)*
el sauna	*sauna*
el vestíbulo	*lobby*

Estrategia

Review and recycle ♻

el ascensor	*elevator*
el botones	*porter*
el hotel de lujo	*luxury hotel*
las maletas	*suitcases*
el parador	*state-run hotel (Spain)*
la recepción	*reception desk*
el servicio de habitación	*room service*

---

1 En el hotel 🎧

Indique la letra de la foto que corresponde con lo que oye.

A

B

C

D

E

F

2 ¿Sabe cuál es?

Empareje las definiciones de la izquierda con la palabra o frase que corresponda de la derecha. Luego, escriba un párrafo en el que use por lo menos tres de estas palabras.

1. cuando algo está libre para usarse
2. el dinero que se da por adelantado al hacer una reserva
3. formar parte de otra cosa
4. lo opuesto de firme
5. el servicio en los hoteles o lugar para lavar la ropa
6. cuando una habitación tiene una vista de algo

A. dar a
B. la lavandería
C. disponible
D. blando
E. el depósito
F. incluir

3 Después de la primera noche

Complete este diálogo con la expresión del paréntesis que corresponda según el contexto.

Conserje: Buenos días. ¿Qué les pareció la habitación a las señoritas?

Mariana: Buenos días, señora (**1.** *juvenil / conserje*). ¿Podríamos cambiar de habitación?

Conserje: Les di una habitación con (**2.** *camas sencillas / registro*) como pidieron.

Ester: Sí, las camas están un poco (**3.** *blandas / disponibles*), pero están bien.

Mariana: Lo que pasa es que preferimos una habitación con (**4.** *cancha de tenis / bañera*).

Conserje: Permítanme un momento; voy a ver si hay una (**5.** *firme / disponible*).

Ester: ¡Gracias! Y ¿nos puede decir dónde está la (**6.** *conserje / lavandería*)?

Conserje: ¡Claro! Está al fondo a la derecha.

4 ¿Qué prefieren?

Escuche lo que dicen Alicia y David acerca de dónde les gusta alojarse cuando viajan. Complete una tabla como la siguiente con los datos que oye.

¿Qué prefieren?	Alicia	David
lugar donde alojarse		
con quiénes viajar		
servicios		
tipo de habitación		
la habitación perfecta		

Diálogo

En el albergue juvenil

Ana: ¿Tendría una habitación disponible para esta noche?

Conserje: Habría una cama disponible en una habitación para seis personas.

Ana: ¿No tiene habitaciones sencillas?

Conserje: No, este es un albergue juvenil.

Ana: ¿Y qué servicios tiene el albergue?

Conserje: Tiene servicio de lavandería y cafetería.

Ana: ¿Cuánto costaría la noche?

Conserje: Costaría 3.300 colones.

Ana: ¿Incluiría el desayuno?

Conserje: Por supuesto que no.

Ana: ¿Y con quién compartiría la habitación?

Conserje: Con otras cinco muchachas de Nicaragua.

Ana: ¿Y adónde daría la habitación?

Conserje: La habitación daría al jardín... Señorita, ¿nunca ha estado en un albergue juvenil?

5 ¿Qué recuerda Ud.?

1. ¿Qué le pregunta Ana al conserje?
2. ¿Por qué no hay habitaciones sencillas?
3. ¿Qué servicios tiene el albergue?
4. ¿Con quién compartiría Ana la habitación?
5. ¿Adónde daría la habitación?

6 Algo personal

1. ¿Ha estado alguna vez en un albergue juvenil?
2. ¿Le gusta alojarse en hoteles cuando viaja?
3. ¿Qué servicios prefiere que tenga un hotel?

¡Comunicación!

7 Haciendo una reserva — Interpersonal Communication

Imagine que tiene que llamar por teléfono para hacer una reserva en un albergue juvenil. Represente la conversación con su compañero/a y túrnense para hacer el papel del conserje que contesta el teléfono y la persona que hace la reserva. Intercambien información sobre la clase de cuarto que Ud. quiere reservar y los servicios que se incluyen con el precio de la habitación. Sigan el modelo como guía.

MODELO
> **A: Albergue juvenil San José. ¿En qué puedo ayudarlo/a?**
> **B: Buenos días. Necesito hacer una reserva.**
> **A: Muy bien. ¿Cómo se llama?**

¿Tendría una habitación disponible?

Gramática

El condicional

- The conditional tense can indicate probability or desire and is often used where "would" might be used in English. The conditional is formed like the future, by taking the infinitive of the verb and adding the conditional endings: *-ía*, *-ías*, *-ía*, *-íamos*, *-íais*, *-ían*.

viajar	ver	ir
viajaría	vería	iría
viajarías	verías	irías
viajaría	vería	iría
viajaríamos	veríamos	iríamos
viajaríais	veríais	iríais
viajarían	verían	irían

*Juan **pediría** una habitación con bañera.*	Juan **would ask for** a room with a bathtub.
*Nos **quedaríamos** una semana.*	**We would stay** for a week.
***Preferiría** un colchón más blando.*	**I would prefer** a softer mattress.

- The verbs that have an irregular stem in the future use the same stem with the conditional endings to form the conditional.

decir	dir-	poner	pondr-	salir	saldr-
haber (hay)	habr-	querer	querr-	tener	tendr-
hacer	har-	saber	sabr-	venir	vendr-
poder	podr-				

*(Yo) **Diría** que va a llover.*	**I would say** it's going to rain.
***Saldríamos** con amigos esta noche, pero estamos cansados.*	**We would go out** with friends tonight, but we are tired.

Nos gustaría estar siempre en la playa.

8 Soñar no cuesta nada 🎧

Laura está soñando con ir de vacaciones a Costa Rica. Para saber qué le gustaría hacer, forme oraciones con el condicional de los verbos en infinitivo.

MODELO   yo / escoger un hotel de lujo
Yo escogería un hotel de lujo.

1. me gustar / ir a la playa Naranjo
2. yo pedir / una habitación doble
3. la habitación / ser muy elegante / y dar al mar
4. yo / pagar por adelantado
5. quedarme / en Limón por un mes
6. mis amigos / venir a visitarme
7. el clima / ser estupendo y siempre / haber sol
8. nosotros / ir a la playa Puntarenas / y bañarse en el mar todos los días
9. nosotros / comer mariscos todos los días
10. ¡todos nosotros / pasarlo muy bien!

Yo escogería un hotel de lujo.

9 ¿Adónde le gustaría ir de vacaciones?

Un estudiante entrevista a una compañera sobre sus vacaciones ideales. Complete su conversación con la forma correspondiente del condicional de los verbos en paréntesis.

A: ¿Adónde (*1. ir*) tú, al mar o a las montañas?

B: Yo (*2. preferir*) ir a las montañas. Me (*3. gustar*) aprender a esquiar.

A: ¿Qué tipo de hotel (*4. escoger*)?

B: Yo (*5. quedarse*) en un albergue juvenil. Los albergues son baratos y, así, yo (*6. poder*) ahorrar un poco de dinero.

A: ¿Con quién (*7. querer*) ir tú?

B: Me (*8. encantar*) ir con mis dos mejores amigas. Nosotras lo (*9. pasar*) muy bien.

A: ¿Y cuánto tiempo (*10. poder*) quedarse Uds.?

B: Nosotras (*11. quedarse*) unos diez días.

A: ¿Qué actividades (*12. hacer*) Uds.?

B: Además de esquiar, nosotras (*13. jugar*) al tenis y (*14. practicar*) otros deportes. ¡(*15. divertirse*) mucho!

Gramática

10 ¡Sería divertido! 👥

Con su compañero/a, hablen de lo que harían en las siguientes situaciones. Pueden agregar otras situaciones más.

MODELO   Uds. son tenistas famosos.

A: Yo viviría en Florida porque hace buen tiempo para estar al aire libre.

B: Yo compraría mis propias canchas de tenis.

1. Uds. son ricos/as.
2. Uds. viven en un país tropical.
3. Uds. tienen 21 años.

4. Uds. son actores famosos.
5. Uds. son profesores de este colegio.
6. ¿...?

¡Comunicación!

11 ¡Qué lindas son las vacaciones! 👥   Interpersonal Communication

Trabajen en un grupo de tres o cuatro estudiantes. Hablen acerca de sus vacaciones ideales. Intercambien información sobre los siguientes temas u otros de su elección, y usen el condicional en sus preguntas y respuestas.

- adónde ir
- con quién ir
- dónde quedarse
- servicios del hotel

- tipo de habitación
- cuánto tiempo quedarse
- actividades
- modo(s) de transporte

Mis vacaciones ideales

Otros usos del condicional

- In addition to expressing hypothetical situations, the conditional may be used to ask for things very politely. This usage is the equivalent of "would," "could," or "should" in English. You may use the conditional of the verb or add the conditional of the verb *poder* followed by the infinitive.

Deme una habitación que dé al mar.	Give me a room with a view of the sea.
*¿Me **daría** una habitación que dé al mar?*	**Would you give** me a room with a view of the sea?
Tráigame un café.	Bring me a coffee.
*¿Me **podría traer** un café?*	**Could you bring** me a coffee?

- The conditional is also used when you're not entirely sure of facts in the past. This usage corresponds to the English "must have been" or "might have been."

*Cuando mis padres salieron del restaurante, **serían** las diez.*	When my parents left the restaurant, **it must have been** around ten o'clock.
*El albergue era viejo. **Tendría** unos 100 años.*	The hostel was old. **It might have been** 100 years old.

12 ¡Qué amables!

Para suavizar el tono de una conversación entre un(a) conserje y un(a) cliente/a del hotel, use el condicional para hacer preguntas. Comunique la siguiente información, pero de una manera amable. Siga el modelo.

MODELO Deme el nombre de un buen restaurante.

¿Me daría el nombre de un buen restaurante, por favor?

¿Podría darme el nombre de un buen restaurante, por favor?

1. Deje la habitación a las 12.
2. Tráigame toallas limpias.
3. Acepte este cheque.
4. Deme una habitación doble.
5. Firme el registro.

6. Vuelva en otro momento.
7. Dígame cuánto es.
8. Envíeme el depósito el lunes.
9. Sáquenos una foto.
10. Pague por adelantado.

¡Comunicación!

13 El mejor hotel   Interpersonal Communication

Imagine que está en Costa Rica y quiere quedarse en el Hotel Arenal. Con un(a) compañero/a, creen un diálogo entre el/la conserje y un(a) turista basado en la información del folleto. Usen el condicional.

MODELO A: **¿Tendrían habitaciones con baño privado?**

B: **Sí. Hay 25 habitaciones con baño privado.**

Página web

www.hotelcr.com

HOTELCR.COM

Buscar

Hotel Arenal

◉◉◉◉○

"Un encuentro con la naturaleza"

CIUDAD: Fortuna - UBICACIÓN: a 2 km del volcán Arenal

● **SERVICIOS**
Bar, cafetería, restaurante, piscina, jacuzzi, fax, internet, Wi-Fi, servicios de habitación, lavandería.

● **HABITACIONES**
25 habitaciones. Suites, baño privado, agua caliente, aire acondicionado, teléfono, televisión.

● **TARIFAS**
Precio para dos personas en habitación doble US$85-150. Se aceptan tarjetas de crédito.

● **ACTIVIDADES**
Alquiler de autos, bicicletas, barcos, kayaks, canoas. Caminatas, equitación, pesca, bajadas en balsas.

www.hotelarenalfortuna.com / Tel: (506) 199-1927

Costa Rica, ¡un país esencial! 🎧

Viajar es la actividad favorita de mucha gente. Ya sea por un mes o por un fin de semana, por razones de trabajo, de estudio, o por el simple placer de conocer otros lugares, a la gente le encanta viajar y, si es a Costa Rica, ¡mucho mejor! Miles de viajeros consideran que Costa Rica es un lugar ideal para vacaciones en familia, viajes de negocios, lunas de miel[1] o para aprovechar el creciente[2] turismo de bienestar y salud que incluye desde tratamientos estéticos[3] hasta terapias relajantes para aliviar enfermedades causadas por la tensión y el agotamiento[4].

Costa Rica posee el 5 % de las especies animales del planeta.

"Esencial" es su lema[5]. A pesar de tener solo 321,8 km de ancho[6], Costa Rica es un país que cuenta con todos los climas y una gran riqueza natural. Se calcula que posee el cinco por ciento de las especies de todo el planeta, lo cual atrae a miles de viajeros interesados en el turismo medioambiental. Cualquiera sea la razón que tengan para viajar, los viajeros pronto descubren que los costarricenses son famosos por su hospitalidad. Los ticos, como ellos se llaman a sí mismos, son los mejores promotores de su país y están siempre dispuestos a ayudar al visitante para que su viaje sea inolvidable.

Volcán Turrialba en Costa Rica

[1] honeymoons [2] growing [3] beauty treatments [4] fatigue [5] slogan [6] width

🔍 **Búsqueda: turismo en costa rica, riqueza natural de costa rica**

Prácticas 🎧

Los ticos acostumbran a decir "¡Pura vida!" como saludo, como despedida, para expresar su estado de ánimo o para alentar (*encourage*) a alguien en un momento difícil. En Costa Rica, "¡Pura vida!" se escucha en todas partes y a todas horas. La expresión, que viene de una película mexicana de 1956 del mismo nombre, es una marca de la personalidad de los ticos. Quienes visitan Costa Rica seguramente la recuerdan para siempre.

Pura vida en las playas de Costa Rica

14 Comprensión — Interpretive Communication

1. ¿Por qué razones viaja la gente?
2. ¿Por qué es Costa Rica un lugar de destino favorito de mucha gente?
3. ¿Qué expresión se oye en todas partes del país? ¿Para qué se usa?

15 Analice

1. ¿En qué medida cree Ud. que el turismo de bienestar y salud da buenos resultados?
2. ¿Cuál cree Ud. que es el fundamento para el lema "esencial" de Costa Rica?

Visitantes siempre bienvenidos

Costa Rica, el lugar de nacimiento del ecoturismo, no solo atrae a miles de turistas cada año, sino también a cientos de tortugas marinas hembras[1] que visitan las playas y los parques para gozarlos de otra manera. Tanto en el Pacífico como en el Atlántico llegan para anidar[2] sus huevos en las mismas playas donde ellas nacieron. Estas viajeras han llevado a cabo[3] este ritual de supervivencia[4] por cientos de años y algunas hacen viajes de miles de kilómetros.

Parque Nacional Tortuguero

Uno de los destinos preferidos por estas viajeras es el Parque Nacional Las Baulas, en la región de Guanacaste. El parque se llama así porque es un santuario para miles de tortugas baulas[5] que van allí a anidar cada año. Estas tortugas son de las más grandes del mundo: su caparazón[6] puede medir hasta 1,8 m y pueden pesar hasta 400 kg. Se conocen por ser unas de las que hacen los recorridos[7] más largos.

La tortuga verde es una especie de tortuga marina.

En el norte de la región de Limón se encuentra el Parque Nacional Tortuguero, que es una zona extensa de tierra protegida donde anida la tortuga verde. Se trata de una zona de bosque húmedo tropical creada para proteger a la tortuga verde, pero también llegan allí otras especies, y todas están en peligro de extinción. Ojalá que los amantes del ecoturismo que viajan a Costa Rica para apreciar la flora y la fauna de sus playas y parques nacionales no perjudiquen a las visitantes más vulnerables.

[1] female sea turtles   [2] nest   [3] carried out   [4] survival   [5] leatherback turtles   [6] shell   [7] trips

Búsqueda: protección de las tortugas marinas en costa rica, parque nacional tortuguero

Productos

Una de las piezas de artesanía de Costa Rica más conocida en el mundo y más apreciada por los turistas es la carreta de bueyes (*oxen*), el símbolo nacional del país. Estas carretas de vivos colores y diseños únicos se hacen a mano y se venden en todas partes del país, pero las más especiales se consiguen en Sarchi, un pequeño pueblo en la provincia de Alajuela donde se fabrican desde hace siglos. En esta comunidad, reconocida como la cuna de la artesanía costarricense, se encuentra la carreta de bueyes más grande del mundo.

16 Comprensión — Interpretive Communication

1. ¿Por qué existen zonas protegidas en las playas de Costa Rica para los nidos de las tortugas?
2. ¿Qué características tienen las tortugas baulas?
3. ¿Por qué son famosas las carretas de bueyes de Costa Rica?

17 Analice

1. Si las zonas de protección se crearon para evitar el contacto del hombre con las especies en peligro, ¿por qué cree Ud. que se promueven como sitios turísticos?
2. ¿Por qué cree Ud. que a los turistas les gusta comprar artesanías?

Vocabulario 2

¡De excursión! 🎧

Me llamo Esteban. Me encanta ir de excursión a Costa Rica. Me encanta **la naturaleza**, su flora y su fauna. Hay muchas cosas que hacer.

ir a un parque nacional

la balsa

navegar por rápidos

bucear

hacer una cabalgata

En **las reservas naturales** de Costa Rica se **protegen** muchas especies de plantas y animales. Son **refugios de vida silvestre**.

el jaguar

la mariposa

la orquídea

el oso perezoso

el quetzal

el tucán

Para conversar 🎧

*T*o talk about environmental issues:

Me **disgusta** que la gente no cuide **el medio ambiente**.

I don't like that people don't take care of the environment.

Sí, **es una lástima que** haya tanta basura en un lugar tan hermoso. Me **fastidia** mucho.

Yes, it's a pity that there is so much trash in such a beautiful place. It really bothers me.

Sin embargo, me **sorprende** que el agua se vea tan clara.

Nevertheless, I am surprised that the water looks so clear.

Para decir más

el ave	*bird*
la gaviota	*seagull*
el/la guardabosques	*park ranger*
la serpiente	*serpent*
la tarántula	*tarantula*

18 En el refugio de vida silvestre 🎧

Escuche las frases y diga a qué foto corresponde cada una.

A

B

C

D

E

F

19 ¡Qué bueno es viajar!

Complete el siguiente diálogo con las palabras del recuadro.

la balsa	bucear	el parque nacional	el quetzal	los rápidos

Elena: ¿Viste qué bonitos colores tiene (**1**)?

Marco: Sí, es muy bonito. Me encanta ver pájaros en (**2**).

Elena: A mí también. ¿Cuándo vamos a ir a navegar por (**3**)?

Marco: Mañana. ¿Sabes cuántas personas van en (**4**)?

Elena: Hasta ocho personas. ¿Crees que podamos (**5**) en el río?

Diálogo

Temo que nos perdamos en la selva

Ana: Leo, ¿estás seguro que sabes dónde está la oficina del refugio de vida silvestre?

Leo: Sí, está al final de este sendero.

Débora: Pero este sendero va por la selva. ¡Temo que nos perdamos en la selva!

Ana: ¿No hay otra forma de llegar?

Leo: Tranquilas, muchachas. No creo que nos perdamos. Yo tengo un mapa.

Débora: ¿Y si en el camino nos encontramos con un jaguar?

Ana: ¿O un oso perezoso?

Leo: No se preocupen, yo las protejo.

Ana: ¿Cómo nos vas a proteger tú, si hasta las mariposas te dan miedo?

Leo: Me fastidia que exageres, Ana.

Ana: No exagero. Es la verdad... Ya verás cómo nosotras somos las que te protegemos a ti.

20 ¿Qué recuerda Ud.?

1. ¿Dónde está la oficina del refugio de vida silvestre?
2. ¿Por dónde va el sendero?
3. ¿Qué teme Débora que les pase?
4. ¿Qué va a hacer Leo si en el camino se encuentran con un jaguar?
5. ¿Qué le da miedo a Leo?
6. ¿Qué le fastidia a Leo?

21 Algo personal

1. ¿Estuvo alguna vez en un parque nacional? ¿Dónde?
2. ¿Qué animales y plantas se pueden ver en un parque nacional?
3. ¿Se perdió alguna vez en un bosque u otro lugar de la naturaleza?
4. ¿Navegó alguna vez por rápidos o fue de cabalgata?

¿Por dónde va el sendero?

22 ¿Qué me recomienda?

Escuche las oraciones y diga si cada una se refiere a una situación en **un parque nacional** o en **una ciudad**.

Gramática

El subjuntivo con verbos que expresan emociones

- Use the subjunctive after verbs that express emotions or feelings if the subject of the main clause is different than subject of the subordinate clause (the clause that starts with *que*). The following verbs express emotions, and they are all conjugated like *gustar*.

agradar	*to please*	**enojar**	*to anger*	**interesar**	*to be of interest*
alegrar	*to make glad*	**fascinar**	*to fascinate*	**molestar**	*to bother*
complacer	*to please*	**fastidiar**	*to annoy*	**preocupar**	*to worry*
disgustar	*to dislike*	**importar**	*to matter*	**sorprender**	*to surprise*
encantar	*to delight*				

> *Me agrada que vengas con nosotros.*   **I'm glad that you're coming** with us.
>
> *Me sorprende que haya tantos animales.*   **It surprises me that there are** so many animals.

- Other verbs that express emotion but do not follow the pattern of *gustar* are ***sentir*** (to be sorry, to regret) and ***tener miedo de*** (to be afraid of).

> *Siento que no puedas bucear con nosotros.*   **I'm sorry you can't** scuba dive with us.
>
> *Tengo miedo de que cancelen el viaje.*   **I'm afraid they will cancel** the trip.

Note: The subjunctive and the conjunction *que* are not needed when the subject doesn't change.

> *Temo perderme en la selva.*   **I'm afraid I'll get lost** in the jungle.
>
> *Me encanta bucear.*   **I love to scuba dive**.
>
> *Me molesta ir en la balsa con tanta gente.*   **It annoys me to go** in the raft with so many people.

23   En gustos no hay disgustos

Complete las oraciones con el subjuntivo del verbo entre paréntesis.

MODELO   Me alegra que Uds. (*poder*) ir al parque.
Me alegra que Uds. **puedan** ir al parque.

1. Nos agrada que en los parques nacionales se (*proteger*) la flora y fauna.

2. ¿No te disgusta que la gente no (*cuidar*) el medio ambiente?

3. A muchas personas les molesta que la gente (*tirar*) la basura en cualquier parte.

4. A los turistas les fastidia que no se (*permitir*) bucear en el lago.

5. ¿A Ud. le preocupa que algunas plantas (*estar*) en peligro?

Me alegra que sean mis amigos.

6. Me sorprende que (*haber*) tantas orquídeas en este lugar.

7. Me encanta que nosotros (*poder*) ver tantos animales en la selva.

8. Mi papá tiene miedo de que la balsa (*ser*) demasiada pequeña.

Cambie el verbo en infinitivo a la forma correspondiente del subjuntivo según el sujeto indicado entre paréntesis.

MODELO   Me gusta *observar* las tortugas y me encanta que... (*mis amigos*)

Me gusta observar las tortugas y me encanta que **mis amigos las observen**.

1. A mí me importa *proteger* el medio ambiente, y me sorprende que no... (*la gente*)
2. Me interesa *estudiar* la flora y la fauna y me agrada que... (*tú*)
3. Me da miedo *subir* a la balsa, pero no me molesta que... (*Ud.*)
4. Me encanta *descubrir* secretos, pero me fastidia que... (*otras personas*)
5. Me encanta *navegar* por rápidos, pero me da miedo que... (*mi hermano*)
6. Me molesta *tirar* basura en el parque, y me enoja que... (*todo el mundo*)
7. Me agrada *cortar* flores pero me molesta que... (*ellos*)

Nos fastidia hacer fila en el aeropuerto.

Me agrada que estudiemos español.

Ud. está caminando en San José, Costa Rica, cuando se encuentra con un(a) amigo/a. Reaccione a las noticias que le da, usando verbos que expresan emoción y una forma del subjuntivo.

MODELO   Ya hace seis años que vivo en San José.

Me sorprende que vivas aquí.

1. Trabajo en una agencia de viajes y estoy muy contenta.
2. Organizo excursiones a las reservas naturales.
3. Tengo muchos amigos y soy muy feliz en Costa Rica.
4. Viajo por toda América Central y me encanta.
5. Extraño a mis hermanos y a mi familia.
6. Voy a ir a estudiar a la Universidad de Costa Rica.
7. Aquí hay cursos muy interesantes sobre la protección del medio ambiente.
8. No quiero volver a los Estados Unidos.

¡Comunicación!

26 ¡Cómo molestan! 👥 Interpersonal Communication

Ud. y su compañero/a están en un parque nacional de Costa Rica. Expresen
su reacción a lo que dicen los siguientes carteles. Usen los verbos de la caja.
Sigan el modelo.

MODELO ¡No corten las flores!

A: Me sorprende que no se puedan cortar las flores.

B: Pues a mí me alegra que prohíban cortarlas.

agradar	disgustar
alegrar	preocupar
molestar	sorprender
fastidiar	enojar

¡Por favor, cuiden el medio ambiente!

Visiten nuestro refugio de vida silvestre.

🚫 Prohibido bucear en el río.

¡Protejan la naturaleza!

No enciendan fogatas.

No molesten a los animales.

¡No tiren basura en el césped!

¡Comunicación!

27 Otro lugar, otro pensar 👥 Interpersonal Communication

Trabaje en un grupo de tres o cuatro estudiantes. Túrnense para decir qué les agrada
y qué les fastidia en los siguientes lugares o situaciones. Agreguen otros lugares o
situaciones más. Comparen sus respuestas con otros grupos.

MODELO en la clase de español

A: Me agrada que hablemos de cultura. ¿Y a ti?

B: A mí también, pero me disgusta que haya tanta tarea.

	Me agrada	Me encanta	Me fastidia	Me enoja
1. en la escuela				
2. en el aeropuerto				
3. en el hotel				
4. en una fiesta				
5. en un parque nacional				

Todo en contexto

¡Comunicación!

28 No podemos ponernos de acuerdo 👥 Interpersonal/Presentational Communication

Trabaje con un(a) compañero/a para crear un diálogo entre dos amigos/as que van a hacer un viaje juntos a Costa Rica. Son buenos/as amigos/as, pero tienen opiniones diferentes sobre casi todo lo relacionado con el viaje. Uno viaja para explorar el medio ambiente y el otro, para relajarse. Practiquen su diálogo juntos y luego preséntenlo delante de la clase. Luego, comenten cómo pueden llegar a un acuerdo y resolver sus diferencias.

MODELO
  A: Estamos en Costa Rica; me gustaría explorar la selva tropical.

  B: Prefiero relajarme en el hotel.

  A: Me interesa la naturaleza y quiero hacer una cabalgata para conocer la selva.

  B: Pues, me fastidia la selva. Preferiría nadar en la piscina del hotel.

¡Comunicación!

29 Un viaje ecológico 👥 Presentational Communication Conéctese: la ecología

Imagine que Ud. y dos compañeros/as van a ir a Costa Rica. Quieren descubrir la belleza natural del país y van a compartir sus experiencias con sus amigos. Investiguen por lo menos dos reservas naturales del país y presenten esta información en una charla delante de la clase. Hablen también sobre la importancia de proteger el medio ambiente. Acompañen su presentación con imágenes de los lugares que van a ver e incluyan datos e imágenes de las especies que van a encontrar en estos lugares. Organicen toda la información en una gráfica como esta.

Nombre del parque	Puntos de interés	Animales	Plantas

Nos interesa que el país proteja el medio ambiente.

Lectura literaria

Emboscada del tiempo
de *Marco Aguilar*

Sobre el autor

Marco Aguilar nació en Turrialba, Costa Rica, en 1944.
Estudió en el colegio local ya que su familia era
humilde, pero a través de los años conoció a varios de
los que serían en el futuro poetas como él. Algunos de
sus poemas han sido publicados en revistas nacionales
e internacionales y traducidos a otros idiomas como el
portugués y el inglés. Se han publicado cuatro libros
con sus poemas, pero han salido pocos ejemplares, por lo cual su poesía no es muy conocida entre los
jóvenes lectores. La perfección en la técnica de sus sonetos y la sencillez de sus temas han sido alabadas por
críticos literarios y escritores. Entre sus obras se destacan *Raigambres* (1961), *Cantos para la semana* (1963),
Emboscada del tiempo (1988) y *El tránsito del sol* (1996).

Antes de leer

1. ¿Qué prefiere Ud. leer, prosa o poesía?
2. ¿Cuál de los dos estilos le parece más difícil de
   leer? Explique su respuesta.

Estrategia

Interpreting figurative language

Many times in literature, and especially in poetry, you
can't take the meaning of certain expressions literally.
You have to interpret what the author wants to say, and
figure out the effect he or she wants to achieve.

30 Practique la estrategia

En "Emboscada del tiempo" ("*Ambush of Time*"), el autor usa la personificación (figura
literaria en que se atribuyen cualidades humanas a seres inanimados) para hablar del
idioma castellano. A medida que lee el poema, identifique ejemplos de personificación
y escríbalos en una tabla como la siguiente. ¿Qué significado más profundo quiso
comunicar el autor en esos versos?

Texto	Interpretación
Viajó sin pasaporte a sembrar sus vocales florecidas (*flowery*)...	**El autor le atribuye al idioma las características y motivaciones de una persona no identificada, un desconocido que viaja a otro lugar donde espera empezar una nueva vida.**

Comprensión

1. Cuando el autor habla de carabelas y del Mar de los Sargazos, ¿a qué acontecimiento de la historia se refiere?

2. ¿Qué clase de personas venían en las carabelas?

3. ¿Por qué dice el autor, al referirse al lenguaje, que lo traían sin cuidado y sin pulimento pero aun así era hermoso?

Analice

4. ¿Qué quiere expresar el autor cuando dice "Nunca notaron que venía con ellos y tampoco supieron que no lo merecían"?

5. ¿Qué comparación implícita hace el autor cuando dice "el idioma castellano me sabe a leche tibia"?

Emboscada del tiempo 🎧
de *Marco Aguilar*

Algo venía en esas carabelas[1]
que no anotaron en el inventario.

Era intangible
pero pesaba tanto que no entiendo
cómo no las hundió[2] cuando cruzaron
el Mar de los Sargazos.

Lo traían sin nada de cuidado,
sin brillo lo traían,
ni pulimento[3]
pero de todos modos era hermoso.

Nunca sabremos cómo viajaría
siendo mucho más grande que los barcos,
pero sabemos que las maderas ásperas[4]
se habían suavizado al escucharlo.

Nunca notaron que venía con ellos
y tampoco supieron que no lo merecían.

Viajó sin pasaporte
a sembrar[5] sus vocales florecidas
y sus desesperadas consonantes,
a nutrirse en los nuevos territorios.

Yo lo conozco bien porque mi madre
con esas sílabas me amamantaba[6].

Esa era la manera
en que yo pretendía[7] decir las cosas
en meses de estupor[8] y balbuceo[9].

Amo
esos adverbios y esos adjetivos
que cuando abrí los ojos
cantaron la canción de bienvenida.

Por eso es que el idioma castellano
me sabe[10] a leche tibia.

[1] caravels, sailing ships   [2] sink   [3] polish   [4] rough   [5] to plant   [6] nursed
[7] tried   [8] astonishment   [9] babbling   [10] tastes like

Después de leer

Comente con sus compañeros/as los versos en que el autor personificó el idioma y el mensaje que transmitió al hacerlo. Luego, piensen en un objeto inanimado y descríbanlo en una estrofa usando la personificación.

Repaso de la Lección B

A Escuchar: ¿Cómo lo puedo ayudar? 🎧 (pp. 286–287)

Escuche cómo hacen una reserva estas seis personas. Preste atención a la descripción del cuarto y de los servicios que cada uno quiere y diga si lo que pide el cliente es **lógico** o **ilógico**.

B Vocabulario: Un paraíso (pp. 296–297)

Complete este diálogo con la palabra adecuada del recuadro, según el contexto.

quetzal	mariposa	tucán
oso perezoso	orquídea	jaguares

David: ¡Qué buena idea tuviste! Esta cabalgata me gusta. ¡Mira! Las alas de esa **(1)** son azules.

Daniela: ¡Qué flores! ¡Qué **(2)** tan bonita! Las flores de mi jardín no son tan bonitas.

David: También hay una gran variedad de fauna. ¿Ya viste ese **(3)**? ¡Qué plumaje tan colorido!

Daniela: Sí, los pájaros son muy bonitas, pero a veces se ven chistosas. Mira ese **(4)**. Es muy bonito, pero tiene el pico muy grande y chistoso, ¿no?

David: Sí, hasta los animales grandes son bonitos, aunque muy peligrosos; los **(5)** son gatos muy bellos.

Daniela: Bueno, no todos los animales son bonitos; mira ese **(6)**.

C Gramática: Yo preferiría (p. 290)

¿Qué haría si fuera (*you went*) a Costa Rica? Escriba una oración con el condicional de cada uno de los verbos del recuadro y el vocabulario de la lección.

visitar	ver	querer
pasear	salir	ir

D Gramática: Un padre preocupado (p. 299)

Imagine que tiene un hijo que está por viajar a Costa Rica. Es la primera vez que su hijo viajará solo y Ud. está preocupado. Exprese sus sentimientos conjugando en subjuntivo los verbos que están entre paréntesis.

1. Me alegra que te (*ir*) a Costa Rica, pero estoy preocupado.
2. Me disgusta que tú no (*viajar*) acompañado.
3. Me sorprende que me lo (*contar*) un día antes de viajar.
4. Me preocupa que (*poder*) sucederte algo.
5. Me interesa que (*hacer*) todos los planes solo.
6. Me importa que lo (*pasar*) bien en Costa Rica.

Piense en las razones por la cuales alguien querría viajar a Costa Rica y resúmalas en un diagrama como este.

Razones para viajar
a Costa Rica

Vocabulario

Para alojarse
el albergue juvenil
la bañera
la cama doble
la cama sencilla
la cancha de tenis
el conserje, la conserje
la lavandería
el registro
los servicios

La naturaleza
el medio ambiente
la naturaleza
el parque nacional
el refugio de vida silvestre
la reserva natural

Actividades de los parques
la balsa
bucear
la cabalgata
navegar por rápidos

Verbos
dar a
disgustar
fastidiar
incluir
observar
proteger
sorprender

Adjetivos
blando/a
firme
disponible

Animales y plantas
el jaguar
la mariposa
la orquídea
el oso perezoso
el quetzal
el tucán

Otras palabras y expresiones
el depósito
Es una lástima que…

Gramática

El subjuntivo con verbos de emoción

Use el subjuntivo con verbos que expresan emociones (como los de abajo) en oraciones que tienen dos cláusulas y dos sujetos. Las cláusulas se conectan con **que**.

agradar	fastidiar
alegrar	gustar
complacer	importar
disgustar	interesar
encantar	molestar
enojar	preocupar
fascinar	sorprender

Me **molesta que** la gente no **cuide** el medio ambiente.
Te **enoja que lleguemos** tarde.
A Uds. les **alegra que** su tío **pueda** ir al concierto.

El condicional

El condicional se usa para hablar de probabilidad. Recuerde que los siguientes verbos son irregulares en el condicional: **decir, haber, hacer, poder, poner, querer, saber, salir, tener** y **venir**.

*Con un millón de dólares, me **compraría** una casa nueva.*
*El cine **mostraría** películas cómicas en un mundo perfecto.*
*¿**Podría** traerme un refresco?*

Para concluir

Proyectos

A   ¡Manos a la obra!   👥   Conéctese: la economía

Ud. y tres compañeros/as han decidido abrir un hotel en Costa Rica o en Panamá. Primero, deben hablar de las ventajas y posibles desventajas de establecer su negocio en uno de estos países. Cuando hayan decidido en qué país van a montar el hotel, deben decidir el lugar: ciudad o campo. Luego, tienen que identificar sus futuros clientes: ¿serán personas de negocios, ecologistas, aventureros o amigos o familias que quieren disfrutar de sus vacaciones? Hablen de todos los detalles del hotel y preparen un anuncio. Pueden elegir el medio que más les convenga: un sitio web, un anuncio por la televisión o la radio, un artículo en la prensa o una serie de charlas para anunciar su apertura.

Hotel de lujo en Costa Rica

B   En resumen

Imagine que Ud. es un guía de turismo especializado en viajes a Costa Rica y Panamá. Hoy recibe en su oficina a un cliente que nunca ha salido del país. Ud. quiere ayudarlo, dándole mucha información sobre los dos países para que su cliente escoja el destino más adecuado según sus gustos y preferencias. Piense en el clima, la ubicación geográfica y las atracciones turísticas. No se olvide de la belleza y la riqueza natural de cada país, sus parques nacionales, la hospitalidad de la gente, las artesanías, los pueblos originarios, el Canal de Panamá, la Zona Libre de Colón y el turismo medioambiental. Organice la información en un diagrama de Venn para entregárselo al cliente.

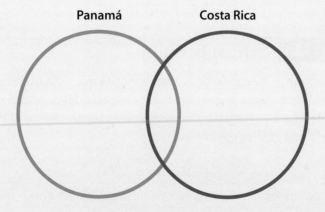

Extensión

Imagínese que Ud. es el cliente de la actividad anterior y que ha tomado una decisión sobre su viaje. Escriba sus planes e incluya las ciudades que visitará, las actividades que hará, dónde se alojará y cómo se trasladará de un lugar a otro.

C ¡A escribir! Conéctese: la historia

Imagine que Ud. es un(a) pasajero/a en uno de los primeros barcos que pasó por el Canal de Panamá el año en que terminaron la construcción, 1914. Ud. hizo el viaje desde la ciudad española de Málaga y mientras estaba atravesando el Atlántico ha ido anotando sus impresiones en un diario. Investigue como eran las condiciones y el ambiente en los barcos durante esa época. En su diario, describa la flora y la fauna, sus reacciones, alegrías, gustos, disgustos, enojos y las ocasiones en que sintió miedo durante el viaje. Incluya comentarios de por lo menos siete días.

Estrategia

Revisar

Antes de entregar su trabajo escrito, revíselo. Verifique que la gramática y la ortografía sean correctas. No dude en buscar la palabra o expresión adecuada en un diccionario.
Lea su trabajo otra vez y haga los cambios necesarios. También podría intercambiar su trabajo con el de un(a) compañero/a para que haga correcciones y comentarios.

D ¿Cuál sería su viaje ideal?

Piense en un viaje que le gustaría hacer con su familia, amigos o quizás solo/a. Luego, trabaje con tres o cuatro compañeros/as y hablen de estos viajes. Comenten los preparativos que harían para el viaje, los lugares que visitarían, las actividades que harían, dónde se alojarían, las personas con quiénes les gustaría viajar y por qué, además de cualquier detalle que contribuiría a saber por qué sería un viaje ideal.

El viaje ideal: ¿Qué decisiones necesito tomar?				
Los preparativos	Lugares adónde iría	Actividades que haría	Con quién(es) me iría	Detalle que haría ideal el viaje

E ¿Desaparecerán? Conéctese: las ciencias

Con su compañero/a investigue una especie de animal o planta que está en peligro de extinción. Identifique el lugar donde se encuentra esta especie, las medidas que se toman o deberían tomarse para protegerla y las consecuencias ecológicas si esta especie desaparecería. Usen una gráfica como esta.

En peligro			
Nombre	Dónde está	Medidas de protección	Consecuencias de pérdida (loss)

Vocabulario de la Unidad 6

a último momento at the last minute 6A

el **aguacero** (heavy) rain shower 6A

el **albergue juvenil** youth hostel 6B

asustarse to get scared 6A

atravesar (ie) to go through, to cross 6A

la **balsa** raft 6B

la **bañera** bathtub 6B

blando/a soft 6B

bucear to scuba dive 6B

la **cabalgata** horseback ride 6B

la **cama doble** double bed 6B

la **cama sencilla** single bed 6B

la **cancelación** cancellation 6A

cancelar to cancel 6A

la **cancha de tenis** tennis court 6B

el **cheque de viajero** traveler's check 6A

la **confirmación** confirmation 6A

confirmar to confirm 6A

el **conserje, la conserje** concierge 6B

dar a to look onto 6B

el **depósito** deposit 6B

el **descuento** discount 6A

el **detalle** detail 6A

disgustar to dislike 6B

disponible available 6B

embarcar to board 6A

Es una lástima que... It's a pity that... 6B

la **excursión** outing 6A

fastidiar to bother 6B

firme firm 6B

gastar to spend 6A

hacer fila to stand in line 6A

hasta que until 6A

incluir to include 6B

el **jaguar** jaguar 6B

la **lavandería** laundry 6B

el **malentendido** misunderstanding 6A

la **mariposa** butterfly 6B

el **medio ambiente** environment 6B

mover(se) (ue) to move 6A

la **naturaleza** nature 6B

navegar por rápidos to go white-water rafting 6B

negar (ie) to deny 6A

la **niebla** fog 6A

la **nube** cloud 6A

observar to observe 6A

la **orquídea** orchid 6B

el **oso perezoso** sloth 6B

el **parque nacional** national park 6B

perder (ie) to miss 6A

planear to plan 6A

por adelantado in advance 6A

presentarse to show up 6A

proteger to protect 6B

el **quetzal** quetzal 6B

el **refugio de vida silvestre** wildlife refuge 6B

el **registro** register 6B

relajarse to relax 6B

el **relámpago** lightning 6A

la **reserva** reservation 6A

la **reserva natural** nature reserve 6B

retrasado/a delayed 6A

el **retraso** delay 6A

los **servicios** services 6B

sin previo aviso without advance notice 6A

sorprender to surprise 6B

sujeto a cambio subject to change 6A

tan pronto como as soon as 6A

la **tarjeta de embarque** boarding pass 6A

el **trueno** thunder 6A

el **tucán** toucan 6B

la **turbulencia** turbulence 6A

el **volcán** volcano 6A

¿Sabía que...?

La papa, originalmente de los Andes, se introdujo a la cocina europea cuando los conquistadores regresaron de las Américas a Europa. Ahora, es parte integral de platos típicos europeos, como la tortilla española.

A comer bien

Escanee el código QR para mirar el documental sobre los personajes de *El cuarto misterioso*.

Jennifer Blanco habla sobre el Mercado de la Boquería, el más célebre y antiguo de la ciudad de Barcelona.

¿Por qué es famoso este mercado y qué se vende allí?

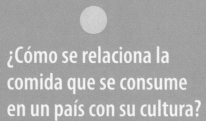

Pregunta clave

?

¿Cómo se relaciona la comida que se consume en un país con su cultura?

Mis metas

Lección A   I will be able to:

▶ talk about buying food at the market

▶ compare using expressions of inequality, equality, and superlatives

▶ talk about typical foods and open-air markets in Bolivia

▶ talk about recipes and food preparation in the kitchen

▶ use **se** and the verb **ser** to form the passive voice

▶ use past participles as adjectives with the verb **estar**

▶ use **se** to describe accidental occurrences

▶ talk about the role of **quinua** in the Bolivian economy

Lección B   I will be able to:

▶ talk about party items and appropriate behavior

▶ talk about the past using the imperfect subjunctive

▶ discuss traditional and contemporary Peruvian cuisine

▶ order from a menu in a restaurant and make a complaint

▶ use the subjunctive with relative pronouns to talk about people or things that may or may not exist

▶ read and discuss an excerpt from a novel by Peruvian author Gustavo Rodríguez

¿Cómo se llama este platillo boliviano y de dónde es?

Perú   Bolivia

¡Vamos al mercado! 🎧

Me llamo Luisa. Soy de La Paz, Bolivia. Me encanta ir al mercado. Mi familia y yo vamos todos los sábados. ¡Nos encantan los productos frescos!

el puesto de frutas

el puesto de verduras

las cerezas

los damascos

el choclo

el ají (los ajíes)

las legumbres

los frijoles

los garbanzos

las lentejas

el repollo

la espinaca

el puesto de condimentos

el perejil

el orégano

Para decir más

el apio	celery
las arvejas	peas
el cilantro	coriander
las habas	fava beans
la yuca	yucca

En otros países

el ají	el chile (México)
el choclo	el elote (México)
	el maíz (Venezuela)
	la mazorca (Colombia)
los condimentos	los aliños (Colombia)
el damasco	el albaricoque (España, Suramérica)
	el chabacano (México)
los frijoles	las caraotas (Venezuela)

Para conversar

To talk about food at the market:

Este damasco está un poco **agrio**. Creo que todavía está **verde**.
This apricot is a little sour. I don't think it is ripe yet.

¿De veras? El mío está muy **sabroso**. ¡Pruébalo!
Really? Mine is delicious. Taste it!

Estas cerezas se ven **podridas**. Vamos a otro puesto.
These cherries look rotten. Let's go to another stand.

Llevemos la espinaca. Está a solo cinco **bolivianos** la bolsa.
Let's take the spinach. It's only five bolivianos a bag.

No olvides comprar **unos gramos** de algún condimento **picante**.
Don't forget to buy a few grams of some spicy seasoning.

1 Definiciones

Empareje la definición con la palabra correcta.

1. una verdura de hojas delicadas que se usa en ensaladas
2. una fruta de color anaranjado
3. una legumbre redonda de color pálido
4. una verdura que puede ser picante
5. un condimento clásico de la comida italiana
6. una legumbre pequeña y plana (*flat*)

A. el ají
B. el garbanzo
C. la espinaca
D. la lenteja
E. el damasco
F. el orégano

2 De compras 🎧

Indique la letra de la foto que corresponde con lo que oye.

A

B

C

D

E

F

3 Categorías

Complete la tabla con las palabras del recuadro que correspondan en cada categoría.

| el perejil | las cerezas | los frijoles | las espinacas | el orégano |
| los garbanzos | el repollo | los damascos | las lentejas | el choclo |

Frutas	Legumbres	Verduras	Condimentos

4 ¡A comer!

Elija la palabra del paréntesis que complete en forma lógica cada oración.

1. Cuando fuimos al mercado en Bolivia pagamos con (*bolivianos / euros*).

2. Estas cerezas están tan (*agrias / sabrosas*) que no las puedo comer.

3. El orégano es el mejor (*cereal / condimento*) que existe para cocinar.

4. La comida boliviana es menos (*picante / podrida*) que la mexicana.

5. En el restaurante nos sirvieron una comida con arroz y (*cerezas / frijoles*).

6. Los damascos están un poco (*verdes / picantes*). Comámoslos mañana.

7. Este (*puesto / choclo*) de verduras es el mejor del mercado.

8. Los garbanzos y las lentejas son (*legumbres / frutas*).

Diálogo

¡Estas manzanas están carísimas!

Vendedor:	¿Le puedo ayudar, señorita?
Eva:	Sí, necesito medio kilo de cerezas. ¿Están maduras?
Vendedor:	Sí, y muy sabrosas también. ¿Quiere probarlas?
Eva:	Gracias. Tiene razón, están sabrosísimas.
Vendedor:	¿Qué otra cosa necesita?
Eva:	¿Cuánto cuestan las manzanas?
Vendedor:	Cuestan tres bolivianos el kilo.
Eva:	Uy, están carísimas. Y los damascos, ¿a qué precio están?
Vendedor:	A dos bolivianos el kilo, pero están un poco verdes. Los duraznos están mejor que los damascos.
Eva:	Muy bien, deme un kilo y medio y póngalos en una bolsa.

5 ¿Qué recuerda Ud.?

1. ¿Cómo están las cerezas?
2. ¿Cuánto cuestan las manzanas?
3. ¿Cómo están los damascos?
4. ¿Cómo están los duraznos?
5. ¿Cuántos kilos de duraznos compra Eva?

6 Algo personal

1. ¿Va Ud. al mercado? ¿Qué le gusta comprar allí?
2. ¿Qué prefiere: las frutas o las verduras? ¿Por qué?
3. ¿Le gusta la comida picante?
4. ¿Cuál es el condimento que más le gusta?
5. ¿Cuál es para Ud. la comida más sabrosa? ¿Por qué?

¿Qué condimentos le gustan?

7 Las compras de Leticia

Escuche los siguientes diálogos. Escriba lo que compra Leticia en el primer puesto del mercado y lo que compra en el segundo puesto. Complete una tabla como la de al lado con los datos.

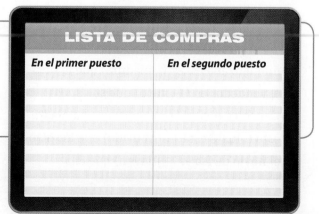

LISTA DE COMPRAS	
En el primer puesto	**En el segundo puesto**

El comparativo

- *Más que* and *menos que* are used with adjectives and adverbs to compare people, things, and activities.

*Juliana es **más alta que** Lilia.*	Juliana is **taller than** Lilia.
*El repollo es **menos sabroso que** las espinacas.*	Cabbage is **less tasty than** spinach.
*Cocinas **más frecuentemente que** yo.*	You cook **more frequently than** I (do).

- A few common adjectives have irregular comparative forms.

bueno	*good*	→	mejor	*better*
malo	*bad*	→	peor	*worse*
joven	*young*	→	menor	*younger*
viejo	*old*	→	mayor	*older*
pequeño	*small*	→	menor	*smaller*
grande	*big*	→	mayor	*bigger*

*Este damasco está **mejor que** aquel.*	This apricot is **better than** that one.
*Este mercado es **peor que** el otro.*	This market is **worse than** the other one.
*Él es **menor que** mi primo.*	He is **younger than** my cousin.
*Él es **mayor que** yo.*	He is **older than** I (am).

- The comparative forms of the adverbs *bien* (well) and *mal* (badly) are *mejor* and *peor*.

*Cocinas **mejor que** yo.*	You cook **better than** I (do).
*Alberto canta **peor que** tú.*	Alberto sings **worse than** you (do).

8   Vamos a ver...

Haga comparaciones con el adjetivo que está entre paréntesis. El signo + indica **más... que**, y el signo – indica **menos... que**.

MODELO   estas espinacas parecen / (– buenas) que aquellas
Estas espinacas parecen peores que aquellas.

1. los frijoles negros son / (– bueno) que las lentejas como plato principal
2. mi manzana está / (– madura) que la tuya
3. el vendedor es / (– viejo) que su esposa
4. Conchita cocina / (+ bueno) que su madre
5. este tomate está / (– podrido) que los otros
6. el novio de Isa es / (+ joven) que ella

Estos limones están más amarillos que los otros.

Gramática

¡Comunicación!

9 Los precios de las verduras · Interpersonal Communication

Ud. está en el mercado con su compañero/a. Comparen los precios de las verduras. Túrnense para hacerse preguntas y responderlas.

MODELO   ajo / ají

A: ¿Qué cuesta más, el ajo o el ají?

B: El ají cuesta más que el ajo. / El ají es más caro que el ajo.

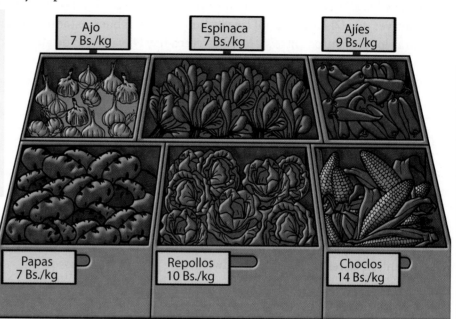

Ajo
7 Bs./kg

Espinaca
7 Bs./kg

Ajíes
9 Bs./kg

Papas
7 Bs./kg

Repollos
10 Bs./kg

Choclos
14 Bs./kg

El comparativo de igualdad

- Use **tan** and an adjective or an adverb followed by **como** (as... as) to express that two or more people or things are equal in terms of qualities or characteristics.

  *Las papas están **tan caras como** los frijoles.*   The potatoes are **as expensive as** the beans.

  *Yo no cocino **tan bien como** mi madre.*   I don't cook **as well as** my mother (does).

- Use **tanto/a... como** to express equality of amount. The form of **tanto** (**tanta, tantas, tantos**) agrees with the object that follows. The English equivalents to these expressions are "as much as" and "as many as."

  *En este mercado hay **tantos puestos como** en el otro.*   In this market there are **as many stands as** in the other one.

  *Necesito **tantos damascos como** duraznos.*   I need **as many apricots as** peaches.

- **Tanto como** can also be used to express equality of actions.

  *No cocino **tanto como** ellos.*   I don't cook **as much as** they do.

  *Compramos **tanto como** Ud.*   We buy **as much** (quantity) **as** you do.

10 Alimentos de calidad

Use las palabras del recuadro para completar el párrafo.

como	tan	más	tanta
peor	mejor	menos	tanto

Muchos de los alimentos que comemos no son **(1)** frescos como pensamos. Cuando vamos al mercado, debemos ver que **(2)** las frutas **(3)** las verduras estén en buen estado. Esto significa que debemos comparar los alimentos entre sí. Muchas veces hay **(4)** variedad de alimentos que es difícil elegir qué producto es **(5)** o **(6)** que otro. Por ejemplo, es fácil ver si un tomate está **(7)** maduro o **(8)** fresco que otro y también si tiene algo de podrido. Es importante prestar mucha atención a la calidad de un producto antes de comprarlo.

11 ¿Y la comida?

La comida es el tema de las siguientes conversaciones. Complételas con **más**, **menos**, **más... que**, **menos... que**, **tanto/a/os/as... como**, según corresponda.

1. A: Me parece que mi ensalada tiene __ fruta __ la tuya.
   B: Mira, creo que tiene __ damascos, pero no tiene __ cerezas __ la tuya.
2. A: ¿Puedes hacer seis sándwiches de jamón y cuatro de queso?
   B: ¡Ah!, ¿quieres que haga __ sándwiches de jamón __ de queso?
   A: No, mejor haz seis y seis, haz __ sándwiches de jamón __ de queso.
3. A: ¿Qué te gusta __, la carne o el pescado?
   B: Me gusta __ el pescado __ la carne.
   A: ¡Ah, bueno! Voy a preparar __ pescado que carne.
   B: No, por favor, no trabajes __ por mí. Prepara __ pescado __ carne.

¡Comunicación!

12 La comida y los amigos 👥 Interpersonal Communication

Complete las siguientes oraciones según su experiencia. Después, compárelas con las de su compañero/a.

MODELO
A: ¿Qué te gustan más, los duraznos o las peras?
B: Me gustan los duraznos más que las peras.
A: ¿En qué me parezco a tu mejor amiga?
B: Liliana, mi mejor amiga, es tan alegre como tú.

Las torticas de quinua son más saludables que las tortas fritas.

La comida

1. Me gusta(n) más (menos)... que...
2. Por lo general... son más (menos) picantes que...
3. La comida italiana es más (menos)... que la comida...

Los amigos

4. Mi mejor amigo/a es tan... como...
5. Tengo tantos... como...
6. Mis compañeros... tanto como...

Gramática

El superlativo

- The superlative ("the best," "the tallest," "the most expensive," etc.) is used when you want to single out one item or individual compared to others. In Spanish, use the following formula:

> **el/la/los/las + más/menos + adjective/adverb + de**

*Este mercado es **el más caro de** la ciudad.*	This market is **the most expensive in** the city.
*Estos frijoles son **los más ricos de** todos.*	These beans are **the most delicious of** all.
*Esta manzana es **la más madura de** la bolsa.*	This apple is **the ripest one in** the bag.

- Recall that some adjectives are irregular.

*Este puesto de frutas es **el mejor de** la ciudad.*	This fruit stand is **the best in** the city.
*Pero este es **el peor de** todos.*	But this one is **the worst of** all.
*Mi hermana pequeña es **la menor de** la familia.*	My little sister is **the youngest in** the family.

- The preposition *de* and the noun are not always used once the referent's pool is established or known. Compare the two examples below.

*Este orégano es **el más fresco del** mercado.*	This oregano is **the freshest in** the market.
*Este orégano es **el más fresco**.*	This oregano is **the freshest**.

- One way to intensify your descriptions is to use *tan* before adjectives and adverbs.

*¡Estos ajíes son **tan** picantes!*	These peppers are **so** hot!
*Juan, no comas **tan** rápido.*	Juan, don't eat **so** fast.

- To say that someone or something is extraordinarily good (or extraordinarily bad, etc.), drop the end vowel of the adjective and attach the suffix *-ísimo/a*.

*Estos damascos están **buenísimos**.*	These apricots are **extraordinarily good**.
*Ay, mira los precios. ¡Todo está **carísimo**!*	Oh, look at the prices. Everything is **outrageously expensive**!

- The last vowel is dropped before adding *-ísimo/a*, except with adjectives that end in *-ble*, which change the ending to *-bil*.

> **amable → amabilísimo**

- Sometimes a spelling change is needed.

ie → e	caliente, calentísimo		c → qu	fresca, fresquísima
z → c	feliz, felicísimo		g → gu	largos, larguísimos

Jennifer es la mayor de los hermanos y Jeremy es el menor.

13 La familia y los amigos

Pregúntele a su compañero/a sobre sus familiares y amigos.

MODELO   A: ¿Quién es el mayor de tus hermanos?

B: Mi hermano Daniel es el mayor de todos.

1. ¿Cuál es el más alto de tus amigos?
2. ¿Quién es el menor de tu grupo de amigos?
3. ¿Quién es la persona de tu familia que cocina mejor?

4. ¿Y la que cocina peor?
5. ¿Cuál de tus amigos tiene más hermanos?
6. ¿Quién es la persona más joven de tu familia?

14 ¡Qué rico!

Escriba oraciones completas según los elementos dados. Siga el modelo.

MODELO   fresas /estar / muy caras
Las fresas están carísimas.

1. camareros / ser / muy amables
2. tú / comer / mucho
3. este restaurante / ser / muy caro
4. garbanzos / estar / muy sabrosos

5. legumbres /cocinarse / muy lento
6. cena /estar /muy rica
7. cerezas / estar / muy frescas
8. ají / estar / muy picante

15 ¡Qué diferencia!

Ricardo y Laura cenaron en dos restaurantes diferentes. Complete lo que escribieron con el superlativo (la expresión con **-ísimo**) de las palabras en paréntesis.

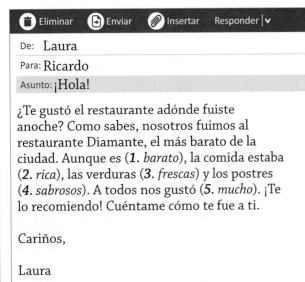

🗑 Eliminar 📄 Enviar 📎 Insertar Responder | ⌄

De: Laura

Para: Ricardo

Asunto: ¡Hola!

¿Te gustó el restaurante adónde fuiste anoche? Como sabes, nosotros fuimos al restaurante Diamante, el más barato de la ciudad. Aunque es (**1.** *barato*), la comida estaba (**2.** *rica*), las verduras (**3.** *frescas*) y los postres (**4.** *sabrosos*). A todos nos gustó (**5.** *mucho*). ¡Te lo recomiendo! Cuéntame cómo te fue a ti.

Cariños,

Laura

🗑 Eliminar 📄 Enviar 📎 Insertar Responder | ⌄

De: Ricardo

Para: Laura

Asunto: Re: ¡Hola!

Me dices que el restaurante Diamante es (**6.** *bueno*); por el contrario, el restaurante Casa Esteban es (**7.** *malo*) y además, (**8.** *caro*). Anoche la comida estaba (**9.** *mala*), los ajíes estaban (**10.** *picantes*) y las frutas (**11.** *podridas*). Como los camareros son (**12.** *lentos*), la cena estaba fría cuando la sirvieron y tuvimos que hacerla calentar. Siento mucho no haber ido contigo al restaurante Diamante.

Hasta pronto,

Ricardo

¡Comunicación!

16 ¡Haga aquí la compra! | Presentational Communication

Ud. y su compañero/a están en el mercado y ven los siguientes carteles. Complétenlos usando una forma del superlativo. Después, piensen en un producto del mercado para vender. Diseñen y escriban un cartel similar a los que se ven aquí para anunciarlo. Presenten su cartel a la clase.

1.

¡AQUÍ!

¡Las espinacas __ frescas __ mercado!
Compre nuestra verdura.

2.

¡Las frutas y las verduras más ricas y más __ de esta zona! Si quiere productos __ y baratísimos,

¡VISÍTENOS!

3.

¡Lleve los __ damascos __ la ciudad! Nuestros damascos son __.

¡COMPRE AQUÍ!

¡Comunicación!

17 ¡Lo mejor de lo mejor! | Interpersonal Communication

En grupos de tres, hablen de los siguientes temas.

el restaurante más lujoso	un viaje divertidísimo
una comida deliciosa	unos ejercicios facilísimos
el mejor día de su vida	una película interesantísima
un libro larguísimo	un día aburridísimo

Manjares[1] con altura 🎧

Uno de los logros más admirables de los pueblos indígenas que habitaban la cordillera de los Andes era su habilidad para crear sistemas de riego y plantación para cultivar alimentos a miles de metros de altura[2]. Bolivia es uno de los herederos de esas culturas andinas y muchas de sus ciudades están a grandes alturas. La ciudad más alta del mundo es Potosí, a unos 4.070 m sobre el nivel del mar. La Paz, su capital, también es muy alta, a 3.649 m. Con esa geografía, no es fácil producir muchos alimentos en grandes cantidades, pero aun así, la gastronomía boliviana es diversa y sabrosa.

La gastronomía boliviana

Refresco de quinua con mora

En el clima de altura, se necesitan comidas fuertes y nutritivas como la sopa. Las sopas son uno de los platos más populares porque no requieren muchos ingredientes. Con los productos andinos se pueden preparar sopas deliciosas. Por ejemplo, el chairo es una sopa con cordero[3], maíz, papas, cebolla, habas[4], orégano y sal. El fricasé es otra sopa tradicional que lleva cerdo, maíz blanco y chuño (papas deshidratadas), condimentada con ají amarillo. Se sirve en un plato hondo[5], con mucho caldo[6].

Las comidas se acompañan con bebidas, como el api (una mazamorra[7] de maíz morado), el jugo de tamarindo y el refresco de quinua con mora[8].

Otro alimento común es el pan, especialmente la marraqueta, un pan muy crujiente[9]. ¡Bolivia es una experiencia maravillosa y deliciosa!

[1] delicacies [2] altitude [3] lamb [4] fava beans [5] soup bowl [6] broth [7] pudding
[8] blackberries [9] crusty

🔍 **Búsqueda:** gastronomía de bolivia, platos típicos de bolivia

La marraqueta

Productos 🎧

En la región de Cochabamba, en Bolivia, se prepara un plato típico llamado pampaku: un guiso (*stew*) de carne con otros ingredientes. El término "pampaku" deriva de "p'ampay", una palabra quechua (el idioma de la gente indígena de Bolivia y Perú) que significa enterrar o cubrir con tierra. La carne se cocina en un horno bajo tierra en un foso (*pit*). Adentro, se ponen piedras que se calientan con leña (*firewood*). Allí se mete el recipiente con la carne, y el foso se cubre con tierra para que no escape el calor. La carne se cocina aproximadamente tres horas en sus propios jugos y queda sabrosa, como una sopa. Es una tradición que aún se practica en pleno siglo XXI.

El pampaku

18 Comprensión Interpretive Communication

1. ¿Cuál es uno de los platos más populares de Bolivia? ¿Por qué?

2. ¿Qué bebidas se mencionan en la lectura?

3. ¿Qué es una marraqueta?

4. ¿Dónde se cocina el pampaku?

19 Analice

1. ¿Por qué hay alimentos que son difíciles de conseguir o que no se producen en algunas regiones de Bolivia?

2. ¿Cómo se refleja la influencia indígena en la gastronomía boliviana?

El mercado tradicional

En Bolivia, hay mercados que existen desde hace siglos. Se ponen una vez por semana, generalmente los domingos, como el mercado tradicional de Tarabuco cerca de la ciudad de Sucre, la capital constitucional del país. Conseguir una buena ubicación para su puesto no es fácil; los vendedores tienen que caminar varios kilómetros en el frío y llegar antes del amanecer. En este mercado se comercian principalmente vacas y toros, pero también hay frutas, verduras, legumbres y cereales.

A unos pasos de la calle Sagárnaga en La Paz, hay un mercado muy especial. Allí se practica un ritual llamado *apthapi* que se hace para dar gracias a la Pachamama (la Madre Tierra). Cada participante trae una comida preparada con lo que él mismo produce y vende, y la pone sobre una tela colorida llamada *el aguayo*, que se extiende en el suelo. Es una comida comunitaria[1] que celebra la producción de la tierra: agricultura y ganado[2]. El que tiene hambre extiende su mano y toma lo que quepa en ella[3]. Todos están invitados.

La tradición del *apthapi* se ha extendido tanto que algunas empresas también lo realizan al final de congresos y seminarios y lo llaman "buffet andino". La diferencia principal es que todo lo organiza una sola persona; en cambio, en el ritual original cada persona trae lo que ha preparado con sus propias manos para compartir esos alimentos con los demás.

[1] potluck   [2] cattle   [3] as much as it can hold

Búsqueda: mercados bolivianos, apthapi

Ritual del apthapi

Prácticas

Rostro asado

Una de las fiestas más importantes que se celebra cada año en Bolivia es el Carnaval de Oruro. Este carnaval, conocido por sus danzas folclóricas y la diversidad y colorido de sus trajes y máscaras, también tiene como protagonista a la gastronomía tradicional. Durante la celebración, se preparan y venden platos típicos cuyo ingrediente principal es la carne de cordero (*lamb*). El más popular y sabroso de los platos de Oruro es el "rostro asado", que se sirve en la cabeza de un cordero cocida al horno o bajo tierra.

Perspectivas

Uno de los alimentos típicos de Bolivia es la quinua, un cereal muy nutritivo que se ha hecho conocido en el mundo entero. Uno de los productores de la Asociación Nacional de Productores de Quinua, Juan Ernesto Crispín, dijo:

"Es muy importante para hacer conocer a todos los países que visiten nuestro país que la quinua es cien por ciento del altiplano boliviano".

¿Por qué es importante que se sepa que la quinua es un producto cien por ciento boliviano?

20 Comprensión Interpretive Communication

1. ¿Qué tipo de productos se consiguen en el mercado de Tarabuco?

2. ¿En qué consiste el ritual del *apthapi*?

3. ¿Qué diferencia hay entre el *apthapi* y el "buffet andino"?

21 Analice

1. ¿Qué valores culturales cree Ud. que se celebran en el ritual del *apthapi*?

2. ¿A qué se parece el *apthapi* en los países de habla inglesa?

Vocabulario 2

Una receta favorita 🎧

INICIO | MIS RECETAS | VIDEOS | RECETAS DE MI FAMILIA | BLOGS

INICIO > MIS RECETAS > **ARROZ CON QUESO**

INGREDIENTES
1 litro de agua
2 tazas de arroz
1 taza de leche
8 onzas de queso

PREPARACIÓN

Se **hierve un litro** de agua.

Se agrega el arroz y se deja **cocer** por 20 minutos.

Cuando el arroz esté **cocido**, se le agrega la leche.

Se deja **enfriar**. Después, se agrega el queso al arroz.

OTROS INGREDIENTES

los dientes de ajo

la yema

las claras

la harina

PARA LA PREPARACIÓN

picar en pedazos

pelar

batir

hornear

PARA COCINAR

el recipiente

la asadora

la batidora

la sartén

Para conversar

*T*o talk about food preparation:

Puedes **asar** el pollo en una asadora o en la sartén.
You can roast the chicken in a roasting pan or in the skillet.

Puedes **mezclar** cebolla, tomate y condimentos para acompañar al pollo. **Revuelve** todo muy bien.
You can mix onions, tomatoes, and spices to accompany the chicken. Stir everything very well.

Para decir más

la cabeza de ajo	*head of garlic*
el cucharón	*ladle*
el fogón	*burner*
el guiso	*stew*
la parrillada	*barbecue*
empanar	*to coat with bread crumbs*
rallar	*to grate*

22 ¿Cuál es la definición?

Diga a qué palabra corresponde cada definición.

1. el sabor que tienen los limones
2. donde se fríen los huevos
3. la parte amarilla del huevo
4. un ingrediente en polvo que se usa para hacer pan o galletas
5. la parte blanca del huevo
6. donde se mezclan los ingredientes

A. la harina
B. el recipiente
C. la sartén
D. la yema
E. agrio
F. la clara

Estrategia

Using visual images

Record words, ideas, or expressions in Spanish with visual images or icons that will help you remember them.

23 Tarta de queso

Escuche la siguiente receta de cocina. Coloque los pasos en el orden que corresponda según lo que oye.

A. Se hornea por 30 minutos.
B. La mezcla se coloca en el horno.
C. Se mezclan la harina, la leche y el azúcar.
D. Se baten todos los ingredientes de la receta.
E. Se deja enfriar.
F. Se agrega el queso y el limón.

Se deja enfriar.

Diálogo 🎧

¡Ay, se me cayó el plato!

Eva: ¿Tenemos todos los ingredientes para hacer picadillo?

Rubén: Creo que sí. ¿Qué se hace primero?

Eva: Se pica la carne y se pone a freír en una sartén con un poco de aceite y sal.

Rubén: ¿Qué se hace con las papas?

Eva: Las papas tienen que ser peladas y cortadas en pedazos pequeños... ¿Dónde están las cebollas?

Rubén: Las puse en ese plato, ya están picadas.

Eva: Tráemelas, por favor.

Rubén: ¡Ay, se me cayó el plato!

Eva: Debes ser más cuidadoso, Rubén.

Rubén: Lo siento. Voy a picar otras cebollas.

Eva: Apúrate. La carne ya está hecha y debo mezclarla con las cebollas y los dientes de ajo.

24 ¿Qué recuerda Ud.? 🎧

1. ¿Qué se hace primero en la receta para hacer picadillo?

2. ¿Qué se hace con las papas?

3. ¿Qué hizo Rubén con las cebollas?

4. ¿Por qué debe Rubén apurarse para picar las cebollas?

25 Algo personal 🎧

1. ¿Ayuda a su madre o a otro familiar a cocinar?

2. ¿Le gusta a Ud. cocinar? ¿Qué comidas cocina?

3. ¿Sabe la receta de alguna comida? ¿Cuál?

4. ¿Qué es lo que más le gusta hacer cuando cocina? ¿Por qué?

26 En la cocina 🎧

Escuche los siguientes diálogos y escoja la palabra o frase que completa correctamente cada oración, según lo que oye.

1. El pastel debe ser (*enfriado / calentado*) para poderlo comer.

2. Se (*hierven / baten*) los huevos por cinco minutos.

3. Se baten los ingredientes con (*una batidora / un abrelatas*).

4. Las papas se fríen en (*la sartén / la clara*).

5. El pollo fue asado en una (*cacerola / asadora*).

6. Se (*revuelven / hornean*) los ingredientes con mucho cuidado.

Gramática

La voz pasiva

- In the passive voice the subject is not the doer, but rather the receiver of the action.
- The passive voice is formed with a form of **ser** and the past participle of the verb. Note that the past participle agrees with the subject in gender and number.

*La carne **fue asada**.*	The meat **was roasted**.

- The passive voice is often used with the word **por** (by).

Ella compró el alimento.	She bought the food.
*El alimento **fue comprado** (**por** ella).*	The food **was bought** (**by** her).
Yo tengo que cocer las espinacas.	I have to cook the spinach.
*Las espinacas tienen que **ser cocidas** (**por** mí).*	The spinach has **to be cooked** (**by** me).

- The passive voice can be expressed in the present, the past, and the future by using the present, past and future tense forms of **ser** and the past participle.

(él/ella) Asa la carne.	→	La carne **es** asada (**por** él/ella).
(él/ella) Asó la carne.	→	La carne **fue** asada (**por** él/ella).
(él/ella) Asará la carne.	→	La carne **será** asada (**por** él/ella).

- Sometimes **se** can express the passive voice with an impersonal structure. Compare the following pairs.

*El desayuno **fue servido** a las nueve.*	Breakfast **was served** at nine.
*El desayuno **se sirvió** a las nueve.*	

¿A qué hora fue servido el almuerzo?

27 La comida fue preparada por todos 🎧

Los estudiantes de la escuela de cocina están todos muy ocupados. Diga quién preparó cada cosa. Use la voz pasiva.

MODELO   Ricardo hirvió el agua.
           El agua fue hervida por Ricardo.

1. Juanita preparó el arroz.
2. Esteban y Carlos pelaron las papas.
3. Mi hermana picó el ajo.
4. La profesora encendió el horno.
5. Rosario asó las papas.
6. Ramiro y Paula cortaron las cebollas en pedazos pequeños.
7. Maribel batió las claras de huevo.
8. Rosario y Carlos lavaron las verduras.

28 ¿Quién?

Complete las siguientes oraciones con la voz pasiva del verbo entre paréntesis. Use el tiempo verbal (*tense*) que se indica.

1. La sopa (*futuro / preparar*) por mi tío.
2. Los condimentos (*futuro / comprar*) mañana.
3. El cereal (*presente / mezclar*) con la leche.
4. El pollo (*pretérito / asar*) ayer.
5. Los huevos (*pretérito / batir*) por mi hermana.
6. Los tomates (*presente / lavar*) en agua fría.
7. Las verduras (*presente / cortar*) en pedazos pequeños.
8. La receta (*pretérito / crear*) por mi abuela.

El cereal será servido con leche.

29 ¡Qué lástima! 👥

La comida no ha quedado bien. Túrnese con su compañero/a para completar las respuestas. Siga el modelo.

MODELO   Las espinacas están frías. ¿Quién las cocinó? (*Andrea*)
Fueron cocinadas por Andrea.

1. Las galletas no quedaron bien horneadas. ¿Quién las horneó? (*Irma*)
2. La lechuga está sucia. ¿Quién la lavó? (*Linda*)
3. Las papas no están bien peladas. ¿Quién las peló? (*Genaro*)
4. La cebolla no está bien picada. ¿Quién la picó? (*Gerardo*)
5. El arroz está mal cocido. ¿Quién lo cocinó? (*Ana*)
6. Los tomates están mal cortados. ¿Quién los cortó? (*Pablo*)
7. Estos duraznos están verdes. ¿Quién los compró? (*Antonio*)

¡Comunicación!

30 Comparaciones 👥   Interpersonal Communication

Descríbale a un/a compañero/a algunas costumbres de Bolivia que Ud. ha aprendido en esta lección o en la internet. Su compañero/a le describirá una costumbre similar en los Estados Unidos. Deben usar la forma pasiva con **se**.

MODELO   A: **En Bolivia se hacen mercados tradicionales todas las semanas. ¿Y en Estados Unidos?**
B: **En Estados Unidos también se hacen mercados similares, los mercados de agricultores.**

Gramática

Estar y el participio pasado

- *Estar* is used with the past participle to describe a condition that is the result of a previous action. The past participle is used as an adjective and must agree in gender and number with the noun it modifies.

La ventanilla está rota.

El ajo **está picado**.	The garlic **is chopped**.	
La cena **está servida**.	Dinner **is served**.	

- Recall that to form the past participle of *-ar* verbs you drop the ending of the infinitive and add *-ado* (*picado*). For *-er* and *-ir* verbs, you drop the ending and add *-ido* (*cocido, batido*). The following verbs have irregular past participles.

abrir	→	**abierto**	*opened*
cubrir	→	**cubierto**	*covered*
decir	→	**dicho**	*said, told*
devolver	→	**devuelto**	*returned*
escribir	→	**escrito**	*written*
hacer	→	**hecho**	*made, done*

morir	→	**muerto**	*dead*
poner	→	**puesto**	*put, placed*
resolver	→	**resuelto**	*solved*
romper	→	**roto**	*broken*
ver	→	**visto**	*seen*
volver	→	**vuelto**	*returned*

31 Desayuno en familia

Mire el dibujo y complete las descripciones con el participio pasado de uno de los verbos en el recuadro.

abrir	dormir	poner	cubrir	revolver	servir
apagar	hervir	sentar	encender	romper	

MODELO Los perros están **dormidos** debajo de la mesa.

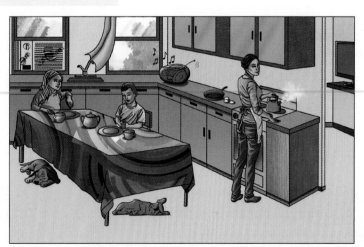

1. Marisa le dice a su mamá que el agua para el té ya está __, pero los huevos no están __ todavía.
2. El radio está __, pero el televisor está __.
3. Dos de los chicos ya están __.
4. La mesa está __, pero el desayuno no está __ todavía.
5. La mesa está __ con un mantel de colores.
6. Las ventanas están __ porque hace calor y el aire acondicionado está __.

Gramática

32 Trabajitos

Con su compañero/a, complete los siguientes anuncios de un periódico boliviano con el participio pasado de los verbos entre paréntesis.

1. ¿El pollo nunca está bien (*asar*)? ¿Está (*romper*) su horno? Todos sus aparatos estarán (*arreglar*) en un abrir y cerrar de ojos si llama al 555-2032.

2. ¿Necesita muebles nuevos para su jardín? ¿Un techo para comer al aire libre? ¡Sus muebles estarán (*colocar*) en cuanto los pida! Los techos estarán (*poner*) en 24 horas.

3. Si Ud. llega a su casa y la comida no está (*hacer*), ¡no se preocupe más! Sus problemas están (*resolver*). Llámenos y le enviamos al instante la comida (*pedir*). Tel. 555-9876.

El pedido está entregado.

Más usos de *se*

- You have used ***se*** to form the passive voice to mean "you," "one," and "they."

  *En Bolivia, **se come** mucha sopa.*   **They eat** a lot of soup in Bolivia.

- You can also use the pronoun ***se*** to express accidental occurrences. In this case, the verb agrees with the subject of the sentence.

  *La mochila **se perdió**.*   The backpack **got lost**.
  ***Se rompieron** dos huevos.*   Two eggs **got broken**.

- You may also add an indirect object pronoun in this usage to indicate who is affected by the occurrence.

  *¡Ay! **Se me quemaron** las tostadas.*   Oh! **I** (accidentally) **burned** the toast!
  *¡Mira! **Se te cayó** la pelota.*   Look! **You dropped** the ball.

33 Instrucciones de cocina

Complete estas instrucciones de cocina usando el pronombre **se** y la voz pasiva. Siga el modelo.

MODELO   primero / hervir / el agua
Primero se hierve el agua.

1. después / lavar / las verduras
2. cortar / el tomate en pedazos pequeños
3. picar / el ajo con cuidado
4. poner / aceite y vinagre a la ensalada
5. batir / las claras sin las yemas
6. colocar / los huevos en una sartén
7. no agregar / sal
8. cocinar / las papas lentamente

34 ¿Qué más se le olvidó?

Raúl decidió ir a Oruro para las fiestas de carnaval, pero se le olvidó hacer muchas cosas antes de salir. Empareje (*Match*) los errores de Raúl con las consecuencias.

Errores	Consecuencias
1. Se le olvidó cerrar la puerta.	**A.** No va a poder alojarse.
2. Se le olvidaron las llaves.	**B.** Le van a dar una multa.
3. Se le olvidó dejarle comida al gato.	**C.** ¡Mimí se va a morir de hambre!
4. Se le olvidó la licencia de conducir.	**D.** No va a poder ver nada.
5. Se le olvidaron los lentes.	**E.** Va a ocurrir un robo en su casa.
6. Se le olvidó hacer reserva en el hotel.	**F.** No va a poder abrir la puerta cuando regrese.

35 ¡Nada sale bien!

Parece imposible, pero hoy nada sale bien. Con su compañero/a, creen un diálogo según las indicaciones. Sigan el modelo.

MODELO   el azúcar / acabarse

A: ¿Y el azúcar? ¿Se te acabó?

B: Sí, se me acabó.

1. ingredientes / olvidarse
2. receta / perderse
3. huevos / caerse
4. sartén / romperse
5. comida / quemarse
6. horno / apagarse
7. sal / terminarse
8. gafas de sol /caerse

Se me acabó la sal. ¿Estarán sabrosos los huevos?

¡Comunicación!

36 Antes y ahora   Interpersonal Communication

Conteste las siguientes preguntas. Luego, hágaselas a su compañero/a y comparen sus respuestas.

1. ¿Qué cosas se le perdían de niño/a? Y ahora, ¿qué cosas se le pierden a menudo?
2. ¿Qué cosas importantes se le olvidaba hacer de vez en cuando? ¿Y qué se le olvida hacer ahora?
3. ¿Qué cosas se le rompían de niño/a? ¿Qué cosas se le rompen ahora?
4. ¿Se le caían cosas a menudo? ¿Dónde? ¿Y ahora se le caen cosas también?

Todo en contexto

? Pregunta clave

¿Cómo se relaciona la comida que se consume en un país con su cultura?

¡Comunicación!

37 En el mercado 👥 **Interpersonal/Presentational Communication**

Imagine que Ud. y su compañero/a están en el mercado, comprando los ingredientes para un plato típico de Bolivia. Creen el diálogo que Uds. dos tienen a medida que buscan los mejores productos en los diferentes puestos. Hagan comentarios sobre los precios y el estado de los productos. Digan si están frescos, agrios, verdes o maduros y compárenlos usando el comparativo y el superlativo, como se ve en el modelo. Presenten el diálogo frente a la clase.

MODELO

> A: Mira estas cerezas. Se ven sabrosas. ¿Las llevamos?
>
> B: No. Creo que están muy maduras. Las del otro puesto estaban mejores. Además, estaban baratísimas.

Mercado al aire libre

¡Comunicación!

38 ¡Paso a paso! Recetas de la abuela   **Presentational Communication**

Imagine que su abuela quiere publicar sus recetas de cocina de Bolivia en la internet, y le pide que la ayude a diseñar una presentación para que las recetas se vean más atractivas y fáciles de preparar. Primero, vuelva a escribir las instrucciones para la receta de ají de arroz que se da a continuación usando la voz pasiva con **se** (que es más común en las recetas de cocina) y luego ilustre cada paso de la preparación, como se ve en el modelo.

MODELO   **Primero, se pican los dientes de ajo en pedacitos muy pequeños.**

★★★★★
AJÍ DE ARROZ

Ingredientes
2 tazas de arroz estaquilla
1 lata de salsa vieras (scallops)
2 cebollas fritas
2 dientes de ajo
1 vaso de vino blanco, aceite de oliva, orégano y sal

Preparación
Dorar los dos dientes de ajo picados y la cebolla en una sartén con aceite de oliva. Dejar que se evapore el líquido y agregar el arroz previamente cocido (cooked). Revolver y añadir la salsa de vieras. Volver a calentar, agregar un poco de orégano y servir.

Lectura informativa

Antes de leer

1. ¿Sabe de dónde viene su alimento preferido y cómo llega a las tiendas o supermercados?

2. ¿Sabe qué es la quinua? ¿La ha probado alguna vez?

Estrategia

Scanning for details

Scanning means to look for specific information without reading all the text. When you read about an unfamiliar topic, it is useful to scan the text. First look for words you know to get a sense of the context; then, scan again, looking for unfamiliar words and try to infer meaning from the context. Scanning is a very useful tool to research a topic and gauge whether a passage contains relevant information.

La quinua, el "grano de oro" codiciado por el mundo
Una de las regiones más pobres del Altiplano despega gracias al boom global de la semilla.
—por Clarín. Caracollo, Bolivia. AP

Plantación de quinua

Pequeños copos de nieve se diluyen[1] en los surcos[2] recién abiertos de una tierra reseca y sedienta. Miguel Choque exhala el aire húmedo y frío del altiplano boliviano, sonríe y dice que la nevada es señal de buen augurio[3] para la siembra[4] de quinua. En siete meses, los racimos[5] en flor pintarán el paisaje agreste[6] de amarillo, verde y rojo.

La quinua (o quinoa) es un grano que ayudó a salvar del hambre a los incas y ahora está transformando una de las regiones más pobres de Bolivia desde que se popularizó en países ricos por sus excepcionales condiciones nutricionales, que han llevado a la NASA a incluirlo en la dieta de los astronautas. Las ventas al por mayor[7] se multiplicaron por siete desde que aumentó la demanda a partir del 2000. [...]

La variedad más cotizada[8] es la quinua real que sólo se produce en Bolivia en una región vecina a inmensos salares[9] en el suroeste del país. La radiación solar que llega desde el mar blanco de sal y la tierra salitrosa[10] hace que se produzca el cotizado grano que el gobierno boliviano busca patentar. Es más cara y su precio puede alcanzar a los 3.000 dólares la tonelada. [...]

Hoy es un artículo de lujo.

"La quinua es como el arroz del altiplano", declaró Evo Morales a fines de diciembre durante una visita a Venezuela. "Antes la gente no quería comer quinua, decía que era un alimento del indio y, como es del indio, no querían comer. Ahora el pueblo boliviano empieza a reaccionar".

Algunas autoridades dicen que por el tipo de siembra tradicional, menos dañina[11] con la naturaleza, la quinua encaja[12] en el modelo de sociedad que busca construir el presidente Morales, el primer indígena que gobierna Bolivia. El mandatario anunció que la meta es duplicar los cultivos hasta las 100.000 hectáreas, fortalecer la producción de quinua ecológica, industrializarla y fomentar el consumo interno. [...]

[1] dissolve [2] furrow [3] omen [4] sowing [5] clusters [6] rough [7] wholesale [8] valued [9] salt marshes [10] salty [11] harmful [12] fits

Un súper alimento

La quinua brota[1] en el altiplano, una región árida y pobre a 3.700 metros de altitud y es resistente a las heladas y sequías (también crece en Perú y en el norte de Argentina). [...]

Provee diez aminoácidos esenciales para el ser humano. Tiene un alto contenido de proteínas (14–18 %) y es buena fuente de fósforo, calcio, hierro[2] y vitamina E, y puede incluso reemplazar la leche materna.

Bolivia genera un 46 % de la producción mundial y le siguen Perú con 30 % y EE.UU. con 10 %.

[1] sprouts   [2] iron

🔍 **Búsqueda:** cómo cultivar granos de quinua, recetas con quinua, el precio de quinua

---

39 Comprensión 🎧 Interpretive Communication

1. ¿Por qué se ha vuelto popular la quinua en países ricos?
2. ¿Qué metas se propone el gobierno de Bolivia con respecto al cultivo de la quinua?
3. ¿En qué condiciones climáticas crece la quinua y qué beneficios nutricionales proporciona?

40 Analice 🎧

1. ¿Por qué este producto común y poco popular ahora es importante para la gente de Bolivia?
2. ¿Por qué se dice que la quinua "encaja" con el modelo de sociedad que quiere el presidente de Bolivia?

✏️ Escritura

41 Mi alimento favorito Presentational Communication

Piense en su alimento natural favorito. Luego, responda a las siguientes preguntas. Si no sabe todas las respuestas, puede buscar información en la internet. Con todos los datos, escriba un breve informe sobre ese alimento.

Para escribir más

climas templados	mild climates
originario de	native to
se cultiva	it's grown
se distribuye	it's distributed
sobrevivir	survive

¿Cómo se produce?	
¿Dónde se produce?	
¿Qué clima hay en ese lugar?	
¿Qué condiciones especiales se necesitan para cultivar o producir el alimento?	
¿Quiénes lo producen?	
¿Se vende en los mercados locales o se distribuye a otros estados o países?	

Repaso de la Lección A

(pp. 312–313, 324–325)

A **Escuchar: ¿Qué tiene que comprar?** 🎧

La mamá de Sofía no puede ir al mercado y le ha dejado un mensaje en el teléfono. Sofía no lo entiende muy bien; ayúdela. Escuche el mensaje y haga una lista de lo que tiene que comprar en el mercado.

B **Vocabulario: ¿Qué es?** (pp. 324–325)

Complete la tabla con las palabras del recuadro que correspondan según la categoría.

la asadora	pelar	hervir	picar	el ajo
la harina	la batidora	la sartén	asar	hornear

Ingredientes	Utensilios	Instrucciones de preparación

C **Gramática: En mi opinión...** (pp. 312–313, 316–317)

Escriba cinco oraciones comparando los alimentos del recuadro, según sus preferencias. Use **más que**, **menos que** y **tan/tanto como** y adjetivos como **saludable**, **sabroso**, **verde**, **picante** y **agrio** en sus comparaciones, como se ve en el modelo.

el ajo	las cerezas	las espinacas	los damascos	los garbanzos
el choclo	el repollo	el ají	los frijoles	las lentejas

MODELO   **Los garbanzos son tan ricos como las lentejas.**

D **Gramática: Más y menos formal** (pp. 328, 331)

Vuelva a escribir las siguientes oraciones usando la voz pasiva regular y la pasiva con **se**, como se ve en el modelo.

MODELO   Asó la carne en el horno.

Pasiva regular: **La carne fue asada en el horno**.

Pasiva con **se**: **Se asó la carne en el horno**.

1. Cortó las papas en pedazos pequeños.
2. Hornearán las galletas por treinta minutos.
3. Primero, separarán las claras de las yemas.
4. Traen frutas frescas al mercado todos los días.
5. Mezclaron la harina y el azúcar.
6. Venden los condimentos por gramos o por bolsas.
7. Servirán la cena a las nueve.

Piense en los platos que se sirven tradicionalmente en Bolivia y compárelos con algún plato tradicional de la región donde Ud. vive. ¿Qué tienen en común o en qué se diferencian los ingredientes y la forma de preparación? ¿A qué cree Ud. que se deben esas diferencias o similitudes? ¿Hay algún plato que se sirva en una fecha especial, como ocurre con el rostro asado en el Carnaval de Oruro? Resuma sus resultados en un párrafo.

Vocabulario

Las verduras

el ají, pl. los ajíes
el choclo
las espinacas
el repollo

Las legumbres

el frijol
el garbanzo
las legumbres
la lenteja

Los condimentos

el condimento
el orégano
el perejil

Las frutas

la cereza
el damasco

Para describir los alimentos

agrio/a
cocido/a
picante
podrido/a
sabroso/a
verde

Verbos

asar
batir
cocer (ue)
enfriar
hervir (ie)
hornear
mezclar
pelar
picar
revolver

Medidas

el gramo
el litro

Otras expresiones

el boliviano
la clara
el diente (de ajo)
la harina
el pedazo
el puesto
la yema

En la cocina

la asadora
la batidora
el recipiente
la sartén

Gramática

El comparativo de igualdad

Para expresar la igualdad entre dos o más personas o cosas:
tan + (adjetivo/adverbio) + **como**

*Los damascos están **tan** maduros **como** las cerezas.*

Para expresar la igualdad de cantidad entre dos o más personas o cosas, use **tanto/a/os/as . . . + como**. Recuerde que con tanto/a/os/as, hay concordancia con el objeto que le sigue.

*En este puesto hay **tantos** choclos **como** en aquel.*

Use **tanto como** para mostrar igualdad entre dos o más acciones.

*Yo como **tanto como** tú.*

El superlativo

El superlativo se usa para destacar algo sobre una cosa o persona:
el/la/los/las + **más/menos** + (adjetivo/adverbio) + **de**

*Tus tías son **las más amables de** tu familia.*

También se puede usar el sufijo **-ísimo(s)/a(s)** con adjetivos o adverbios para destacar aún más alguna cualidad.

*Esos jalapeños son picant**ísimos**.*

La voz pasiva

En la voz pasiva, el sujeto recibe la acción del verbo, no la realiza. Frecuentemente se expresa con una forma conjugada de **ser** y el participio pasado del verbo, pero también puede expresarse con el pronombre **se**.

Voz activa:	**Voz pasiva:**	**Voz pasiva con se:**
Francisca sirvió el almuerzo al mediodía.	*El almuerzo **fue servido** al mediodía.*	***Se sirvió** el almuerzo al mediodía.*

Lección
B

Vocabulario 1

Perú

emcpassport.com

WB 1–3
LA 1
GV 1–4

¡Tenemos una fiesta sorpresa!

Mis amigos y yo estamos planeando una fiesta sorpresa para nuestra amiga Isabel, que cumple 17 años. Estos son algunos de **los invitados**.

Esperamos que vengan con hambre. Para comer tendremos:

los bocadillos

el maní (los maníes)

la nuez (las nueces)

las almendras

Bienvenidos a la fiesta. ¡Vamos a bailar!

el anfitrión / la anfitriona

el disc jockey

los parlantes

el sistema de audio

el volumen

Para conversar

T*o make requests:*

Ven y enséñame **unos pasos de baile**.
Come and teach me some dance steps.

Seguro, pero primero pon **música bailable** y **sube** el volumen.
Sure, but first put on (play) dance music and turn up the volume.

¡Lo siento! La anfitriona nos pidió que **bajáramos** el volumen.
Sorry! The hostess asked us to turn down the volume.

T*o talk about manners:*

Esa no es forma de **comportarse**. ¿Se te olvidaron tus **modales**?
That is no way to behave. Did you forget your manners?

No hables y **mastiques** al mismo tiempo.
Don't talk and chew at the same time.

Tápate la boca al bostezar.
Cover your mouth when you yawn.

No **interrumpas** cuando otros estén hablando.
Don't interrupt when others are talking.

Al saludarse, los invitados deben **darse la mano**.
When greeting each other, guests should shake hands.

Para decir más

el aperitivo	*appetizer, hors d'oeuvre*
la avellana	*hazelnut*
los embutidos	*cold cuts*
el refrigerio	*snack*

---

1 En todas las fiestas

Elija la letra de la palabra o expresión que corresponde a cada definición.

1. algo que se hace al saludar
2. las personas que dan una fiesta
3. las personas que van a la fiesta
4. una comida que sirve en las fiestas
5. la música que es buena para bailar
6. lo que aprendes cuando te enseñan a bailar

A. los invitados
B. los bocadillos
C. los anfitriones
D. los pasos de baile
E. darse la mano
F. la música bailable

---

2 ¿Qué sucedió?

Indique la letra de la foto que corresponde con lo que oye.

A   B   C   D   E   F

Diálogo

¡Te dije que no pusieras los codos en la mesa!

Mateo: Me gustaría que me enseñaras buenos modales. Tengo una cita con Carolina y quiero comportarme bien.

Elisa: Claro, pero debes prestarme atención y no interrumpirme.

Mateo: Te lo prometo.

Elisa: Cuando estás comiendo, no puedes poner los codos en la mesa... Tampoco puedes hablar mientras masticas la comida.

Mateo: ¿Pero qué hago si Carolina me pregunta algo mientras estoy comiendo?

Elisa: Le respondes cuando termines de masticar. ¿Quieres hacer la prueba?

Mateo: Bueno...

Elisa: ¡Te dije que no pusieras los codos en la mesa!

Mateo: Discúlpame... Tengo mucho sueño.

Elisa: Tápate la boca al bostezar... Esa es otra regla que debes recordar.

---

3 ¿Qué recuerda Ud.?

1. ¿Qué le gustaría a Mateo que hiciera Elisa?
2. ¿Qué no puede hacer Mateo mientras come? ¿Y mientras mastica?
3. ¿Qué debe hacer Mateo si Carolina le pregunta algo mientras está comiendo?
4. ¿Qué otra regla le enseña Elisa?

---

4 Algo personal

1. ¿Qué buenos modales conoce Ud.?
2. ¿Tiene buenos modales al comer? Explique su respuesta.
3. ¿Qué le gusta hacer en las fiestas?
4. ¿Cómo escucha la música: con el volumen alto o bajo?
5. ¿Le gusta bailar? ¿Qué pasos de baile conoce?

---

5 ¡Qué modales!

Escoja una respuesta correcta a lo que oye.

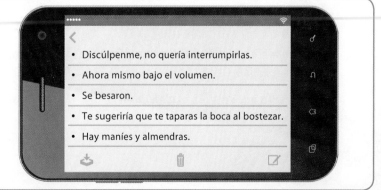

- Discúlpenme, no quería interrumpirlas.
- Ahora mismo bajo el volumen.
- Se besaron.
- Te sugeriría que te taparas la boca al bostezar.
- Hay maníes y almendras.

Gramática

El imperfecto del subjuntivo

- You already know how to use the subjunctive mood. The subjunctive is used in a sentence with two clauses connected by the word **que** when there is a change of subject from the main to the dependent clause.

- When the verb in the main clause is in the present indicative (present or future), the verb in the dependent clause is in the present subjunctive.

*Tu mamá **dice** que **te comportes** bien.*	Your mom **says you should behave yourself**.
*Será importante que **no interrumpas** la conversación.*	**It will be** important for **you not to interrupt** the conversation.
*Sugiero que **sirvas** unas almendras.*	**I suggest** (that) **you serve** some almonds.

- The subjunctive also has a past tense, *el imperfecto del subjuntivo*. To form the past tense of the subjunctive, take the **ellos** form of the preterite tense and remove the final **-on** from the ending. Then, add the new endings: *-a, -as, -a, -amos, -ais, -an*. This pattern applies to all verbs.

comer   *ellos comier**on***   *comier + imperfect subjunctive endings*

comer	
yo comier**a**	nosotros/as comiér**amos**
tú comier**as**	vosotros/as comier**ais**
Ud./él/ella comier**a**	Uds./ellos/ellas comier**an**

Note: The **nosotros** form in the past subjunctive requires an accent mark: **comiéramos**.

- Irregular verbs in the third person preterite carry the irregularity through to the imperfect subjunctive.

v**i**nieron	v**i**niera
p**i**dieron	p**i**diera
s**i**rvieron	s**i**rviera
r**i**eron	r**i**era

Sugeriría que comieras la fruta.

- When the verb in the main clause is in the past indicative (preterite or imperfect) or conditional, the verb in the dependent clause is in the imperfect subjunctive.

*Tu mamá **dijo** que **te comportaras** bien.*	Your mom **said** (that) **you should behave** yourself.
*Era importante que **no interrumpieras** la conversación.*	**It was** important that **you didn't interrupt** (for you not to interrupt) the conversation.
*Sugeriría que **sirvieras** almendras.*	**I would suggest** (that) **you serve** some almonds.

6 ¡Modales y más!

Complete las oraciones con el presente o el imperfecto del subjuntivo del verbo entre paréntesis, según corresponda.

MODELO   Te dije que (*conseguir*) un disc jockey antes de la fiesta.
Te dije que **consiguieras** un disc jockey antes de la fiesta.

1. Te sugiero que (*taparse*) la boca al bostezar.
2. Es importante que tú no le (*decir*) nada a la anfitriona.
3. Sería bueno que Uds. no (*poner*) los codos en la mesa.
4. Me gustaría que todos (*comportarse*) bien.

5. Espero que tú (*recordar*) los pasos del baile.
6. Es importante que Uds. (*venir*) temprano.
7. Ella me dijo que no (*hablar*) con la boca llena.
8. Es mejor que Claudia y Roberto (*quedarse*) en su casa.
9. Sería mejor que tú (*bajar*) el volumen.

7 ¡Qué fiesta tan buena!

Ana hizo una fiesta. Complete las oraciones con el imperfecto del subjuntivo de los verbos del recuadro para saber qué pasó en la fiesta.

ser	llegar	comportarse	tener	venir
traer	poner	salir	dormirse	hacer

1. Ana les pidió a los invitados que __ a las seis, pero dudaba que todos __ a esa hora.
2. Antes de la fiesta, ella le dijo al disc jockey que __ música bailable.
3. No quería que el volumen __ muy alto para no molestar a los vecinos.
4. Sus amigos se encargaron de todo para que Ana no __ que comprar nada.
5. Ana le pidió a su amigo Rafael que __ algunos discos compactos.
6. Aunque ella quería que su hermanito pequeño no __ de su habitación, él no la obedeció.
7. Entonces, Ana le sugirió que __ bien y que no __ mucho ruido.
8. A todos les gustó mucho que el niño __ por fin.

8 ¡Te dije que no molestaras! 🎧

Ángel, el hermanito pequeño de Ana, no presta atención a lo que ella le dice. Ana debe repetirle todo dos veces. Siga el modelo.

MODELO   Lávate las manos antes de comer.
¡Te dije que te lavaras las manos antes de comer!

1. Saluda a los invitados.
2. Dale la mano a la invitada.
3. No interrumpas la conversación.
4. Busca un vaso, no tomes agua de la botella.

5. No hables al masticar.
6. No pongas los codos en la mesa.
7. Tápate la boca al bostezar.
8. Pide permiso para levantarte de la mesa.

9 Cada quien con su encargo 👥

Antes de una fiesta, Luisa le pidió a Ud. que hablara con los invitados para asegurarse de que supieran lo que tenían que hacer. Túrnese con su compañero/a para hacer el papel de cada invitado/a. Sigan las indicaciones de la lista. Usen expresiones como: **pidió que**, **dijo que**, **quería que**, **insistió en que** y **sugirió que**.

MODELO   María José: seleccionar la música

A: **María José, ¿qué te pidió Luisa a ti?**

B: **Me pidió que seleccionara la música.**

Mensajes ⟩

Joaquín: ir temprano para ayudar; llegar antes que los demás invitados. *5:00 PM*

Ramiro: comprar platos y vasos de papel; pedir pizza para todos. *5:15 PM*

Mariana: preparar unos bocadillos; limpiar después de la fiesta. *5:30 PM*

Catalina: conseguir al disc jockey; traer discos compactos. *5:45 PM*

Pablo: encargarse de los refrescos; pensar en juegos nuevos. *6:00 PM*

10 Sugerencias musicales

En una revista de Perú salió el artículo adjunto (*attached*) sobre las mejores canciones de la semana. Lea el artículo y diga si las oraciones son ciertas o falsas. Si son falsas, corríjalas.

1. El artículo sugería que los románticos escucharan a Café Tacuba.

2. Recomendaba que los que quisieran bailar eligieran la música de Celedón, Santa Rosa y Víctor Manuelle.

3. El artículo decía que Dvicio era una banda muy conocida.

4. El autor sugería a las personas a quienes les gustara la salsa y jazz que pusieran a La Sonora Libre.

5. El artículo les decía a los románticos que no se olvidaran de Luis Fonsi.

6. El *ranking* semanal tenía a David Bisbal en segundo lugar.

7. El artículo recomendaba a los que les gusta el rock vanguardista que escucharan a Illya Kuryaki and the Valderramas.

8. El *ranking* ponía a Enrique Iglesias de último.

🎧 Las 10 mejores
MÚSICA POP

Esta semana nuestras recomendaciones tienen música para todos los gustos. Si te gusta la música bailable, te recomiendo que elijas la salsa y jazz de La Sonora Libre o el vallenato de Celedón, Santa Rosa y Víctor Manuelle. Si prefieres la música romántica, no te olvides de Camila, Ricardo Arjona, Luis Fonsi o David Bisbal. Si quieres escuchar música rock vanguardista, tus bandas son Café Tacuba o Illya Kuryaki and the Valderramas. Entre las bandas nuevas está Dvicio de España.

♪	*Ranking* de la semana	Artistas
1	▶ Bailando	Enrique Iglesias
2	▶ Decidiste dejarme	Camila
3	▶ Apnea	Ricardo Arjona
4	▶ Corazón en la maleta	Luis Fonsi
5	▶ Diez mil maneras	David Bisbal
6	▶ Pa' los rumberos	La Sonora Libre
7	▶ Bajo el palo 'e mango	Celedón, Santa Rosa y Víctor Manuelle
8	▶ Aprovéchate	Café Tacuba
9	▶ Ula ula	Illya Kuryaki and the Valderramas
10	▶ Paraíso	Dvicio

¡Comunicación!

11 ¡A organizarnos! Interpersonal Communication

Su compañero/a prepara una fiesta y le pide ayuda. Dele sus sugerencias según los temas del recuadro u otros de su elección. Túrnense para hacer las preguntas y responderlas. Usen el imperfecto del subjuntivo, como se ve en el modelo.

- día y hora de la fiesta
- lugar de la fiesta
- número de invitados
- para comer
- para beber
- tipo de música

MODELO   A: ¿Qué sugerirías que hiciéramos para comer en la fiesta?
          B: Sugeriría que hiciéramos bocadillos de atún y de salmón.

¡Comunicación!

12 ¡Una fiesta fenomenal! Presentational Communication

Imagine que hubo una fiesta en su casa y algunos/as de sus amigos/as no pudieron asistir. Complete las oraciones con verbos en imperfecto del subjuntivo para describir lo que pasó. Luego, resuma la información en un párrafo y póngala, junto con fotos de la fiesta, en su página de internet para que sus amigos se enteren de todo lo que pasó.

MODELO   Yo esperaba que en la fiesta...
          Yo esperaba que en la fiesta hubiera música alternativa.

1. Yo quería que...
2. Me gustó que todos los invitados...
3. Mis padres me permitieron que yo...
4. Los vecinos nos dijeron que...
5. Todos los invitados me pidieron que...
6. Era importante que...
7. Mi mejor amigo/a quería que...
8. Después de la fiesta, mis padres me pidieron que...

Yo esperaba que...

Ceviche de pescado, el plato más típico de la comida peruana

Platos peruanos de tradición 🎧

¿Pregunta clave
¿Cómo se relaciona la comida que se consume en un país con su cultura?

Como en otras culturas, muchas celebraciones familiares peruanas están acompañadas de deliciosos alimentos. Por ejemplo, ¿qué sería de una fiesta de cumpleaños sin un sabroso pastel?

Las celebraciones de Navidad y Año Nuevo también incluyen alimentos típicos. En la mañana del 25 de diciembre, mientras los niños juegan con sus juguetes nuevos, los adultos desayunan con chocolate caliente y panettone (pan dulce de Navidad), que también se sirven en la cena de Año Nuevo después del tradicional pavo o lechón[1]. En el Día de las Madres, para agasajarlas[2] y que no sean ellas las que cocinen, se acostumbra invitarlas a comer fuera. Es una excelente excusa para disfrutar de los sabrosos platos que se pueden encontrar en los restaurantes peruanos.

Otra tradición peruana son las populares polladas. Como su nombre lo indica, son fiestas en las que el alimento principal es el pollo preparado a la parrilla[3], y en las que, por lo general, se recauda[4] dinero para algún fin social o una necesidad particular de la familia que la realiza.

Pero sin duda, la estrella de la cocina peruana, que se sirve en las ocasiones más especiales, es el ceviche. El ingrediente principal es el pescado, que no se cocina sino que se adereza con limón, cebolla, sal, ají y pimienta. Este plato único y exquisito es considerado patrimonio cultural de la nación.

Fiesta tradicional peruana

[1] piglet   [2] honor them   [3] grill   [4] raise

🔍 **Búsqueda:** comida peruana, chancho crocante, chanchito a la caja china

Prácticas

En Perú, se celebra el Día del Chicharrón para difundir el consumo de carne de cerdo. Ese día se realizan actividades y ferias en las que los asistentes pueden degustar (*taste*) platos deliciosos como el chancho crocante al palo y el chanchito a la caja china. También se dan charlas en las que los cocineros profesionales enseñan al público distintas maneras de preparar esta carne que presenta muchos beneficios para las familias peruanas: es saludable, económica y muy sabrosa.

Chancho crocante al horno

13 Comprensión — Interpretive Communication

1. ¿Qué se acostumbra consumir en el desayuno del 25 de diciembre en Perú?
2. ¿Cuál es una fecha que los peruanos escogen para salir a comer fuera? ¿Por qué?
3. ¿Qué es una pollada? ¿Y el ceviche?

14 Analice

¿Por qué es tan importante la comida en las celebraciones tradicionales de los países latinoamericanos?

Lo mejor de la cocina peruana

Un país puede lograr que se conozca su cultura a través de la gastronomía. Y el chef peruano Gastón Acurio lo sabe. Gracias a la riqueza y calidad de sus creaciones, ha logrado que los peruanos se reencuentren con su propia cultura gastronómica y que la cocina peruana ocupe un lugar importante en el mundo.

Cuando empezó con su restaurante en Lima, el chef Acurio estaba recién llegado de Francia, donde había ido a capacitarse[1]. Pero él no quería poner un restaurante francés, sino rescatar[2] los ingredientes que tradicionalmente se usaban en los hogares peruanos (cereales como la quinua y la kiwicha y tubérculos como la achira y la arracacha) y llevarlos a la alta cocina.

Chef peruano, Gastón Acurio

Con su restaurante Astrid & Gastón, logró que los mismos peruanos se interesaran por la gastronomía local y disfrutaran de platos peruanos, como el cuy (conejillo de Indias), el ají de gallina (guiso de pollo picante) y distintas variedades de ceviche. Luego, llevó esta experiencia alrededor del mundo para que todos se admiraran[3] de las delicias de la gastronomía peruana y, a través de ella, conocieran su cultura. El chef Acurio ha actuado más como embajador de su país que como cocinero, tanto que ya hasta le han ofrecido que se presente para las elecciones de presidente del Perú.

Pero lo que él quiere es continuar trabajando con los pequeños agricultores, desarrollar una cultura de cultivos ecológicos y hacer que los peruanos se sientan orgullosos de lo que se produce en sus tierras como las más de cinco mil variedades de papas andinas.

Este chef ha logrado darle un valor agregado[4] a los productos del Perú y ha hecho que la gastronomía peruana se convierta en una marca reconocida alrededor del mundo.

[1] to train [2] recover [3] be amazed [4] added value

🔍 **Búsqueda:** mejores restaurantes del mundo, gastón acurio

Productos 🎧

En el año 2008, Perú inauguró la Feria Gastronómica Internacional Mistura. La feria es una oportunidad para conocer a grandes chefs que vienen a enseñar a los participantes, así como para degustar los más variados platos de la gastronomía peruana y conocer nuevas propuestas. Mistura se ha convertido en la primera feria gastronómica de Latinoamérica y una de las más importantes del mundo.

Cocineros repartiendo sus platos en la Feria Gastronómica Internacional Mistura

---

15 Comprensión — Interpretive Communication

1. ¿Quién es Gastón Acurio?
2. ¿Por qué se dice que el chef Acurio ha actuado más como embajador de su país que como cocinero?
3. ¿Qué importancia tiene la Feria Gastronómica Internacional Mistura?

16 Analice

1. ¿Qué quiere decir "darle un valor agregado a los productos"?
2. ¿Cuáles son algunos de los beneficios de desarrollar una cultura de cultivos ecológicos?

Vocabulario 2

¡Bienvenidos a mi restaurante! 🎧

INICIO | RESERVACIONES | A LA CARTA | ESPECIALES | MENÚ

Restaurante INCA

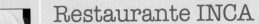

Les recomendamos un menú especial para el Día de la Madre.

Me llamo José. Soy el chef del Restaurante INCA. Quiero dar un saludo especial a nuestras **clientas** en el Día de la Madre.

Platos principales

Costilla de **cordero marinado** en jugo de naranja y ají **a la parrilla** con espárragos

Ceviche de camarones

Pollo **relleno** de almendras y verduras

Bistec asado con **papas fritas**

Pechuga de pavo con una salsa de cerezas

Salmón ahumado con **fideos**

Pescado **frito** con papas asadas

Todos con **las** mejores **especias**

Para conversar 🎧

To complain about food at a restaurant:

Perdone, pero debo **quejarme**. Este bistec está muy **seco** y **salado**.

Excuse me, but I must complain. This steak is really dry and salty.

El cordero está **crudo**. Creo que lo voy a devolver.
The lamb is raw. I think I am going to send it back.

To order food at a restaurant:

¿Qué desea pedir?
What would you like to order?

Quiero un filete de pescado ahumado con papas fritas, y de beber, **una botella** de agua mineral.
I would like a smoked fish fillet with french fries and, to drink, a bottle of mineral water.

Para decir más

a la plancha	*grilled, on a griddle*
al vapor	*steamed*
bien cocido/a	*well done (meat)*
poco cocido/a	*rare (meat)*
tres cuartos	*medium well (meat)*
¿Qué aperitivos/entradas me recomienda?	*What do you suggest for appetizers?*

En otros países

a la parrilla	*asado (Argentina, Colombia)*
el bistec	*el bife (Argentina)*
	el filete (Latinoamérica)
las especias	*los condimentos (Colombia)*
las papas fritas	*las papas a la francesa (Latinoamérica)*
	las patatas fritas (España)

17 En el restaurante 🎧

Escuche las frases y diga a qué foto corresponde cada una.

A

B

C

D

E

F

18 Busque al intruso

Busque al intruso en cada grupo y explique por qué no pertenece.

MODELO   relleno / pavo / cordero
         relleno: No es una carne.

1. cordero / pavo / papas fritas
2. asado / queja / a la parrilla
3. seco / botella / agua
4. orégano / plato principal / especias
5. salado / fideos / ahumado
6. picante / cliente / camarero

19 Lo mismo... 🎧

Escoja la oración que dice lo mismo que la oración que escucha, pero de otra manera.

1. **A.** Las papas fritas del restaurante no son tan saladas como las de la cafetería.
   B. Las papas fritas de la cafetería son menos saladas que las del restaurante.

2. **A.** La sopa de pollo es mejor que la sopa de pescado.
   B. Lo mejor del restaurante es la sopa de pescado.

3. **A.** El tocino que necesito comprar no debe ser muy ahumado.
   B. No quiero tocino que sea ahumado.

4. **A.** Prefiero no comer bistec si no es asado.
   B. Preferiría comer el bistec a la parrilla.

¡Comunicación!

20 ¿Sabes qué vas a pedir? 👥 Interpersonal Communication

Imagine que Ud. y su mejor amigo/a están en un restaurante y están tratando de decidir qué quieren comer, mientras viene el mesero. Estudien el menú del Restaurante Inca en Vocabulario 2 y, luego, intercambien información sobre sus platos favoritos y su forma de preparación preferida.

MODELO   A: ¿Ya sabes qué vas a pedir?

B: No, todavía no. No encuentro mi plato favorito en el menú, ¿y tú?

A: No estoy seguro, tal vez el filete de pescado. ¿Sabes si lo preparan bien aquí?

B: ...

Pollo frito

Diálogo 🎧

Pide lo que quieras

Mateo: Pide lo que quieras, Elisa. Quiero agradecerte tus consejos sobre los buenos modales.

Elisa: Espero que te sirvan.

Mateo: Seguro. ¿Qué vas a pedir de plato principal?

Elisa: Creo que el cordero... pero que no sea asado.

Mateo: Puedes pedirlo a la parrilla con papas fritas.

Elisa: No sé... también me gusta el bistec.

Mateo: Lo mejor en este restaurante es el ceviche.

Elisa: A mí no me gusta el pescado.

Mateo: Entonces, pide el bistec.

Elisa: ¿Crees que el bistec esté marinado?

Mateo: No creo. ¿Por qué no le preguntas a la camarera?

Elisa: Tienes razón. Espero que tampoco lleve muchas especias.

21 ¿Qué recuerda Ud.? 🎧

1. ¿Qué va a pedir Elisa?
2. ¿Qué otro plato le gusta a Elisa?
3. ¿Qué es lo mejor en ese restaurante?
4. ¿Qué quiere preguntarle Elisa a la camarera?

22 Algo personal 🎧

1. ¿Qué prefiere pedir de plato principal?
2. ¿Cómo le gusta comer el bistec?
3. ¿Le gusta la comida muy salada?
4. ¿Ha comido ceviche alguna vez?

¡Comunicación!

23 Clientes exigentes 👥👥 Interpersonal Communication

Trabaje con varios compañeros/as para representar una conversación entre un mesero y los clientes que está atendiendo. Túrnense para hacer el papel del mesero y el de los clientes, teniendo en cuenta que uno de ellos es vegetariano, otro está a dieta y dos de ellos no tienen restricciones de comida.

MODELO
> A: ¿Qué desean de plato principal?
> B: Yo quiero un bistec a la parrilla.
> C: Yo soy vegetariano. ¿Qué me recomienda?
> A: ...

Bistec a la parrilla

Gramática

El subjuntivo después de pronombres relativos

- The relative pronouns *que* (that) and *quien* (who/whom) refer to, and help describe, a previously mentioned noun. Sometimes they are preceded by a preposition.

Mi papá prepara un sushi que es delicioso.	My dad makes sushi **that** is delicious.
Ella fue quien recomendó esa receta.	She was the one **who** recommended that recipe.

- The subjunctive is used after relative pronouns to describe people, places, and things that may or may not exist. Notice that the personal *a* is not used with direct objects that refer to hypothetical persons. Compare the following pairs of sentences.

Mi tío quiere una salsa que tenga muchas especias.	My uncle wants a sauce **that has** a lot of spices. (He may not find any.)
Mi tío siempre compra esta salsa que tiene muchas especias.	He always buys this sauce **that has** a lot of spices. (It's this one here.)
Busco un cocinero a quien le pueda preguntar acerca del ceviche.	I am looking for a cook **whom I can** ask about the ceviche. (There may or may not be such a person.)
Conozco a un cocinero a quien le puedo preguntar acerca del ceviche.	I know a cook **whom I can** ask about ceviche. (This person does exist.)

- The subjunctive is also used in sentences with affirmative and negative expressions to talk about people or things that don't exist, or that the speaker knows little about.

¿Hay alguien aquí que sepa preparar ceviche?	Is there anyone here **who knows** how to prepare ceviche?
No, aquí no hay nadie que sepa preparar ceviche.	No, there is no one here **who knows** how to prepare ceviche.

24 ¿Qué quieren...?

Forme oraciones usando el subjuntivo después de cada pronombre relativo.

> MODELO quiero un postre que / no ser muy dulce
> **Quiero un postre que no sea muy dulce.**

1. busco una persona que / saber hacer ceviche
2. no conozco a nadie que / poder ayudarte
3. necesito alguien a quien / gustarle cocinar
4. quiero una costilla de cordero que / no estar muy asada
5. hay alguien que / poder decirme cuáles son los platos especiales de hoy
6. busco un restaurante que / servir pescado a la parrilla

Quiero un plato que no tenga ajo.

25 Extrañar las buenas cosas

Ud. estuvo de vacaciones en Lima y le encantó la comida. Ahora está de regreso y le gustaría comer comida peruana, pero no sabe dónde encontrar los platos que le gustaron. Complete las oraciones.

MODELO   No conozco a nadie a quien no le (*gustar*) la comida peruana.
No conozco a nadie a quien no le **guste** la comida peruana.

1. Mis primos quieren comer en un restaurante que (*preparar*) buen ceviche.
2. Podemos ir a una tienda que (*vender*) los ingredientes para hacer papas a la peruana.
3. ¿Habrá alguien que (*conocer*) un restaurante de cocina fusión?
4. ¿Hay alguien que (*hacer*) la receta del refresco de maíz morado?
5. ¡Tienes suerte! En mi familia no hay nadie que no (*saber*) cocinar bien.
6. Tampoco hay nadie que no (*tener*) la receta para hacer ceviche.
7. No encuentro ningún libro que (*incluir*) la receta de ceviche con mango verde y salmón.

Ceviche peruano

26 Puesto libre 👥

Con un compañero/a, escriban anuncios para solicitar un(a) cocinero/a o un(a) camarero/a que cumpla los requisitos (*requirements*) de abajo. Pueden comenzar las oraciones del anuncio con las expresiones del recuadro.

se busca	busco	se necesita(n)	prefiero
se prefiere	necesitamos	queremos	preferimos

MODELO   saber hablar varios idiomas
Se necesitan camareros que sepan hablar varios idiomas.

1. hablar inglés
2. ser eficiente y responsable
3. saber preparar comida internacional
4. poder trabajar hasta tarde

5. tener dos años de experiencia
6. ser amable con los clientes
7. poder trabajar los fines de semana
8. saber trabajar bajo presión

¡Comunicación!

27 Opiniones 👥 **Presentational Communication**

En grupos de seis, háganse las siguientes preguntas para conocerse mejor. Lleven la cuenta de las respuestas en una tabla y resuman los resultados en oraciones como se ve en el modelo.

¿Hay alguien...	N.º Personas
que sepa cocinar bien?	3
a quien le guste el pavo?	
que prefiera la comida picante?	
que conozca un restaurante peruano?	
que conozca un chef famoso?	

MODELO   **En nuestro grupo hay tres personas que saben cocinar bien.**

La nominalización y el pronombre relativo *que*

When an object has been identified, it's not necessary to keep repeating it in order to be understood. Instead use an article followed by an adjective or an adjective phrase to refer to the object. This is called nominalization.

Note: The article is the same gender and number as the noun being replaced.

El pollo asado es mejor que el pollo frito.	**The roasted chicken** is better than **the fried chicken**.
El pollo asado es mejor que el frito.	**The roasted chicken** is better than **the fried** (one).
Esta sopa es mejor que la del restaurante.	**This soup** is better than **the restaurant's**.

- You have seen more examples of nominalization using *lo* and *lo + que* to express an abstract idea.

Lo mejor fue el postre.	**The best thing** was the dessert.
Lo que más nos gusta es el ceviche.	**What** we like the most is the ceviche.

- To refer to specific things rather than abstract ones, you may use *el que*, *la que*, *los que*, and *las que*. This kind of nominalization always occurs in relative clauses.

Quiero la que sea menos dulce.	I want **the one that** is less sweet.
No me gustan los que están demasiado cocidos.	I don't like **the ones that** are over-cooked.

- Notice that if the nominalization refers to an object that has not been determined yet, the subjunctive is used. Compare the following.

Pediremos lo que les gusta.	We will order **what you like**. (I already know what you like.)
Pediremos lo que les guste.	We will order **whatever you like**. (I don't know what you like.)

28 ¿Qué hacer?

Hay muchas palabras que se repiten en el siguiente párrafo. Use la nominalización para reemplazar (replace) las palabras en cursiva.

En la escuela de cocina nos dijeron a David y a mí que cocináramos juntos el plato típico de Perú o (**1.** *el plato típico*) de otro país de Latinoamérica. Primero, tuvimos que escoger una receta y escogimos (**2.** *la receta*) que David encontró. Pienso que mi plato era mejor, pero (**3.** *el plato*) de David era más fácil. Después, fue necesario decidir si cocinábamos en mi casa o en (**4.** *la casa*) de David; y si era mejor la tarde del miércoles o (**5.** *la tarde*) del jueves. Al final, decidimos cocinar en mi casa el jueves por la tarde. Cuando terminamos, le pedí a mi mamá que invitara a sus amigas del barrio y a (**6.** *las amigas*) de la clase de gimnasia para que probaran la comida. A todas les gustó (**7.** *la comida*) que preparamos y ninguna se quejó de dolor de estómago.

29 ¡Camarero, por favor!

Ud. y su compañero/a están cenando en un restaurante con otros amigos y tienen problemas con el servicio. Túrnese con su compañero/a para quejarse. Usen la nominalización. Sigan el modelo.

MODELO   El pastel lleva manzanas. Su amiga pidió el pastel que lleva cerezas.
Este pastel lleva manzanas. Ella pidió el que lleva cerezas.

1. La sopa es de pollo. Ud. pidió la sopa que está hecha con tomate.

2. El ceviche tiene mariscos. Su amigo quiere el ceviche que tiene solo pescado.

3. La carne está marinada con especias. Sus amigos pidieron la carne que está frita con tomate y cebolla.

4. Los bistecs están fritos. Uds. pidieron los bistecs que están asados a la parrilla.

5. La cuenta indica que Ud. tomó la sopa que tiene camarones. Ud. tomó la sopa que tiene pollo.

¡Comunicación!

30 ¡Mmm, mi plato preferido!   Interpersonal Communication

Con su compañero/a, digan qué plato prefieren si tienen calor, frío, hambre o prisa. Lean el menú y sigan el modelo como guía.

MODELO   A: **Si hace frío, yo prefiero una sopa.**
Me gusta la sopa de verduras. ¿Y a ti?
B: **Yo prefiero la de pollo.**

MENÚ

Sopa	Ensaladas	Sándwiches
• de verduras	• de lechuga y cebolla	• de queso
• de pescado	• de tomate	• de jamón y queso
• de fideos	• de atún	• de verduras
• de pollo		

Todo en contexto

? Pregunta clave

¿Cómo se relaciona la comida que se consume en un país con su cultura?

¡Comunicación!

31 Perdón, ¿qué dijo? 👥 Interpersonal Communication

Imagine que Ud. lleva a uno de sus amigos estadounidenses a un restaurante peruano donde no se habla inglés. Él habla un poco de español, pero a la mesera le cuesta mucho trabajo entenderlo y Ud. debe repetir todo lo que él dice. Represente la situación con su compañero/a. Túrnense para hacer los tres papeles y usen el imperfecto del subjuntivo en su conversación, como se ve en el modelo.

MODELO

A: ¿Qué le gustaría de aperitivo?

B: Tráigame un ceviche de camarones marinados en limón.

A: ¿Perdón?

C: Dijo que le trajera un ceviche de camarones marinados en limón.

Pedí que me trajera la carta.

¡Comunicación!

32 Una receta tradicional   Presentational Communication

Imagine que Ud. es uno de los chefs participantes en la Feria Gastronómica Internacional Mistura. Ud. quiere promover la cocina peruana, como lo hace el chef Acurio y, por eso, decide presentar un plato autóctono (*native*) del país. Busque en la internet una receta en que se usen ingredientes originales de Perú y preséntela a la clase. Describa los ingredientes de la receta y use ayudas visuales para ilustrar, paso a paso, la preparación. Para finalizar, explique por qué eligió esa receta.

MODELO

Buscaba una receta que incorporara alimentos indígenas del país.

Alimentos originarios del Perú

Cocinero en su tinta
de *Gustavo Rodríguez*

Sobre el autor

Gustavo Rodríguez (b. 1968) es un publicista peruano que ha tenido mucho éxito tanto en su carrera publicitaria como en su más reciente carrera de escritor. Su primer libro de relatos, *Cuentos de fin de semana*, publicado en 1998, fue muy bien recibido por los críticos y lectores del país, muchos de ellos en edad escolar. Eso lo motivó a crear el Proyecto Recreo, el cual busca fomentar la lectura en los colegios. Tiene como meta lograr que haya un millón de niños lectores, que lean sus libros por placer y no por obligación. Sus novelas son *La furia de Aquiles*, *La risa de tu madre*, *La semana tiene siete mujeres* y la última, *Cocinero en su tinta*.

Antes de leer

1. ¿Qué persona, cuando piensa en ella, le trae a Ud. los mejores recuerdos de su infancia o de tiempos pasados?

2. ¿Por qué le trae esa persona tan buenos recuerdos?

Estrategia

Using your senses

Writers often use details that invite the reader to experience what they are talking about with the five senses. If you use your senses, you can easily visualize the setting and the actions of the reading. Use your imagination to place yourself in the situation and think about what you can smell, touch, see, hear, and taste. Be aware that one detail can appeal to more than one sense.

33 Practique la estrategia

A medida que lea el fragmento de *Cocinero en su tinta*, visualice las acciones y el escenario en que tienen lugar. Resalte detalles de la lectura que apelen a los sentidos y categorícelos en un organizador gráfico, como se ve a continuación. Siga el modelo como guía.

MODELO **Las pequeñísimas láminas (*layers*) naranjas se fueron amontonando (*piling up*) con ritmo, al compás de sus palabras.**

Vista	Tacto	Oído	Gusto	Olfato
pequeñísimas láminas naranjas	se fueron amontonando	con ritmo, al compás de sus palabras		

Cocinero en su tinta (*fragmento*) 🎧
de *Gustavo Rodríguez*

Comprensión

1. ¿Por qué no era buena idea combinar esa hora de la madrugada con el filo de su Santoku?

2. ¿En dónde se le apareció la abuela a Rembrandt?

3. ¿Con qué nombre llama Rembrandt a su abuela?

4. ¿Con qué se hacen las rosquitas?

Analice

5. ¿Cómo puede el amor ser un ingrediente de una receta?

La primera vez que a Rembrandt Bedoya se le apareció su abuela fue en el remolino[1] de un caldo que preparaba a la una de la madrugada. La cocina del restaurante se hallaba en silencio [...] El espinazo[2] de gamitana, un pez amazónico que se alimenta de los frutos que caen al río, soltaba su esencia en el agua mientras Rembrandt cortaba en dados su carne blanquecina[3]. Rembrandt pensaba que, por lo general, no era buena idea combinar esa hora de la madrugada con el filo[4] de su Santoku: habría bastado una fracción de pestañeada para que ese cuchillo con perfil de tren bala le rebanara[5] un dedo. Pero no tenía ni una pizca de sueño. Al contrario. Se sentía más alerta que nunca y, por eso mismo, no podría decirse que el sorpresivo diálogo que se dio a continuación se haya debido al cansancio [...]

La costumbre hizo que le diera una última vuelta al caldo, y fue en ese instante cuando le pareció que dos hoyuelos[6] que se formaron en el líquido lo miraban, como cuando de niño cometía alguna trastada[7]. El momento fue fugaz, pero la pregunta que irrumpió en el aire no dejó su cabeza hasta mucho tiempo después.

¿Qué estás haciendo, Rembo?

La voz, en efecto, era de su abuela materna. No la había escuchado en más de veinte años, pero era imposible que hubiera olvidado la caricia de su acento cantarín, tan propio de Loreto. La sorpresa lo dejó estático [...]

Soy cocinero, mamucha. Uno de los mejores, en un país que quiere ponerse entre los mejores. En tus tiempos no era así, ¿recuerdas? Ni siquiera en los míos: tú estuviste cuando le dije a mi papá que me iba a dedicar a esto. Tú viste su cara, era el Misti a punto de erupcionar.

Cuando los camotes[8] estuvieron pelados, Rembrandt se puso a rallarlos[9]. Las pequeñísimas láminas naranjas se fueron amontonando con ritmo, al compás de sus palabras.

¿Te acuerdas cuando te ayudaba a rallar yuca para hacer rosquitas[10]? ¿O cuando hacíamos tus platos de la selva? He estudiado en grandes institutos, me he codeado con grandes chefs, pero jamás podré igualar el tacacho[11] que solías hacer. Tú decías que el truco estaba en la manteca del chancho[12], pero creo que te equivocaste, mamucha. El truco está en que fuiste la primera: tú moldeaste[13] mi lengua a ese plato. Ninguno de los que vendrán serán iguales a ese que me hacías con amor. El amor es un ingrediente de la comida, solo que es invisible en la receta.

[1] swirl   [2] backbone   [3] whitish   [4] blade   [5] slice   [6] dimples   [7] mischief   [8] sweet potatoes
[9] grate them   [10] little crunchy donuts   [11] Peruvian dish   [12] pork fat   [13] shaped

Después de leer

Imagine que es a Ud. a quien se le aparece la imagen de un ser querido en la sopa. ¿Quién sería? ¿Qué diálogo tendrían? Comente su respuesta con la clase.

Repaso de la Lección B

A Escuchar: ¿Tienes buenos modales? 🎧 (pp. 337–338, 346–347)

Diga **sí** si lo que oye en las seis oraciones tiene que ver con los buenos modales. Diga **no** si tiene que ver con otro tema.

B Vocabulario: ¿Esto dónde va? (pp. 337–338, 346–347)

Complete esta tabla con las palabras del recuadro.

el cordero	el salmón	el ceviche	marinado	las nueces
frito	las almendras	la pechuga de pavo	los fideos	ahumado
los bocadillos	asado	relleno	el bistec	las papas fritas

Aperitivos	Carnes	Pescado o comida de mar	Otros platos	Preparación

C Gramática: Y antes, ¿cómo eran las cosas? (p. 340)

Vuelva a escribir estas oraciones usando el imperfecto del subjuntivo. Ponga el verbo principal en el imperfecto. Siga el modelo.

MODELO   Sugiero que vayamos a un buen restaurante para celebrar.

Sugería que fuéramos a un buen restaurante para celebrar.

1. Es increíble que puedas comer solo eso.
2. Dudo que David tenga música bailable.
3. No le gusta que su hermano haga fiestas en casa.
4. Esperamos que Uds. se diviertan.
5. Es importante que cenemos saludablemente.
6. Es una lástima que Pablo sea alérgico a las almendras.
7. No puedo creer que no les guste el plato principal.
8. Mis padres no quieren que yo estudie para ser chef.

D Gramática: Todos queremos algo (p. 350)

Complete estas oraciones emparejando la información de las dos columnas lógicamente.

1. Quiero un libro de cocina...
2. El restaurante busca a una camarera...
3. Es posible que en Perú haya recetas...
4. Me gustaría encontrar un mercado...
5. Toña quiere un novio...
6. Espero tener una fiesta de cumpleaños...

A. que los vegetarianos puedan disfrutar.
B. que sea divertida.
C. a quien le guste cocinar.
D. que pueda hablar español con los clientes.
E. que venda buenas especias.
F. que tenga recetas saludables.

¿Por qué se dice que el chef peruano Gastón Acurio ha actuado más como embajador de su país que como cocinero? Escriba sus ideas en un diagrama como el que sigue y, luego, escriba un párrafo sobre el tema.

El chef Acurio es un embajador de la cocina peruana porque...

Vocabulario

Para comer
la almendra
el bistec
el bocadillo
el ceviche
el cordero
los fideos
el maní, pl. los maníes
la nuez, pl. las nueces
la pechuga de pavo
las papas fritas
el salmón

Para describir la comida
a la parrilla
ahumado/a
asado/a
crudo/a
frito/a
marinado/a
relleno/a
salado/a
seco/a

Expresiones y otras palabras
la botella
el cliente, la clienta
las especias
el plato principal

Verbos
bajar
comportarse
darse la mano
devolver (ue)
interrumpir
masticar
quejarse
recomendar (ie)
subir
tapar(se)

La fiesta
el anfitrión, la anfitriona
el invitado, la invitada
los modales

Para bailar
el disc jockey, la disc jockey
la música bailable
los parlantes
los pasos (de baile)
el sistema de audio
el volumen

Gramática

El imperfecto del subjuntivo

Use el imperfecto del subjuntivo cuando el primer verbo de la frase se encuentra en el pretérito, imperfecto o condicional. Forme el imperfecto del subjuntivo de todos los verbos de la siguiente forma:

la forma de **ellos** omita **-on** añada estas terminaciones en el pretérito

hablaron	hablar	hablar**a**	hablár**amos**
		hablar**as**	hablar**ais**
		hablar**a**	hablar**an**

Yo **prefería que** (tú) **no corrieras** en la calle.

La profesora nos **sugirió que ayudáramos** a los estudiantes.

Uds. me **dijeron que tuviera** cuidado.

El subjuntivo con objetos hipotéticos

Use el subjuntivo después de los pronombres **que** y **quien** cuando no se sabe si el objeto existe.

*Esta profesora podría ser **quien me enseñe** español.*

*Uds. siempre quieren un ceviche **que tenga** muchas especias.*

También se puede usar el subjuntivo para describir algo que no existe.

*No conozco a nadie **que venda** cerezas amarillas.*

*No hay clientes **que paguen** con tarjeta de crédito.*

Para concluir

? Pregunta clave

¿Cómo se relaciona la comida que se consume en un país con su cultura?

Proyectos

A ¡Manos a la obra! 👥

Trabaje con dos compañeros/as de clase para hacer una presentación sobre el mercado dominical de Tarabuco, en Bolivia. Investiguen en la internet por qué es famoso este mercado, qué se vende allí y por qué atrae a los turistas. Usen fotografías para ilustrar su presentación y túrnense para describir en detalle lo que se ve en cada fotografía.

Mercado de Tarabuco, Bolivia

B En resumen 👥

¿En qué región se preparan los siguientes platos típicos, en qué consisten y cómo se relacionan con la cultura del lugar? Resuma la información en un cuadro como el que sigue y, luego, compare sus respuestas con las de un(a) compañero/a.

Taza de api, bebida típica de Bolivia

Platos típicos	Región	Descripción y contexto cultural
el pampaku	la región de Cochabamba en Bolivia	Es una carne que se cocina en un foso bajo tierra y se viene preparando así desde tiempos prehispánicos. Su nombre se deriva de "p'ampay" una palabra quechua que significa enterrar o cubrir con tierra.
el ceviche		
el chairo		
el chanchito a la caja china		
la marraqueta		
el rostro asado		
el ají de gallina		
el chancho crocante		
el fricasé		

C ¡A escribir!

Chef Javier Wong

Ud. es un periodista peruano/a y su próximo trabajo consiste en escribir una reseña (*review*) para uno de los restaurantes de los chefs más reconocidos de todo el país, tales como Gastón Acurio, Virgilio Martínez o Javier Wong. Haga una búsqueda en la internet sobre uno de estos chefs, sus restaurantes y sus platillos famosos. Después, escriba un resumen de su búsqueda en el que describa el restaurante, su servicio y su comida.

> **Para escribir más**
>
> | | |
> |---|---|
> | el ambiente | *atmosphere* |
> | elogiar | *to praise, commend* |
> | probar | *to taste* |

Imagine que Ud. es nutricionista y quiere promover el consumo de la quinua entre sus pacientes. Prepare un póster para la sala de espera de su clínica. En su póster, incluya detalles sobre los beneficios nutritivos de la quinua. Mencione por lo menos cinco beneficios. Ofrezca también una o dos recetas que utilicen la quinua. Cuando complete el trabajo, comente con un(a) "paciente" (compañero/a) los beneficios que resumió.

La quinua, cien por ciento del altiplano boliviano

Hay numerosos festivales y tradiciones que se celebran en todas partes de Perú y Bolivia. Trabajando en grupos de tres o cuatro, seleccionen uno de los festivales de la lista y usen la internet para averiguar más sobre la celebración. Organicen la información que encuentren en una gráfica como la que se muestra y, después, preséntenla a la clase. Incluyan fotos de máscaras o de comida y fragmentos de música para ilustrar mejor lo que ocurre durante la celebración.

Inti Raymi, La Fiesta del Sol, Cusco

FESTIVALES

Bolivia	Perú
Alasitas	La Fiesta de la Cruz
Festival de Achachairú	La Fiesta de la Virgen del Carmen
Carnaval Jisk'a Anata	El Señor de los Milagros
Carnaval de Oruro	La Fiesta de la Virgen de la Candelaria
Fiesta de la Cruz	
Fiesta del Gran Poder	Inti Raymi
Inti Raymi	La celebración del Señor de los Temblores
Festival de la Virgen de Urkupiña	La Fiesta de Corpus Christi
	El Día de Todos los Santos

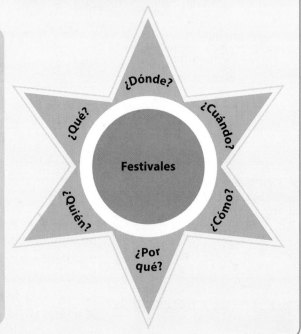

¿Dónde?
¿Qué?
¿Cuándo?
Festivales
¿Quién?
¿Cómo?
¿Por qué?

Vocabulario de la Unidad 7

a la parrilla grilled 7B
agrio/a sour 7A
ahumado/a smoked 7B
el **ají, pl.** los **ajíes** pepper 7A
la **almendra** almond 7B
el **anfitrión,** la **anfitriona** host, hostess 7B
asado/a roasted 7B
la **asadora** roasting pan 7A
asar to roast 7A
bajar to lower 7B
la **batidora** mixer 7A
batir to beat 7A
el **bistec** steak 7B
el **bocadillo** sandwich 7B
el **boliviano** Bolivian currency 7A
la **botella** bottle 7B
la **cereza** cherry 7A

el **ceviche** ceviche (marinated sea food dish) 7B
el **choclo** ear of corn 7A
la **clara** egg white 7A
el **cliente,** la **clienta** customer 7B
cocer (ue) to cook 7A
cocido/a cooked, done 7A
comportarse to behave 7B
el **condimento** condiment, seasoning 7A
el **cordero** lamb 7B
crudo/a raw, uncooked, under cooked 7B

el **damasco** apricot 7A
darse la mano to shake hands 7B
el **diente de ajo** garlic clove 7A
el **disc jockey,** la **disc jockey** disc jockey (DJ) 7B
enfriar to cool 7A
las **especias** spices 7B
la **espinaca** spinach 7A
los **fideos** noodles 7B
el **frijol** bean 7A
frito/a fried 7B
el **garbanzo** chickpea 7A
el **gramo** gram 7A
la **harina** flour 7A
hervir (ie) to boil 7A
hornear to bake 7A
interrumpir to interrupt 7B
el **invitado,** la **invitada** guest 7B
las **legumbres** legumes 7A
la **lenteja** lentil 7A
el **litro** liter 7A
el **maní, pl.** los **maníes** peanut 7B
marinado/a marinated 7B
masticar to chew 7B
mezclar to mix 7B
los **modales** manners 7B
la **música bailable** dance music 7B
la **nuez, pl.** las **nueces** walnut 7B

el **orégano** oregano 7A
las **papas fritas** french fries 7B
los **parlantes** speakers 7B
los **pasos (de baile)** (dance) steps 7B
la **pechuga de pavo** turkey breast 7B
el **pedazo** piece 7A
pelar to peel 7A

el **perejil** parsley 7A
picante hot (spicy) 7A
picar to chop 7A
el **plato principal** main dish 7B
podrido/a rotten 7A
el **puesto** stall, stand 7A
quejarse to complain 7B
el **recipiente** bowl 7A
relleno/a stuffed 7B
el **repollo** cabbage 7A
revolver (ue) to stir 7A
sabroso/a tasty 7A
salado/a salty 7B
el **salmón** salmon 7B
la **sartén** frying pan, skillet 7A
seco/a dry 7B
el **sistema de audio** sound system 7B
subir to raise 7B
tapar(se) to cover 7B
verde unripe 7A
el **volumen** volume 7B
la **yema** egg yolk 7A

La salud

Escanee el código QR para mirar el documental sobre los personajes de *El cuarto misterioso*.

¿Qué proyecto se realizó en Barcelona con motivo de las Olimpiadas de 1992?

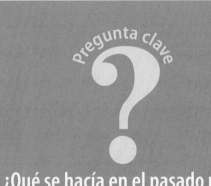

Pregunta clave

?

¿Qué se hacía en el pasado para mantenerse saludable y qué se hace en la actualidad?

La Villa Olímpica

¿Quién es esta famosa mujer y a qué se debe su fama?

Guatemala   Honduras

Mis metas

Lección A   I will be able to:

▶ describe minor accidents and a visit to the emergency room

▶ use **doler** to talk about what hurts

▶ use the future perfect tense to talk about events that will have happened

▶ use the conditional perfect to talk about events that would have happened

▶ talk about current and ancient health practices in Guatemala

▶ describe symptoms and remedies of common illnesses

▶ use **hace que** and **hacía que** to talk about how long something has/had been going on

▶ talk about natural cures for ailments and illnesses

Lección B   I will be able to:

▶ discuss ways to stay fit

▶ use **si** with the imperfect subjunctive to express hypothetical situations

▶ talk about Mayan games

▶ describe a program to promote exercise in Honduras

▶ talk about a healthy diet

▶ use prepositions with pronouns and infinitives

▶ read and discuss a fable by Augusto Monterroso

En la clínica

 CLÍNICA DEL VALLE

Inicio

➤ Horas de atención al público
  8:00 AM a 5:00 PM

la sala de emergencias

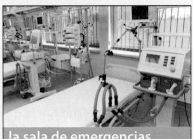

la radiografía

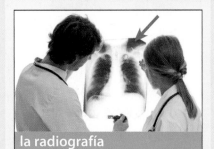

el antiséptico   las curitas

el rasguño

el yeso

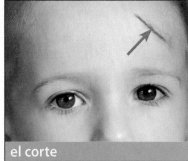

el corte

la venda

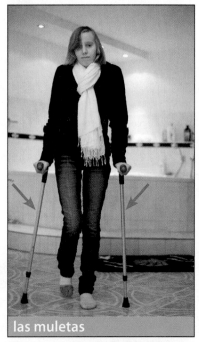

las muletas

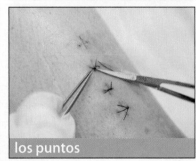

los puntos

la silla de ruedas

Para conversar

To talk about minor accidents:

Doctora, **me di un golpe** muy duro.
*Doctor, I banged into something
really hard.*

No se preocupe, yo la **examinaré**.
¿Qué ocurrió?
*Don't worry. I'll examine you.
What happened?*

Tropecé con un escalón y me caí.
Sufrí varios rasguños y un corte
profundo aquí en **la muñeca**.
*I tripped over a step and fell. I suffered
several scratches and a deep cut here on
the wrist.*

Enfermera, **me resbalé** y al caer me
lastimé **el tobillo**. Ahora me duele
mucho.
*Nurse, I slipped and hurt my ankle when
I fell. Now it really hurts.*

Claro, **se** lo **ha torcido**, pero por
suerte no **se** lo **ha quebrado**. No tiene
una fractura.
*Yes, you've twisted it, but luckily you
haven't broken it. You don't have
a fracture.*

Para decir más

el hematoma	*bruise*
la hemorragia	*bleeding*
la hinchazón	*swelling, bump, lump*
el mareo	*dizziness*
las náuseas	*nausea*
la presión alta	*high blood pressure*
enyesar	*to put in a cast*

En otros países

el corte	*la cortada (Colombia)*
la curita	*la bandita (Venezuela)*
	la tirita (España)
el golpe	*el totazo (Colombia)*
	el tortazo (España)
la sala de emergencias	*la sala de urgencias (España)*
quebrarse	*fracturarse (España y Latinoamérica)*

Estrategia

Review and recycle ♻

el brazo	*arm*
la cabeza	*head*
el codo	*elbow*
el dedo	*finger*
la espalda	*back*
el hombro	*shoulder*
la mano	*hand*
el pie	*foot*
la pierna	*leg*
la rodilla	*knee*

1 Situaciones y soluciones

Elija las soluciones de la columna II que se relacionen mejor con las situaciones de la
columna I.

I	II
1. tener un rasguño leve	**A.** usar una silla de ruedas
2. caminar con un yeso en la pierna	**B.** necesitar un yeso
3. tener un corte profundo	**C.** necesitar muletas
4. tener una fractura	**D.** ponerse una curita
5. quebrarse la pierna y no poder caminar por un mes	**E.** necesitar puntos

2 Después de un accidente 🎧

Indique la letra de la foto que corresponde con lo que oye.

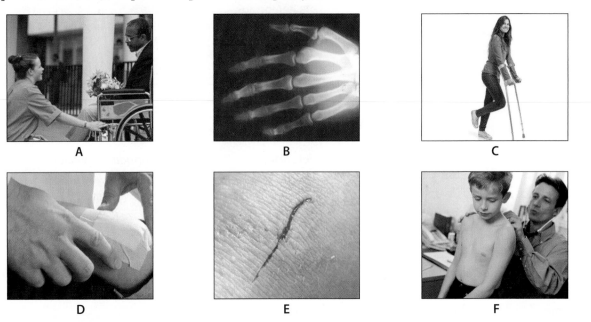

A   B   C

D   E   F

3 ¿Qué pasó en la clínica?

Complete el párrafo con las palabras del recuadro que correspondan según el contexto.

antiséptico	muletas	tobillo	fractura	yeso
radiografía	heridas	clínica	cortes	se torció

Uno de los jugadores se cayó y **(1)** el pie en el partido de fútbol. También sufrió varios **(2)** en los brazos y las manos. Lo llevaron a la **(3)** y allí le tomaron una **(4)**. Descubrieron que tenía una **(5)** en el **(6)**. Inmediatamente le pusieron un **(7)** y ahora tiene que caminar con **(8)**. El doctor le dijo que debía ponerse **(9)** en las **(10)** y que debía volver en dos semanas para examinarlo.

4 ¿Médico o paciente? 🎧

Escuche las siguientes oraciones. Para cada una, diga si la persona que habla es **médico** o **paciente**.

Creo que me torcí el tobillo.

Diálogo 🎧

¿Cómo te quebraste el brazo?

Luz: ¿Cómo te quebraste el brazo, Jorge?

Jorge: Estaba jugando a la pelota y me tropecé.

Luz: ¿Te llevaron a la sala de emergencias?

Jorge: Sí, me llevaron a la clínica del barrio.

Luz: ¿Qué te hicieron allí?

Jorge: El médico me examinó el brazo y me sacó una radiografía.

Luz: ¿Se veía la fractura en la radiografía?

Jorge: Por supuesto.

Luz: ¿Cuánto tiempo debes tener el yeso en el brazo?

Jorge: El médico me dijo que dentro de tres semanas ya me lo habrían quitado.

Luz: ¿Qué vas a hacer ahora?

Jorge: Me pintaré el yeso de rojo para que mis compañeros me vean cuando juguemos.

Luz: ¡Eres imposible, Jorge!

5 ¿Qué recuerda Ud.? 🎧

1. ¿Cómo se quebró Jorge el brazo?
2. ¿Adónde lo llevaron?
3. ¿Qué le hizo el médico?
4. ¿Para cuándo le dijo el médico que le habrían quitado el yeso del brazo?
5. ¿Qué va a hacer ahora Jorge?

6 Algo personal 🎧

1. ¿Ha tenido que ir a la sala de emergencias alguna vez? ¿Por qué?
2. ¿Se ha quebrado algo alguna vez? ¿Cómo?
3. ¿Ha tenido algún accidente?
4. ¿Qué usa cuando tiene una herida o un corte?
5. ¿Va al doctor a examinarse una vez por año?

💬 ¡Comunicación!

7 ¿Qué te ocurrió? 👥 Interpersonal Communication

Imagine que se encuentra con un(a) amigo/a y lo/la ve con un yeso. Con su compañero/a, representen la conversación. Pregúntele a su amigo/a qué le ocurrió, dónde lo atendieron, cómo lo examinaron, y qué le hicieron.

MODELO
> A: ¿Qué te ocurrió, Lucía? ¿Por qué te han puesto un yeso?
> B: Me resbalé en la calle y me quebré la pierna. Fui a la clínica y me hicieron una radiografía.

El verbo *doler*

- The verb *doler* (to hurt) is similar to the verb *gustar* because it is used with an indirect object pronoun. It has two basic forms, **duele** and **duelen**. Use *duele* with a singular noun and *duelen* with a plural noun.

  Me **duele** la garganta. My throat **hurts**.

  A Carlos le **duelen** los tobillos. Carlos's ankles **hurt**.

- To say that you have a headache, stomachache, and so on, use the verb *tener* + *dolor de* + (**the part of the body that is aching**).

  Tengo dolor de cabeza. **I have a headache.**

Un poco más

El artículo definido

When speaking of parts of the body, definite articles are used instead of possessive adjectives.

Me duele la espalda. *My back hurts.*
A él le duelen las piernas. *His legs hurt.*

---

8 ¿Qué les duele?

Imagine que se encuentra con las siguientes personas y a todas les duele algo. Con su compañero/a, túrnense para preguntar y contestar, según cada ilustración y la información dada.

MODELO él / cabeza

A: ¿Qué le duele a él?

B: Le duele la cabeza.

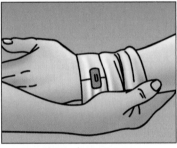

1. tu prima / muñeca

2. Enrique / estómago

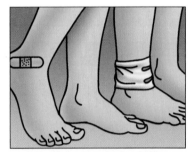

3. Martín y Juan / tobillos

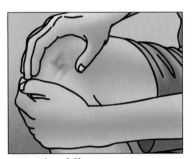

4. tú / rodilla

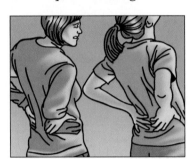

5. ellas / espalda

6. Ud. / corte

Gramática

9 ¡Qué raro!

Imagine que un(a) amigo/a le contó lo que les había sucedido a ciertas personas, pero Ud. cree que se ha equivocado. Con su compañero/a, hablen de lo que le sucedió a cada persona. Sustituyan la palabra en cursiva con la palabra que está entre paréntesis usando el pluscuamperfecto. Sigan el modelo.

> **MODELO**   *Juan* se torció el tobillo. (Jorge)
>
> **¡Qué raro! Yo creía que Jorge se había torcido el tobillo.**

1. Natalia se quebró *la muñeca*. (el pie)
2. Rosa tenía un fuerte dolor de *cabeza*. (el estómago)
3. Los enfermeros le quitaron el yeso de *la pierna* a Roberto. (el brazo)
4. *Teresa* estaba en una silla de ruedas después del accidente. (Maribel)
5. El padre de Enrique se dio un golpe en *la rodilla*. (el codo)
6. Los hermanos *Gómez* fueron a la sala de emergencias de la clínica. (Durán)

Se quebró la muñeca.

Los tiempos compuestos: El futuro perfecto y el condicional perfecto

- The perfect (or compound) tenses consist of a form of *haber* combined with a past participle. You have learned the present perfect tense (*el pretérito perfecto*) to talk about what someone has done, and the past perfect (*el pluscuamperfecto*) to talk about what someone had done.

José se ha quebrado el brazo otra vez.	José has broken his arm again.
Ya se lo había quebrado el año pasado.	He had already broken it last year.

- There are two more perfect tenses that use a form of *haber* combined with a past participle. These are the future perfect and the conditional perfect.

- To form the future perfect (*futuro perfecto*), use a future form of *haber* + **past participle**. The future perfect expresses a future event that will have been completed before another future event.

*Cuando hable con el doctor, ya me **habrán quitado** el yeso.*	When I speak with the doctor, **they will have** already **taken off** the cast.

- To form the conditional perfect (*condicional perfecto*), use a conditional form of *haber* + **past participle**. The conditional perfect expresses a situation that would have happened or that would have been if something else had happened, but didn't.

*El doctor me **habría recomendado** antibióticos, pero no fue necesario. No tenía una infección.*	The doctor **would have recommended** antibiotics to me, but it was not necessary. I didn't have an infection.

10 Muchas cosas habrán sucedido

Muchas veces hablamos de cosas que ya habrán sucedido en momentos específicos del futuro. Diga qué habrá pasado en los siguientes casos, como se ve en el modelo.

MODELO mañana / los médicos / ver la radiografía
Para mañana, los médicos ya habrán visto la radiografía.

1. el fin de semana / el antiséptico / acabarse
2. antes de que anochezca / nosotros / traer la silla de ruedas
3. el jueves / yo / cambiarme la venda
4. dentro de un mes / mi primo / olvidarse de la fractura
5. el miércoles / los doctores / quitarle el yeso a Julia
6. el año próximo / ellos / abrir la nueva clínica

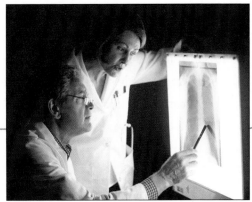

Para el lunes, el médico y la enfermera ya habrán examinado la radiografía.

¡Comunicación!

11 Predicciones para el futuro 👥 Interpersonal Communication

Muchas veces nos fijamos metas o hacemos predicciones para el futuro. ¿Qué cree que habrá pasado en su vida y en el mundo al cabo de (*at the end of*) diez, veinte o cuarenta años? Túrnese con su compañero/a para hacer sus propias predicciones. Usen el futuro perfecto en sus preguntas y respuestas y los temas del recuadro como guía, como se ve en el modelo.

En tu vida	En el mundo
terminar	descubrirse
convertirse en	acabarse
viajar por	inventarse
participar en	desaparecer
casarse con	construirse

MODELO En tu vida

A: ¿Qué habrá pasado en tu vida al cabo de diez años?

B: Al cabo de diez años, yo ya habré terminado la universidad.

En el mundo

A: ¿Qué habrá pasado en el mundo al cabo de veinte años?

B: Al cabo de veinte años, se habrá descubierto una cura para el cáncer.

¡Comunicación!

12 Nos habríamos divertido mucho, ¿verdad? · Interpersonal Communication

Imagine que Ud. y varios compañeros/as de clase habían hecho planes para viajar a
Guatemala pero no pudieron ir. Lean la página web que se muestra a continuación y úsenla como
referencia para hablar de todo lo que habrían hecho en su viaje. Intercambien información sobre
los lugares que habrían visitado y las actividades que habrían realizado, explicando por qué.
Usen el condicional perfecto en sus preguntas y respuestas, como se ve en el modelo.

MODELO   A: ¿En qué hotel te habrías quedado tú?

B: Yo me habría alojado en el Intercontinental porque es de cinco estrellas. ¿Y tú?

A: Yo me habría quedado en el Cayman Suites porque tiene vista al mar.

Ciudad de Guatemala

La ciudad de Guatemala ofrece a los
visitantes todos los servicios que esperan
encontrar en un viaje de placer o de
negocios.

Hoteles recomendados

Hotel	Estrellas
• Intercontinental	☆☆☆☆☆
• Cayman Suites	☆☆☆☆☆
• Quinta Real	☆☆☆☆☆
• Gran Tikal Futura Hotel	☆☆☆☆☆
• Apartamentos Las Torres	☆☆☆
• Hostal Los Volcanes	☆☆

Restaurantes recomendados

Restaurante	Tipo de comida
• Donde Mikel	española
• Tre Fratelli	italiana
• Hacienda Real	parrilla y mariscos
• Fuego Lento	carne a la parrilla

Mercados

El mercado de abastos ofrece frutas y
verduras de toda la región. Abierto lunes,
jueves y sábados.
En el mercado de artesanías se puede
comprar jade, cristal, tejidos y productos
autóctonos no solo de la región, sino de
todo el país. Horario: Lunes a sábado de
8:00 a 18:00 hrs. y domingo de 8:30 a
14:00 hrs. Precio de entrada: Gratuita.

Centros comerciales

Los modernos centros comerciales de la
ciudad ofrecen una gran variedad de
tiendas, entre las cuales se encuentran
tiendas de ropa, zapatos y artículos para
el hogar, todas con precios razonables y
productos de alta calidad. También
cuentan con salas de cine con sonido
digital para que Ud. pueda disfrutar de
las mejores películas.
Centros comerciales recomendados:
La Pradera, Unicentro, Los Próceres,
Tikal Futura.

Museos

Museo Ixchel del Traje Indígena.
Horario: Lunes a viernes de 9:00 a 17:00 hrs.
Sábado de 9:00 a 13:00 hrs.
Precio de entrada: Q20 ($2.56)
Museo Popol Vuh.
Horario: Lunes a viernes 9:00 a 17:00 hrs.
Sábado de 9:00 a 13:00 hrs.
Precio de entrada: Q20 ($2.56)
Museo Nacional de Historia.
Horario: Lunes a viernes de 9:00 a 17:00 hrs.
Precio de entrada: Gratuita.

**Museo Nacional de Arqueología
y Etnología.**
Horario: Martes a viernes de 9:00 a 16:00
hrs. Sábados y domingos de 9:00 a 12:00
hrs. y de 14:00 a 16:00 hrs.
Precio de entrada: Q30.00 ($3.85).
Palacio Nacional de la Cultura.
Horario: Lunes a sábado de 9:00 a 12:00
hrs. y de 14:00 a 17:00 hrs.
Precio de entrada: Gratuita.
Museo de Arte Moderno.
Horario: Lunes a viernes de 9:00 a 16:00
hrs. Sábados de 9:00 a 12:00 hrs.
Precio de entrada: Q10.00 ($1.28).

**Excursiones recomendadas a otras
regiones del país.**
Visitar las Ruinas Mayas de Tikal
Pasear por la ciudad colonial de Antigua
Escalar volcanes, como el volcán de Agua
  y el Pacaya, que todavía sigue activo
Navegar en el Lago de Izabal
Navegar en balsa por el río Cahabón
Comprar artesanías en los mercados
  de Chichicastenango

Un mercado de Chichicastenango

La salud en Guatemala: Antes y ahora

? Pregunta clave

¿Qué se hacía en el pasado para mantenerse saludable y qué se hace en la actualidad?

Fuentes Georginas, Zunil, Quetzaltenango

Uno puede pensar que los avances de la medicina moderna dejan en el olvido a la medicina antigua. Pero no siempre ocurre así. Guatemala, en términos de salud, ha logrado combinar lo mejor de esos dos mundos.

En ese país, debido a la numerosa población de origen maya que habita buena parte de su territorio, se reconoce la medicina antigua como una fuente[1] importante de recursos y prácticas. Un punto en común entre las formas de cuidar la salud en el pasado y las prácticas médicas actuales en Guatemala son las fuentes de aguas termales[2]. Desde tiempos inmemoriales, la civilización maya las utilizaba como medida terapéutica por sus propiedades curativas. Hoy los médicos también las recomiendan para tratar los problemas de salud de la vida moderna. Estos problemas están relacionados con el deterioro del medio ambiente[3], el estrés y las tensiones provocadas por el ruido de las ciudades y las tareas diarias.

Por supuesto, la medicina moderna también ocupa un lugar importante en el sistema de salud guatemalteco, que cuenta con hospitales de calidad, tecnología avanzada y profesionales con experiencia. No solo los guatemaltecos pueden acceder a los beneficios de este sistema de salud. En los últimos años, el país se ha especializado en un tipo de turismo conocido como turismo de salud y bienestar. Se ofrecen procedimientos médicos a precios muy competitivos y con la opción de alojarse en hoteles especialmente diseñados para la recuperación de los pacientes.

La cultura guatemalteca ha sabido aprovechar los avances de la medicina moderna, sin dejar de valorar y conservar los conocimientos que se usaban en el pasado.

[1] source   [2] thermal baths   [3] environmental damage

🔍 Búsqueda: medicina tradicional en guatemala, aguas termales guatemala, turismo de salud y bienestar

Productos 🎧

El turicentro Fuentes Georginas, en la región de Quetzaltenango, es uno de los lugares elegidos para el turismo de bienestar. Su principal atractivo son las aguas termales con azufre, que tienen propiedades relajantes y curativas. El centro también cuenta con senderos, bungalows, restaurante y áreas de picnic.

Comparaciones

¿Qué lugares de los Estados Unidos conoce donde se ofrezcan tratamientos médicos tradicionales como las aguas termales?

13 Comprensión — Interpretive Communication

1. ¿Qué caracteriza a la medicina en Guatemala?
2. ¿Por qué se recomiendan los baños en aguas termales en la actualidad?
3. ¿Qué es el turismo de salud y bienestar?

14 Analice

¿Por qué cree Ud. que en la actualidad las personas se interesan por las medicinas tradicionales o alternativas?

Una curandera prepara un ritual con fuego e incienso, de acuerdo a las creencias mayas.

Medicina tradicional maya 🎧

Para los mayas, la medicina y la salud están relacionadas con la naturaleza y con las leyes sociales y religiosas. Y es por eso que ellos piensan que cualquier cambio en la naturaleza, en el entorno familiar o en la comunidad puede afectar la salud y producir enfermedades.

En relación con las enfermedades, en la cultura maya no solo se tratan los problemas físicos sino también los espirituales. Las enfermedades se clasifican en naturales y sobrenaturales. Estas últimas no son contempladas por la medicina convencional porque quedan fuera de las explicaciones biológicas. Un ejemplo es la "pérdida del alma"[1] o "susto", en la que el cuerpo del paciente se debilita[2] a causa de un cambio importante en su estado emocional.

En la medicina maya intervienen varios factores a la hora de curar a un enfermo. No solo se usan conocimientos médicos. También es necesario el uso de minerales y plantas medicinales, la realización de ofrendas[3] y rituales, y —lo más importante— la intervención de un terapeuta indígena, que actúe como intermediario entre los dioses[4] y los hombres para curar a los enfermos. Estos médicos ancestrales se clasifican según su especialidad. El curandero[5] es quien atiende enfermedades comunes. El yerbatero[6] es quien conoce y recomienda las plantas medicinales. Para atender a las mujeres durante el embarazo y el parto[7], se cuenta con la comadrona. El soplador[8] cura heridas y quemaduras con soplidos, y al huesero se le atribuye el poder de reparar los huesos rotos[9] solamente con tocarlos. Por su parte, el sacerdote[10] o la sacerdotisa, que recibe el nombre de *Ajq'ij* ("que conoce el sol"), puede leer los astros[11] y servir de guía espiritual.

[1] soul [2] weakens [3] offerings [4] gods [5] healer [6] herbalist [7] pregnancy and delivery [8] blower [9] broken bones [10] priest [11] celestial bodies

🔍 **Búsqueda:** medicina maya, terapeutas indígenas

Prácticas 🎧 Conéctese: la salud

Los rituales mayas se realizan en lugares que se consideran sagrados, por ejemplo en altares alrededor del fuego. Se realizan allí porque las llamas, el color, las chispas y la energía que el fuego desprende son manifestaciones del Ser Supremo que se comunica a través del guía espiritual.

Perspectivas

"Yo estoy completamente segura de que la mayoría de la humanidad no cuida su fortuna espiritual".

¿Cómo se refleja el pensamiento maya en esta cita de Rigoberta Menchú, líder indígena guatemalteca y ganadora del premio Nobel de la Paz en 1992?

15 Comprensión — Interpretive Communication

1. ¿Con qué están relacionadas la medicina y la salud para los mayas?
2. ¿Cuáles son dos de los especialistas en medicina maya?
3. ¿Dónde se realizan las ceremonias mayas? ¿Por qué?

16 Analice

¿Cómo cree Ud. que el equilibrio de la naturaleza contribuye a la salud y el bienestar?

Vocabulario 2

¿Qué me va a recetar?

 CLÍNICA DEL VALLE

➤ Se atienden **pacientes**
lunes a sábado 8:00 AM a 5:00 PM

los remedios

las aspirinas   **las gotas**

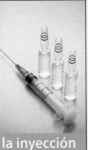 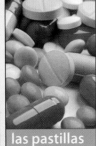

la inyección   **las pastillas**

el jarabe

Los síntomas de una enfermedad

estornudar

toser

tener fiebre

el dolor de barriga

la inflamación de la garganta

En la cita con el doctor

el historial médico

la infección (de los ojos)

respirar hondo

poner una vacuna

Para conversar 🎧

*T*o talk about symptoms and remedies:

Tengo esta **erupción** en **la piel**. ¿Cree que
es **una alergia**?
I have this rash on my skin. Do you think it's an allergy?

No. Tiene una infección, pero **se curará** con **los antibióticos** que
le voy a **recetar**.
*No. You have an infection, but it'll be cured with the antibiotics I am
going to prescribe.*

Para decir más

la bronquitis	*bronchitis*
las paperas	*mumps*
la poliomielitis	*polio*
el sarampión	*measles*
la varicela	*chicken pox*
contagioso/a	*contagious*

---

17 ¿Cuáles son sus síntomas? 🎧

Escuche lo que dicen los siguientes pacientes y escoja qué enfermedad sería lógico
que tuvieran.

1. **A.** pulmonía   **B.** erupción   **C.** alergia
2. **A.** erupción   **B.** alergia   **C.** pulmonía
3. **A.** presión   **B.** alergia   **C.** infección
4. **A.** erupción   **B.** gripe   **C.** inflamación
5. **A.** erupción   **B.** pulmonía   **C.** resfriado

---

18 ¿Qué me receta? 🎧

Imagine que Ud. es médico. Escoja qué les recetaría a los pacientes que tienen los
siguientes síntomas.

A. aspirina   **B.** jarabe   **C.** gotas   **D.** antibiótico   **E.** pastilla para dormir

1. Tengo una inflamación en los ojos. ¿Qué me
puede recetar?

2. Tengo dolor de cabeza. ¿Qué puedo tomar?

3. Estoy tosiendo mucho. Hace dos noches
que no puedo dormir. ¿Qué remedio me
puede ayudar?

4. Tengo una infección en la garganta y mucha
fiebre. ¿Qué me va a recetar?

5. Mi bebé tiene mucha fiebre pero no
puede tomar pastillas todavía. ¿Qué le
puede recetar?

Diálogo

¿Qué síntomas tiene?

Luz: Buenas tardes, doctor. Vengo a verlo porque no me siento bien.

Doctor: ¿Qué síntomas tiene?

Luz: Me siento muy cansada y toso bastante. Además, creo que tengo una inflamación en la garganta.

Doctor: ¿Tiene fiebre?

Luz: No.

Doctor: ¿Cuántos días hace que se siente así?

Luz: Casi una semana.

Doctor: ¿Y ha tomado algún remedio?

Luz: He tomado aspirinas.

Doctor: Voy a examinarla... Respire hondo y tosa.

Luz: ¿Qué enfermedad tengo, doctor? ¿Es muy grave?

Doctor: No. Según sus síntomas parece que tiene una infección. Con un antibiótico se va a curar en unos días.

19 ¿Qué recuerda Ud.?

1. ¿Por qué va Luz a ver al doctor?
2. ¿Qué síntomas tiene Luz?
3. ¿Cuánto tiempo hace que Luz se siente mal?
4. ¿Qué remedio ha tomado?
5. ¿Qué le pide el doctor a Luz que haga?
6. ¿Qué parece que tiene Luz, por sus síntomas?

20 Algo personal

1. ¿Va Ud. a veces al doctor?
2. ¿Qué enfermedades ha tenido?
3. ¿Qué toma cuando le duele la cabeza?
4. ¿Cuánto tiempo hace que le pusieron una vacuna?

21 Situaciones

Indique la letra de la foto que corresponde con los diálogos que oye.

A

B

C

D

E

F

Gramática

Expresiones con *hace / hacía… que*

- To find out or tell how long something has been going on or how long ago something happened, use:

> ¿**Cuánto tiempo hace** + **que** + *present/preterite*?
>
> **Hace** + *period of time* + **que** + *present/preterite*.

¿Cuánto tiempo hace que tienes esa erupción?	**How long** have you had that rash?
Hace mucho tiempo que Mario está en el hospital.	Mario has been in the hospital **for a long time**.
¿Cuántas horas hace que te resbalaste?	**How many hours ago** did you slip?

- To tell how long something had been going on in the past, use:

> **Hacía** + *period of time* + **que** + *imperfect tense*.

Hacía diez horas que el bebé no dormía.	The baby hadn't slept **for ten hours**.
Hacía una hora que estábamos en la sala de emergencias.	We had been in the emergency room **for an hour**.

---

22 ¿Cuánto tiempo hace que…?

Con su compañero/a, hagan diálogos entre un doctor y una enfermera o un doctor y un paciente en un hospital de Guatemala. Usen **hace que** o **hacía que** y los verbos en presente, pretérito o imperfecto, según las indicaciones.

> **MODELO** Ud. tener fiebre (*presente*) / dos días
>
> A: ¿Cuánto tiempo hace que tiene fiebre?
>
> B: Hace dos días que tengo fiebre.

1. la enfermera tomar la presión al paciente (*pretérito*) / dos horas
2. la paciente tener pulmonía (*imperfecto*) / unos días
3. el doctor leer el historial médico (*pretérito*) / un mes
4. el doctor recetar un antibiótico (*pretérito*) / una semana
5. los pacientes estar en el hospital (*imperfecto*) / varios días
6. el niño no parar de toser (*presente*) / diez minutos
7. Ud. no tomar las pastillas (*imperfecto*) / dos días
8. Ud. tener dolor de barriga (*imperfecto*) / una semana

Hace dos horas que tengo dolor de cabeza.

23 ¿Cuánto hacía que...?

¿Cuánto tiempo hacía que estas cosas no les sucedían? Complete las oraciones con la forma apropiada del verbo entre paréntesis para saberlo.

MODELO   Hacía una semana que Roberto (*tener*) dolor de cabeza.

Hacía una semana que Roberto **tenía** dolor de cabeza.

1. Hacía tres días que José (*tomar*) aspirinas.
2. Hacía un año que Anita no (*ver*) al médico.
3. Hacía diez días que tú (*sufrir*) de erupciones.
4. Hacía un mes que los niños no (*estornudar*) tanto.
5. Hacía tres meses que nosotros no (*toser*) por la noche.
6. Hacía tres años que yo no (*tener*) una inflamación en la garganta.

¡Comunicación!

24 Experiencias personales •• 🎧   Presentational Communication

Conteste las siguientes preguntas usando una expresión con **hace** o con **hacía**. Luego, hágale las mismas preguntas a su compañero/a y comparen sus respuestas.

1. ¿Cuándo fue la última vez que fue al médico? ¿Cuánto tiempo hacía que no había visitado a un médico?
2. ¿Cuánto tiempo hace que le pusieron una vacuna? ¿Para qué fue?
3. ¿Cuánto tiempo hace que vio un accidente? ¿Dónde ocurrió? ¿Qué pasó?
4. La última vez que se sintió mal, ¿qué síntomas tenía? ¿Cuánto tiempo hacía que se sentía mal?
5. La última vez que se enfermó, ¿qué remedios le recetó el doctor? ¿Cuánto tiempo hacía que no se enfermaba?

¡Comunicación!

25 ¿Cuánto hace que...? ••   Interpersonal Communication

Lea la siguiente lista de actividades y comente con su compañero/a cuánto tiempo hace que hacen o no hacen cada cosa. Comparen lo que dice cada uno.

tomar un jarabe	darse un golpe	cortarse un dedo
ir al médico	hacer ejercicio	visitar a un(a) paciente en el hospital
ponerse gotas en los ojos	caerse en la calle	

MODELO   tomarse la presión

A: **Hace un año que no me tomo la presión. ¿Y tú?**

B: **Hace dos meses que me la tomé.**

Hace una semana que visito a una paciente en el hospital.

Todo en contexto

? Pregunta clave

¿Qué se hacía en el pasado para mantenerse saludable y qué se hace en la actualidad?

¡Comunicación!

26 ¡Me duele todo! 👥 Interpersonal Communication

Imagine que está de visita en Guatemala y hace varios días que no se siente bien. Un amigo guatemalteco le ha comentado las ventajas de la medicina indígena y Ud. decide ver a una curandera (*healer*). Ella le hace algunas preguntas sobre los síntomas que tiene. Túrnese con su compañero/a para hacer los papeles del paciente y la curandera. Usen **hace que** y el verbo **doler** en sus preguntas y respuestas, como se ve en el modelo.

MODELO   A: ¿Cuánto tiempo hace que le duele la cabeza?

B: Hace más de una semana que me duele.

A: ¿Se ha caído o se ha dado algún golpe?

B: ...

Hace dos días que me duele la cabeza.

¡Comunicación!

27 Las aguas termales 👥 Presentational Communication

En Guatemala, debido a la actividad volcánica del área, hay muchos lugares con baños termales. Trabaje con tres estudiantes para hacer una presentación oral sobre el poder curativo de las aguas termales, que se conoce desde la época de los antiguos mayas. Busquen información en la internet sobre los baños termales de Santa Teresita cerca del volcán Pacaya o Los Vahos, al pie del volcán Cerro Quemado. Averigüen qué síntomas o enfermedades pueden tratarse en las aguas termales y cuáles deben tratarse en una clínica o un hospital. ¿Cuáles podrían tratarse en los dos? Usen un diagrama de Venn como el que se muestra para clasificar los síntomas o las enfermedades. Luego, resuman la información en un cartel y preséntenlo enfrente de la clase.

El volcán Pacaya en Guatemala

Síntomas o enfermedades

tratarse en aguas termales   tratarse en una clínica

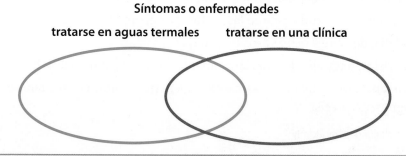

Lectura informativa

Antes de leer

1. ¿Alguna vez ha utilizado Ud. la medicina natural?
2. ¿Hay algún remedio casero que sea una tradición de su familia?

Estrategia

Comparing and contrasting

You can compare and/or contrast different aspects of a topic to offer your reader a clear mental picture of what you are describing. One way to compare/contrast items is by using a Venn diagram (overlapping circles, each containing one aspect of a topic) to create a visual representation of what two topics have in common.

La naturaleza también sana

PRENSA LIBRE.com | vida / salud

Si al aparecer un dolor de cabeza o muscular, Ud. piensa en un analgésico[1] como una solución, tome en cuenta que puede haber otras opciones de la medicina, por ejemplo aquella que ofrece la riqueza natural.

El alza[2] del 30 y 40 por ciento en algunos medicamentos para tratar la hipertensión, problemas gástricos o analgésicos ha provocado la preocupación de muchos guatemaltecos, por lo que en esta edición incluimos algunas opciones naturales, incluso ancestrales, para tratar estas afecciones.

Los tratamientos con medicina natural han sido utilizados desde tiempos ancestrales por

Los medicamentos alternativos son efectivos.

diferentes civilizaciones. "La naturaleza es rica en recursos de todo tipo para la prevención y tratamiento de la mayoría de las enfermedades", explica Alejandro Elías, especialista en medicina biológica, de Clínica Biológica familiar. Sin embargo, vale la pena mencionar que se debe tener especial cuidado con la ingesta de[3] este tipo de medicamentos, sobre todo si son recomendados al azar[4] por algún conocido.

Consejo saludable

Si quiere llevar una vida natural y saludable, tome en cuenta lo siguiente:

Aumente el consumo de alimentos crudos, como las frutas, por ejemplo.

Ingiera, durante todo el día, de siete a ocho vasos de agua.

Incremente la actividad física, haga ejercicio periódicamente y duerma al menos ocho horas diarias.

Antes de aplicar medicina natural, consulte con un especialista para evitar consecuencias negativas. Es necesario tener un diagnóstico preciso.

[1] painkiller [2] increase [3] when taking [4] randomly

Analgésicos

Los analgésicos en medicina natural son no sistémicos, es decir, se aplican directamente en el área de dolor, articulación o músculo, a través de pomadas[1], hojas machacadas[2] —empastes— o aceites.

Hipertensión

Las infusiones de cola de caballo[3] y romero[4], así como las cápsulas de muérdago[5], ayudan a relajar las venas y arterias, y mejoran la circulación.

Digestión

Si hay problemas de gastritis se puede tomar té frío de manzanilla[6] durante todo el día.

Dolores intestinales

La mejor forma de prevenir problemas gastrointestinales es la higiene: lavar las manos adecuadamente y desinfectar los alimentos antes de comerlos.

POR ÁXEL VICENTE

[1] ointments   [2] crushed leaves   [3] horsetail   [4] rosemary   [5] mistletoe   [6] chamomile

Búsqueda: medicina natural, medicamentos alternativos

---

28 Comprensión 🎧 Interpretive Communication

1. Según el artículo, ¿por qué están preocupados los guatemaltecos?

2. ¿Cuáles son algunos consejos para llevar una vida natural y saludable?

3. ¿Por qué la medicina natural debe ser recomendada por un especialista?

4. ¿En qué formas pueden venir los remedios naturales?

29 Analice 🎧

1. ¿Por qué cree Ud. que algunas personas confían en la medicina natural y otras no?

2. ¿Cree Ud. que se debe elegir entre una medicina y otra o que se pueden usar al mismo tiempo?

✏ Escritura

30 ¿Cuál es mejor?   Presentational Communication

Prepare una presentación sobre la medicina natural y la medicina convencional. Investigue las ventajas y desventajas de cada una. ¿Qué tienen en común? ¿En qué se diferencian? Resuma los resultados en un diagrama de Venn. Luego, escriba un párrafo sobre cada tipo de medicina. Por último, presente su diagrama de Venn y los resultados de su investigación frente a la clase.

Para escribir más

aprovechar	*take advantage*
descartar	*to dismiss*
entrenados/as	*trained*
los especialistas	*specialists*
los laboratorios	*labs*

medicina natural   medicina convencional

Repaso de la Lección A

A Escuchar: ¿Un accidente o una enfermedad? 🎧 (pp. 364–365, 374–375)

Diga si lo que oye en las seis descripciones se relaciona con **un accidente** o **una enfermedad**.

B Vocabulario: Remedios y situaciones (pp. 364–365, 374–375)

Complete cada oración con la palabra del recuadro que corresponda según el contexto.

antibióticos	puntos	varias vacunas
una radiografía	un par de aspirinas	un jarabe

1. Si tiene dolor de cabeza debe tomarse __.
2. Si va a viajar fuera del país debe hacerse poner __.
3. Si tiene tos es posible que le receten __.
4. Si se quiebra un hueso, en el hospital le tomarán __.
5. Si tiene un corte profundo, es posible que la enfermera le ponga __.
6. Si tiene una infección en la garganta, es posible que le receten __.

C Gramática: Al cabo de dos años... (p. 369)

Imagine que Ud. tiene diecisiete años. Nombre cuatro cosas que hace tiempo quiere que sucedan y que, finalmente, se habrán realizado, al cabo de uno o dos años. Use el futuro perfecto como se ve en el modelo.

MODELO **Al cabo de un año habré terminado el colegio.**

D Gramática: ¿Qué habría hecho? (p. 369)

Imagine que Ud. es médico. ¿Qué habría hecho en las siguientes situaciones? Use el condicional perfecto en sus respuestas como se ve en el modelo.

MODELO un paciente con una fractura en el brazo
Le habría puesto un yeso.

1. alguien con fiebre y mucha tos
2. una señora que sufre de alergias
3. una joven con una infección en los ojos
4. un niño con un corte profundo en la frente
5. un niño con un fuerte dolor de barriga
6. un hombre con una inflamación de la garganta

E Vocabulario/Gramática: ¿Cuánto tiempo hace que...? (p. 377)

Escriba un diálogo sobre una visita al médico o al hospital. ¿Qué síntomas tiene el paciente? ¿Qué remedios le receta el doctor? Use **hace que** y el vocabulario de la lección y siga el modelo como guía.

MODELO A: **¿Cuánto tiempo hace que le empezó la fiebre?**
B: **Hace dos días que me empezó.**

F | Cultura: La medicina maya (pp. 372–373)

¿En qué se basa el pensamiento de los mayas con respecto a la salud y la enfermedad? Incluya información sobre los terapeutas mayas y sus diferentes prácticas de curación en un organizador gráfico como se ve a continuación.

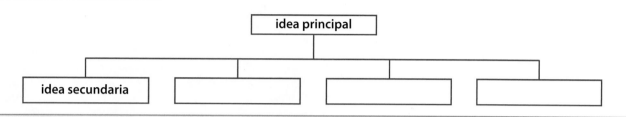

idea principal

idea secundaria

Vocabulario

Para hablar de los accidentes

el antiséptico
el corte
la curita
darse un golpe
la fractura
las muletas
los puntos
la radiografía
el rasguño
la silla de ruedas
la venda
el yeso

Las enfermedades y los síntomas

la alergia
el dolor
la enfermedad
la erupción
la fiebre
la infección
la inflamación
la pulmonía
los síntomas

Verbos

curar(se)
estornudar
examinar
quebrarse (ie)
recetar
resbalarse
respirar
sufrir
tener fiebre
tomar(se) la presión
torcerse (ue)
toser
tropezar con

Otras palabras y expresiones

la clínica
el historial médico
hondo/a
el paciente, la paciente
profundo/a
la sala de emergencias
la vacuna

Los remedios

el antibiótico
la aspirina
las gotas
la inyección
el jarabe
la pastilla
el remedio

Partes del cuerpo

la barriga
la muñeca
la piel
los pulmones
el tobillo

Gramática

El futuro perfecto

El futuro perfecto se usa para expresar una acción anterior a otro punto de referencia en el futuro.
El futuro perfecto se crea con la forma del futuro de **haber** + **participio pasado**.

*Para el próximo lunes, yo ya **habré terminado** de leer la novela.*

*Cuando comience a llover, nosotros ya **habremos llegado** a casa.*

El condicional perfecto

El condicional perfecto se usa para hablar de acciones que podrían haber ocurrido en el pasado, pero no ocurrieron. El condicional perfecto se crea con la forma del condicional de **haber** + **participio pasado**.

*El avión **habría salido** a tiempo, pero no fue así porque hacía muy mal tiempo.*
__Habría ido__ a visitarte, pero no pude porque me torcí el tobillo.

Expresiones con *hace que*

Use **hace** + (tiempo) + **que** + (verbo en el presente/el pretérito) para expresar una acción que está pasando.

__¿Cuánto tiempo hace que__ tienes el yeso?
__Hace tres semanas que__ lo tengo.

Expresiones con *hacía que*

Use **hacía** + (tiempo) + **que** + (verbo en el imperfecto) para expresar una acción que continuaba en el pasado.

__Hacía dos horas que__ yo esperaba en la sala de emergencias.
__Hacía muchos años que__ ella sufría de terribles dolores de cabeza.

¿Qué haces para mantenerte en forma? 🎧

Hola, me llamo Miguel. Me gusta **mantenerme en forma**.

Vale la pena hacer ejercicios todos los días. Mantenerse en forma ayuda a **evitar el estrés**.

estirarse

hacer abdominales

hacer flexiones

hacer bicicleta

hacer cinta

levantar pesas

hacer yoga

Hacer natación es muy buen ejercicio.

¡Ay, tengo un calambre en la pierna!

Para conversar

*T*o discuss ways to stay fit:

Si **hicieras un esfuerzo**, tú también podrías levantar pesas.
If you made an effort, you also could lift weights.

No, no tengo **la fuerza** necesaria.
No, I don't have the necessary strength.

Practicar todos los días te dará más **energía** y te ayudará con tu **peso**.
Practicing every day will give you more energy and will help with your weight.

Para decir más

el atletismo	*track*
aumentar de peso	*to gain weight*
bajar de peso	*to lose weight*
hacer gimnasia	*to work out*
saltar lazo	*to jump rope*
tonificar	*to tone*
trotar	*to jog*

En otros países

el ejercicio	*ejercitación (muchos países)*
hacer ejercicio	*ejercitarse (muchos países)*
hacer flexiones	*hacer lagartijas (muchos países)*

1 ¿Qué les aconseja?

¿Qué consejo le daría a cada persona en la columna de la izquierda? Elija la actividad apropiada de la columna de la derecha.

1. un(a) ciclista que quiere mantenerse en forma
2. alguien que quiere tener más fuerza en los brazos
3. una persona que quiere evitar el estrés
4. alguien a quien le gustan los deportes acuáticos
5. una persona que quiere evitar calambres
6. una persona que quiere cuidarse el peso y tener más energía
7. alguien que quiere correr en el invierno

A. Haga natación.
B. Haga bicicleta.
C. Haga cinta.
D. Haga yoga.
E. Levante pesas.
F. Estírese.
G. Haga ejercicio.

2 Hacer ejercicio 🎧

Indique la letra de la foto que corresponde con lo que oye.

A

B

C

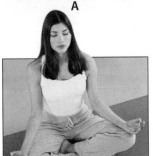

D

E

F

3 Rutinas de ejercicio 🎧

Escriba los nombres de Elisa y Antonio. Escuche y anote debajo de los nombres cuál es la rutina de ejercicio de cada uno.

Rutinas de ejercicio

Elisa	Antonio

¡Comunicación!

4 ¡No sé qué hacer! 👥 Interpersonal Communication

Imagine que va a hacerse miembro de un gimnasio y quiere desarrollar una rutina de ejercicios, pero tiene que pedirle consejo a uno de los entrenadores, porque no sabe qué ejercicios o actividades le conviene hacer. Túrnese con un(a) compañero/a para hacer el papel del entrenador y el del cliente. Usen el vocabulario del recuadro y sigan el modelo como guía.

MODELO   hacer yoga

A: ¿Por qué debería hacer yoga?

B: Hacer yoga es bueno para evitar el estrés.

hacer yoga	hacer natación
hacer bicicleta	hacer flexiones
levantar pesas	hacer natación

Diálogo

Si hicieras ejercicio, te sentirías mejor

Jaime: ¿Por qué te sientes tan cansada, Isabel?

Isabel: No sé, siento que no tengo energía.

Jaime: ¿Haces ejercicio para mantenerte en forma?

Isabel: No mucho.

Jaime: Si hicieras ejercicio, te sentirías mejor.

Isabel: Lo sé, pero siempre hay mucha gente haciendo bicicleta en el gimnasio.

Jaime: Pero puedes hacer otras cosas, como levantar pesas o hacer cinta.

Isabel: No sé... creo que quiero hacer algo diferente.

Jaime: Me han dicho que hacer yoga es bueno para evitar el estrés... Además ayuda a mantenerse en forma.

Isabel: ¿Y ofrecen clases de yoga en el gimnasio?

Jaime: Hay clases todos los días.

Isabel: Bueno, entonces haré un esfuerzo e iré a una clase.

5 ¿Qué recuerda Ud.?

1. ¿Cómo se sentiría Isabel si hiciera ejercicio?
2. ¿Qué otras cosas puede hacer Isabel además de hacer bicicleta?
3. ¿Por qué hacer yoga es bueno?
4. ¿Qué hará Isabel?

6 Algo personal

1. ¿Hace Ud. ejercicio? ¿Qué tipo de ejercicio hace?
2. ¿Le gusta ir al gimnasio? ¿Qué le gusta hacer allí?
3. ¿Se estira antes de hacer ejercicio?
4. ¿Hace Ud. yoga o conoce a alguien que haga yoga?
5. ¿Qué otras cosas hace, además de ejercicio, para mantenerse en forma?

¡Comunicación!

7 ¿Qué ejercicio le gusta hacer? | Interpersonal Communication

Con un(a) compañero/a túrnense para hablar sobre las actividades que les gusta hacer para mantenerse en forma. Sigan el modelo.

MODELO
> **A:** A mí me gusta hacer cinta. ¿Y a ti?
>
> **B:** A mí no me gusta, es demasiado aburrido. A mí me gusta hacer natación.

Gramática

El imperfecto del subjuntivo con *si*

- Remember that to form the past tense of the subjunctive you take the *ellos* form of the preterite tense and remove the final *-on* of the ending. Then add the new endings: *-a*, *-as*, *-a*, *-amos*, *-ais*, *-an*.

> *Te sugerí que **te estiraras** antes de hacer ejercicio.*   I suggested **you stretch** before working out.

- To express a desire for things to be different, use the imperfect subjunctive after *si*. Use it also to speak about an imagined event or condition. Use the conditional tense in the accompanying clause. The *si* clause may be the first clause or the second clause in the sentence. If it is the first, notice the placement of the comma.

> *Si **hicieras** ejercicio, **te sentirías** mejor.*   **If you exercised**, **you would feel** better.
>
> ***Tendrías** más fuerza si **levantaras** pesas.*   **You would be** stronger **if you lifted** weights.

---

8 ¿Qué les diría?

Deles consejos a las siguientes personas. Siga el modelo.

MODELO   No tengo energía. (hacer ejercicio)
Si hicieras ejercicio, tendrías energía.

1. Tengo estrés. (hacer yoga)
2. Tengo calambres. (estirarse)
3. No tengo tiempo para hacer ejercicio. (hacer un esfuerzo)
4. No tengo fuerza en los brazos. (hacer flexiones)
5. No tenemos fuerza. (levantar pesas)
6. No estoy en forma. (hacer natación)

---

9 ¿Qué dijo el entrenador?

Un entrenador de fútbol les da los siguientes consejos a sus jugadores. Complete las oraciones usando un verbo en el imperfecto del subjuntivo y un verbo en el condicional. Siga el modelo.

MODELO   Si Uds. (*entrenarse*) todos los días, (*jugar*) mejor.
Si Uds. **se entrenaran** todos los días, **jugarían** mejor.

1. Si Uds. (*estirarse*) antes de jugar, no (*lastimarse*) tanto.
2. Él (*evitar*) los calambres si (*hacer*) flexiones todos los días.
3. Si ellos (*jugar*) todos los días, (*mantenerse*) en forma.
4. Si Uds. (*hacer*) natación, (*respirar*) mejor al jugar.
5. Tu fuerza (*aumentar*) si (*levantar*) pesas dos veces por semana.
6. Si tú (*hacer*) flexiones, (*tener*) más fuerza.
7. Si Uds. (*correr*) dos millas por día, (*tener*) más energía.

Si levantaras pesas, tendrías más fuerza.

10 ¿Qué pasaría si...?

¿Cómo mejoraría su estado físico si hiciera las siguientes actividades? Complete las oraciones con vocabulario de la lección y de manera lógica, como se ve en el modelo.

MODELO   **Si hiciera ejercicio todos los días, tendría más energía.**

1. Si hiciera ejercicio...
2. Si hiciera cinta...
3. Si hiciera yoga...
4. Si hiciera natación...
5. Si hiciera flexiones...
6. Si hiciera bicicleta...

Si hiciera ejercicio, tendría más energía.

¡Comunicación!

11 ¿Qué debo hacer?   Interpersonal Communication

¿Qué le recomendaría a su amigo/a en las siguientes situaciones? Con un(a) compañero/a, hagan mini-diálogos usando las situaciones que se dan. Agreguen la información necesaria. Túrnense para representar cada parte del diálogo.

MODELO   sentirse mal

A: **No me gusta sentirme mal. Quisiera sentirme mejor.**

B: **Si estuvieras en forma, te sentirías mejor.**

1. querer brazos más fuertes
2. tener más energía
3. sentirse menos cansado/a
4. no tener calambres
5. querer mantenerse en forma
6. querer piernas más fuertes
7. querer bajar de peso
8. ser más flexible

¡Comunicación!

12 ¿Qué harías si fueras...?   Interpersonal Communication

Con un(a) compañero/a, hablen de lo que harían si estuvieran en el lugar de cada una de las siguientes personas. Túrnense para hacerse las preguntas y responderlas, como se ve en el modelo.

MODELO   un miembro del equipo de natación

A: **¿Qué harías si fueras un miembro del equipo de natación?**

B: **Si fuera un miembro del equipo de natación, nadaría muy bien.**

1. un(a) ciclista profesional
2. el/la entrenador(a) del equipo de tenis
3. un(a) persona que no está en forma
4. el/la mejor jugador(a) del equipo de...
5. el capitán/la capitana del equipo de fútbol
6. una persona en forma

 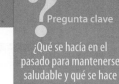

Juegos del pasado

Las civilizaciones precolombinas (llamadas así porque vivían en América antes de la llegada de Cristóbal Colón) también practicaban deportes. Una de ellas es el pueblo maya que habitaba la región central de América, lo que hoy es México, Guatemala, Honduras, Belice y El Salvador. Entre las ruinas mayas, se han encontrado campos donde se practicaba un juego de pelota. Este juego se jugaba por diversión y su propósito no era mantenerse en forma; sin embargo el juego en sí requería de mucha resistencia física, fuerza y habilidad.

Uno de esos campos de juego fue descubierto en las ruinas de Copán, en el extremo occidental de Honduras, cerca de Guatemala. El campo es angosto[1] y largo y tiene dos paredes inclinadas paralelas a los lados. En otros lugares, también se han

Campo de pelota de Copán

encontrado bolas de caucho[2] o pelotas que los jugadores hacían pasar por un aro[3] de piedra. Las reglas del juego no se conocen, pero se cree que eran parecidas a las reglas del ulama, un juego derivado del juego de pelota maya que todavía se practica en algunas partes de Centroamérica y México. En las figurillas y el arte relacionados con el juego de pelota maya, se representa a los jugadores con protectores de cuero[4] o de piedra cubiertos con cuero.

Los mayas, además de jugar por diversión, lo hacían también en fiestas religiosas o eventos de guerra. De la victoria del juego dependía a veces la vida de los jugadores.

[1] narrow [2] rubber [3] ring [4] leather

 Búsqueda: copán, la pelota maya

? Pregunta clave
¿Qué se hacía en el pasado para mantenerse saludable y qué se hace en la actualidad?

Productos 🎧

En el campo de pelota de las ruinas de Copán, todavía se pueden apreciar rasgos arquitectónicos como las guacamayas de piedra que servían para marcar el lugar por donde se hacía pasar la pelota. La guacamaya era un ave sagrada entre los mayas y, en la actualidad, es el ave nacional de Honduras.

Una guacamaya

Perspectivas

El director técnico de la selección nacional de fútbol de Honduras para la Copa Mundial de la FIFA de 2014, Luis Fernando Suárez, afirmó:

"Es necesario tener la presión. […] Cuando se habla del fútbol de un país es mucho más grande la presión. Ahí es donde se demuestran los hombres y de qué estamos hechos. No quiero quitarles la presión a los jugadores".

¿Por qué podría decirse que esta actitud hondureña de presión en los deportes también tenía validez entre los jugadores mayas?

13 Comprensión — Interpretive Communication

1. ¿Qué países de la actualidad formaban parte del territorio maya?
2. ¿Con qué propósito se jugaba el juego de pelota maya y qué requería?
3. ¿Cómo sabemos que los mayas jugaban deportes?
4. ¿Cómo estaban representados los lugares por donde pasaba la pelota en el campo de Copán?

14 Analice

¿Por qué cree Ud. que de la victoria en el juego de pelota podía depender la vida?

Zona verde en el centro de la ciudad, San Pedro Sula

¡En forma en San Pedro Sula! 🎧

San Pedro Sula (Honduras) es una de las ciudades más violentas del mundo y presenta un alto índice de homicidios. Con el fin de mejorar la seguridad de sus habitantes, la oficina Paz y Convivencia de esa ciudad creó los bulevares biosaludables. Se trata de pequeños parques o zonas de recreación al aire libre. Cada zona elegida experimenta[1] una remodelación extrema. Primero, se limpia el terreno, se plantan arbustos o plantas y se instalan máquinas para hacer ejercicio al aire libre. Los bulevares biosaludables se han instalado en 14 vecindades de la ciudad con la intención de darles a los hondureños un lugar donde puedan relajarse al aire libre en un ambiente seguro.

Paz y Convivencia trabaja para mejorar las condiciones de vida de los jóvenes hondureños. Reconociendo el valor y el impacto positivo que tiene el ejercicio no solo físicamente sino también sicológicamente en los jóvenes, esta oficina remodela campos de deportes para que los jóvenes hondureños puedan hacer actividades deportivas no solo durante el día sino también en horarios nocturnos gracias a un nuevo sistema de alumbrado[2].

[1] undergoes   [2] street lights

🔍 **Búsqueda:** bulevares biosaludables, san pedro sula

Perspectivas

En un evento de la Asociación de Periodistas Deportivos de Honduras, el periodista Bertrand Anduray señaló que el pueblo hondureño necesita "que haya zonas de recreación ahorita". Y agregó: "Si cualquiera de nosotros como padres de familia deseáramos llevar a un niño a las 5 de la tarde a un gimnasio y queremos ir a jugar con él, no hay lugares y no hay seguridad". ¿Cómo refleja esta cita el valor que tienen los bulevares biosaludables y la salud en general para los hondureños?

Salud y seguridad para pequeños deportistas

15 Comprensión | Interpretive Communication

1. ¿Qué caracteriza a la ciudad de San Pedro Sula?

2. ¿Qué es un bulevar biosaludable?

3. ¿Con qué objetivo trabaja la oficina Paz y Convivencia?

4. Según lo que dice el periodista, ¿qué problemas enfrentan los habitantes de Honduras a la hora de mantenerse en forma?

16 Analice

1. ¿Por qué pueden servir las actividades deportivas para mejorar la seguridad en una ciudad?

2. Además de los bulevares biosaludables, ¿qué otros proyectos podrían ayudar a que los habitantes de una ciudad se mantengan en forma?

Vocabulario 2

La buena alimentación 🎧

| INICIO | DIETAS | NUTRICIÓN | EJERCICIOS | CONSEJOS |

Soy la doctora Inés López. Siempre les digo a mis pacientes que deben consumir **alimentos saludables**, como frutas, verduras y leche.

Y tú, ¿qué haces para tener **una dieta equilibrada**?

Evitar

la comida chatarra, como **las hamburguesas** y las papas fritas

Comer

alimentos **nutritivos**, como las frutas, las verduras y la leche

Alimentos nutritivos

Las espinacas contienen mucho **hierro**.

La leche y los quesos contienen **calcio**.

Los huevos y la carne contienen **proteína**.

El cereal y el pan contienen **fibra** y **carbohidratos**.

Los cacahuetes contienen **grasas**, carbohidratos y proteínas.

Las frutas contienen muchas **vitaminas**.

Para conversar

*T*o talk about a healthy diet:

A partir de hoy, debes cambiar tus **hábitos** de **alimentación** y seguir una dieta equilibrada.
Starting today, you should change your eating habits and follow a balanced diet.

A veces tengo que **saltarme una comida** porque no tengo tiempo de comer.
Sometimes I have to skip a meal because I don't have time to eat.

Uds. deben aprender a **alimentarse** mejor y consumir todos los grupos de alimentos.
You should learn to eat better and include all food groups in your diet.

Les recomiendo que lean más sobre los alimentos y **la nutrición**.
I recommend that you read more about food and nutrition.

Para decir más

el aceite de oliva	*olive oil*
los antioxidantes	*antioxidants*
el colesterol	*cholesterol*
los nutrientes	*nutrients*
los suplementos dietéticos	*dietary supplements*

En otros países

la comida chatarra	*la comida basura (España)*
la dieta	*el régimen alimenticio (muchos países)*
la nutrición	*la dietética (muchos países)*
nutritivo/a	*alimenticio/a (muchos países)*

17 Definiciones de nutrición

Escuche las siguientes definiciones y diga a qué palabra se refiere cada una.

1. **A.** comida nutritiva
   B. comida saludable
   C. comida chatarra
2. **A.** dieta
   B. proteínas
   C. calcio
3. **A.** fuerte
   B. chatarra
   C. nutritiva
4. **A.** alimentarse
   B. saltarse una comida
   C. mantener la dieta
5. **A.** saludable
   B. cocido
   C. interesante
6. **A.** igual
   B. diferente
   C. equilibrado

¡Comunicación!

18 Consejos de nutrición — Interpersonal Communication

Imagine que la doctora Inés López está con un(a) paciente que le hace preguntas sobre una dieta saludable. Con un(a) compañero/a, túrnense para hacer el papel del paciente y la doctora. Usen el modelo como guía.

MODELO   Paciente: ¿Puedo saltarme una comida a veces?
             Dra. López: No, debe hacer todas las comidas.

19 ¿Qué tiene lo que comemos?

¿Qué beneficios nutritivos tienen los alimentos que comemos? Conteste las siguientes preguntas, según la información dada en el Vocabulario 2.

1. ¿Qué tienen las frutas?
2. ¿Qué tienen los huevos y la carne?
3. ¿Qué es la comida chatarra?
4. ¿Qué contienen los cereales y el pan?
5. ¿Qué tiene la leche?
6. ¿Qué contienen las espinacas?

Los plátanos tienen vitaminas.

¡Comunicación!

20 ¿Cómo es su dieta? Presentational Communication

Piense en sus hábitos de alimentación. Haga una lista de los alimentos nutritivos y la comida chatarra que suele comer en una semana. Compare los alimentos de su lista con una gráfica de nutrición y piense en cómo es su dieta. Comente con la clase si su dieta es saludable o no, y explique por qué.

MODELO   **Mi dieta (no) es saludable porque...**

Alimentos nutritivos	Comida chatarra

21 La alimentación 🎧

Escoja una respuesta correcta a lo que oye.

A. Todos los días como alimentos nutritivos, por ejemplo, frutas y verduras.
B. Sí, y también carbohidratos y proteínas.
C. Yo también espero que haya comido bien hoy.
D. la comida chatarra
E. Me parece que no.

Las verduras y las frutas son muy nutritivas.

Diálogo 🎧

¡Evita la comida chatarra!

Isabel: ¿Cómo es tu dieta, Manuel?

Manuel: Bueno... no es muy equilibrada. No puedo vivir sin comer pizza y hamburguesas con papas fritas.

Isabel: ¿No estás cansado de comer tanta comida chatarra?

Manuel: No, me encanta.

Isabel: Debes cambiar esos hábitos. Aquí hay un artículo sobre la nutrición y los alimentos que hay que comer para llevar una dieta saludable.

Manuel: ¿Qué alimentos?

Isabel: Alimentos nutritivos como frutas, verduras y leche.

Manuel: ¿Y por qué los recomiendan?

Isabel: Porque contienen proteínas, hierro y calcio...

Manuel: Está bien, me convenciste. A partir de mañana voy a cambiar mi dieta.

22 ¿Qué recuerda Ud.? 🎧

1. ¿Cómo es la dieta de Manuel?
2. ¿Qué tipo de comida chatarra come?
3. ¿Qué alimentos nutritivos hay que comer?
4. ¿Por qué son nutritivos esos alimentos?
5. ¿Qué va a hacer Manuel a partir de mañana?

23 Algo personal 🎧

1. ¿Lleva Ud. una dieta saludable?
2. ¿Cómo son sus hábitos de alimentación?
3. ¿Qué prefiere: la comida chatarra o los alimentos saludables?
4. ¿Le interesan los artículos sobre la nutrición?

La hamburguesa es comida chatarra.

¡Comunicación!

24 Cambiar los hábitos 👥 Interpersonal Communication

Imagine que un(a) compañero/a tiene el mismo problema que Manuel. Intente convencerlo/a de que cambie sus hábitos por otros más saludables. Creen un diálogo en el que su compañero/a se niegue (*refuses*) a darle la razón. Luego representen el diálogo frente a la clase.

MODELO
A: Juan, deberías comer menos pizza y más verduras.
B: ¡Odio las verduras! La pizza es deliciosa.

Preposiciones y pronombres

- In Spanish, prepositions are often followed by one of these pronouns: **mí**, **ti**, **usted/sí mismo/a**, **él/sí mismo**, **ella/sí misma**, **nosotros**, **nosotras**, **vosotros**, **vosotras**, **ustedes/sí mismos/as**, **ellos/sí mismos**, and **ellas/sí mismas**. Two exceptions are the prepositions **entre** and **según**, which are followed by the subject pronouns **yo** (instead of *mí*) and **tú** (instead of *ti*).

*Empezaré a comer **sin ti**.*	I will start eating **without you**.
*¿Este bistec es **para mí**?*	Is this steak **for me**?
***Según tú**, debemos comer carbohidratos.*	**According to you**, we should eat carbohydrates.
*Toño se critica mucho **a sí mismo**.*	Toño criticizes **himself**.

- The preposition *con* combines with **mí**, **ti**, or **sí** to form **conmigo**, **contigo**, and **consigo**.

*Puedes empezar la dieta **conmigo**.*	You can start the diet **with me**.
*Bueno, me gustaría hacer la dieta **contigo**.*	OK, I would like to do the diet **with you**.
*Ella no trajo el historial médico **consigo**.*	She didn't bring the medical history **with her**.

---

25 El club de cocina

Ud. y sus amigos se reúnen para hablar de comida y recetas. Elija la expresión que complete cada oración de una manera lógica.

> **MODELO**   Mi hermana cocina la comida (*conmigo / con mí*).
> Mi hermana cocina la comida **conmigo**.

1. Si me esperas, voy al restaurante (*contigo / con tú*).

2. Laura siempre piensa más en los demás que (*consigo misma / en sí misma*).

3. ¿Este libro sobre las proteínas y las grasas en los alimentos es (*para yo / para mí*)?

4. El profesor de nutrición se la pasa hablando (*de sí mismo / de mí mismo*).

5. A veces, hasta lo hemos visto hablando (*con él / consigo mismo*).

6. (*Según ella / Según sí*), no es bueno saltarse una comida.

¿Este libro es para ti?

Me gusta cocinar contigo.

Gramática

26 ¿Qué pasa?

Use las preposiciones y los pronombres apropiados para escribir oraciones a partir de los siguientes datos. Use el modelo como guía.

MODELO Ana / llevar siempre / una manzana / con ella
Ana lleva siempre una manzana consigo.

1. ¿tú / querer / preparar estas espinacas / con yo?
2. según / tú / nosotros / no deber / comer / comida chatarra
3. Pablo / traer / una bolsa de cacahuetes / con él

4. yo / ir / al mercado / con tú
5. María / escoger / espinacas y tomates / para ella
6. yo / ir / a comprar / estas vitaminas / para tú
7. ellos / nunca ir / al cine / sin yo

Preposiciones seguidas de infinitivo

- To express an action in Spanish, verbs that follow prepositions always appear in the infinitive. Prepositions often used with infinitives include: *para*, *por*, *de*, *hasta*, *sin*, and *tras*.

  *Gracias **por ir** conmigo al mercado.*   Thanks **for going** with me to the market.
  *Estoy cansada **de comer** comida chatarra.*   I'm tired **of eating** junk food.

- The word *al*, meaning "at," while," or "when," is also used with infinitives.

  ***Al preparar** la lista de compras, no olvide incluir frutas y verduras.*   **When you prepare** your shopping list, don't forget to include fruits and vegetables.
  *No vi a nadie **al entrar** en la clínica.*   I didn't see anybody **when I entered** the clinic.

- Some other phrases followed by infinitives are:

antes de	cansado/a de	harto/a de	seguir hasta
después de	aburrido/a de	listo/a para	quedar... por

27 Harto de comer mal

Complete el párrafo con las expresiones del recuadro según corresponda.

hasta saber	para cambiar	de conversar	por aprender	de tomar	de alimentarme

Estoy cansado **(1)** tan mal. Creo que ya estoy listo **(2)** mis hábitos. Antes **(3)** esta decisión, comía mucha comida chatarra. Después **(4)** con un médico, supe que no era bueno para mi salud. Me quedan muchas cosas **(5)** sobre la buena alimentación, pero seguiré intentándolo **(6)** todo lo necesario.

28 Consejos sobre la nutrición

Complete el párrafo con la preposición que corresponda: **a**, **de** o **para** y acuérdese de usar las contracciones **al** y **del**, si es necesario.

¿Por qué es importante la nutrición?

Llevar una buena dieta es muy importante. **(1)** estar bien, nuestro cuerpo necesita recibir todos los alimentos necesarios **(2)** funcionar. Antes **(3)** comer algo, es importante saber qué beneficios le trae al cuerpo. Por ejemplo, la comida chatarra no es nutritiva, y aunque nunca te canses **(4)** comerla, no es siempre lo mejor **(5)** darle a tu cuerpo. Muchas veces, después **(6)** comer algo que no es saludable, te sientes sin energía y con sueño. Eso es porque no has comido los alimentos que necesita tu cuerpo. **(7)** llevar una dieta saludable, es necesario comer alimentos que contengan hierro, fibra, calcio, proteínas y vitaminas. Recuerda que **(8)** cambiar tu dieta, te sentirás mejor.

29 Vamos a crear oraciones

Use las palabras del recuadro para combinar las frases de la columna izquierda con las de la columna derecha y formar oraciones. Tenga en cuenta que se usan algunas palabras más de una vez.

hasta	después de	para	sin	de

Sigo una dieta saludable para estar en forma.

MODELO   las espinacas son buenas   llevar una dieta saludable

Las espinacas son buenas para llevar una dieta saludable.

I	**II**
1. Víctor visitará a su abuela	tener una nota del médico
2. estamos listos	tener que hacer ejercicio
3. no te puedo dar el jarabe	irnos de vacaciones al campo
4. mis hermanos están hartos	levantarse temprano todos los días
5. seguiré leyendo	salir de la escuela
6. la nutrición es importante	tener buena salud
7. me gustaría mantenerme en forma	terminar el libro

¡Comunicación!

30 Una entrevista muy personal 👥 Interpersonal Communication

¿Cómo se siente hoy? ¿Cómo es su rutina? Con un(a) compañero/a, túrnense para hacerse las siguientes preguntas y responderlas. Después, comparen sus respuestas con las del resto de la clase.

1. ¿De qué está Ud. aburrido/a?
2. ¿De qué está Ud. cansado/a?
3. ¿Se olvidó de hacer algo esta mañana? Si es así, ¿qué se olvidó de hacer?
4. ¿Está Ud. harto/a de algo? ¿De qué?
5. ¿Cómo se siente cuando sale sin desayunar?
6. ¿Está listo/a para hacer algo? ¿Qué?
7. ¿Qué hace Ud. al entrar en una clase por primera vez?
8. ¿...?

¡Comunicación!

31 ¿Para qué? ¿Por qué? 👥 Interpersonal Communication

Hable con un(a) compañero/a sobre sus actividades diarias. Túrnense para preguntarse y responder por qué o para qué hacen esas actividades. Usen el vocabulario y las preposiciones que aprendieron en la lección, como se ve en el modelo.

Hago ejercicio para estar en forma.

MODELO   hacer ejercicio

A: ¿Por qué haces ejercicio?

B: Al hacer ejercicio, me siento mejor y tengo más energía.

¡Comunicación!

32 ¿Cómo educar a la gente? 👥 Presentational Communication

Imagine que trabaja para el gobierno de su país y debe crear una campaña para promover hábitos saludables en la población. Con un(a) compañero/a, elijan un tema importante como la nutrición, el ejercicio físico, las vacaciones, etc. y piensen en la mejor manera de presentar la campaña. Pueden crear un blog, hacer carteles, presentaciones interactivas, o cualquier otra manera. Escriban un texto para la campaña en el que expliquen por qué es importante y qué beneficios trae para la salud. Recuerden usar preposiciones en su texto.

MODELO   el ejercicio físico

El ejercicio físico sirve para mantener la salud y estar en forma. Desde tiempos inmemoriales, las personas han practicado deportes para...

Todo en contexto

? Pregunta clave

¿Qué se hacía en el pasado para mantenerse saludable y qué se hace en la actualidad?

¡Comunicación!

33 Un juego de pelota maya 👥 Interpersonal/Presentational Communication
Conéctese: la historia

Imagine que Ud. y unos(as) compañeros/as de clase van a representar un juego de pelota maya. Ud. quiere estar en forma para jugar, así que decide consultar con el entrenador de un gimansio. Le explica que los jugadores deben pasar la pelota por un aro (*ring*), pero no pueden golpearla con las manos ni los pies, así que deben tener fuerza en las rodillas, las caderas (*hips*) y los hombros. Túrnese con un(a) compañero/a para hacer el papel del jugador y el del entrenador. Hablen de los ejercicios que Ud. debe hacer y mencionen los beneficios de una dieta equilibrada. Primero, organicen sus ideas en una gráfica. Luego, escriban el diálogo usando el imperfecto de subjuntivo con **si** y el condicional, como se ve en el modelo. Para finalizar, representen la conversación enfrente de la clase.

Representación de un juego de pelota maya

MODELO

A: **Si quisiera tener más fuerza en los hombros, ¿qué debería hacer?**

B: **Debería levantar pesas.**

Objetivo	Consejo del entrenador
tener más fuerza en los hombros	levantar pesas

¡Comunicación!

34 Un almuerzo en Copán... Presentational Communication

Imagine que trabaja como guía turístico. Va a llevar a un grupo de turistas a visitar el Parque Arqueológico de Copán. Después de visitar el parque, va a llevarlos a almorzar al poblado de Copán Ruinas. Ud. sabe que el menú incluye una variedad de platillos saludables y nutritivos preparados con ingredientes típicos de la cocina hondureña. Busque en la internet algunos platillos de Honduras con esas características. Haga una presentación enfrente de la clase usando una gráfica en la que muestre las comidas saludables que ofrecían en el menú y mencione su valor nutritivo.

Comida típica de Honduras

MODELO

El menú incluía platos como la tortilla de maíz, un alimento rico en fibra y minerales como hierro y calcio.

La rana que quería ser una rana auténtica
de *Augusto Monterroso*

Sobre el autor

Augusto Monterroso (1921–2003) nació en Tegucigalpa (Honduras), pero eligió la nacionalidad guatemalteca de su padre al cumplir la mayoría de edad. Desde el año 1944, vivió exiliado en México y murió en la Ciudad de México. Su formación fue en gran parte autodidacta. Desde muy joven se inició en la lectura de autores clásicos en varios idiomas, lo que le sirvió después para trabajar como traductor.

Sus obras son principalmente narraciones cortas, en las que se destaca un agudo sentido del humor. Entre ellas se encuentran: *El concierto y el eclipse* (1947), *Obras completas y otros cuentos* (1959), *La oveja negra y demás fábulas* (1969), *Lo demás es silencio* (1978), *Las ilusiones perdidas* (1985), *Esa fauna* (1992), *La vaca* (ensayos, 1998), *Viaje al centro de la fábula* (entrevistas, 1981) y *Los buscadores de oro* (autobiografía, 1983). Recibió reconocimientos importantes como el Premio Nacional de Literatura Miguel Ángel Asturias (Guatemala, 1997), el Príncipe de Asturias (España, 2000) y el Juan Rulfo (México, 2000) entre muchos otros.

Antes de leer

1. ¿Qué fábulas conoce? ¿Qué animales las protagonizan? ¿Cuál es la moraleja en esas fábulas?

2. ¿Qué moraleja conoce Ud. que se haya convertido en refrán, como por ejemplo "No dejes para mañana lo que puedas hacer hoy" de la fábula *La hormiga y la cigarra*?

Estrategia

Moral and personification

Fables usually have a lesson for the reader. This lesson is known as the moral of the story and it can be implicit or explicit. Often, as a way of teaching a lesson without addressing it directly to a person, animals are used as main characters in fables and they act as humans would, with similar characteristics and feelings. This is called personification.

35 Practique la estrategia

Extraiga de la lectura las actitudes o comportamientos de la rana que corresponden a emociones o sentimientos humanos (personificación). ¿Qué característica positiva o negativa se plantea en cada una?

¿Qué hace la rana?	¿Qué cualidad humana representa?
se esforzaba en ser auténtica	autoestima

1. ¿Por qué se miraba la rana largamente en el espejo?

2. ¿Dónde creyó que encontraría su propio valor?

3. ¿Qué hizo la rana al darse cuenta que lo que más admiraban de ella era su cuerpo?

4. ¿Cree Ud. que la rana logró lo que buscaba?

5. En su opinión, ¿valió la pena todo lo que hizo la rana para que la consideraran una rana auténtica? Explique su respuesta.

La rana que quería ser una rana auténtica
de *Augusto Monterroso*

Había una vez una rana que quería ser una rana auténtica, y todos los días se esforzaba en ello.

Al principio se compró un espejo en el que se miraba largamente[1] buscando su ansiada[2] autenticidad. Unas veces parecía encontrarla y otras no, según el humor[3] de ese día o de la hora, hasta que se cansó de esto y guardó el espejo en un baúl[4].

Por fin pensó que la única forma de conocer su propio valor estaba en la opinión de la gente, y comenzó a peinarse y a vestirse y a desvestirse (cuando no le quedaba otro recurso) para saber si los demás la aprobaban y reconocían que era una rana auténtica.

Un día observó que lo que más admiraban de ella era su cuerpo, especialmente sus piernas, de manera que se dedicó a hacer sentadillas[5] y a saltar para tener unas ancas[6] cada vez mejores, y sentía que todos la aplaudían.

Y así seguía haciendo esfuerzos hasta que, dispuesta[7] a cualquier cosa para lograr que la consideraran una rana auténtica, se dejaba arrancar[8] las ancas, y los otros se las comían, y ella todavía alcanzaba a oír[9] con amargura[10] cuando decían que qué buena rana, que parecía pollo[11].

[1] for a long while [2] desired [3] mood [4] trunk, chest [5] squats [6] legs [7] willing to do [8] be torn off [9] managed to hear [10] bitterness [11] it tasted like chicken

Después de leer

¿Cuál es la moraleja de esta fábula? ¿Está expresada en una frase explícita? ¿Está sugerida para que el lector saque su propia conclusión? ¿Cuál es la enseñanza que quiere dar el autor? Escriba la moraleja de esta fábula en una oración.

Trabaje con un(a) compañero/a y comparen las moralejas que escribieron para la fábula de Monterroso. Pónganse de acuerdo en una versión final para la moraleja. Luego, creen una fábula nueva en la que puedan incluir esa misma moraleja. Piensen en los personajes, en el lugar donde transcurre la acción, en el conflicto y en cómo se resuelve. Por último, lean su fábula al resto de la clase.

Repaso de la Lección B

A Escuchar: Estado físico o alimentación 🎧 (pp. 384–385, 392–393)

Diga si los seis consejos que oye se relacionan con **el estado físico** o **la alimentación**.

B Vocabulario: Quiero bajar de peso (pp. 384–385, 392–393)

Complete la conversación entre estos dos amigos con las palabras del recuadro.

cinta	el calcio	flexiones	las grasas
los carbohidratos	abdominales	la comida chatarra	natación

Ana: ¡Hola, Pablo! ¿Qué tal? ¿Cómo te va con tu plan de ponerte en forma?

Pablo: ¡Hola, Ana! Pues me va muy bien. Vi a una nutricionista. Evito **(1)** y tampoco como pasteles ni helados para evitar **(2)**.

Ana: ¿Haces algún ejercicio?

Pablo: ¡Sí claro! Me gusta mucho hacer **(3)**, pero cuando me aburro de caminar en el mismo lugar, hago **(4)** para los brazos y **(5)** para el estómago. También me gustar hacer **(6)** en la piscina.

Ana: ¿Y evitas algún otro alimento?

Pablo: Bueno, no como pan por **(7)**, pero sí tomo leche porque necesito **(8)**.

Ana: Pues, buena suerte, Pablo.

Pablo: ¡Gracias!

C Gramática: Un posible futuro (p. 388)

Conjugue los verbos que están entre paréntesis en imperfecto del subjuntivo. Luego, complete las oraciones de manera lógica con un verbo en el condicional, como se ve en el modelo.

> **MODELO**   Si (yo) (*levantar*) pesas…
> **Si levantara pesas, tendría más fuerza.**

1. Si (yo) (*levantar*) pesas…

2. Si (tú) (*comer*) solo fruta…

3. Si (nosotros) (*hacer*) yoga…

4. Si (yo) (*evitar*) el pan…

5. Si (tú) (*estirarse*)…

6. Si (nosotros) (*comer*) más proteína…

D Gramática: Escojamos lo correcto (pp. 396–397)

Elija la opción correcta del paréntesis según el contexto de la oración.

1. Entre (*tú y yo / ti y mí*), no me gusta que Martín no venga con nosotros.

2. Estoy de acuerdo (*contigo / con ti*), el nuevo estudiante es muy inteligente.

3. Según (*consigo / él*), no hay clases el lunes.

4. Carlos y Enrique fueron al cine (*con mí / conmigo*).

5. Yo no vi nada al (*entrar / entrando*) en el cuarto.

6. Estela fue al mercado para (*compras / comprar*) tomates.

Imagine que Ud. está organizando un juego de pelota maya en uno de los bulevares biosaludables de San Pedro Sula. Aunque se conoce el campo de juego, tal como se describe en las páginas de cultura, no se conocen sus reglas. Trabaje con un(a) compañero/a para inventar las reglas. Luego, resuman la información en una gráfica como la que se ve a continuación.

Número de jugadores por equipo	Ropa o útiles permitidos	Cómo usar las paredes inclinadas	Cómo apuntar	Castigos

Vocabulario

Actividades en el gimnasio

estirarse
hacer abdominales
hacer bicicleta
hacer cinta
hacer flexiones
hacer natación
hacer yoga
levantar pesas
mantenerse en forma

La nutrición

la alimentación
el alimento
el cacahuete
el calcio
el carbohidrato
la comida chatarra
la dieta
la fibra
la grasa
el hábito
la hamburguesa
el hierro
la nutrición
la proteína
la vitamina

Adjetivos

equilibrado/a
nutritivo/a
saludable

Otras palabras y expresiones

alimentarse
a partir de
el calambre
la energía
el estrés
evitar
la fuerza
hacer un esfuerzo
el peso
saltarse (una comida)
valer la pena

Gramática

El imperfecto del subjuntivo

El imperfecto del subjuntivo se usa con la palabra **si** en una cláusula para expresar una situación improbable, hipotética o contraria a la realidad. La otra cláusula de la frase se encuentra en el condicional.

Si siguieras las recomendaciones del médico, te sentirías mejor.
Se mantendrían en forma si hicieran ejercicio todos los días.

Preposiciones seguidas del infinitivo

Recuerde que los verbos que siguen a una preposición siempre se encuentran en el infinitivo.

*Los huevos son buenísimos **para obtener** proteínas.*

***Después de comprar** las espinacas, necesito comprar unos pimientos.*

Para concluir

? Pregunta clave

¿Qué se hacía en el pasado para mantenerse saludable y qué se hace en la actualidad?

Proyectos

A ¡Manos a la obra! 👥

Imagine que Ud. y sus amigos están de excursión cerca del río Cangrejal, en Honduras. De repente uno de los chicos del grupo empieza a sentir un fuerte dolor de estómago. Cerca del lugar hay un puesto de salud de medicina occidental y otro de medicina tradicional maya, pero no hay un laboratorio. Uds. no están seguros de cuál es el mejor tratamiento para el dolor de estómago de su amigo: ¿el de la medicina occidental o el de la medicina maya? Entonces, deciden que algunos van a investigar el tratamiento occidental y los demás, el tratamiento maya. Trabajen en equipo. Comenten los diferentes tratamientos; elijan el mejor y expliquen por qué lo eligieron.

Excursionistas en Honduras

B En resumen

Repase lo que aprendió sobre la salud en Guatemala y Honduras en esta unidad. ¿Qué se hacía antes para mantenerse saludable? ¿Qué se hace en la actualidad? Resuma la información en una tabla como la que se da a continuación.

	Formas de mantenerse saludable	
País	En el pasado	En la actualidad
Guatemala		
Honduras		

Extensión

Los sacerdotes y las sacerdotisas mayas sirven de guías espirituales. Uno de los problemas que tratan son los problemas emocionales ocasionados por el susto, la enfermedad que se describe en la lectura "*Medicina tradicional maya*". ¿Qué profesionales de la cultura actual se dedican a tratar este tipo de problemas? ¿Qué semejanzas y diferencias cree Ud. que tienen con los sacerdotes y las sacerdotisas mayas? ¿Qué método es preferible para tratar este tipo de problemas? ¿Por qué?

C ¡A escribir!

Imagine que estaba practicando senderismo (*trekking*) cerca de las ruinas de Copán y que resbaló, se cayó y se torció un tobillo. De inmediato, lo/a llevaron al centro médico más cercano y allí le dieron los primeros auxilios. Envíele un correo electrónico a su familia y a sus amigos en el que cuente qué fue lo que le sucedió, dónde estaba, qué estaba haciendo, adónde lo/a llevaron, qué tratamiento le dieron y cómo se encuentra de salud en este momento.

Para escribir más

No me lo van a creer...	*You won't believe it...*
Sentí que me iba a morir.	*I felt like I was dying.*

D Plan de alimentación 👥 Conéctese: la salud

Trabaje en grupo con otros compañeros. Diseñen un plan de alimentación que sea apropiado para los jóvenes que practican deporte con regularidad. Debe incluir el tipo de alimento y las calorías. También pueden diseñar un plan de ejercicios de calentamiento para evitar lesiones y calambres cuando vayan a practicar deportes. Preparen una presentación para presentar el plan enfrente de la clase. Pueden incluir fotografías de los alimentos y videos para mostrar los ejercicios.

Es importante estirarse antes de hacer ejercicio.

E Programa de medicina maya

En Guatemala conviven la medicina tradicional, de origen maya, y la medicina occidental, llamada también oficial o convencional. También hay otro tipo de prácticas médicas. Según el Programa Medicina Maya, en este país centroamericano las distintas prácticas se clasifican según el siguiente cuadro. Investigue y describa cuál es la principal característica de cada una.

Clase de medicina	Principal característica
convencional, oficial, occidental	
complementaria	
alternativa	
natural	
indígena	
tradicional maya	

La salud en Guatemala

F Patrimonio de la humanidad 👥

En 2007, el gobierno guatemalteco nombró cuatro platos como Patrimonio Cultural intangible de la Nación: el jocón, el pepián, el kaq'ik y los plátanos en mole. Estos platos combinan ingredientes de la gastronomía maya con otros que trajeron los europeos.

Trabaje con un(a) compañero/a y elijan juntos uno de estos platos. Investiguen cuáles son los ingredientes para prepararlo, cuáles de estos ingredientes son de la cultura maya y cuáles fueron traídos por los europeos. Preparen una presentación con la información que reunieron sobre el plato elegido para compartirla con los demás compañeros.

Vocabulario de la Unidad 8

la **alergia** allergy *8A*
la **alimentación** diet *8B*
alimentarse to eat *8B*
el **alimento** food *8B*
el **antibiótico** antibiotic *8A*
el **antiséptico** antiseptic *8A*
a partir de from (a certain period of time) *8B*
la **aspirina** aspirin *8A*
la **barriga** belly *8A*
el **cacahuete** peanut *8B*

el **calambre** muscle cramp *8B*
el **calcio** calcium *8B*
el **carbohidrato** carbohydrate *8B*
la **clínica** clinic *8A*
la **comida chatarra** junk food *8B*
el **corte** cut *8A*
curar(se) to cure, to recover *8A*
la **curita** adhesive bandage *8A*
darse un golpe to bang into something *8A*
la **dieta** diet *8B*
el **dolor** pain *8A*
la **energía** energy *8B*
la **enfermedad** disease *8A*
equilibrado/a balanced *8B*
la **erupción** rash *8A*
estirarse to stretch *8B*
estornudar to sneeze *8A*
el **estrés** stress *8B*
evitar to avoid *8B*
examinar to examine *8A*
la **fibra** fiber *8B*
la **fiebre** fever *8A*
la **fractura** fracture *8A*
la **fuerza** strength *8B*

las **gotas** drops *8A*
la **grasa** fat *8B*
el **hábito** habit *8B*
hacer abdominales to do sit-ups *8B*
hacer bicicleta to ride a stationary bike *8B*
hacer cinta to use a treadmill *8B*
hacer flexiones to do pushups *8B*
hacer natación to practice swimming *8B*
hacer un esfuerzo to make an effort *8B*
hacer yoga to do yoga *8B*
la **hamburguesa** hamburger *8B*
el **hierro** iron *8B*
el **historial médico** medical history *8A*
hondo/a deep(ly) *8A*
la **infección** infection *8A*
la **inflamación** inflammation, swelling *8A*
la **inyección** injection, shot *8A*
el **jarabe** (cough) syrup *8A*
levantar pesas to lift weights *8B*

mantenerse en forma to stay in shape *8B*
las **muletas** crutches *8A*
la **muñeca** wrist *8A*
la **nutrición** nutrition *8B*
nutritivo/a nutritious *8B*
el **paciente**, la **paciente** patient *8A*
la **pastilla** pill *8A*
el **peso** weight *8B*
la **piel** skin *8A*

profundo/a deep *8A*
la **proteína** protein *8B*
el **pulmón,** pl. los **pulmones** lung, lungs *8A*
la **pulmonía** pneumonia *8A*
los **puntos** stitches *8A*
quebrarse to break *8A*
la **radiografía** X-ray *8A*
el **rasguño** scratch *8A*
recetar to prescribe *8A*
el **remedio** remedy, medicine *8A*
resbalarse to slip *8A*
respirar to breathe *8A*

la **sala de emergencias** emergency room *8A*
saltarse (una comida) to skip (a meal) *8B*
saludable healthy *8B*
la **silla de ruedas** wheelchair *8A*
los **síntomas** symptoms *8A*
sufrir to suffer *8A*
el **tobillo** ankle *8A*
tomar(se) la presión to take one's blood pressure *8A*
torcerse(ue) to twist *8A*
toser to cough *8A*
tropezar con to stumble, to trip over *8A*
la **vacuna** vaccination *8A*
valer la pena to be worthwhile *8B*
la **venda** bandage *8A*
la **vitamina** vitamin *8B*
el **yeso** cast *8A*

Escanee el código QR para mirar el documental sobre los personajes de *El cuarto misterioso*.

¿En dónde se pueden conseguir artesanías de México en Coyoacán? ¿Qué otros artículos se pueden comprar en esos lugares?

Pregunta clave

?

¿Cómo se refleja la cultura de un lugar a través de lo que está de moda?

Mis metas

Lección A I will be able to:

▶ describe beauty salons and hairstyles

▶ talk about potential actions in the past using the present perfect subjunctive

▶ talk about contrary-to-fact conditions in the past using the pluperfect subjunctive

▶ use **cualquiera**

▶ discuss the **quinceañera**

▶ describe the **mariachi**

▶ describe clothing and footwear

▶ use colors to describe

▶ use diminutives and augmentatives

▶ talk about the most beautiful bride in Chihuahua

Lección B I will be able to:

▶ talk about the cleaning and tailoring of clothing

▶ use the subjunctive in adverbial clauses

▶ use possessive adjectives and possessive pronouns

▶ talk about fashion and markets in Mexico

▶ talk about gifts and handicrafts

▶ use infinitives correctly

▶ use present and past participles correctly

▶ read and discuss ***El eterno femenino*** by Rosario Castellanos

¿Qué papel tienen las muñecas como esta en una quinceañera?

México

¡Vamos al salón de belleza!

| INICIO | CLIENTES | CORTES DE PELO | PRODUCTOS |

Somos Carlota y Ana. Tenemos un **salón de belleza** en Monterrey, Nuevo León. Siempre queremos que nuestros clientes salgan contentos. Nos gusta ofrecerles **los** últimos **estilos** en **cortes de pelo** y los mejores productos.

Para fiestas informales use **un peinado informal**.

el pelo suelto

Para fiestas formales use un peinado **formal**.

el pelo recogido

✂ *Salón de belleza Azteca*

El pelo largo

la cola

el flequillo

el pelo rebelde

OTROS SERVICIOS

teñirse

El pelo mediano

el corte a capas

raparse

la permanente

VENTAS ESPECIALES

la tintura

El pelo corto

el pelo ondulado

alisarse el pelo

la raya

el gel

Le sugiero este peinado para su corte. Se va a ver muy **atractiva**.

No debe ponerse un **acondicionador** cualquiera. Tiene el pelo muy **grasoso**.

Para conversar

*T*o describe hairstyles:

Quiero este corte. **Al fin y al cabo**, si no me gusta, me lo puedo cambiar.
I want this haircut; after all, if I don't like it, I can change it.

Iré al salón de belleza hoy mismo. ¡Mi pelo está **horroroso** y **sin gracia**!
I'll go to the beauty salon today. My hair looks horrible and plain.

Para decir más

la diadema	hairband, headband, tiara
el/la estilista	stylist
el gancho de pelo	hair clasp
la hebilla de pelo	hair barrette
el mechón	lock, wisp of hair
la melena	mane (of hair), long hair
el moño	bow, ribbon
las patillas	sideburns
la peluquería	hair salon
la trenza	braid
rizarse	to curl

En otros países

el flequillo	la capul (Colombia)
	la pollina (Puerto Rico, Venezuela)
la raya	la carrera (varios países)
la tintura	el tinte (España, México)

1 ¿Qué quiere decir...?

Empareje las definiciones en la columna I con la palabra correcta de la columna II.

I
1. afeitarse la cabeza hasta quedar sin pelo
2. el pelo que cae sobre la frente sin tapar los ojos
3. quitarse lo ondulado del pelo
4. cambiarse el color del pelo
5. la sustancia que cambia el color del pelo
6. ponerse el pelo rizado

II
A. hacerse la permanente
B. la tintura
C. raparse
D. alisarse
E. el flequillo
F. teñirse

2 Cortes y peinados 🎧

Indique la letra de la foto que corresponde con lo que oye.

A

B

C

D

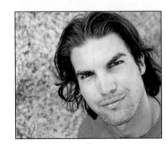

E

F

3 ¿Y cómo nos vamos a peinar?

Complete el diálogo con las palabras del recuadro.

a capas	al fin y al cabo	atractiva	estilo
flequillo	horrorosas	cola	permanente

Lupe: No me gusta mi pelo. Quiero hacerme una **(1)**.

Estela: ¿Qué? Son **(2)**. Te vas a quedar calva por usar tantos químicos.

Lupe: Pues, necesito cambiar mi **(3)**. ¿Si usara siempre una **(4)** de caballo y me cortara el **(5)**?

Estela: ¿Por qué no te lo cortas **(6)**? Te verías muy **(7)** con ese corte.

Lupe: No, quiero tener el pelo ondulado. **(8)**, si no me gusta, me hago otro corte.

¡Comunicación!

4 Otra vez al salón de belleza 👥   Interpersonal Communication

Con un(a) compañero/a, compare la frecuencia con que va al salón de belleza y las razones por las cuales va.

MODELO   A: ¿Con qué frecuencia vas al salón de belleza?

B: Voy cada dos meses para teñirme el pelo. ¿Y tú?

Diálogo

Quiero un nuevo peinado

Peluquera: ¡Qué bueno que hayas venido hoy! ¿Qué corte quieres hacerte, Pilar?

Pilar: Cualquiera que me quede bien. Mi pelo está tan rebelde que lo tengo que llevar recogido en una cola. No pensé que me hubiera crecido tanto.

Peluquera: Prefieres llevar el pelo suelto, ¿verdad?

Pilar: Por supuesto.

Peluquera: ¿Te gustaría el pelo a capas?

Pilar: Sí, pero mi pelo es muy ondulado. ¿Cree que me quedaría bien?

Peluquera: Seguro, porque puedes alisártelo tú misma una vez por semana y así mantener el peinado.

Pilar: Muy bien, córtemelo a capas. Al fin y al cabo, si no me gusta, el pelo vuelve a crecer.

Peluquera: Ya verás cómo te gustará.

5 ¿Qué recuerda Ud.?

1. ¿Cómo tiene que llevar el pelo Pilar? ¿Por qué?
2. ¿Qué no pensó Pilar?
3. ¿Cómo le sugiere la peluquera que se corte el pelo?
4. ¿Qué dice Pilar sobre el corte?

6 Algo personal

1. ¿Qué tipo de pelo tiene Ud.?
2. ¿Va a menudo al salón de belleza?
3. ¿Qué corte le gustaría hacerse?
4. ¿Cómo lleva el pelo: suelto o recogido?
5. ¿Qué estilo prefiere para el pelo: formal o informal?

7 Consejos de belleza

Escuche las preguntas de los clientes del salón de belleza y escoja qué consejo es mejor para cada uno.

1. **A.** Necesita un peinado formal.
   B. Debería raparse el pelo.
2. **A.** Podría escoger una permanente.
   B. Podría escoger una tintura de su mismo color.
3. **A.** Le aconsejo que no use mucho acondicionador después del champú.
   B. Le aconsejo que no use gel para lavarse el pelo.
4. **A.** Sería mejor que llevara flequillo.
   B. Sería mejor que se lo alisara.

Gramática

El presente perfecto del subjuntivo

To refer to an action or situation that may have occurred before the action of the main verb, use the present perfect subjunctive (*presente perfecto del subjuntivo*). The present perfect subjunctive is formed with the present subjunctive form of *haber* and the past participle.

*¡No puedo creer que **te hayas cortado** el pelo!*	I can't believe (that) **you** (**have**) **cut** your hair!
*Dudo que **hayan ido** al salón de belleza.*	I doubt (that) **they have gone** to the beauty salon.
*Quiero verlos después de que **se hayan rapado**.*	I want to see them after **they have shaved their heads**.

8 Vale más que...

Las siguientes personas esperan que hayan ocurrido determinadas cosas. Use todas las expresiones entre paréntesis para completar las oraciones. Siga el modelo.

MODELO   Espero que tú... (lavarse el pelo)
Espero que tú te hayas lavado el pelo.

Ojalá que para esta tarde nosotros...

1. (aprender el vocabulario)
2. (escribir el informe)
3. (hacer la tarea)

Antes de trabajar como peluquero es necesario que Ud....

4. (hacer cortes a capas)
5. (alisarle el pelo a alguien)
6. (aprender a hacer peinados)

Para mañana, es mejor que ella...

7. (comprar la ropa para la fiesta)
8. (ir al salón de belleza)
9. (teñirse el pelo)

Antes de irme de vacaciones, es importante que (yo)...

10. (confirmar las reservas)
11. (no hacer ningún cambio a último momento)
12. (encontrar un hotel con buenos servicios)

Ojalá que te haya gustado el peinado que te hice.

9 Esperando

Ana y Nora están esperando a Rosa en el salón de belleza. Complete el diálogo con el presente perfecto del subjuntivo de los verbos entre paréntesis.

Ana: Rosa no ha llegado todavía al salón de belleza.

Nora: Es probable que ella (*1. olvidarse*) de que hoy se iba a teñir el pelo.

Ana: No creo que ella no (*2. acordarse*) de la cita.

Nora: Es probable que sus hijos (*3. enfermarse*).

Ana: Ojalá que no (*4. ser*) algo grave. Es raro que ella no (*5. llamar*).

Nora: Toño, ¿sabes por qué no ha llegado Rosa?

Toño: Sí, su esposo llamó. No puede venir hoy. Siento mucho que Uds. (*6. preocuparse*).

> **¡Ojo!** 👁
>
> Remember: when conjugating a reflexive verb in a perfect tense, the reflexive pronoun comes before the conjugated form of *haber*.

10 Posibilidades...

Imagine que regresa al colegio después de las vacaciones y muchas cosas han cambiado. Con su compañero/a, túrnense para leer las frases y explicar lo que cada uno/a piensa que ha sucedido. Usen el presente perfecto del subjuntivo.

MODELO   Juanita trae el pelo suelto. Es probable que...

   A: Es probable que ella no haya tenido tiempo para recogérselo.

   B: Es probable que ella haya querido un estilo más informal.

1. El piso del salón de clase está sucio. No puede ser que...

2. La profesora de ciencias se ha teñido el pelo de rojo. No creo que...

3. Los miembros del equipo de fútbol perdieron el primer partido. Dudo que...

4. Jorge y Panchito no fueron al colegio ayer. Es posible que...

5. Roberto tiene ahora el pelo muy grasoso. Es probable que...

6. Andrea se hizo la permanente. Temo que...

¡Comunicación!

11 ¡Qué periódicos!   Interpersonal Communication

En grupos de tres o cuatro, lean los siguientes titulares y den su opinión sobre lo que dicen, usando expresiones como: **dudo que**, **es verdad que**, **estoy seguro/a de que**, **es posible que** y una expresión en el presente perfecto del subjuntivo.

¡Encuentran un gorila que puede hablar!

》 ¡Vuelven los peinados de la década de 1980!

¡Descubren una vacuna para **el SIDA!**

¡20 pulgadas de nieve este fin de semana en toda **la costa del este!**

¡En Estados Unidos se elige a la primera mujer presidente!

Gramática

El pluscuamperfecto del subjuntivo

- The pluperfect subjunctive (*pluscuamperfecto del subjuntivo*) is formed with the past subjunctive form of **haber** and the past participle of the verb. It is used in contrary-to-fact conditions for the past.

  > *¡Si me hubiera teñido el pelo!*　　　　If only **I had dyed** my hair!

- The pluperfect subjunctive is often used in **si** clauses when the main verb is in the conditional perfect.

  > *Si hubiera usado un buen acondicionador, mi pelo no habría quedado tan grasoso.*　　　　If only **I had used** a good conditioner, my hair wouldn't have come out so greasy.

- It is also used when the verb in the main clause is in the past, but the action in the pluperfect clause had or had not already occurred.

  > *Esperaba que te hubieras cortado el pelo.*　　　　I was hoping **you had cut** your hair.
  > *No creí que te hubieras rapado.*　　　　I couldn't believe **you had shaved your head**.

- The pluperfect subjunctive is also used when the verb in the main clause is in the conditional.

  > *Preferiría que no te hubieras alisado el pelo.*　　　　I would prefer that **you had not straightened** your hair.

---

12 | Siempre poniendo peros

Imagine que regresa de México, D.F., y sus amigos le hacen preguntas sobre lo que Ud. y su familia hubieran podido hacer, pero no hicieron. Complete las oraciones usando el pluscuamperfecto del subjuntivo de los verbos entre paréntesis.

> **MODELO**　　Yo **hubiera ido** a Tenochtitlán, pero estaba nublado. *(ir)*

1. Mi mamá ___ fotos del Parque de Chapultepec, pero se olvidó la cámara. *(sacar)*

2. Yo ___ un peinado nuevo, pero no encontré ningún salón de belleza. *(hacerse)*

3. Mi hermano y yo ___ ropa informal, pero mis padres no querían. *(ponerse)*

4. Nosotros ___ regalos para todos, pero no teníamos mucho dinero. *(traer)*

5. Mis padres ___ el Museo Nacional de Antropología, pero estaba cerrado. *(visitar)*

6. Yo ___ más tacos, pero me dolía el estómago. *(comer)*

Hubiera sacado más fotos, pero no tuve tiempo.

13 Era el destino

A veces nos arrepentimos (*regret*) de haber hecho algo; otras veces nos arrepentimos de no haberlo hecho. Escriba exclamaciones que expresen arrepentimiento a partir de las siguientes oraciones. Cámbielas de afirmativas a negativas, o viceversa, según corresponda.

MODELO   Usé mucho acondicionador después del champú.

¡Si no hubiera usado mucho acondicionador después del champú!

1. Ellas no fueron al salón de belleza.
2. Uds. no leyeron bien las instrucciones.
3. Tú no usaste gel después de peinarte.

4. Carmen se tiñó el pelo de rojo.
5. Jairo se rapó la cabeza.
6. No me recogí el pelo en una cola.

14 Lo hecho, hecho está

Ud. y sus amigos están en una fiesta. Hacen comentarios sobre cosas que podrían haber pasado. Escriba los comentarios en oraciones que comiencen con **Si...** Use el modelo como guía.

MODELO   yo / comer menos / sentirse mejor

Si hubiera comido menos, me habría sentido mejor.

1. yo / saber cómo era la fiesta / vestirse más formal
2. nosotros / ir con Marta / divertirse más
3. tu hermano / tener su reproductor de MP3 / escuchar la canción
4. yo / conocer a la anfitriona / traerle un regalo
5. ellos / ir a la fiesta / aburrirse
6. tú / tener el pelo lacio como Rosalba / hacerse una permanente

Si hubiera comido menos, me habría sentido mejor.

¡Comunicación!

15 ¿Qué habría pasado? 👥   Presentational Communication

Piense en sus años en el colegio: los amigos que hizo, las materias que estudió, las actividades que realizó. Mirando hacia atrás, ¿qué cosas le habría gustado hacer de otra manera? Escriba un párrafo que incluya oraciones que comiencen con **Si...**. Luego, intercambie el párrafo con un(a) compañero/a.

MODELO   **Cuando comencé el colegio, no estudiaba español. Si hubiera sabido que era tan interesante, lo habría estudiado desde pequeño.**

Gramática

Cualquiera

- The word *cualquiera* can be used as an adjective or as a pronoun, and it often means "any" or "anyone" in English in the sense of whatever is handy. Even though it ends in *-a*, it is both masculine and feminine.

Use un gel cualquiera.	Use **any (kind of)** gel.
Necesito una pasta de dientes cualquiera.	I need **any (kind of)** toothpaste.
Cualquiera pensaría que no te importa.	**Anyone** would believe that it doesn't matter to you.

- When it is applied to a person and it is used after the noun, *cualquiera* means "without merit" or "undistinguished," and it has a pejorative tone.

Es un peluquero cualquiera.	He is **not a very distinguished** stylist.

- When *cualquiera* is used before a noun, the final *-a* is omitted and the meaning changes to "not... just any."

No use cualquier champú.	Don't use **just any** shampoo.

- *Cualquier día* means "someday" or "any day," and *cualquier día de estos* means "one of these days."

Cualquier día, visito a mi tío en Guadalajara.	**Someday**, I will visit my uncle in Guadalajara.
Cualquier día de estos, viajamos a España.	**One of these days** we will travel to Spain.

- *En cualquier momento* may have different meanings, including "whenever," "any time now," or "one of these days."

En cualquier momento que no esté ocupada, iré al salón de belleza.	**Whenever** I am not busy, I will go to the beauty salon.

---

16 ¿Cualquier o cualquiera?

Imagine que está en el salón de belleza. Complete las oraciones con **cualquier** o **cualquiera**.

1. Su pelo está horroroso porque usa un champú ___.
2. Ayer, usé una crema ___ y me quemó la piel.
3. No quiero ___ gel para el pelo.
4. ___ diría que su pelo es rizado, no ondulado.
5. En ___ momento me rapo.
6. No me haga la raya en ___ parte; la quiero en el medio.
7. ___ día me hago una permanente.
8. Ud. es muy bueno, no es un peluquero ___.

17 Algo personal

Lea las siguientes preguntas sobre su pelo. Respóndalas con oraciones que incluyan **cualquier** o **cualquiera**. En las preguntas, hay palabras en cursiva que puede usar como ayuda.

> MODELO ¿Qué tipo de *gel* usa Ud.?
> **Uso un gel cualquiera.**

1. ¿Qué *corte* le gustaría hacerse?
2. ¿En qué *momento* va a ir al salón de belleza?
3. ¿Qué *día* se va a cortar el pelo?
4. ¿*Quién* diría que su pelo es ondulado?
5. ¿Usa Ud. *un champú* especial?
6. ¿Qué *estilo de peinado* tiene Ud.?

¡Comunicación!

18 Cualquiera... 👥 Interpersonal Communication

Hable con su compañero/a sobre los temas del recuadro. Háganse preguntas que se puedan responder con **cualquier** o **cualquiera** y respóndanlas, como se ve en el modelo.

estilos de peinados	salones de belleza	deportes	películas
cortes de pelo	ropa	comidas	viajes

> MODELO cortes de pelo
> A: **¿Qué corte de pelo piensas hacerte?**
> B: **No sé. Cualquiera que me quede bien.**

¡Comunicación!

19 El salón de belleza 👥 Presentational Communication

Trabaje con un(a) compañero/a y piensen en ideas para promocionar un salón de belleza. Luego hagan un cartel que anuncie los servicios que ofrece el salón, los tipos de cortes de pelo que hacen y varias opiniones positivas de los clientes. Recuerden usar comillas (*quotes*) al escribir las opiniones de los clientes. Pueden incluir fotografías o dibujos de los cortes de pelo y peinados en su cartel.

Hacemos todo tipo
de cortes
y peinados.

Belleza y Estilo Salón Unisex

" Si hubiera venido a este salón en lugar de ir a uno cualquiera, no habría tenido que teñirme el cabello dos veces. "

¡Los esperamos!

? Pregunta clave

¿Cómo se refleja la cultura de un lugar a través de lo que está de moda?

Una tradición que no pasa de moda 🎧

Al principio, la quinceañera mexicana era una celebración que se realizaba exclusivamente entre las familias adineradas[1]. Era la presentación formal de las jóvenes en sociedad, un rito que marcaba el paso de la infancia a la edad adulta e indicaba que las jóvenes estaban en edad de casarse[2]. Hoy en día, es simplemente una gran fiesta celebrada por las familias de todos los niveles sociales según sus medios, y la cuestión del matrimonio ya no forma parte de la tradición. Muchas jovencitas mexicanas sueñan durante años con que llegue el día de su quinceañera porque la celebración nunca ha pasado de moda.

Si bien el propósito de la celebración ha cambiado con el paso de los años, hay otros aspectos culturales que siguen siendo parte de la tradición: la quinceañera baila el vals con su padre, y todos

Una fiesta de quince años

los asistentes visten con formalidad y elegancia. Tradicionalmente, la vestimenta[3] de la quinceañera se compone de un vestido largo de colores pastel y zapatos de tacón. El modelo del vestido depende de lo que esté de moda, el gusto de la joven y el tema de la fiesta; se usan desde el traje tradicional bordado[4], hasta vestidos de cóctel y trajes de diseñador.

El peinado también es de mucha importancia, al igual que el maquillaje, pues en muchos casos, esta fiesta es la primera ocasión en que la joven lo usa. Con seguridad, pasará algunas horas en el salón de belleza, ensayando diferentes peinados para este día tan especial.

[1]wealthy [2]get married [3]attire [4]embroidered

🔍 **Búsqueda:** quinceañera mexicana, fiestas de quince años, la moda de quinceañeras

Prácticas 🎧

Una de las tradiciones de la quinceañera mexicana es llevar a la fiesta una muñeca que se lanza a las invitadas como el ramo (*bride's bouquet*) en una fiesta de bodas. El significado de este rito es que es el último juguete que la joven recibe en su niñez y lo deja porque ya es una mujer.

Comparaciones

¿En qué se parecen la quinceañera mexicana y la celebración de *Sweet Sixteen* en Estados Unidos? ¿En qué se diferencian?

20 Comprensión — Interpretive Communication

1. ¿En qué nivel social empezó la celebración de la quinceañera y con qué propósito se hacía?
2. ¿Qué aspectos de esta celebración se han conservado a través del tiempo?
3. ¿Qué otro rito sigue siendo parte de esta celebración y qué significa?

21 Analice

1. ¿Por qué cree Ud. que tradicionalmente se presentaba a las hijas en sociedad?
2. ¿Qué ritos de paso se celebran en su cultura?

Los mariachis, siempre de moda

Una tradición mexicana que nunca pasa de moda y nunca pierde popularidad es el mariachi. Hay muchos grupos musicales mexicanos conocidos: RBD, Maná, Camila o Reik. Sin embargo, el público solo se siente verdaderamente transportado a México cuando escucha un mariachi.

La historia del mariachi es de origen humilde. Eran pequeños grupos de campesinos que animaban fiestas familiares con una guitarra, un violín y un arpa[1]. Luego incorporaron las trompetas. En la actualidad, la carta de presentación de los mariachis son esas primeras notas tocadas por la trompeta.

Aunque ha cambiado con el tiempo, el mariachi aún conserva su esencia. Lo mismo sucede con su vestuario. A diferencia de cómo lucen[2] en la actualidad, al principio usaban un traje sin adornos, de algodón crudo[3] y un paliacate (pañuelo) atado al cuello, que reflejaba la cultura sencilla de los campesinos o charros[4]. El traje fue evolucionando hasta convertirse en una representación del vestido de charro más elegante, que es el que se ponían para las ceremonias, no para las labores del campo.

El traje está compuesto por el sombrero, la camisa, el chaleco y la chaqueta, que suelen ir elegantemente adornados con accesorios dorados. También llevan la corbata de moño[5], la faja[6], el cinturón, el pantalón y los botines[7]. En la actualidad, hay grupos de mariachis juveniles que utilizan trajes ajustados[8] muy a la moda, así como mujeres mariachis que visten falda larga con hermosos bordados[9].

[1] harp [2] they dress [3] raw [4] cowboys [5] bow tie [6] cummerbund [7] ankle boots [8] tight [9] embroidery

Búsqueda: traje de mariachi, historia del mariachi

22 Comprensión — Interpretive Communication

1. ¿Cuál es el origen de los mariachis? Explique.

2. ¿Cómo ha cambiado la forma de vestir de los mariachis con el tiempo?

3. ¿Cómo es el traje del mariachi en la actualidad?

Perspectivas

"Allá en el rancho grande" es un tema clásico del repertorio de los mariachis. En una de sus versiones, dice:

> *El gusto de las rancheras*
> *es usar un buen calzado*
> *y ponérselo el domingo**
> *cuando bajan al poblado.*

¿Qué valor de la cultura mexicana refleja la letra de esta estrofa?

*Sunday best

23 Analice

1. ¿Por qué cree Ud. que el mariachi ha mantenido su popularidad a través del tiempo?

2. En la cultura mexicana, la tradición de vestir bien en ocasiones especiales es muy respetada. ¿Qué tradiciones relacionadas con la vestimenta se siguen en la cultura estadounidense?

¡Qué gangas tan buenas! 🎧

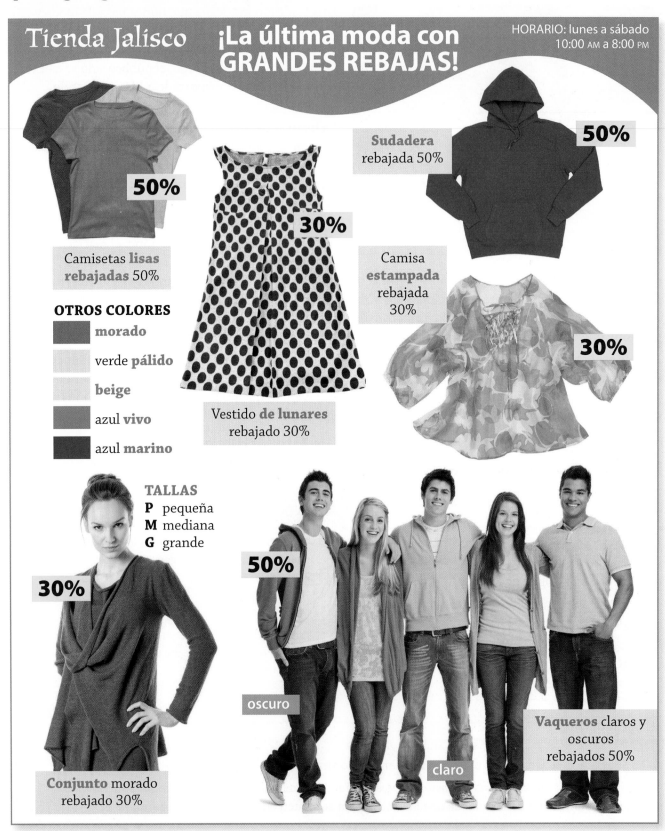

Tienda Jalisco

¡La última moda con GRANDES REBAJAS!

HORARIO: lunes a sábado
10:00 AM a 8:00 PM

50%

Camisetas **lisas rebajadas** 50%

OTROS COLORES

- **morado**
- verde **pálido**
- **beige**
- azul **vivo**
- azul **marino**

30%

Vestido **de lunares** rebajado 30%

Sudadera rebajada 50%

50%

Camisa **estampada** rebajada 30%

30%

TALLAS
P pequeña
M mediana
G grande

30%

Conjunto morado rebajado 30%

50%

oscuro

claro

Vaqueros claros y oscuros rebajados 50%

Estos zapatos beige están muy *de moda* y son de muy **buen gusto.**

Estos zapatos van muy bien con mi vestido nuevo.

¡Qué padrísimo!

Y son una ganga.

Para decir más

el blazer	*blazer*
la cazadora	*jacket*
el chal	*shawl*
el chaleco	*vest*
las chanclas	*flip-flops*
las pantuflas	*slippers*

En otros países (Latinoamérica)

la sudadera	*el jersey deportivo*
los vaqueros	*los bluyines*
liso	*de un solo fondo*
de lunares	*de pepas*

Para conversar

T*o* talk about clothing and footwear:

¿No prefieres esta blusa azul vivo **en vez de** la morada? Mira **la etiqueta**. Está **de rebaja.**

Don't you prefer this bright blue blouse instead of the purple one? Look at the tag. It is on sale.

Estos vaqueros están muy **anchos**. Los quiero más estrechos.

These jeans are very loose. I want them tighter.

Los zapatos en esa tienda de **calzado** están rebajados pero se ven **de mal gusto.**

The shoes in that shoe store are on sale but they are in poor taste.

24 Categorías

Escriba las siguientes palabras en la columna que corresponda según su categoría.

| liso | vaqueros | oscuro | pálido | conjunto |
| estampado | de lunares | vivo | claro | sudadera |

Prendas de vestir	Diseño	Descripción del color

25 Comentarios sobre moda 🎧

Indique la letra de la foto que corresponde con lo que oye.

A   B   C

D   E   F

26 ¿Qué ponerse?

Escoja la palabra o frase que completa correctamente cada oración.

1. Nunca me compraría unos tenis amarillos, son de muy (*buen gusto / mal gusto*).

2. Vendedora, estos vaqueros son muy estrechos. ¿Me daría una (*talla / etiqueta*) más grande?

3. La sudadera que compramos es hermosa y además ¡es una (*ganga / moda*)!

4. La tienda estará abierta hoy hasta las diez de la noche porque es un día (*padrísimo / de rebajas*).

5. Las sandalias de color morado (*oscuro / ancho*) van con mi vestido de lunares.

¡Comunicación!

27 ¿Qué?   Interpersonal Communication

Con un(a) compañero/a, compare sus hábitos de vestir. Hablen del estilo de ropa que les gusta y de la frecuencia con la que van a comprar ropa y otros temas que se traten de ir de compras.

MODELO   A: ¿Qué estilo de ropa te gusta?
B: A mí me gusta la ropa formal. ¿Y a ti?

Diálogo

¿Cómo me queda?

Pilar: ¿Te gusta cómo me queda este suéter rojo?

Daniel: Sí, pero el rojo es demasiado vivo. ¿No hay otro color más pálido?

Pilar: Pero el rojo está de moda y lo puedo usar con muchas cosas.

Daniel: ¿Con qué ropa te va?

Pilar: Va con el vaquero azul marino o con la falda beige.

Daniel: ¿Y qué dice la etiqueta?

Pilar: La etiqueta dice que es de algodón.

Daniel: ¿Y está rebajado?

Pilar: La vendedora me dijo que toda la ropa está de rebaja… Seguro que es una ganga.

Daniel: Si tú quieres, te lo compro para tu cumpleaños.

Pilar: ¡Padrísimo! Eres un amigazo.

28 ¿Qué recuerda Ud.?

1. ¿Cómo dice Daniel que es el rojo del suéter?
2. ¿Cómo está el rojo, según Pilar?
3. ¿Con qué ropa le va el suéter a Pilar?
4. ¿Qué dice la etiqueta del suéter?
5. ¿Qué le dijo la vendedora a Pilar?
6. ¿Qué le ofrece Daniel a Pilar?

29 Algo personal

1. ¿Le gusta comprar ropa?
2. ¿Qué colores de ropa prefiere: los colores vivos o los pálidos?
3. ¿Cuál es su prenda de ropa favorita?
4. ¿Qué tipo de calzado usa más?
5. ¿Lee las etiquetas de la ropa cuando va de compras?
6. ¿Le gusta ir a las tiendas cuando están de rebajas?

30 De compras

Indique la letra de la foto que corresponde con los diálogos que oye.

| A | B | C | D |

Gramática

Adjetivos para describir colores

- Adjectives that indicate colors usually agree in number and gender with the noun they modify. These adjectives can also take diminutive endings. These diminutives imply a lighter shade.

*Los zapatos son **azules**.*	The shoes are **blue**.
*Busco un vestido **blanco**.*	I am looking for a **white** dress.
*Tiene una camiseta **amarillita**.*	She has a **light yellow** T-shirt.

- When the color has a modifier, its gender is masculine and its number is singular.

*Las sandalias son **azul marino**.*	The sandals are **dark blue**.
*La sudadera es **rosa pálido**.*	The sweatshirt is **pale pink**.

- When the color refers to some element of nature (such as the color of a flower or a fruit), the expressions ***de color*** and ***color de*** are often used.

*Los zapatos son **de color lila**.*	The shoes are **lilac** (color).
*Tienes los labios **color de cereza**.*	You have **cherry-colored** lips.

- When the phrases ***de color*** or ***color de*** are omitted (but understood), the gender and number of the color do not change.

*Me regalaron unas sudaderas (de color) **negro**.*	They gave me some **black** sweatshirts.

---

31 Tantos colores

Todas las cosas son siempre de algún color. Escoja la palabra que completa correctamente cada oración.

1. Me encantan tus ojos (*de miel / color de miel*).
2. Se puso un vestido de lunares (*verde pálidos / verde pálido*) para la fiesta.
3. Pintaron las paredes del garaje de (*negro oscuro / negras oscuro*).
4. Me compré unos vaqueros (*rojas / rojos*) que estaban de rebaja.
5. Encontré el lugar donde venden cortinas (*morada / moradas*) estampadas.
6. ¿Dónde está tu sudadera de color (*blanco / blanca*)?
7. El conjunto marrón no se ve bien con los zapatos (*azules vivos / azul vivo*).
8. La blusa estampada no va con el vestido de lunares (*verde pálido / verde pálidos*).

Me encantan mis nuevos tenis rojos.

32 La moda y sus amigos

Diga cómo combinan la ropa las siguientes personas. Escriba oraciones con los siguientes datos sobre lo que se pone cada una.

MODELO   Irma: camiseta / vaqueros / negro / azul marino

Con la camiseta negra, Irma se pone los vaqueros azul marino.

1. Ricardo: suéter / pantalón / rojo vivo / negro
2. Joel: bufanda / chaqueta / anaranjado / blanco
3. Jorge: vaqueros / zapatos / negro / marrón oscuro
4. Sergio: sudadera / tenis / morado / azul
5. María: vestido / sandalias / amarillo vivo / marrón claro
6. Verónica: chaqueta / camisa / azul marino / blanco
7. Celina: conjunto / falda / rosa pálido / gris
8. Katia: zapatos / guantes / marrón / beige

¡Comunicación!

33 De colores   Interpersonal Communication

Con su compañero/a, hablen sobre sus colores favoritos. Hablen también de los colores que no les gustan. Observen la lista de intereses de la red social y decidan cuál es el mejor color para algunas cosas de cada categoría.

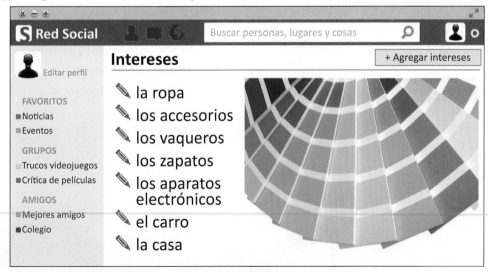

MODELO   A: **Prefiero las sandalias azul marino. ¿Y tú?**

B: **A mí me gustaría usar sandalias de color beige.**

A: **A mí me encantan los reproductores de MP3 color rosado. ¿Y a ti?**

B: **A mí me gustaría tener uno blanco.**

Los diminutivos y los aumentativos

- Several suffixes may be added to nouns, adjectives, and names to indicate a small size or as terms of endearment.

rojo	-ito/a	→	rojito	Juana	→	Juanita
una falda	-illo/a	→	una faldilla	Beto	→	Betillo
unos zapatos	-ico/a	→	unos zapaticos	Felipe	→	Felipico

- Usually, words that end in a consonant add a **c** to the suffixes.

Héctor	-cito/a	→	Hectorcito
el suéter	-cillo/a	→	el suetercillo
un actor	-cico/a	→	un actorcico

- Several suffixes are added to nouns to indicate a large size.

un zapato	-ón/ona	→	un zapatón
un amigo	-azo/a	→	un amigazo
una chaqueta	-ote/a	→	una chaquetota

- Sometimes by adding one of these suffixes, a feminine word becomes masculine and there is a slight difference in meaning.

una taza (*a cup*)	→	un tazón (*a bowl*)
una silla (*a chair*)	→	un sillón (*an armchair*)
una camisa (*a shirt*)	→	un camisón (*a nightgown*)

- In some cases, the suffix *-illo/a* changes the meaning of a word.

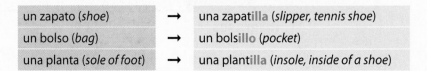

un zapato (*shoe*)	→	una zapatilla (*slipper, tennis shoe*)
un bolso (*bag*)	→	un bolsillo (*pocket*)
una planta (*sole of foot*)	→	una plantilla (*insole, inside of a shoe*)

Un zapato

Una zapatilla

34 ¿De qué palabra viene?

Las palabras que terminan con un diminutivo o un aumentativo vienen de otras palabras. Diga de qué palabra viene cada una de las siguientes palabras.

MODELO   pantaloncito → **pantalón**

1. camisetita
2. zapatote
3. sillón
4. conjuntico
5. verdecita
6. Robertito

7. rebajita
8. Marianota
9. etiquetica
10. abrigote
11. vaquerazos
12. gangota

Unas mediecitas amarillitas

35 De compras

Imagine que está en una tienda y necesita comprar estas cosas. Observe las fotos y escriba oraciones con diminutivos o aumentativos, según corresponda.

MODELO   **Necesito unas pantuflitas (pantuflillas, pantuflicas) amarillas.**

| 1 | 2 | 3 | 4 | 5 | 6 |

¡Comunicación!

36 ¿Me puede ayudar?   Interpersonal Communication

Con su compañero/a, imaginen que están en una tienda. Hagan los papeles de vendedor(a) y de cliente/a. Creen un diálogo siguiendo los pasos de abajo. Usen palabras en diminutivo y aumentativo en su diálogo.

• El/La cliente/a pide una o varias prendas, en diferentes colores y diseños.
• El/La vendedor(a) le pregunta su talla y cómo prefiere la prenda (ancha, etc.).
• El/La vendedor(a) le muestra al/a la cliente/a lo que tiene.
• El/La cliente/a le pregunta si la prenda está de rebaja o no.
• El/La cliente/a decide si compra o no la prenda.

? Pregunta clave

¿Cómo se refleja la cultura de un lugar a través de lo que está de moda?

¡Comunicación!

37 Fiesta temática 👥 Interpersonal Communication

Imagine que va a organizar una fiesta temática para celebrar su cumpleaños. Últimamente los mariachis están muy de moda, y por lo tanto Ud. desea que su fiesta siga la moda. Le pide a su mejor amigo/a que lo ayude con los preparativos. Ud. y su amigo/a se reúnen dos semanas antes de la fiesta para confirmar qué falta por hacer. Con un(a) compañero/a representen la conversación sobre estos temas. Usen el presente perfecto del subjuntivo, como se ve en el modelo.

- la música de mariachis
- el lugar para la fiesta
- las invitaciones y la lista de invitados
- las decoraciones que van a necesitar
- la comida que van a servir en la fiesta
- la ropa que van a llevar los invitados

MODELO

A: Para este viernes, ¿cuántos invitados deben haber confirmado que van a venir a la fiesta?

B: Ojalá que para este viernes la mitad de los invitados hayan confirmado su presencia.

Grupo de mariachi juvenil

¡Comunicación!

38 Un salón de belleza famoso... 👥 Interpersonal/Presentational Communication

Ud. trabaja como diseñador gráfico. Un salón de belleza le pide que diseñe su página de internet. Con un(a) compañero/a hablen de la información que necesitan incluir: ¿Quiénes son los dueños del salón de belleza? ¿Qué servicios ofrecen? ¿Cuánto cobran por solo lavar y secar el pelo? ¿Qué productos usan? ¿Se especializan en algún estilo de corte de pelo o de peinado? Preparen un cartel con las partes más importantes de la página de internet: quiénes somos, servicios, productos y promociones. Representen un diálogo entre el diseñador y el cliente en el que hablen de cómo lo pudieron haber diseñado de otra manera usando el pluscuamperfecto del subjuntivo y **pero**. Por último, presenten el cartel al resto de la clase.

MODELO

A: ¿Por qué hay tan pocas fotos de peinados atractivos?

B: Yo hubiera puesto más fotos de peinados atractivos, pero no las encontré. Además, estos peinados están muy de moda entre la gente joven.

Lectura informativa

Antes de leer 🎧

1. ¿Sabe qué es una leyenda urbana?
2. ¿Conoce algún mito o leyenda urbana de su ciudad?

Estrategia

Cause and effect

Cause and effect relationships in a reading explain what happens and why. The cause is the reason something happens; the effect is the result of that action. Sometimes the cause or the effect may not be explicitly indicated in a reading. In that case, the reader will have to make inferences to predict the actions that may have been the cause or result of other actions.

La leyenda de Pascualita, el maniquí viviente[1] de Chihuahua 🎧

Paseando por las calles de Chihuahua, uno quizás pierda la noción del tiempo y ni tan siquiera se percate[2] de que el sol ya se ha escondido y de que las ajetreadas[3] y transitadas calles van quedando ya solitarias... Quizás nuestros pasos errantes[4] nos lleven hasta la Avenida Ocampo, donde la luz brillante de un escaparate[5], esquina con la calle Victoria, nos invite a averiguar lo que allí se expone. Es posible que al descubrir tras el cristal a un maniquí vestido de novia una extraña sensación nos invada y contemplemos durante largo tiempo hasta el más mínimo detalle de sus facciones[6]. Puede pasar que, mientras observamos los detallados surcos[7] que recorren sus manos, nos parezca ver por el rabillo del ojo[8] un movimiento sutil de su cabeza. Con toda seguridad alzaremos la vista rápidamente y tras dudar unos segundos, sonreiremos imaginando que todo ha sido fruto de nuestra imaginación y emprenderemos de nuevo nuestro camino.

La leyenda de Pascualita o "la Chonita", se ha ganado con el paso de las décadas el estar en los primeros puestos del imaginario colectivo y legendario de México. Como toda buena leyenda que se precie, su origen es un tanto confuso y sus ramificaciones son muchas y variadas. En su base, podemos contar que Pascualita está en el aparador[9] de "La Popular" (que se considera la mejor tienda de vestidos de novia de Chihuahua), desde el 25 de marzo de 1930. El maniquí fue traído de Francia, comprado por la dueña del negocio, la señora Pascualita Esparza Perales de Pérez. Desde el primer día, todo aquel que pasaba ante el aparador de La Popular se quedaba maravillado por la belleza del maniquí, que no tardó en tener nombre propio. La dueña la nombró Chonita, porque había llegado a la tienda el día de la encarnación[10], pero el populacho[11] tenía más fuerza y acabó por ser conocida por el nombre de su dueña, Pascualita (se puede leer que el maniquí tenía un gran parecido con su dueña, y de ahí el apodo[12]). La cuestión es que el maniquí se convirtió en una especie de ícono, teniendo en cuenta que los maniquíes de la época poco o nada tenían que ver con éste, realizado con sumo cuidado con cera[13], ojos de cristal y pelo de verdad insertado de forma artesanal. No es de extrañar que se le otorgara el título de la novia más bonita de Chihuahua, título que continúa ostentando hoy en día.

---

[1] living mannequin [2] doesn't even notice [3] bustling [4] wandering [5] shop window [6] features [7] wrinkles
[8] out of the corner of her eye [9] shop window [10] incarnation (holy day) [11] public [12] nickname [13] wax

Hasta aquí, todo entra dentro de lo normal y lógico, pero en algún momento inconcreto que podríamos situar en la década de los sesenta, comienzan a circular rumores en Chihuahua sobre Pascualita que van más allá de su belleza cerúlea[1]. Unos dicen que la han visto moverse, otros que mientras la contemplaban ella sonrió e incluso se escuchan rumores de que durante la noche, Pascualita baja de su peana[2] y se pasea por el interior de la tienda, quizás buscando vestidos más bonitos que lucir.

Estos rumores van a más cuando fallece su dueña, en 1967. Entonces son muchos los que aseguran que su espíritu queda encerrado en su querido maniquí y allí sigue desde entonces, mostrándose solo en contadas y sutiles ocasiones. Lejos de caer en el olvido, la leyenda de Pascualita continúa tan viva como el primer día y los reportes de gente que asegura ver sus gestos y sus movimientos continúan hoy en día.

Fuere como fuere, la cuestión es que todos los dueños de "La Popular" han guardado celosamente[3] el secreto de su maniquí Pascualita y que el único milagro comprobado son los beneficios que desde hace muchas décadas le ha reportado[4] ya que el vestido más vendido de la tienda siempre es el que luce Pascualita, pues se dice que la novia que se casa con ese vestido tiene asegurado un porvenir feliz y sin apuros[5].

[1] sky blue   [2] base   [3] zealously   [4] yielded   [5] is sure to live happily ever after and without difficulties

Búsqueda: leyenda de pascualita, maniquí viviente

39 Comprensión — Interpretive Communication

1. ¿Dónde "vive" Pascualita y qué hace que realmente parezca viva?
2. ¿Cómo se llamó inicialmente Pascualita? ¿Qué hizo que después se le cambiara el nombre?
3. ¿Cuándo comenzaron los rumores?
4. ¿Qué beneficios se le reportan a Pascualita?

40 Analice

1. ¿Por qué cree Ud. que los rumores extraños sobre Pascualita empezaron justo en la década de 1960?
2. ¿Por qué cree Ud. que dicen que la novia que usa ese vestido tiene asegurado un porvenir feliz?

Escritura

41 Otro comienzo u otro final — Presentational Communication

Las leyendas urbanas tienen muchas versiones puesto que se transmiten de forma oral. Use lo que sabe de la historia de Pascualita para escribir su propia versión de la leyenda, cambiándole el comienzo o el final. Piense en las relaciones de causa y efecto de la lectura y agregue otras de su imaginación en una tabla como la que sigue. Escriba su versión basándose en esa información y, luego, compárela con las del resto de la clase. ¿Qué tienen en común sus versiones? ¿En qué se diferencian?

Causa	Efecto
Unos dicen que la han visto moverse...	Aumentan los rumores cuando fallece su dueña...

Para escribir más

Nunca se supo...	It was never known...
Lo cierto es que...	The truth is that...
Aunque parezca mentira...	Even if it seems like a lie...
Todos coinciden en que...	Everyone agrees that...

Repaso de la Lección A

A Escuchar: ¿Dónde están? 🎧 (pp. 410–411, 422–423)

Diga si las cuatro conversaciones tienen lugar en **una peluquería** o en **una tienda**.

B Vocabulario: ¿Cómo nos vamos a vestir para la fiesta? (pp. 410–411)

Complete la conversación entre Luisa y Laura con las palabras del recuadro.

alisar	atractiva	ondulado	permanente
recogido	suelto	de moda	queda

Luisa: ¿Quieres ver mi vestido para la fiesta?

Laura: Sí. Oye, ¿te vas a **(1)** el pelo?

Luisa: Sí, creo que me veo más **(2)** así. ¿Y tú?

Laura: Tú no quieres el pelo **(3)**, pero a mí me gusta. Me voy a hacer una **(4)** esta tarde.

Luisa: Pues, tendrás muchos rizos. Entonces, vas a ir con el pelo **(5)**, ¿verdad?

Laura: ¡Claro! El pelo **(6)** se ve muy elegante para un fiestita cualquiera en casa de Carlos.

Luisa: Tienes razón. Bueno, éste es el vestido. Me **(7)** muy bien.

Laura: Está bellísimo y está **(8)**.

C Gramática: Entre hermanos (pp. 414, 416)

Complete esta conversación entre dos hermanos. Use el presente perfecto del subjuntivo o el pluscuamperfecto del subjuntivo de los verbos entre paréntesis.

David: ¡No puedo creer que (tú) (**1.** *raparse*)!

Ángel: Si no me (tú) (**2.** *poner*) chicle en el pelo mientras dormía, no lo habría hecho.

David: Pero es increíble que el peluquero no (**3.** *sugerir*) otra alternativa.

Ángel: Si el chicle no (**4.** *estar*) tan cerca a la raíz, habría hecho otra cosa.

David: Tienes suerte; te queda bien. Cualquiera diría que (tú) te lo (**5.** *hacer*) por gusto.

Ángel: Te tengo una sorpresa, pero esperaré hasta que (tú) te (**6.** *dormir*).

D Gramática: ¡Qué exagerado! (p. 428)

Daniel le cuenta a Manuel lo que le pasó en el salón de belleza. Daniel exagera y Manuel lo corrige. Corrija lo que dice Daniel con el diminutivo o el aumentativo contrario.

1. Tengo un problemita.
2. No hay razón de que haya un escándalo o un dramón.
3. Tuve un accidentito en el salón de belleza.
4. Me resbalé y le eché una tacita de tintura a una señora.
5. El peluquero estaba tan furioso que tropezó y se dio un golpecito.
6. En todo caso, tengo que pagar la cuentita de la señora y todo lo que se dañó.

E — Cultura: Quinceañeras y mariachis (pp. 420-421)

En la sección de cultura de esta lección se describen las tradiciones mexicanas de la quinceañera y los mariachis. Complete estos diagramas de Venn para comparar cómo era cada tradición antes, cómo es ahora y qué elementos de la tradición original se conservan en la actualidad.

Quinceañera

Antes   Ahora

Mariachis

Antes   Ahora

Vocabulario

En el salón de belleza

el acondicionador
el corte (de pelo)
el estilo
el gel
la permanente
el salón de belleza
la tintura

De compras

de rebaja
la etiqueta
la ganga
la rebaja
rebajado/a
la talla

Las prendas y el calzado

el calzado
el conjunto
la sudadera
los vaqueros

Descripciones de la ropa

ancho/a
de lunares
estampado/a
liso/a

Los colores

(azul) marino
beige
claro/a
morado/a
oscuro/a
pálido/a
vivo/a

Verbos

alisar(se)
teñir(se)
rapar(se)

Peinados

las capas
la cola
el flequillo
mediano/a
ondulado/a
el peinado
la raya
recogido/a
suelto/a

Otras palabras y expresiones

al fin y al cabo
atractivo/a
de buen/mal gusto
en vez de
estar de moda
formal
grasoso/a
horroroso/a
informal
ir con
¡Padrísimo!
rebelde
sin gracia

Gramática

El presente perfecto del subjuntivo

El presente perfecto del subjuntivo se forma con el presente del subjuntivo del verbo **haber** + participio pasado. Se usa para describir una acción o una situación incierta que ocurre antes de otra acción en el pasado.

el presente del subjuntivo de haber	hablar	correr	vivir
haya hayas haya hayamos hayáis hayan	hablado	corrido	vivido

*¡Ojalá que **hayas podido** comprar el gel antes de salir del salón de belleza!*

*Dudo que ellos **hayan cortado** su pelo muy corto.*

El pluscuamperfecto del subjuntivo

El pluscuamperfecto del subjuntivo se forma con el imperfecto del subjuntivo del verbo **haber** + participio pasado. Se usa para describir condiciones improbables, hipotéticas o contrarias a la realidad en el pasado. También se puede usar con el condicional y el condicional perfecto.

el presente del subjuntivo de haber	llevar	comer	teñir
hubiera hubieras hubiera hubiéramos hubierais hubieran	llevado	comido	teñido

*Yo esperaba que ella **hubiera hablado** con mi tío.*

*Si Juan **hubiera estudiado** más para el examen, habría sacado mejor nota.*

emcpassport.com

WB 1–3
LA 1
GV 1

Todo para su ropa

Me llamo Margarita. Soy de la Ciudad de México. Trabajo en el negocio de **sastrería** y **tintorería** de mi familia.

la máquina de coser

el hilo

el sastre

la aguja

los alfileres

los botones

coser la cremallera

el metro

las tijeras

la mancha

arrugado

la solapa

el cuello

la manga

el bolsillo

tomar las medidas

la cintura

Para decir más

la puntada	*stitch*
el ruedo	*hem*
hacerse una prueba	*to get a (clothes) fitting*

En otros países

la cremallera	*el cierre (Argentina, Perú, Uruguay)*
el metro	*el centímetro (Argentina, Cuba, Perú, Uruguay)*

Para conversar

*T*o talk about the cleaning and tailoring of clothes:

Mi camisa **se ha desteñido** y se ve muy **gastada**. Además, está **manchada** de café.
La llevaré a la tintorería.
My shirt has faded and it looks very worn. In addition, it's stained with coffee.
I'll take it to the dry cleaner.

Este vestido **se encogió** aunque lo lavé con agua fría, pero no importa. No **me veía bien** con ese vestido.
This dress shrank although I washed it with cold water, but it doesn't matter. I didn't look good in it.

¿Por qué no llevas el vestido a la sastrería para que te lo **ajusten** en la cintura? También podrías hacer que le **acorten** las mangas. Están muy largas.
Why don't you take the dress to the tailor's to have it adjusted at the waist? You could also have the sleeves shortened. They are very long.

1 Hablando de ropa...

Escuche lo que dicen las siguientes personas y escoja la respuesta correcta para cada oración.

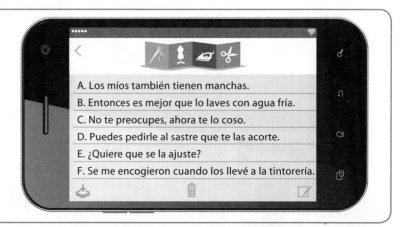

A. Los míos también tienen manchas.
B. Entonces es mejor que lo laves con agua fría.
C. No te preocupes, ahora te lo coso.
D. Puedes pedirle al sastre que te las acorte.
E. ¿Quiere que se la ajuste?
F. Se me encogieron cuando los llevé a la tintorería.

2 ¡Qué descuidado!

Observe la ilustración y diga dónde se encuentra cada mancha. Siga el modelo.

MODELO   **Hay una mancha en el zapato.**

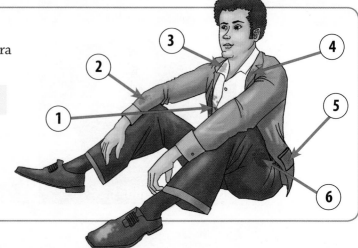

Diálogo

Este vestido tiene una mancha

Inés: Buenas tardes, ¿quitan manchas de la ropa?

Empleado: Por supuesto, ¿qué necesitan?

Inés: Este vestido mío tiene una mancha en el cuello.

Empleado: ¿De qué es la mancha?

Inés: No estoy segura.

Empleado: No se preocupe. Podremos quitar la mancha sin que se encoja el vestido. ¿Y qué le pasa a su vestido?

Pilar: El mío está desteñido. Lo he usado mucho.

Empleado: Al suyo vamos a tener que teñirlo del mismo color.

Pilar: Mi vestido está un poco gastado, ¿cree que quedará bien?

Empleado: Sí, pero tendremos que coserle el cuello y las mangas para que quede como nuevo.

Inés: ¿Cuándo estarán listos?

Empleado: El suyo estará listo mañana, y el de ella, la semana próxima.

3 ¿Qué recuerda Ud.? 🎧

1. ¿Qué tiene el vestido de Inés?

2. ¿Qué van a hacer en la tintorería con el vestido de Inés?

3. ¿Qué le sucede al vestido de Pilar?

4. ¿Qué le van a hacer al vestido de Pilar, además de teñirlo?

5. ¿Cuándo estarán listos los vestidos?

4 Algo personal 🎧

1. ¿Qué prendas lleva Ud. a la tintorería?

2. ¿Qué hace cuando su ropa está manchada?

3. ¿Se le ha encogido alguna vez alguna prenda?

4. ¿Ha ido alguna vez al sastre? ¿Para qué?

5. ¿Sabe Ud. coser?

5 Consejos de sastre 🎧

Escuche la conversación entre un sastre y un estudiante sobre cómo se cose una prenda de ropa. Haga una lista de las cosas que se necesitan para coser.

En la tintorería

Gramática

El subjuntivo en cláusulas adverbiales

- You have already learned some conjunctions that are used with the subjunctive mood to talk about events that have not happened yet. The subjunctive is also used with conjunctions that express the purpose or intention of an action.

a fin de que	*in order to, so that*
a menos que	*unless*
aunque	*even though*
con tal de que	*provided*
para que	*in order that, so that*
sin que	*without*

***A fin de que** no se destiña, lávelo con agua fría.*	Wash it with cold water **so that** it won't fade.
*No pagaré **a menos que** le quite la mancha.*	I won't pay **unless** you remove the stain.
*Me pondré el vestido **con tal de que** te pongas uno también.*	I'll put on the dress **provided** you put one on, too.
*Ve a la sastrería **para que** te tome medidas.*	Go to the tailor's **so that** he can take your measurements.
*Le compré los vaqueros **sin que** él lo supiera.*	I bought him the jeans **without** his knowing it.

- The conjunction *aunque* may be followed by the indicative or by the subjunctive, depending on the circumstances. The subjunctive is required when there is uncertainty whether an event will take place.

***Aunque** ese sastre cobra mucho, iré a verlo.*	**Even though** that tailor charges a lot, I'll go see him. (The speaker knows the tailor charges a lot.)
***Aunque** ese sastre cobre mucho, iré a verlo.*	**Even though** that tailor may charge a lot, I'll go see him. (The speaker is not sure if the tailor will charge a lot.)

Aunque ese sastre cobre mucho, iré a verlo.

6 ¿Cómo se cuida la ropa?

Muchas cosas suceden en relación a otras. Complete las oraciones con la forma apropiada del subjuntivo de los verbos entre paréntesis.

MODELO   No acorte el pantalón a menos que le **quede** largo. (*quedar*)

1. ¿Podrá el sastre hacerte el traje sin que él te __ las medidas? (*tomar*)
2. A fin de que los pañuelos __ bien, voy a plancharlos. (*quedar*)
3. Prefiero lavar las sudaderas en casa a menos que __ a desteñirse. (*ir*)
4. Ajústeme por favor las mangas aunque no __ estrechas. (*parecer*)
5. Tomás llevará el traje a un sastre a fin de que le __ la solapa de la chaqueta. (*coser*)
6. Queremos comprarle una falda a Delia sin que ella __. (*enterarse*)
7. Con tal de que la camisa no __, la llevaré a la tintorería. (*gastarse*)
8. Llevaré la camisa arrugada a la tintorería a fin de que ellos la __. (*planchar*)
9. Este vestido no le quedará bien a Juana, aunque lo __ en la sastrería. (*ajustar*)
10. Debes lavar la camisa con agua fría para que no __. (*desteñirse*)

Un sastre tomará las medidas.

7 Los amigos de Paula

Lea las siguientes oraciones sobre lo que hacen Paula y sus amigos. Elija la palabra que completa correctamente cada oración.

MODELO   Paula estudiará toda la tarde para que (*pueda / puede*) ir al cine.
          Paula estudiará toda la tarde para que **pueda** ir al cine.

1. Leticia le quitará la mancha de la camiseta de Luis, sin que él lo (*sabe / sepa*).
2. Miguel se acostará hoy más temprano a fin de que mañana (*puede / pueda*) levantarse a las seis.
3. Sé que está lloviendo, pero aunque (*llueva / llueve*) voy a salir.
4. Paula no acortará el vestido a menos que le (*quede / queda*) largo.
5. Con tal de que Rita (*va / vaya*) a la fiesta, Pedro la pasará a buscar por su casa.
6. Marta y Gerardo no saben si lloverá mañana, pero aunque (*llueva / llueve*), decidieron que irán igualmente de excursión.
7. En la sastrería arreglarán la falda de Lola para que no se (*ve / vea*) tan ajustada.
8. Sin que Paula lo (*sepa / sabe*), Ramón le prepara una fiesta.

Imagine que varias personas le cuentan sus problemas y tiene que darles consejos. Con su compañero/a, túrnense para completar los siguientes consejos. Usen el subjuntivo.

MODELO Mónica necesita ir al sastre a fin de que...

Mónica necesita ir al sastre a fin de que le ajuste los pantalones.

1. Pónganse las botas aunque...
2. Los niños no pueden ir solos a la fiesta a menos que...
3. Jaime debe llevar los vaqueros a la tintorería a fin de que...
4. Uds. deberán hablar con el profesor con tal de que...

5. Compren todo lo que quieran con tal de que...
6. Pilar se comprará una máquina de coser para que...
7. Estrenarán la película aunque...
8. No laves la camisa con agua y jabón a menos que...

Complete las siguientes oraciones según su experiencia. Después, compare sus oraciones con las de otros dos estudiantes.

MODELO Lavo la ropa los lunes a menos que...

Yo lavo la ropa los lunes a menos que esté ocupado.

1. Estudio para que mis padres...
2. A veces veo películas en español aunque...
3. Salgo con mis amigos los viernes con tal de que...

4. Llego al colegio a tiempo a menos que...
5. Nunca salgo de casa sin que...
6. No pienso vivir solo/a hasta que...

¡Comunicación!

Interpersonal Communication

Piense en lo que le gustaría hacer estos días. Luego, intercambie ideas con su compañero/a usando las ideas del recuadro y otras que Ud. piense por su cuenta. Use estas conjunciones: **a fin de que**, **a menos que**, **aunque**, **con tal de que**, **sin que** y **para que**, como se ve en el modelo.

Puedes raparte.

| cortarme el pelo | invitar a... a ir al cine | hacer yoga | ir de compras |

MODELO A: **¿Qué clase de corte te gustaría?**
B: **Cualquiera, con tal de que me vea bien.**

Los adjetivos y pronombres posesivos

- The stressed possessive adjectives, which always follow nouns, can be used as possessive pronouns when they occur in place of a noun.

adjetivos posesivos	pronombres posesivos
el botón **mío**	El botón gris es **mío**.
el traje **tuyo**	El mío es más oscuro que el **tuyo**.
la camiseta **suya**	Esa camiseta es **suya**.
las chaquetas **nuestras**	Las **nuestras** son estampadas.
los vaqueros **vuestros**	Terminé de cortar los **vuestros**.
las tijeras **suyas**	Esas tijeras son **suyas**.

- Both possessive adjectives and possessive pronouns agree in gender and in number with the possessed item, not with the possessor.

  Esa no es la chaqueta suya.   That is not **his** jacket.

- Possessive pronouns are usually preceded by a definite article. However, a definite article is not required after the verbs *ser* and *parecer*.

  El mío es estampado, el tuyo no.   **Mine** is printed, **yours** is not.
  Las suyas son viejas.   **Theirs** are old.
  Esa máquina de coser parece (ser) mía.   That sewing machine seems to be **mine**.
  Lo que es nuestro es suyo.   Whatever is **ours** is **yours**.

- When a very clear distinction needs to be made, the article is used.

  ¡Esa no es la mía!   That one is not **mine** (the one that belongs **to me**).

Repaso rápido

11 ¿De quién es?

Complete las oraciones con un pronombre posesivo, según las indicaciones entre paréntesis.

MODELO   ¿Dónde está mi abrigo? Este no es **mío**. *(mi abrigo)*

1. ¿Ésta es su bufanda? No, ya me acordé; la __ es anaranjada. *(su bufanda)*
2. Este pantalón está manchado, no es el __. *(mi pantalón)*
3. La chaqueta con cremallera en las mangas es la __. *(mi chaqueta)*
4. ¿Es tuyo este botón? No, ya me acordé; este botón es __. *(botón de Juan)*
5. Estas camisetas de manga larga parecen __. *(camisetas de Inés y Marisol)*
6. ¡Ese suéter no es el __! *(tu suéter)* Es el __. *(suéter de María)*
7. ¿De quiénes son estos guantes? No son __. *(nuestros guantes)*
8. La sudadera estampada es __. *(sudadera de Jacinta)* La __ es lisa. *(mi sudadera)*

? Pregunta clave

¿Cómo se refleja la cultura de un lugar a través de lo que está de moda?

La artesanía mexicana y la industria de la moda 🎧

Los vestidos tradicionales mexicanos son admirados en todo el mundo por la belleza de tejidos[1], bordados[2] y pedrería[3] que se usan en su elaboración y que los hacen únicos en el mundo. La cultura mexicana también está presente en la alta costura[4] internacional, o sea la *haute couture*. Por ejemplo, los diseños del francés Christian Louboutin o de la española Maya Hansen se han inspirado en la imagen de la artista mexicana Frida Kahlo o en la de las mujeres de Puebla. La alta costura ha incorporado también técnicas tradicionales de los pueblos indígenas, como los bordados con hilos multicolores.

Vestidos tradicionales de México, bordados con hilos multicolores

Los diseñadores mexicanos tienen su propio espacio en la Semana de la Moda que se realiza en la Ciudad de México dos veces al año desde 2007. En el pabellón[5] Compra Moda Nacional, cuyo eslogan es "Para que los mexicanos se vistan de México", se pueden comprar diseños 100 % mexicanos. El objetivo de esta iniciativa es apoyar y difundir el talento mexicano, valorando a los diseñadores nacionales que incluyen en sus colecciones colores llamativos y estampados inspirados en la cultura mexicana.

Conociendo esa gran capacidad de los diseñadores mexicanos para interpretar temas antiguos y convertirlos en moda contemporánea, la compañía Disney convocó a seis de ellos para crear vestidos para sus princesas con el reto[6] de darles una imagen del siglo XXI, sin dejar atrás los valores de Disney. El resultado ha sido fabuloso. Los diseñadores les dieron a las princesas un toque a la vez moderno, sofisticado y latino.

[1] textiles [2] embroidery [3] gemstones [4] high fashion [5] pavilion [6] challenge

Diseños que combinan la tradición mexicana y lo que está de moda

🔍 **Búsqueda:** diseñadores mexicanos, princesas de disney a lo mexicano, la catrina

Productos 🎧

Hay un personaje tradicional un poco extraño que ama estar a la moda y tiene un traje para cada ocasión. Esta figurita se llama la Catrina y representa la muerte y la celebración del Día de los Muertos. Fue creada por artistas mexicanos como una metáfora de la mujer de la alta sociedad. ¿Quién se atrevería a decirle que no está a la última moda?

12 Comprensión — Interpretive Communication

1. ¿Qué características de los vestidos tradicionales mexicanos son atractivas para los diseñadores de modas?
2. ¿Cuál es el propósito de la iniciativa "Compra Moda Nacional"?
3. ¿Cuál fue el reto que propuso la compañía Disney?
4. ¿Por qué un personaje como la Catrina puede estar a la moda?

13 Analice

¿Cómo se puede actualizar o modernizar la moda típica de un país sin que se pierda su importancia cultural?

¿Qué está de moda en el mercado? 🎧

Tapetes de lana de Oaxaca

Para encontrar algo que nunca pasa de moda, puedes visitar los mercados mexicanos. En ellos se puede comprar todo tipo de artesanías, tradicionales y de vanguardia, y según el mercado, hasta joyas de alta calidad. En los mercados se ofrece tal variedad de productos que es casi como ver un retrato en vivo de la cultura del país.

Si buscas productos para decorar la casa a la moda mexicana, puedes visitar el mercado de la Ciudadela, en la Ciudad de México, donde se consiguen las mejores artesanías del país. Entre los productos más populares que allí se ofrecen, y que siempre están de moda, se cuentan los tapetes (alfombras) y tapices[1] de lana de Oaxaca. Estos tapetes, que se caracterizan por sus vivos colores y magníficos diseños, se fabrican con técnicas que se vienen transmitiendo de generación en generación.

Otro artículo típicamente mexicano que nunca pasa de moda es la cerámica de Talavera: tazas, fuentes[2], vajillas[3] y toda clase de piezas decoradas a mano con pinturas de colores llamativos que son conocidas en el mundo entero. No hay casa de mexicanos que no incluya un tapete de lana artesanal o una pieza de cerámica de Talavera en su decoración.

En la Ciudadela, siempre podrás encontrar algo lindo para decorar tu casa, para dar de regalo o para llevar de recuerdo, como una hermosa joya de plata que combina con todo o una escultura o figura de vidrio soplado[4] elaborada ante tus propios ojos.

[1] tapestries   [2] platters   [3] dinnerware sets   [4] blown glass

Cerámica de Talavera

🔍 **Búsqueda:** mercados tradicionales de méxico, artesanías de méxico

Productos 🎧

La plata de Taxco, un pueblo minero mexicano, es conocida en todo el mundo. Gracias al extranjero William Spratling, las joyas de plata de Taxco son famosas. Combinan los conocimientos y técnicas de los artesanos locales con materiales novedosos, como piedras, vidrio (*glass*), cristales y monedas antiguas.

Perspectivas

"Para crear mi marca me inspiré principalmente en William Spratling y en cómo cambió la manera en que los artesanos mexicanos consideran, sienten y diseñan joyas. (…) Creo que la creación de joyas puede partir de cualquier material y puede combinarse con la plata. También sé cómo aprovechar las cosas más bellas que México tiene para ofrecer". Daniel Espinosa es un famoso joyero mexicano. Según sus palabras, ¿qué actitud tiene Espinosa hacia la cultura mexicana?

14 Comprensión   Interpretive Communication

1. ¿Qué se consigue en los mercados de México?
2. ¿Qué productos artesanales de México se conocen en todas partes y nunca pasan de moda?
3. ¿Quién hizo famosas las joyas de Taxco?

15 Analice

¿Por qué no pasan de moda los productos artesanales de un país?

Vocabulario 2

Joyas, regalos y artesanías

INICIO | **JOYAS** | **REGALOS Y ARTESANÍAS** | **BLOGS**

INICIO > JOYERÍA

Tenemos toda clase de joyas.

las cadenas

la medalla

los gemelos

el broche

el joyero

INICIO | **JOYAS** | **REGALOS Y ARTESANÍAS** | **BLOGS**

INICIO > REGALOS Y ARTESANÍAS

las cobijas tejidas

el vestido bordado

los jarrones de arcilla

el jarrón de cerámica

la bandeja de cristal

el marco de fotos

INICIO | **JOYAS** | **OTROS PRODUCTOS**

INICIO > OTROS PRODUCTOS

el sobre

el papel de carta

el llavero

la estampilla

Para conversar 🎧

*T*o talk about handicrafts:

¿No tienes ni idea de qué artesanía comprarle a tu novia? **¿Qué tal si** vamos al mercado?
Don't you have any idea what handicraft to buy your girlfriend? How about if we go to the market?

El mantel bordado y los suéteres tejidos están **hechos a mano**, pero son muy caros. **¡Qué estafa!**
The embroidered tablecloth and the knitted sweaters are handmade, but they are very expensive. What a rip-off!

16 Comentarios sobre regalos 🎧

Indique la letra de la foto que corresponde con lo que oye.

A

B

C

D

E

F

17 Recuerdos y regalos

Haga oraciones lógicas combinando frases de las dos columnas.

1. Entre las artesanías de México, se encuentran los vestidos...
2. A mi hermana, le compré un juego de platos...
3. Estamos decorando la casa con jarrones...
4. Qué lástima, el joyero...
5. Estoy buscando un suéter...

A. ...de cerámica como regalo de bodas.

B. ...tejido a mano.

C. ...bordados por las mujeres de los pueblos.

D. ...de cristal se me rompió al buscar las joyas.

E. ...de arcilla hechos a mano.

18 ¿Qué les recomienda?

Escoja qué cosa puede comprar cada persona, según lo que oye.

A

B

C

D

E

F

19 Busque al intruso

Lea los siguientes grupos de palabras. Indique cuál no pertenece a cada grupo y por qué.

MODELO   broche / llavero / gemelos
           llavero: No se lleva en la ropa.

1. estampilla / sobre / joyero
2. gemelos / cadena / medalla
3. tejido / cerámica / bordado
4. papel de carta / jarrón de arcilla / marco de fotos

Diálogo

¿Qué tal si compro esto?

Pilar: No tengo ni idea de lo que le puedo comprar a Rosario para su cumpleaños.

Inés: ¿Le gustan las artesanías?

Pilar: No estoy completamente segura si le gustan las cosas hechas a mano.

Inés: ¿Qué tal si le compras unos papeles de carta y sobres? Son muy bonitos.

Pilar: No creo que a ella le guste escribir cartas.

Inés: ¿Y un marco de fotos?

Pilar: No me convence. Sigamos mirando por otro lado.

Inés: ¿Qué es eso?

Pilar: Es un joyero. A ella le encantan las joyas.

Inés: ¿Has visto el precio?

Pilar: No... ¡Qué estafa!

Inés: Es mejor que le compres una cadena. Va con todo.

20 ¿Qué recuerda Ud.?

1. ¿Sabe Pilar qué le puede comprar a Rosario?
2. ¿Está segura Pilar de si a Rosario le gustan las cosas hechas a mano?
3. ¿Por qué no quiere Pilar comprarle unos papeles de carta y sobres?
4. ¿Qué quiere comprarle Pilar?
5. ¿Qué dice Pilar acerca del precio del joyero?
6. ¿Por qué es una buena idea comprarle una cadena?

Estos jarrones son de arcilla.

21 Algo personal

1. ¿Cuáles son sus joyas favoritas?
2. ¿Le gustan las artesanías?
3. ¿Cuál ha sido el regalo que recibió que más le gustó?
4. ¿Qué regalos le gusta comprarles a sus amigos?

¡Comunicación!

22 ¿Recuerdos?   Interpersonal Communication

Con un compañero/a imaginen que están en un mercado mexicano y que van a comprar regalos para sus familiares. Túrnense para hablar de los productos que ven.

MODELO   A: ¿Qué tal si le compro esta medalla a Teresa?

B: No sé. No tengo ni idea qué joyas le gustan.

Gramática

Otros usos del infinitivo

- The infinitive can be used as a noun in an impersonal expression, such as *es bueno, es importante, es divertido*.

  *Es divertido **comprar** ropa nueva.*   **Buying** new clothes is fun.

- It can also be used in proverbs.

  *Hay que **ver para creer**.*   **Seeing** is **believing**.

Note: In the above examples when the infinitive is used as a noun in Spanish, English uses the present participle ending -ing.

- After a preposition the infinitive is often used, unlike in English when the present participle would be used. Some prepositions that are frequently used with the infinitive are: *antes de, después de, para, por, sin, en vez de*.

  *Me peiné **después de vestirme**.*   I combed my hair **after getting dressed**.
  *No salgas **sin llevar** el paraguas.*   Don't go out **without taking** your umbrella.
  *Llegué tarde **por cambiarme** la ropa.*   I arrived late **because I changed** my clothes.

- The construction ***al*** + infinitive is used to show that two actions occur simultaneously. It is the equivalent of the English construction on (upon) + present participle.

  *El joyero se rompió **al abrirlo**.*   The jewelry box broke **upon opening it**.

---

23 Comprando recuerdos

Imagine que Ud. va de compras con sus amigos. Escoja la palabra que completa correctamente cada oración.

MODELO   Antes de (*comprar / comprando*) el jarrón, hay que averiguar cuánto cuesta.
             Antes de <u>**comprar**</u> el jarrón, hay que averiguar cuánto cuesta.

1. En vez de (*gastando / gastar*) tanto dinero, ¿por qué no le compramos algo más barato hecho a mano?

2. Es importante (*avisarle / avisamos*) a tu amigo que estamos en la tienda de artesanías.

3. Es bueno (*iremos / ir*) a la tienda cuando está de rebaja.

4. Es divertido (*salir / saliendo*) de compras contigo.

5. No compres el joyero sin (*preguntarle / le preguntas*) a María.

6. Después de (*escogemos / escoger*) el regalo para tu hermano, podemos ir a tomar un café.

7. Es importante (*escribas / escribir*) bien la dirección en el sobre.

8. Acuérdate de poner la estampilla en el sobre antes de (*pongas / poner*) la carta en el buzón.

24 Al mismo tiempo

Describa lo que pasó en el momento que ocurrió la acción que se describe, usando las pistas que se dan entre paréntesis. Comience las oraciones con **Al** + infinitivo.

MODELO   Toña limpió el jarrón. (*Toña / encontrar dinero*)
Al limpiar el jarrón, Toña encontró dinero.

1. Martín perdió la medalla de la cadena. (*Martín / ponerse triste*)
2. Ellos salieron de la tienda. (*ellos / encontrarse con Lupe*)
3. Yo compré el llavero. (*yo / pensar en Beto*)
4. Luisa se puso el vestido nuevo. (*Luisa / sentirse muy bien*)
5. Nosotros encontramos el broche de Ana. (*nosotros / avisarle a ella enseguida*)
6. Tú terminaste de escribir la carta. (*tú / comprar estampillas*)
7. Papá llegó a casa. (*Papá / colgar el abrigo*)
8. Eva y tú entraron en el mercado. (*Eva y tú / encontrar muchas artesanías*)

Al limpiar el jarrón, encontró dinero.

¡Comunicación!

25 Siempre   Interpersonal Communication

Con dos compañeros/as, conversen sobre lo que hacen antes, durante y después de las acciones que se indican. Tomen nota de sus respuestas y luego compárenlas con las de los demás grupos.

MODELO   cocinar

A: **Antes de cocinar, leo bien la receta.**
B: **Al cocinar, escucho música.**
C: **Después de cocinar, pruebo el plato para ver cómo salió.**

cocinar   ver una película o un programa de televisión   ir de compras

acostarme   hacer la tarea   bañarme   hacer ejercicio

ir de vacaciones   dar una fiesta

Gramática

Usos del gerundio y del participio pasado

- The present participle, or gerund, is used with *estar* to form the progressive tense. In this case, it stresses the fact that the action of the verb is continuing at the time.

  No voy a la tintorería ahora porque estoy trabajando.
  I'm not going to the cleaners now because **I'm working**.

- It can also stress a continuing action with *continuar, seguir* and other verbs of motion (*venir, andar, entrar, ir*).

  Ellos van corriendo por la calle.
  They **are running** down the street.

  Él seguía pensando en el precio.
  He **kept thinking** about the price.

- It can also express the cause, manner, or means of an action. In English, this is often accompanied by a word such as *by, as,* or *when*.

  Practicando, aprendí a coser bien.
  By practicing, I learned how to sew well.

- It can also describe the background action of the main verb.

  Caminando por la calle, me encontré con Micaela.
  While walking down the street, I ran into Micaela.

- The past participle's main use is forming compound tenses with *haber*.

  He roto la carta.
  I have torn up the letter.

  Habíamos comprado un jarrón.
  We had bought a vase.

- When used in forming compound tenses, the past participle always ends in -*o*. At all other times, the past participle functions as an adjective and must agree in number and gender with the noun it modifies.

  Ella fue a la fiesta vestida de princesa.
  She went to the party **dressed** like a princess.

- It can also be used with *estar* to express a condition or state that is generally the result of an action.

  Ramón tumbó el jarrón y, ahora, está roto.
  Ramón knocked over the vase, and now, **it is broken**.

El jarrón está roto.

26 Vamos de compras

Imagine que fue de compras con unos/as amigos/as. Seleccione la palabra que completa cada oración correctamente.

> **MODELO** He (*comprado / comprando / comprada*) artesanías muy bonitas en la tienda nueva.
>
> He **comprado** artesanías muy bonitas en la tienda nueva.

1. Mi amigo y yo habíamos (*visto / viendo / vista*) un lugar donde vendían estampillas.
2. Las cobijas que vimos están (*tejiendo / tejidas / tejido*) a mano.
3. Los manteles están (*bordadas / bordando / bordados*) por indígenas de México.
4. Estamos (*pensando / pensado / pensada*) en regresar a la tienda el fin de semana próximo.
5. Rosalba compró un suéter y se lo llevó (*poniendo / puesta / puesto*).
6. Laura seguía (*pensando / pensado / pensada*) en el joyero de cristal.

27 ¿Cómo pudo hacerlo? 🎧

Use el gerundio del verbo entre paréntesis para describir cómo hizo estas actividades.

> **MODELO** Pude comprar un broche de oro. (*ahorrar*)
>
> **Ahorrando, pude comprar un broche de oro.**

1. Aprendí a tomar las medidas. (*practicar*)
2. Arreglé el cuello de mi vestido. (*coser*)
3. Pude conseguir un marco de fotos muy barato. (*regatear*)
4. Mejoré el color de mi pelo. (*teñirme*)
5. Me puse en forma. (*hacer ejercicio*)
6. Aprendí sobre las artesanías típicas de Oaxaca. (*leer*)

Artesanía de Oaxaca

💬 ¡Comunicación!

28 Compremos artesanías 👥 Interpersonal Communication

Ud. es el/la dueño/a (*owner*) de una tienda de regalos de artesanía en Oaxaca, México. Con otro/a estudiante, hagan los papeles de dueño/a y cliente/a. Un(a) cliente/a le pregunta sobre varios artículos que hay en la tienda y Ud. se los describe y le explica de qué están hechos. Pueden buscar más información sobre las artesanías mexicanas en internet y acompañar sus diálogos con fotos o ilustraciones.

> **MODELO** Cliente/a: ¿De qué está hecho el jarrón?
>
> Dueño/a: El jarrón está hecho de cerámica. Está pintado a mano por artesanos de la región. Los dibujos están inspirados en leyendas indígenas.

Todo en contexto

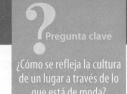
Pregunta clave

¿Cómo se refleja la cultura de un lugar a través de lo que está de moda?

¡Comunicación!

29 De compras en Puebla   Interpersonal Communication

Ud. está de vacaciones en Puebla, México. Antes de regresar a su país, quiere comprar algunos regalos. A una de sus amigas, quiere llevarle un vestido. Entra a una tienda tan llena de vestidos que le cuesta mucho decidirse. Un(a) dependiente lo/la ayuda a encontrar lo que busca, haciéndole preguntas sobre los colores, el diseño, el precio que quiere pagar, la talla, etc. Con un(a) compañero/a túrnense para hacer los papeles del cliente y el/la dependiente usando el subjuntivo en cada oración.

MODELO   **A: Estos vestidos están muy de moda. ¿Qué colores quiere que tenga el vestido?**

           B: Quiero que el vestido tenga colores vivos.

Hay muchos vestidos para elegir.

¡Comunicación!

30 Un mercadito...   Presentational Communication

Ud. y un(a) amigo/a van a poner un mercadito de artesanías en el aeropuerto de Taxco, México. Como no están seguros de qué van a vender, se reúnen para tomar una decisión. Con un(a) compañero/a, hablen de lo que les gustaría vender en el mercadito. ¿Quieren vender solamente joyería de plata hecha por artesanos locales? ¿Joyería de otras partes de México? ¿Les gustaría vender vestidos y camisas con bordados tradicionales o a la moda actual? ¿Van a incluir la venta de cerámicas pintadas a mano? ¿Y sudaderas con motivos diseñados por los indígenas del área? ¿Venderán los mismos productos todo el año o los cambiarán según la época? Muestren al resto de la clase una presentación multimedia en la que expongan los productos que quieren vender en su mercadito. Incluyan en su presentación fotos y descripciones cortas.

Lectura literaria

El eterno femenino
de *Rosario Castellanos*

Sobre la autora

Esta escritora mexicana (1925–1974) cultivó todos los géneros literarios, pero se destacó especialmente en la poesía y el ensayo. Vivió en Chiapas durante su infancia y se graduó de la Universidad Autónoma de México. Después, vivió en España y, cuando regresó a México, fue promotora de cultura en el Instituto de Ciencias y Artes de Chiapas. Trabajó como profesora en la UNAM y en 1971 fue nombrada embajadora de México en Israel, donde falleció en 1974. Algunas de sus obras de poesía son: *Trayectoria del polvo* (1948); *Lívida luz* (1960)

Rosario Castellanos

y *Poesía no eres tú* (1972), compilación. Sus narraciones se llaman: *Balún canán* (1957); *Ciudad real* (1960); *Oficio de tinieblas* (1962) y sus obras de teatro son: *Tablero de damas* (1952) y *El eterno femenino* (1974). Por último, sus ensayos son: *Mujer que sabe latín* (1973) y *El uso de la palabra* (1974).

Antes de leer

1. ¿Ha asistido o le gustaría asistir a una obra de teatro? ¿A cuál?

2. ¿Qué es lo que le parece más interesante de las obras de teatro?

3. ¿Qué diferencias cree Ud. que hay entre una obra de teatro y un cuento o una novela?

Estrategia

Imagining the action

Plays are meant to be seen. When you read one, sometimes it is hard to imagine the action. To get a better understanding of what is happening, pay attention to stage directions. Stage directions are the notes in italics at the beginning or in the middle of a scene, and also next to the characters' names. These are the author's instructions on how the lines and the action should be performed.

31 Practique la estrategia

A medida que lee el fragmento del primer acto de *El eterno femenino*, preste atención a las acotaciones, o sea las instrucciones del autor, para la ambientación y la forma cómo se deben expresar los actores. ¿Qué tipo de emociones o expresiones deben tener el agente, la dueña y la peinadora? ¿Qué características tienen estos personajes?

Personaje	Características	Emociones
la dueña		
la peinadora		
el agente		

El eterno femenino (*fragmento*) 🎧
de *Rosario Castellanos*

Obertura

Comprensión

1. ¿Para quién era la información que traía el agente?

2. ¿Por qué a la dueña le parece que la peinadora es insolente?

3. ¿Qué viene a ofrecer el agente?

Analice

4. ¿Cree Ud. que el cambio de idea de los clientes es un problema exclusivo de los países latinos? Explique su respuesta.

[*El telón*[1] *se abre y se ve un salón de belleza en cualquier vecindad de clase media mexicana de la capital de México. Hay unas clientas bajo los secadores de pelo. Una peinadora prepara a una clienta para ponerla bajo un secador y la dueña está atenta a todo lo que pasa en su negocio. Entra un agente de ventas que conoce bien el lugar. La dueña lo saluda como de costumbre. Los dos pasan a un lugar más cómodo para hablar del pedido y el agente con un gesto de triunfo saca un nuevo catálogo.*]

AGENTE: Esta vez, señora, se trata de algo sensacional, inaudito[2], insólito[3]: un producto nuevo.

[*La peinadora que ha conducido a la mujer con la que se trabajaba al secador, se acerca a escuchar con curiosidad. A la dueña, obviamente, le parece una falta de respeto. Pero no se atreve a protestar, [...] por miedo a quedarse sin nadie que le sirva. Estas son, por lo pronto, las consecuencias que se resienten, en carne propia*[4], *de la etapa del despegue*[5] *en el proceso de desarrollo en un país del tercer mundo.*]

PEINADORA (*Asombrada y complacida*[6]): ¿Otro?

DUEÑA (*Con reproche*): Pero si todavía no hemos acabado de pagar los abonos[7] del último producto que usted nos trajo. Hace justamente dos meses.

AGENTE: El progreso va rápido, señora, y nadie podrá detenerlo. En cuanto al aparato viejo (si es eso lo que la preocupa), la compañía lo toma como enganche[8] del nuevo. Lo demás, ya lo sabe usted, que es mi cliente consentida[9]. Usted paga como quiere y cuando quiere.

PEINADORA: ¿Y si, de veras, no quiere?

AGENTE: No hay problema. La fianza[10] que se deposita al principio nos cubre contra todas las eventualidades.

PEINADORA: Abusados, ¿no?

AGENTE: En los países latinos, donde el tullido[11] es alambrista[12], son frecuentes los cambios de voluntad, de domicilio[13], de nombre, de temperatura y hasta de gobierno. La casa se ve obligada a tomar sus precauciones...

PEINADORA: ¡A poco es la Casa Blanca!

DUEÑA (*A la peinadora, áspera*): ¡No seas metiche[14]!

AGENTE... : Los mánagers de nuestra compañía han tenido en cuenta las peculiaridades de la clientela al diseñar su sistema de crédito para estar a salvo de cualquier contingencia.

---

[1] curtain   [2] unprecedented   [3] unusual   [4] personally   [5] start up phase   [6] astonished and pleased
[7] payments   [8] down payment   [9] favorite   [10] deposit   [11] crippled   [12] tightrope walker
[13] home address   [14] nosy

PEINADORA: ¿Quién está a salvo?

AGENTE: La compañía... digo, la clientela. [...] ¡Qué muchacha tan simpática! ¿Dónde aprendió a hacer preguntas?

PEINADORA: En un lugar distinto a donde a usted le enseñaron las respuestas. Por eso es que no coincidimos.

AGENTE (*Con risa de conejo*[1], *a la dueña.*): Señora, ¿no tendría usted inconveniente[2] en invitarme a tomar una taza de café? Me encantaría que lo preparara la señorita, que tiene unas manos de hada.

PEINADORA: ¿No prefiere usted que yo le haga un té con hojitas de tenme acá[3]? (*Sin esperar la respuesta, se va.*)

AGENTE (*A la dueña*): He querido hablar privadamente con usted porque todavía estamos en una etapa de experimentación y se trata de un secreto. Mire usted a sus clientes, con la cabeza metida dentro del secador. ¿Cuánto tiempo duran así?

DUEÑA (*En tono neutro, para no comprometerse.*): Depende de la cabeza de cada una.

AGENTE: El promedio[4], según las estadísticas es de una hora. ¡Una hora! ¿No le parece monstruoso? Una hora en que no se puede platicar[5], ni oír el radio, ni ver la televisión porque con el ruido no se entiende una sola palabra. Ni leer porque se tienen las manos ocupadas con el manicure. Ni nada. Y luego el calor. ¡Una hora! ¿Cuántas veces a la semana vienen sus clientes?

DUEÑA: Las rejegas[6], una; las comunes y corrientes, dos. Las consentidas, diario.

AGENTE: Eso hace un promedio mínimo de 52 horas al año. ¡52 horas de infierno!

DUEÑA: Hay que sufrir para merecer, ¿no? Al que quiera azul celeste, que le cueste.

AGENTE: Ya les cuesta dinero, ya les cuesta tiempo. ¿No es suficiente?

DUEÑA: Al que quiera azul celeste bajo, que le cueste su trabajo.

AGENTE: Usted me perdonará, pero ésa no es la filosofía de la casa que yo represento. Nuestro lema es: goce cuanto pueda y no pague... (*Mefistofélico*[7]) si puede.

DUEÑA: ¿Sí? Eso era lo que decía mi difunto[8] y ya ve usted, murió sin dejarme dinero cual ninguno. De no haber sido por eso... ¿Usted cree que yo me metí a trabajar por mi gusto? [...]

AGENTE: No se preocupe, señora. Con nuestra casa no hay problemas de salvación eterna. En lo que a nosotros concierne[9] usted no tendrá deudas que le cobren en el cielo. Todo liquidado antes del viaje.

[1] nervous laughter   [2] would it inconvenience you   [3] literally "keep me here", phrase used to keep others, especially children, away from private conversations. One tells a child to ask an adult for "tenme acá"   [4] average   [5] chat   [6] rebellious ones   [7] diabolically   [8] late husband
[9] As far as we are concerned

Comprensión

5. ¿Cómo logra el agente deshacerse de la peinadora?

6. ¿Qué le parece al agente que es "monstruoso"

7. ¿Por qué dice la dueña que no trabaja por su gusto?

Analice

8. ¿Qué significa el refrán "el que quiere azul celeste, que le cueste" y "el que quiere azul celeste bajo, que le cueste su trabajo"?

9. ¿Por qué le dice la dueña a la peinadora que si quiere que les "quiten el pan de la boca"?

AGENTE (*Resignándose a tener un testigo del que no se puede desembarazar*[1]): [...] ¡Ya no más el secador como instrumento de tortura!

PEINADORA: ¡Bravo! ¿Van a cambiar la moda de los peinados? ¿Los van a hacer más sencillos, más rápidos, más baratos?

DUEÑA: ¿Quieres que nos quiten, a ti y a mí, el pan de la boca? ¡Estás chiflada[2]!

AGENTE: Muy bien visto, señora. No se trata de perjudicar los intereses de la iniciativa privada simplificando, disminuyendo o haciendo superfluo el producto que ofrecen. Se trata, en este caso particular, de que mientras dura el secado del pelo —tiempo que no variará— la cliente se divierta. Nuestros expertos hicieron una encuesta: ¿qué hace una mujer reducida a la inercia total durante una hora?

PEINADORA: Se aburre.

DUEÑA: Se duerme.

AGENTE: Contábamos con las dos respuestas y debo confesar que no nos preocupamos demasiado por ellas. Pero cuando se descubrió que el aburrimiento o el sueño eran solo transitorios y que podían tener otras consecuencias... entonces... entonces fue necesario inventar algo para conjurar[3] el peligro.

PEINADORA: ¿Cuál peligro?

10. ¿Qué es lo que el agente considera un peligro?

AGENTE: Que las mujeres, sin darse cuenta, se pusieran a pensar. El mismo refrán lo dice: piensa mal y acertarás[4]. El pensamiento es, en sí mismo, un mal. Hay que evitarlo.

DUEÑA: ¿Cómo?

AGENTE: Con este aparato que le voy a mostrar. (*Deshace un paquete y muestra algún diminuto dispositivo electrónico.*)

DUEÑA (*Decepcionada*): ¿Esa pulga[5]?

PEINADORA: ¿Para qué sirve?

Analice

11. ¿Por qué se considera positivo el hecho de que el nuevo dispositivo sirva para inducir sueños?

AGENTE: Para colocarse en donde se genera la corriente eléctrica del secador. Aparte de emitir unas vibraciones que amortiguan[6] la sensación no placentera del secado —el ruido, el calor, el aislamiento, etc.— cumple una función positiva. Yo diría: extremadamente positiva. Induce sueños.

[1] to get rid of   [2] crazy   [3] avert   [4] Think the worst and you won't be far off.   [5] flea   [6] soften

Después de leer

El aparato que vende el agente induce sueños para evitar que las mujeres piensen mientras se secan el pelo. Ahora imagínese a un ama de casa en el salón de belleza. ¿Qué podría estar pensando mientras se seca el pelo? Haga una lista de pensamientos "peligrosos" y de los sueños que podría inducir el aparato para evitarlos. Intercambie su lista con un(a) companero/a y coméntenlas.

El ama de casa va a soñar que su casa es... que su marido es... que sus hijos son... que su familia es... que su cocina es...

Repaso de la Lección B

A Escuchar: ¿Problema o solución? 🎧 (pp. 435–436, 444–445)

Escuche los seis diálogos y decida si cada uno se trata de **un problema** o **una solución**.

B Vocabulario: Equipaje lleno de regalos (pp. 435–436, 444–445)

Complete esta conversación entre dos turistas en México con las palabras del recuadro.

al fin y al cabo	el marco	manchado	bordado
encoja	la bandeja	el llavero	

Antonio: ¿Cómo vas a llevar tantos regalos?

Esteban: No es mucho; mira, **(1)** me lo puedo llevar en el bolsillo.

Antonio: ¿Ah sí? ¿Y qué vas a hacer con **(2)** de plata?

Esteban: Esa sí tendrá que ir en la maleta.

Antonio: Como todo el resto. Oye, el vestido **(3)** a mano que le compraste a María está **(4)**.

Esteban: Sí, lo hice yo con chocolate caliente. No importa. **(5)** podrá lavarlo.

Antonio: Dile que lo lave en agua fría para que no se **(6)**. Oye, ¿y qué harás con **(7)** de fotos?

Esteban: Pues, como tú no compraste regalos, esperaba que pudieras ponerlo en tu maleta.

C Gramática: Para una fiesta (p. 438)

Complete el diálogo con el presente del subjuntivo de los verbos entre paréntesis.

Cecilia: ¿Qué te vas a poner para la fiesta?

Arturo: Mi camisa favorita, a menos que no la (**1.** *poder*) arreglar en la sastrería. ¿Y tú?

Cecilia: Mi vestido está listo. Lo llevaré aunque no me (**2.** *gustar*) mucho.

Arturo: Mis zapatos están bien sucios. Tendré que limpiarlos para que no se (**3.** *ver*) tan mal.

Cecilia: Vale la pena con tal de que (tú) (**4.** *estar*) presentable.

Arturo: Llamaré a José para que me (**5.** *prestar*) una corbata.

Cecilia: Yo no llevaré ningún adorno, a menos que Lila me (**6.** *permitir*) llevar su broche de plata.

D Gramática: Oraciones sueltas (pp. 448, 450)

Diga qué palabra completa correctamente cada oración.

1. Raúl está (*lavar / lavado / lavando*) la ropa.

2. Después de (*ir / yendo / ido*) a la tintorería, Elena regresó a casa.

3. ¿Has (*roto / rompido / romper*) algo de valor alguna vez?

4. Sin (*dándonos / dado a nosotros / darnos*) cuenta, hemos gastado mucho en regalos.

5. Ana estaba (*ajustar / ajustando / ajustado*) botones cuando se picó el dedo con la aguja.

6. No conozco la tintorería de la esquina. ¿Has (*llevar / llevado / llevando*) la ropa allí antes?

En la lectura *"La artesanía mexicana y la industria de la moda"*, se presentan datos sobre la industria de la moda en México y sobre cómo los diseños de las culturas nativas se han representado en la alta costura. Piense en diseños nativos de su región o diseños tradicionales que hayan sido importados de Europa, África o Asia y que se usen en la moda estadounidense. Pueden ser joyas, calzado, accesorios (cinturones, bolsos, etc.) o dibujos estampados en la ropa. ¿Qué tienen en común con los diseños inspirados en las culturas nativas mexicanas que se ven en las fotos de las páginas de cultura y otras que se vean por internet? Tenga en cuenta los temas de los diseños y los colores. Use este diagrama de Venn.

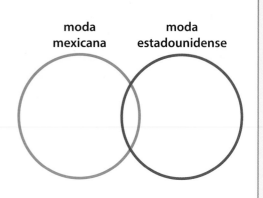
moda mexicana | moda estadounidense

Vocabulario

Para arreglar la ropa
la aguja
el alfiler
el hilo
la máquina de coser
el metro
el sastre, la sastra
las tijeras

Partes de la ropa
el bolsillo
el botón, pl. los botones
la cremallera
el cuello
la manga
la solapa

Descripciones
arrugado/a
bordado/a
gastado/a
hecho/a a mano
manchado/a
tejido/a

Artesanías
la arcilla
la artesanía
la cerámica
el cristal

Verbos
acortar
ajustar
coser
desteñirse (i)
encogerse
tomar las medidas

Regalos
la bandeja
el jarrón
el llavero
el marco de fotos
el papel de carta
el sobre

Otras palabras y expresiones
la cintura
la estampilla
la mancha
no tener ni idea
¡Qué estafa!
¿Qué tal si…?
la sastrería
la tintorería
verse bien

En la joyería
el broche
la cadena
los gemelos
el joyero
la medalla

Gramática

Usos del gerundio

El gerundio se usa con el verbo **estar** para expresar una acción en movimiento.

> ***Estoy esperando*** *mi ropa en la tintorería.*
> ***Están abriendo*** *las ventanas en la cocina.*

Se usa el gerundio con los verbos **continuar**, **seguir**, **venir** y otros verbos que describen acciones en movimiento.

> ***Sigo caminando*** *por la calle.*
> *Ellos* ***continúan levantando*** *pesas en el gimnasio.*

Se usa cuando está subordinado a otro verbo y las dos acciones coinciden en algún momento del tiempo.

> ***Escogiendo*** *camisas en la tienda, conocí a un amigo.*

Usos del participio pasado

El participio se usa con el verbo **estar** para expresar el resultado de una acción anterior.

> *Los jarrones* ***están rotos***.
> ***¿Está abierta*** *la ventana?*

El participio se usa con el verbo **haber** para formar tiempos compuestos.

> *Ella* ***ha corrido*** *por el parque todos los días.*
> *Al final del día de ayer, el peluquero* ***había cortado*** *mucho pelo.*
>
> *Ojalá que ella* ***se haya teñido*** *el pelo de color rojo.*

Para concluir

? Pregunta clave

¿Cómo se refleja la cultura de un lugar a través de lo que está de moda?

Proyectos

A ¡Manos a la obra!

En su colegio están celebrando la Semana de la Cultura, y todos los estudiantes deben participar en una de las actividades sobre este tema que se van a realizar. Ud. debe preparar un desfile de modas inspirado en la cultura mexicana. Reúnase con otros compañeros y preparen un desfile de modas basado en un aspecto de la cultura de México. Puede ser sobre una leyenda, sobre el Día de los Muertos, sobre los mariachis, los aztecas, etc. Busquen información en la internet sobre el tema que escogieron. Describan el colorido, los adornos que llevan las mujeres y los hombres (aretes, pulseras, collares, etc.) y los peinados, entre otros.

Moda tradicional mexicana

B En resumen

En esta unidad, Ud. ha leído sobre tradiciones de la cultura mexicana que se han mantenido a lo largo del tiempo. Para lograrlo, han combinado los aspectos tradicionales con lo que está de moda. Indique en el recuadro cómo se fueron adaptando las siguientes tradiciones para seguir vigentes (*relevant*) en la actualidad.

Tradición	Adaptaciones
1. la celebración de la quinceañera	
2. los mariachis	
3. la vestimenta típica mexicana	
4. los mercados mexicanos	

C ¡A escribir!

Imagine que Ud. es autor(a) de una columna de modas en un diario importante de la ciudad y tiene que escribir una crónica breve de la boda de una actriz mexicana famosa. La boda se celebra en un parque muy bonito, los invitados están muy elegantes y las mujeres llevan peinados muy sofisticados. Durante la ceremonia, empieza a llover muy fuerte. Imagine la situación y escriba una breve historia. La historia se va a llamar, "Los ricos también se mojan". Cuente lo que sucedió, lo que ocurrió con los trajes y los peinados de los invitados. Use el presente perfecto del subjuntivo y el pluscuamperfecto del subjuntivo y el vocabulario del salón de belleza, de la sastrería y de la tintorería.

Para escribir más

arrugarse	to get wrinkled
arruinarse	to get ruined
deshacerse el peinado	to get one's hair messed up
la carpa salió volando	the tent went flying
el viento se llevó los sombreros	the hats were carried off by the wind

D Vestimentas históricas   Conéctese: la moda

En México, tanto en la cultura azteca como en la maya, la vestimenta (*clothing*) servía para identificar la profesión y la clase social de las personas. Investigue en la internet cuáles eran las principales características de la moda en estas dos culturas y complete el siguiente cuadro.

	Cultura maya		Cultura azteca	
	Hombres	Mujeres	Hombres	Mujeres
vestuario: nombre original				
vestuario: nombre en español				
tejidos y materiales				
tinturas				
adornos				
otras características				

E Catrinas artesanales   Conéctese: el arte

La Catrina siempre está a la moda y cambia su vestimenta para cada ocasión. Si Ud. tuviera que diseñar una Catrina, ¿qué ropa llevaría puesto? Piense en los detalles de su vestimenta y en los adornos que llevaría. Luego, dibuje y coloree su diseño. Por último, comparta su dibujo con el resto de la clase.

Vocabulario de la Unidad 9

el **acondicionador** conditioner 9A
acortar to shorten 9B
la **aguja** needle 9B
ajustar to fit, to tighten 9B
al fin y al cabo after all 9A
el **alfiler** pin 9B
alisar(se) to straighten (one's hair) 9A
ancho/a loose, wide 9A
la **arcilla** clay 9B
arrugado/a wrinkled 9B
la **artesanía** handicraft 9B
atractivo/a attractive 9A
azul marino navy blue 9A
la **bandeja** tray 9B
beige beige 9A
el **bolsillo** pocket 9B
bordado/a embroidered 9B
el **botón** pl. los **botones** button 9B
el **broche** pin, broach 9B
la **cadena** chain 9B
el **calzado** footwear 9A
las **capas** layers 9A
la **cerámica** ceramics, pottery 9B
la **cintura** waist 9B
claro/a light 9A
la **cola** ponytail 9A
el **conjunto** (sweater) set 9A
el **corte (de pelo)** haircut 9A

coser to sew 9B
la **cremallera** zipper 9B
el **cristal** crystal, glass 9B
el **cuello** collar 9B
de buen/mal gusto in good/bad taste 9A
de lunares polka dot 9A
de rebaja on sale 9A
desteñirse (i) to fade, to discolor 9B

en vez de instead of 9A
encogerse to shrink 9B
estampado/a patterned, printed 9A
la **estampilla** stamp 9B

estar de moda to be in fashion 9A
estafa rip off
el **estilo** style 9A
la **etiqueta** label, tag 9A
el **flequillo** bangs 9A
formal formal 9A
la **ganga** bargain 9A
gastado/a worn 9B
el **gel** hair gel 9A
los **gemelos** cuff links 9B
grasoso/a greasy 9A
hecho/a a mano handmade 9B
el **hilo** thread 9B
horroroso/a terrible 9A
informal casual 9A
ir con to go with, to match 9A
el **jarrón** vase 9B
el **joyero** jewelry box 9B
liso/a solid color 9A
el **llavero** key ring, key chain 9B
la **mancha** stain, spot 9B
manchado/a stained 9B
la **manga** sleeve 9B
la **máquina de coser** sewing machine 9B
el **marco de fotos** picture frame 9B
la **medalla** medallion 9B
mediano/a medium 9A
el **metro** measuring tape 9B
la **moda** fashion 9A
morado/a purple 9A

no tener ni idea de not to have the faintest idea about, not to have a clue 9B
ondulado/a wavy 9A
oscuro/a dark 9A
¡Padrísimo! Great! 9A
pálido/a pale 9A
el **papel de carta** stationery 9B
el **peinado** hairdo 9A
la **permanente** permanent 9A
¡Qué estafa! What a rip-off! 9B
¿Qué tal si…? How about if…? 9B
rapar(se) to shave (one's head) 9A
la **raya** part (in hair) 9A
la **rebaja** discount, sale 9A
rebajado/a reduced (in price) 9A
rebelde unruly 9A
recogido/a gathered up 9A
el **salón de belleza** beauty salon 9A
el **sastre**, la **sastra** tailor 9B
la **sastrería** tailor's 9B
sin gracia plain 9A
el **sobre** envelope 9B
la **solapa** lapel 9B
la **sudadera** sweatshirt, hoodie 9A
suelto/a loose (hair) 9A
la **talla** size (clothing) 9A
tejido/a knitted 9B
teñir(se) (i) to dye 9A
las **tijeras** scissors 9B
la **tintorería** dry cleaner 9B

la **tintura** hair dye 9A
tomar las medidas to take measurements 9B
los **vaqueros** jeans 9A
verse bien look good 9B
vivo/a bright 9A

¿Sabía que...?

Según un reporte de la Red Eléctrica de España, en el año 2013 se usó por primera vez más electricidad generada por los parques eólicos (como el de la foto) que por las plantas nucleares para proveer de energía a la nación.

10

Nosotros somos el futuro

Escanee el código QR para mirar el documental sobre los personajes de *El cuarto misterioso*.

Según Gabriel Ibarzábal: "Ninguna visita a Coyoacán estaría completa sin una lectura de mano o cartas en el famoso Jardín Centenario". ¿Por qué cree Ud. que esta actividad es tan popular en Coyoacán, y en la cultura hispana en general? Explique.

Pregunta clave

?

¿Qué puede hacer la juventud actual para mejorar su futuro y el del planeta?

Mis metas

Lección A   I will be able to:

▶ talk about future plans and career choices

▶ conjugate verbs that end in **-iar** and **-uar**

▶ discuss the economic crisis in Spain and its effect on young people

▶ discuss alternatives for a better future for Spain

▶ prepare for a job interview

▶ know when to use the subjunctive or the indicative

▶ discuss what high school students in Spain anticipate for their future

Lección B   I will be able to:

▶ talk about scientific and technological advances

▶ discuss what the future may bring

▶ talk about what will have happened

▶ use the imperfect subjunctive

▶ discuss the involvement of Spanish youth in environmental and space programs

▶ talk about protecting the environment

▶ use the subjunctive correctly

▶ read and discuss an article by Mariano José de Larra

¿En qué proyecto sostenible trabaja este joven español?

España

Mi futuro

| MIS PLANES | MI GRADUACIÓN | MIS AMIGOS | MI FAMILIA |

Me llamo Beatriz y soy española. Siempre he querido ser **diseñadora** de moda. Me gustaría tener **un puesto** en una compañía de moda famosa.

la diseñadora

Estos son los planes que tienen algunos de mis compañeros para continuar sus **estudios**.

Me llamo Pablo. Estudié **informática** el año pasado y quiero ir a la universidad para **especializarme** en este **campo**.

el especialista en informática

Me llamo Carolina. Cuando **me gradúe**, quiero estudiar **arquitectura** y **hacer una práctica** en una empresa.

el arquitecto / la arquitecta

Me llamo Víctor. **Solicité una beca** en la universidad para estudiar **psicología**. Confío en que me la den.

la beca

el psicólogo

Para conversar 🎧

To talk about plans for the future and careers:

A Francisco le gustaría ser **electricista** o **fontanero**. Algunos trabajos en el campo de **la construcción** pagan muy bien.
Francisco would like to be an electrician or a plumber. Some jobs in the construction field pay very well.

Pamela quiere estudiar **relaciones públicas** para poder ser **una** gran **empresaria**.
Pamela wants to study public relations so that she can be a great business owner.

A Manuel le gustaría estudiar **ingeniería** y especializarse en grandes obras como los puentes.
Manuel would like to study engineering and specialize in big structures like bridges.

Para decir más

el/la analista de sistemas	*systems analyst*
el contador, la contadora	*accountant*
la licenciatura	*degree*
la maestría	*master's degree*
el/la pediatra	*pediatrician*
el posgrado	*postgraduate studies*
el programador, la programadora	*computer programmer*

En otros países

el fontanero	*el plomero (región andina, México)*
la informática	*la computación (Latinoamérica)*

---

1 ¿Qué carrera puedo seguir? 🎧

Escuche lo que dicen las siguientes personas sobre lo que les gustaría ser en el futuro.
Diga a qué profesión o trabajo se refiere cada una.

1. **A.** cajero
   B. bombero
   C. arquitecto
2. **A.** electricista
   B. fontanero
   C. mecánico
3. **A.** empresaria
   B. diseñadora
   C. veterinaria
4. **A.** recepcionista
   B. empresario
   C. médico
5. **A.** periodista
   B. psicólogo
   C. repartidor
6. **A.** especialista en informática
   B. empresaria
   C. entrenadora de tenis

Mi sueño es ir a la universidad.

---

2 ¿Qué planes tienen para el futuro?

Conteste las preguntas según la información en la presentación del Vocabulario 1 y Para conversar.

1. ¿Qué quiere hacer Carolina cuando se gradúe?
2. ¿Qué solicitó Víctor?
3. ¿Qué quiere estudiar Víctor?
4. ¿Qué le gustaría estudiar a Manuel?
5. ¿Por qué quiere ir Pablo a la universidad?
6. ¿Qué le gustaría ser a Francisco?
7. ¿Qué siempre ha querido ser Beatriz?
8. ¿Qué piensa estudiar Pamela? ¿Por qué?
9. ¿Por qué es bueno ser electricista?
10. ¿En qué piensa especializarse Manuel?

Diálogo 🎧

¿Qué carrera piensas seguir?

Emilio: ¿Qué carrera piensas seguir cuando te gradúes, Virginia?

Virginia: Me voy a especializar en relaciones públicas. ¿Y tú?

Emilio: Arquitectura. Como mi papá es arquitecto, podré hacer prácticas donde él trabaja.

Lucas: A mí me gusta la construcción. Todavía no sé si quiero trabajar de fontanero o de electricista.

Virginia: ¿Y no te gustaría estudiar ingeniería?

Lucas: Quizás, pero necesitaría solicitar una beca en la universidad.

Emilio: ¿Por qué no averiguas qué becas ofrece la universidad? O también puedes conseguir un trabajo mientras continúas tus estudios.

Lucas: Es una buena idea. Gracias, Emilio.

---

3   ¿Qué recuerda Ud.? 🎧

1. ¿Qué carrera le interesa a Virginia?
2. ¿Qué va a estudiar Emilio?
3. ¿Qué le gusta a Lucas?
4. ¿Qué necesitaría Lucas para estudiar en la universidad?
5. ¿Qué otra cosa puede hacer Lucas?

Un poco más

Graduarse y licenciarse

En España, cuando una persona **se gradúa** quiere decir que acaba sus estudios secundarios. Cuando **se licencia** es que ha acabado un mínimo de cuatro años de estudios universitarios.

---

4   Algo personal 🎧

1. ¿Qué carrera piensa seguir Ud.?
2. ¿Haría prácticas después de graduarse?
3. ¿Dónde le gustaría conseguir un puesto?
4. ¿Qué opina de las becas?

---

5   La gente y sus trabajos 🎧

Indique la letra de la foto que corresponde con lo que oye.

A

B

C

D

E

Gramática

Verbos que terminan en *-iar, -uar*

- Most verbs ending in **-iar** and **-uar** are regular verbs.

Estudio ingeniería.	I study engineering.
Averigua qué carreras se ofrecen en esa universidad.	Find out what careers are offered at that university.

- Some of these verbs break the diphthongs by adding an accent mark in all the present indicative, command, and present subjunctive forms, except the *nosotros* form.

Vacío el agua.	**I pour out** the water.
Guíe al grupo.	**Guide** the group.
Quiero que **te gradúes**.	I want **you to graduate**.
***Evaluamos** a los candidatos.*	**We evaluate** the candidates.

Verbos que terminan en *-iar*		
confiar	to trust	yo confío
enviar	to send	tú envías
esquiar	to ski	Ud. esquía
fotografiar	to photograph	nosotros fotografiamos
guiar	to guide	vosotros guiáis
vaciar	to empty	ellas vacían

Verbos que terminan en *-uar*		
actuar	to act	yo actúo
continuar	to continue	tú continúas
evacuar	to evacuate	él evacúa
evaluar	to evaluate	nosotros evaluamos
graduarse	to graduate	vosotros os graduáis
situar	to locate	ellos sitúan

- Verbs that end in **-eír**, like *reír(se)* and *freír*, keep a written accent in all forms.

Freímos las papas.	**We fry** the potatoes.
*Todos **se ríen** de esa foto.*	Everybody **laughs** at that picture.

Cuando me gradúe, mi sueño es ir a la universidad.

6 Estudios superiores

Complete el siguiente anuncio con el presente de indicativo de los verbos entre paréntesis.

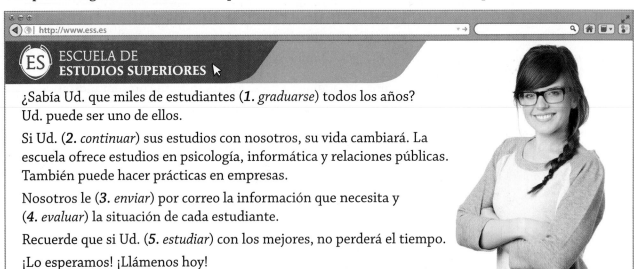

http://www.ess.es

ES ESCUELA DE
ESTUDIOS SUPERIORES

¿Sabía Ud. que miles de estudiantes (**1.** *graduarse*) todos los años?
Ud. puede ser uno de ellos.

Si Ud. (**2.** *continuar*) sus estudios con nosotros, su vida cambiará. La escuela ofrece estudios en psicología, informática y relaciones públicas. También puede hacer prácticas en empresas.

Nosotros le (**3.** *enviar*) por correo la información que necesita y (**4.** *evaluar*) la situación de cada estudiante.

Recuerde que si Ud. (**5.** *estudiar*) con los mejores, no perderá el tiempo.

¡Lo esperamos! ¡Llámenos hoy!

Escuela de Estudios Superiores • Teléfono: 555 56 78 • Madrid   *¡Lo esperamos! ¡Llámenos hoy!*

7 Hablando de trabajos...

Complete las oraciones con el subjuntivo o el indicativo de los verbos entre paréntesis, según el contexto.

1. Susana es actriz y hace más de dos años que __ en una compañía de teatro. (*actuar*)

2. Los consejeros del colegio __ a los estudiantes que quieren solicitar becas. (*guiar*)

3. Al hermano de María le gusta diseñar edificios y por eso __ arquitectura. (*estudiar*)

4. No puedo creer que Víctor ya tenga 17 años y que __ el año próximo. (*graduarse*)

5. La profesora nos pide que __ el trabajo de nuestros compañeros. (*evaluar*)

6. Como estudio ingeniería, sugieren que __ trabajando para la empresa de construcción. (*continuar*)

¡Comunicación!

8 Nuestros planes 👥 Interpersonal Communication

Con un(a) compañero/a de clase, hablen sobre la carrera que piensan seguir. Comenten dónde podrían hacer esa carrera, cuántos años dura y dónde les gustaría trabajar después de graduarse.

MODELO   **A: Cuando me gradúe, quiero estudiar ingeniería en la Universidad Complutense de Madrid. La carrera dura cuatro años. Cuando termine, me gustaría quedarme a trabajar en España. ¿Y tú? ¿Qué piensas hacer?**

B: Primero voy a trabajar mientras solicito una beca para pagar los estudios.

emcpassport.com

WB 7–8
LA 3

? Pregunta clave

¿Qué puede hacer la juventud actual para mejorar su futuro y el del planeta?

Más del 50 % de los jóvenes españoles se encuentran en paro.

Los jóvenes en medio de la crisis 🎧

A veces, las épocas de crisis económica pueden convertirse en oportunidades para el cambio y el crecimiento. Desde el año 2008, España atraviesa una situación difícil que afecta particularmente a los jóvenes: no es nada fácil encontrar trabajo, incluso si han estudiado una carrera universitaria. Pero los jóvenes españoles nunca dejan de buscar una salida. Algunos deciden que su futuro está en otro país; otros se embarcan[1] en proyectos creativos aunque no estén relacionados con lo que originalmente habían planeado para su vida.

La llamada "Gran Recesión" que afecta a España tuvo su origen en la crisis económica mundial que comenzó en 2008. Su cara más visible es el aumento[2] del desempleo, el cual alcanzó cifras superiores al 50 % entre la juventud española. Los jóvenes menores de 25 años que sí consiguen trabajo deben conformarse[3] con empleos mal pagados por su falta de experiencia. En este contexto, muchos jóvenes profesionales han decidido emigrar. Esta "fuga de cerebros"[4] puede tener repercusiones lamentables en el futuro. Sin embargo, la mayoría de ellos confían en que esta situación sea solamente temporal y que puedan regresar y encontrar trabajo cuando pase la crisis.

Otros, por el contrario, han encontrado en estos tiempos difíciles una oportunidad para salir adelante con sus propios negocios. Cansados de presentar currículums[5] y de recibir respuestas negativas, algunos jóvenes han decidido enfrentar[6] el problema poniendo en práctica lo que saben, creando sus propias empresas o negocios. Por ejemplo, algunos producen alimentos artesanalmente, y otros cooperan con artesanos de otros países para fabricar muebles novedosos. La falta de empleos se ha convertido en un estímulo para los jóvenes creativos y emprendedores[7].

[1] get involved [2] increase [3] make do [4] brain drain [5] résumés [6] face [7] enterprising

🔍 **Búsqueda:** crisis en españa, desempleo juvenil españa, jóvenes emprendedores españoles

Perspectivas

María Mallo, una joven arquitecta madrileña que creó junto con dos amigos una empresa de mecedoras (rocking chairs) de tipo artesanal, dijo en una entrevista para el Huffington Post: "Dejamos nuestra antigua vida para lanzarnos a nuestra propia aventura. ¿Fines de semana? ¿Vacaciones? ¿Qué es eso?"
¿Qué demuestra esta perspectiva sobre la actitud de los jóvenes emprendedores españoles?

Una idea brillante en medio de la crisis

9 Comprensión Interpretive Communication

1. ¿A qué grupo de españoles ha afectado la crisis económica principalmente? ¿Por qué?

2. ¿Qué opciones tienen los jóvenes españoles en el contexto de la crisis?

3. ¿A qué se refiere la frase "fuga de cerebros"?

10 Analice

¿Qué cree Ud. que es mejor: buscar una solución a la crisis viajando a otro país o quedarse confiando en que la situación mejore pronto? Explique.

Alternativas para un futuro mejor

La crisis económica en España ha dado lugar a muchas iniciativas de trabajo comunitario que promueven la solidaridad, fortalecen los lazos entre los miembros de la sociedad y ayudan a los jóvenes a tener esperanza en el futuro. Una de las organizaciones que surgieron en España en el contexto de la crisis es Ecoperia. Está formada por un grupo de jóvenes que trabajan sin ánimo de lucro[1] en proyectos sostenibles en distintos lugares del país. Se basan en la idea de empresa social como alternativa al sistema económico actual[2].

Agricultor de Semilla Verde examinando el progreso de su cultivo

Los jóvenes de Ecoperia creen que es posible un desarrollo económico y social basado en la igualdad de oportunidades y el respeto por la naturaleza. Fomentan[3] la producción de alimentos orgánicos y el consumo ecológico, y promueven el cuidado del medio ambiente. Con sus proyectos defienden la inserción laboral[4] de los más desfavorecidos. Su reto[5] es lograr que sus proyectos se basen en la autogestión[6] sin ayuda financiera, para asegurar el sustento de los trabajadores.

Uno de sus proyectos, llamado Semilla Verde, se lleva a cabo en el municipio de Mansilla de las Mulas, al norte de España en la provincia de León. Los jóvenes trabajan en la producción ecológica de verduras y legumbres en invernaderos[7] y al aire libre. Por medio de talleres prácticos, se enseñan las técnicas ecológicas de cultivo. Su objetivo principal es generar empleo para los jóvenes con menos oportunidades. El proyecto es un ejemplo de que el respeto por el medio ambiente es un camino posible a la hora de crear una empresa rentable[8]. Asociado a Semilla Verde, se ha creado el programa Conecta Verde, que consiste en un sitio web en el que se ofrecen los productos, se organizan los pedidos y se ponen en contacto los productores y consumidores de la provincia de León.

[1] non-profit   [2] current   [3] They promote   [4] entering the labor market   [5] challenge   [6] self-management
[7] greenhouses   [8] profitable

Búsqueda: ecoperia, semilla verde león, conecta verde, movimiento 15-M

Productos

El movimiento 15-M, o movimiento de los indignados, surgió en España el 15 de mayo de 2011 a raíz de una manifestación masiva realizada en la Puerta del Sol, en Madrid. La mayoría de los indignados eran jóvenes de entre 19 y 30 años sin trabajo, preocupados por su presente y su futuro. Las protestas se extendieron luego en todo el país con el lema: "No somos marionetas (*puppets*) en manos de políticos y banqueros".

Manifestación de los indignados en la Puerta del Sol

11 Comprensión   Interpretive Communication

1. ¿Qué tipo de organizaciones han surgido en España a causa de la crisis?

2. ¿En qué consiste el proyecto Semilla Verde?

3. ¿Por qué protestan los indignados españoles?

12 Analice

¿Cree Ud. que el futuro de los jóvenes puede mejorar con movimientos como el 15-M? Explique.

Vocabulario 2

¿Buscando trabajo? 🎧

ENTREVISTAS | CURRÍCULUM VITAE | EMPRESAS | TRABAJOS

¿Necesitas consejos para buscar trabajo y prepararte para una entrevista con tu futuro **jefe**? Nosotros podemos ayudarte.

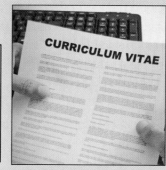

Creamos tu **currículum vitae**.

Te decimos cuánto puedes pedir de **sueldo**.

Te enseñamos a **rellenar un formulario** de empleo.

jornada de 8:00 AM a 12:00 PM

¿Te gustaría un trabajo **temporal** de **media jornada**?

jornada de 8:00 AM a 5:00 PM

¿Te gustaría un trabajo **fijo** y de **jornada completa**?

Prepárate mientras esperas tu turno.

¿Qué beneficios tendrán?

Tengo los conocimientos necesarios. ¡Estoy segura de que me contratarán!

Estoy en paro. Hace un año que busco trabajo.

Siempre he trabajado por mi cuenta.

Siempre he trabajado en equipo.

Para conversar 🎧

*T*o prepare for a job interview:

Creemos que Ud. **cumple con los requisitos** para el trabajo. Es obvio que **tiene** mucha **facilidad para** las relaciones públicas y sabemos que es una persona **emprendedora**.
We think you fulfill the job requirements. It is obvious that you are very good at public relations, and we know that you are an enterprising person.

Sus **referencias** son muy buenas y nos gustaría **ponerlo a prueba** por dos semanas. ¿Cuándo puede empezar?
Your references are very good and we would like to employ you on a trial basis for two weeks. When can you start?

Para decir más

el cazatalentos	*headhunter*
los recursos humanos	*human resources*
(contrato) a plazo fijo	*fixed term (contract)*
laboral	*work related*

En otros países

el currículum vitae	*la hoja de vida (Colombia)*
en paro	*desempleado/a (Latinoamérica)*
la media jornada	*medio tiempo (Latinoamérica)*

---

13 Hablando del trabajo 🎧

Escuche las oraciones. Escoja la palabra o frase que completa correctamente cada oración que sigue para que su significado sea similar al de la oración que oye.

1. Hace un año que mi hermano está (*trabajando / en paro*).
2. En la entrevista, el jefe le dijo a Juan cuánto iba a ser (*su sueldo / sus beneficios*).
3. Dudo que el trabajo sea (*de jornada completa / de media jornada*).
4. Antes de la entrevista, hay que (*leer los conocimientos / rellenar un formulario*).
5. (*Tengo requisitos / Tengo facilidad*) para las matemáticas.
6. Mis amigos dicen que soy una persona (*emprendedora / temporal*).

---

14 ¿Qué es?

Lea las definiciones y escoja la palabra que corresponde a cada una.

1. un trabajo de pocas horas por semana
2. la hoja con la información sobre los conocimientos y los estudios de una persona
3. el dinero que gana una persona
4. algo que dura poco tiempo
5. un trabajo de ocho horas por día
6. lo que escribe una persona para recomendar a otra

A. de jornada completa
B. de media jornada
C. el currículum vitae
D. temporal
E. las referencias
F. el sueldo

Diálogo 🎧

¿Tiene Ud. referencias?

Virginia: Estoy interesada en el puesto de secretaria.

Jefe: Muy bien. ¿Rellenó ya el formulario?

Virginia: Sí, aquí lo tengo.

Jefe: ¿Tiene su currículum vitae?

Virginia: Sí, aquí está.

Jefe: Es importante que tenga conocimientos de informática.

Virginia: Pues, estudié en el colegio. Y tengo facilidad para las matemáticas.

Jefe: ¿Ha trabajado en equipo antes?

Virginia: Sí, el año pasado.

Jefe: ¿Qué tipo de trabajo busca?

Virginia: De media jornada.

Jefe: Es posible que haya un puesto de media jornada. Otra pregunta: ¿Tiene referencias?

Virginia: No, me las olvidé.

Jefe: Bueno, la pondré a prueba igualmente. Empieza mañana.

15 ¿Qué recuerda Ud.? 🎧

1. ¿Qué es lo primero que le pregunta el jefe a Virginia?
2. ¿Tiene Virginia su currículum vitae?
3. ¿Qué conocimientos tiene Virginia?
4. ¿Para qué tiene facilidad Virginia?
5. ¿Qué tipo de trabajo busca Virginia?
6. ¿Qué hace el jefe cuando Virginia le dice que se olvidó las referencias?

16 Algo personal 🎧

1. ¿Ha tenido alguna vez una entrevista de trabajo?
2. ¿Tiene ya su currículum vitae?
3. ¿Qué conocimientos tiene Ud.?
4. ¿Para qué tiene facilidad?
5. ¿Le gustaría trabajar en equipo o por su cuenta?
6. ¿Qué beneficios le gustaría tener en su trabajo?

17 ¿Cuál fue la pregunta? 🎧

Escuche las siguientes respuestas y escoja la pregunta que corresponde a cada una.

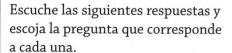

A ¿En qué se especializa?

B ¿Cuánto tiempo hace que no trabaja?

C ¿Cuáles son los requisitos?

D ¿Qué necesito rellenar?

E ¿Cómo es el trabajo?

F ¿Trabaja solo o en equipo?

Gramática

Usos del subjuntivo y del indicativo

Use the subjunctive:

- after expressions of doubt

  Dudo que ellos tengan experiencia.   **I doubt** they have (any) experience.

  No creo que él quiera trabajar media jornada.   **I don't think** he'll want to work part time.

- after impersonal expressions of uncertainty or doubt

  No es verdad que él esté en paro.   **It's not true** that he is unemployed.

- to give advice and make suggestions or recommendations

  Te sugerí que entregaras la solicitud pronto.   **I suggested** that you should turn in the application soon.

- to refer to an indefinite or unknown person or object

  Necesito a alguien que sea bilingüe.   I need **someone** who is bilingual.

- after certain conjunctions such as *aunque*, *cuando*, *en cuanto*, *hasta que*, and *tan pronto como* if the outcome of the action is uncertain

  Aceptaré el puesto aunque no den beneficios.   I'll accept the job **even though** they may not give benefits.

  Buscaré trabajo cuando me gradúe.   I'll look for a job **when** I graduate.

Use the indicative:

- to express certainty

  No dudo que ellos tienen experiencia.   **I don't doubt** they have experience.

  Creo que él quiere trabajar media jornada.   **I think** he wants to work part time.

- after impersonal expressions of certainty

  Es cierto que él está en paro.   **It's true** he is unemployed.

- to report actions

  Ana dijo que entregaste la solicitud.   Ana **said** you turned in the application.

- to refer to known people or objects

  Contratamos a alguien que es bilingüe.   We hired **someone** who is bilingual.

- after certain conjunctions, if the outcome of the action is certain

  Aceptaré el puesto aunque no dan beneficios.   I'll accept the job **even though** they don't give benefits. (I know they don't.)

  Encontré buen trabajo cuando me gradué.   I found a good job **when** I graduated.

18 ¡A buscar trabajo!

Con un(a) compañero/a, hablen sobre cómo conseguir un trabajo. Decidan si deben usar el indicativo o el subjuntivo en las siguientes oraciones.

MODELO   La agente de recursos humanos quiere que (*completemos / completamos*) la solicitud.
La agente de recursos humanos quiere que **completemos** la solicitud.

1. Es cierto que Mario (*sea / es*) muy emprendedor.
2. En el anuncio piden una persona que (*sepa / sabe*) hablar francés.
3. Hablaré con el jefe en cuanto (*puedo / pueda*).
4. Las referencias que (*traes / traigas*) no son muy claras.
5. En la tienda necesitan una persona que (*vive / viva*) en el barrio.
6. Dicen que (*tenemos / tengamos*) facilidad para las matemáticas.

19 En una empresa social

Imagine que trabaja en una empresa social. Complete las oraciones con el subjuntivo o el indicativo de los verbos entre paréntesis, según corresponda.

MODELO   Se necesita un supervisor que (*hablar*) español.
Se necesita un supervisor que **hable** español.

1. El jefe me explicará mis beneficios después de que (*terminar*) la entrevista.
2. Dudo que ellos (*contratar*) a más empleados esta semana.
3. No conozco al jefe que (*estar*) a cargo de tu sección.
4. No es verdad que la empresa (*poner*) a prueba a todos sus empleados.
5. Debo hablar con la empleada que (*saber*) de informática.
6. En la entrevista, te piden que (*completar*) varios formularios.

20 ¿Qué deben hacer?

Su amigo/a está muy nervioso/a porque tiene una entrevista de trabajo y le hace muchas preguntas. Trabajando en parejas, dígale a su compañero/a lo que debe hacer usando los verbos **aconsejar** y **recomendar** y el subjuntivo.

MODELO   hablar sobre mi experiencia
A: ¿Hablo sobre mi experiencia?
B: Sí, te aconsejo (recomiendo) que hables sobre tu experiencia.

1. preguntar si el trabajo es de jornada completa
2. escribir un currículum vitae
3. explicarle mis conocimientos al jefe
4. pedirles cartas de referencia a mis profesores
5. averiguar qué clase de beneficios ofrecen
6. rellenar los formularios antes de la entrevista

¡Comunicación!

21 Antes de la entrevista 👥 Interpersonal Communication

Imagine que Ud. y su compañero/a son candidatos para un empleo y están esperando su turno para una entrevista. Creen un diálogo usando las expresiones del recuadro y los detalles del puesto que se dan.

aunque	le recomiendo...	le sugiero...	no creo que...
cuando	tan pronto como	dudo que...	estoy seguro/a de que...

- para qué puesto de trabajo es la entrevista
- si es para un puesto temporal o fijo
- si tiene o no experiencia en ese campo
- por qué quiere trabajar en ese campo
- cuál será el sueldo
- qué beneficios ofrecen
- si el trabajo será de media jornada o de jornada completa

MODELO **A: ¿Sabe si pagan bien en esta compañía?**

B: No sé, pero estoy seguro/a de que los sueldos dependen de la experiencia.

Una entrevista de trabajo

¡Comunicación!

22 Lo que vaya a ser será 👥 Interpersonal Communication

En grupos de tres, den su opinión sobre las cosas que pueden suceder en el futuro en los campos que se mencionan. Usen frases como: **no creo que**, **dudo que**, **creo que**, **estoy seguro/a de que**, **niego que**. Recuerden usar el indicativo si tienen la certeza (*certainty*) de que algo ocurrirá y el subjuntivo si no la tienen. Uno de Uds. debe anotar las opiniones del grupo. Después, comparen sus opiniones con las de otros grupos.

- los estudios
- las profesiones
- los trabajos
- la salud
- la comida
- el entretenimiento

MODELO **A: Dudo que en el futuro haya trabajos de jornada completa.**

B: No estoy de acuerdo. Creo que siempre habrá trabajos de jornada completa.

C: No sé. Es posible que las empresas quieran evitar el costo de los beneficios.

El subjuntivo con sujeto indefinido

- The subjunctive is used with relative pronouns such as *que* or *donde* to refer to an indefinite or unknown person or object.

Hace meses que busco un puesto que pague un buen sueldo.	For months I've been looking for a job **that pays** a good salary.
Quiero un trabajo donde no haya que viajar.	I want a job **that does not require** traveling.
En esta empresa necesitan una persona que sepa diseñar programas.	In this company they need a person **who knows how** to design programs.

- When the indefinite subject is a person, the personal *a* is omitted, as in the third example above. However, when the pronouns *alguien*, *nadie*, *alguno/a/os/as* and *ninguno/a* are the direct object, the personal *a* is required.

¿Conoces a alguien que cumpla con los requisitos de este puesto?	Do you know **someone** who has the qualifications for this job?
No, no conozco a nadie que se especialice en construcción.	No, I don't know **anyone** who specializes in construction work.

23 Buscamos...

Imagine que Ud. trabaja en una empresa que se dedica a publicar búsquedas laborales en un portal de la internet. Escriba los anuncios según las indicaciones.

MODELO necesitamos / carpintero / tener experiencia / hacer casas / gustar trabajar en equipo

Necesitamos un carpintero que tenga experiencia haciendo casas y que le guste trabajar en equipo.

1. se solicita / psicóloga / especializarse / psicología infantil y juvenil / tener su propio consultorio
2. se solicitan / agentes de viaje / poder viajar con frecuencia / tener su propio coche
3. ¿necesita Ud. / alguien / enseñar español / poder trabajar tres días por semana?
4. buscamos / un estudiante / ser amable y responsable / querer hacer una práctica en nuestra empresa
5. necesito / vendedora / ser emprendedora / querer trabajar por su cuenta
6. busco / diseñadora / trabajar media jornada / saber coser

Buscan un carpintero que tenga experiencia.

? Pregunta clave

¿Qué puede hacer la juventud actual para mejorar su futuro y el del planeta?

¡Comunicación!

24 ¡Confíate en el futuro! 👥 Interpersonal Communication

Con un(a) compañero/a, hagan los papeles de dos jóvenes españoles que recientemente han terminado sus estudios universitarios, por ejemplo, uno/a en arquitectura y el/la otro/a en psicología. Han sacado buenas notas y llevan tiempo buscando trabajo. Uno/a está dispuesto/a a salir al extranjero y buscar oportunidades allí. El/La otro/a tiene más confianza en que mejore la situación económica de España y piensa seguir buscando empleo en el país. Invente una conversación entre los dos y justifique las opiniones de ambos. Usen oraciones tanto con el subjuntivo como con el indicativo, como se ve en el modelo.

MODELO

A: ¿Vas a seguir buscando empleo en el país?

B: No sé. No creo que haya muchas oportunidades para mí si me quedo aquí. Y tú, ¿qué piensas hacer?

A: Confío en que la situación se mejore. Soy emprendedor. Pienso trabajar por mi cuenta.

No creo que haya muchas oportunidades para mí si me quedo aquí.

¡Comunicación!

25 Trabajar en Ecoperia 👥 Interpersonal Communication

Imagine que dos jóvenes españoles trabajan en Ecoperia desde hace un año y un periodista los entrevista para escribir un artículo sobre el trabajo comunitario en España. Trabaje con dos compañeros/as y túrnense para hacer los papeles del entrevistador y los jóvenes entrevistados. Usen el indicativo y el subjuntivo en su entrevista, como se ve en el modelo.

MODELO

A: ¿Qué los motivó a trabajar en Ecoperia?

B: Me gusta que mi trabajo esté relacionado con el cuidado del medio ambiente.

C: Yo pasé más de un año rellenando formularios y mandando mi currículum a docenas de empresas. Necesitaba un trabajo que pagara un sueldo decente, y no encontré un empleo tradicional.

Lectura informativa

Antes de leer 🎧

1. ¿Qué expectativas tiene Ud. con respecto a los estudios universitarios?

2. ¿Cuántos de sus compañeros trabajan al tiempo que hacen sus estudios secundarios?

Estrategia

Paraphrasing

When you read a long text, you may find it helpful to paraphrase its key sentences. When you paraphrase, you restate a sentence or concept in your own words. Paraphrasing will make the main ideas of the text stand out for you and help you understand the text better.

Los jóvenes de la ESO[1] ven su futuro muy negro (aunque se esfuercen[2]) 🎧

El 78 % cree que alcanzará sus aspiraciones

Teniendo en cuenta que más de la mitad de los jóvenes españoles de menos de 25 años está en el paro, no es de extrañar que los que vienen detrás, los adolescentes que están cursando la ESO, tengan una visión poco halagüeña[3] del futuro. Estos chavales[4], nacidos entre 1997 y 2000, constituyen la generación *post-millennial*, o Generación Z (como ya la han bautizado muchos sociólogos). A diferencia de los *Millennial* o Generación Y,

Estudiantes de 4º de ESO durante un examen

correspondiente a los jóvenes nacidos entre 1982 y 1992, los jóvenes que actualmente cursan la ESO están viviendo la crisis con toda su intensidad y la ingenuidad[5] que caracteriza a gran parte de la anterior cohorte de jóvenes brilla por su ausencia.

Según un estudio elaborado por la Fundación Adsis, que recoge las opiniones de 2.970 adolescentes de toda España que estudian ESO en 24 institutos públicos de educación secundaria, el 50,2 % de los jóvenes estudiantes es pesimista o ve el futuro incierto. Pero ese pesimismo respecto a la sociedad se torna en optimismo en lo que respecta a las oportunidades individuales: el 81,1 % es optimista y asocia su futuro particular a los colores vivos. Solo el 13,3 % de los estudiantes asocia su futuro personal al gris, el negro o el marrón.

Aunque el 48 % de los estudiantes de ESO está parcialmente de acuerdo con que "no vale la pena sacrificarse mucho por estudiar y formarse, ya que el futuro de los adolescentes es muy incierto", un 87 % está dispuesto a esforzarse para alcanzar sus aspiraciones.

Las vocaciones no cambian

Pese a que los estudios universitarios están de capa caída[6], no solo debido a su precio, sino también a la alta tasa[7] de paro entre licenciados, los estudiantes de secundaria siguen teniendo claro que el mejor futuro pasa por estudiar una carrera. Del 72 % de los estudiantes que tienen claro qué quiere hacer después de la ESO, un 61 % asegura que va a cursar bachillerato[8] para estudiar una carrera.

---

[1] Estudio Secundario Obligatorio (It encompasses students 12–16 yrs. old.) [2] though they work hard [3] promising [4] kids
[5] innocence [6] from bad to worse [7] rate [8] take (finish) junior and senior years of high school

La crisis y el declive[1] laboral de determinadas profesiones no parecen haber cambiado en nada las preferencias de los estudiantes. La carrera más atractiva entre las chicas es medicina y entre los chicos ingeniería informática, pero tras estas las más populares son psicología, educación primaria, derecho[2], arquitectura, periodismo y educación física, todas menos la última, profesiones que, actualmente, están viviendo una profundísima crisis. No importa, la mayoría de los estudiantes (un 65,3 %) siguen estando fuertemente influenciados por la vocación y quieren trabajar en lo que les gusta. (...)

[1] decline   [2] law

🔍 **Búsqueda:** eso (estudio secundario obligatorio) españa, paro juvenil españa

26 Comprensión 🎧 Interpretive Communication

1. ¿A qué equivale la ESO en su país?
2. ¿Por qué les parece a los jóvenes que su futuro es incierto?
3. ¿Qué profesiones prefieren los jóvenes?

27 Analice 🎧

1. ¿Cuál es el significado de la frase "la ingenuidad que caracteriza a gran parte de la anterior cohorte de jóvenes brilla por su ausencia"?
2. ¿Por qué, a pesar de que muchas profesiones están en declive, los estudiantes todavía quieren estudiar una carrera?
3. ¿Cómo se evidencia que los jóvenes, a pesar de ver la crisis social en general, son optimistas en lo particular?

✏️ Escritura

28 Le toca a Ud. Presentational Communication

Identifique la idea principal de cada párrafo de la lectura anterior y escriba cada idea, en sus propias palabras, en una tabla como la siguiente. Luego, resuma la información de la lectura en un párrafo de su propia creación.

Párrafo	Idea principal

Repaso de la Lección A

A Escuchar: ¿Lógico o ilógico? 🎧 (pp. 464–465, 471–472)

Escuche las seis descripciones y diga si cada una es **lógica** o **ilógica**.

B Vocabulario: Durante una entrevista (pp. 464–465, 471–472)

Complete el siguiente diálogo con la palabra adecuada del paréntesis.

Alma: Veo en su (**1.** *contrato / currículum*) que tiene muy buen conocimiento del campo.

Luis: Sí, (**2.** *he estudiado / me he graduado*) informática desde hace muchos años.

Alma: ¿Por qué (**3.** *solicitó / estudió*) este puesto en particular?

Luis: Porque creo cumplir con todos los (**4.** *estudios / requisitos*) del puesto y porque los productos de la compañía me gustan. Además, he leído que ofrecen muy buenos (**5.** *beneficios / formularios*).

Alma: Es cierto; esta es una buena compañía. ¿Cuándo podría pasar una segunda vez para entrevistarse con el (**6.** *fontanero / jefe*)?

C Gramática: Oraciones sueltas (p. 467)

Conjugue el verbo entre paréntesis en las frases de la izquierda en indicativo o subjuntivo según corresponda. Luego, complete las frases escogiendo una terminación lógica de la columna de la derecha para formar oraciones completas.

I	II
1. Creo que ella (*estudiar*) psicología…	**A.** porque les pagan un buen sueldo.
2. No es cierto que este año Antonio (*graduarse*)…	**B.** porque el jefe no tiene tiempo.
3. No creo que Ana y Luisa (*cambiar*) de empleo…	**C.** durante la entrevista.
4. Contrataremos a alguien que (*evaluar*) los currículums…	**D.** de la universidad.
5. Es increíble que Uds. (*continuar*)…	**E.** porque le gustaría ayudar a la gente.
6. Te sugiero que tú (*actuar*) de manera natural…	**F.** en paro.

D Gramática: ¿Subjuntivo o indicativo? (p. 474)

Elija la forma del verbo en paréntesis que complete cada oración correctamente.

1. El mejor candidato para el puesto quiere que le (*demos / damos*) un sueldo muy alto.

2. Esta candidata no (*tenga / tiene*) suficiente experiencia.

3. El supervisor busca una persona que (*sea / es*) muy emprendedora.

4. El señor quiere que yo (*complete / completo*) este formulario.

5. Como queremos ser diseñadores, nosotros (*estudiemos / estudiamos*) la moda.

6. Si Uds. no tienen dinero para estudiar, es necesario que (*soliciten / solicitan*) una beca.

Muchos jóvenes españoles han decidido enfrentar la crisis económica trabajando independientemente en sus propias empresas o participando en proyectos de trabajo comunitario. Dé un par de ejemplos para cada una de estas iniciativas en una tabla como la que se ve a continuación.

Iniciativas de los jóvenes españoles ante la crisis económica actual	
trabajo independiente	
trabajo comunitario	

Vocabulario

Trabajos y profesiones

el arquitecto, la arquitecta
el diseñador, la diseñadora
el electricista, la electricista
el empresario, la empresaria
el especialista, la especialista
el fontanero, la fontanera
el jefe, la jefa
el psicólogo, la psicóloga

La entrevista

los beneficios
los conocimientos
el currículum vitae
el formulario
la jornada completa
la media jornada
el puesto
las referencias
los requisitos
el sueldo

Los estudios

la arquitectura
la beca
el campo
los estudios
la informática
la ingeniería
la psicología
las relaciones públicas

Verbos

contratar
cumplir con
especializarse en
graduarse
rellenar
solicitar

Otras palabras y expresiones

la construcción
en equipo
estar en paro
hacer prácticas
poner a prueba
por mi/su cuenta
tener facilidad para…

Adjetivos

emprendedor/a
fijo/a
temporal

Gramática

Los verbos que terminan en -iar, -uar

Los verbos que terminan en **-iar** tienen un diptongo, el cual se parte (*breaks*) en muchos casos mediante un acento, que aparece en todas las formas del presente del indicativo y del subjuntivo —excepto en **nosotros**— y en el modo imperativo. En los verbos que terminan en **-eír**, como **reír** y **freír**, el acento aparece en todas las personas de la conjugación.

¿Confían Uds. en mí? Sí confiamos en ti.   *¿Se ríen Uds. de mí? No, nos reímos de ti.*

Usos del subjuntivo y del indicativo

El subjuntivo se usa con expresiones de duda, expresiones impersonales para dar consejos y para hablar de personas u objetos desconocidos. También se usa después de **aunque**, **cuando**, **en cuanto**, **hasta que** y **tan pronto como**, si el resultado es incierto.

El indicativo se usa con expresiones de certeza, expresiones impersonales para reportar hechos y para hablar de personas u objetos conocidos. También se usa después de **aunque**, **en cuanto**, **hasta que** y **tan pronto como**, si el resultado es seguro.

*Dudo que me **den** el puesto.*	*Sé que me **darán** el puesto.*
*No es cierto que **estemos** en paro.*	*Es verdad que **estamos** en paro.*
*Te sugiero que **envíes** tu currículum.*	*Me dijeron que **enviaste** tu currículum.*
*Buscamos a alguien que **hable** alemán.*	*Tengo un amigo que **habla** alemán.*
*Le avisaremos cuando **tomemos** una decisión.*	*Le avisaron cuando **tomaron** una decisión.*

Lección B

Vocabulario 1

España

emcpassport.com

WB 1–3
LA 1
GV 1–2

¿Qué traerá el futuro?

En los últimos años hubo muchos **avances tecnológicos** y **científicos**. ¿Qué **predices** que nos traerá el futuro?

la realidad virtual

la pantalla de alta definición

el invento

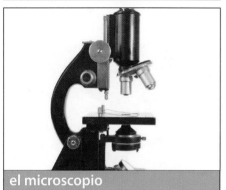

el microscopio

los genes

la genética

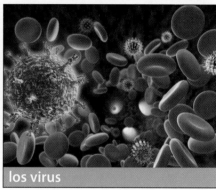

los virus

En **la estación espacial**, manejada por astronautas, se **desarrollan** nuevos avances tecnológicos.

el planeta

la estación espacial

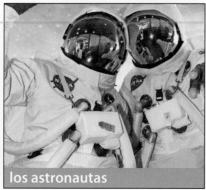

los astronautas

la nave espacial

Para conversar 🎧

To talk about what the future may bring:

¿Eres **optimista** o **pesimista** con respecto a lo que nos pueda traer el futuro?
Are you optimistic or pessimistic as to what the future may bring?

Soy muy optimista. Ya hemos visto grandes avances en **los medios de comunicación** y veremos muchos más en el futuro.
I am very optimistic. We already have seen great advances in media (means of communication) and we'll see many more in the future.

Hoy en día, ya estamos **comunicándonos** con todo el mundo por medio de **satélites**.
Nowadays, we are already communicating with the whole world using satellites.

---

1 En el futuro 🎧

Indique la letra de la foto que corresponde con lo que oye.

A

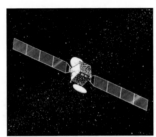
B

C

D

E

F

---

2 Sobre el presente y el futuro

Complete las oraciones con las palabras del recuadro.

1. Podemos __ los avances del futuro a partir de los descubrimientos del presente.
2. La realidad virtual es un avance __.
3. Los satélites transmiten información a __ de comunicación.
4. En el futuro, habrá grandes __ científicos en genética.
5. Tienes que ser más __ con respecto al futuro. Todo saldrá bien.

avances
los medios
predecir
tecnológico
optimista

Diálogo

¿Qué piensas de las nuevas tecnologías?

Luis: El otro día leí un artículo sobre cuáles habrán sido los avances tecnológicos en los próximos años.

Delia: ¿Qué decía el artículo?

Luis: Decía que en unos años habrán desarrollado una televisión de realidad virtual.

Delia: ¡Qué fascinante! ¿Qué otras cosas decía el artículo?

Luis: Predecía que en el futuro habrán instalado estaciones espaciales y que todas las personas podrán viajar usando naves espaciales.

Delia: Me gustaría que ya pudiéramos disfrutar de estos avances tecnológicos. Me encantaría volar al espacio.

Luis: Tranquila… todavía faltan muchos años para eso.

Delia: ¡Qué pesimista! El futuro está muy cerca.

---

3 ¿Qué recuerda Ud.?

1. ¿Qué habrán desarrollado en unos años, según el artículo?

2. ¿Qué predecía el artículo?

3. ¿Qué podrán hacer todas las personas?

4. ¿Qué le gustaría a Delia?

5. Según Delia, ¿por qué es pesimista Luis?

---

4 Algo personal

1. ¿Qué avance tecnológico de la actualidad es su preferido?

2. ¿Sobre qué avance tecnológico del futuro le interesaría saber más?

3. ¿Cómo se imagina Ud. que será el futuro?

4. ¿Le gustaría poder volar al espacio en una nave espacial?

5. ¿Qué avances científicos le gustaría a Ud. que hubiera en el futuro?

---

5 Nuevos inventos

Escuche los siguientes diálogos y diga a qué foto se refiere cada uno.

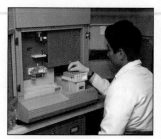

A

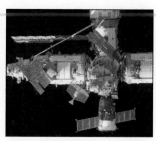

B

C

D

El futuro perfecto

- The future perfect expresses a future event that will have been completed before another future event. To form it, use the future of *haber* with the past participle of the main verb.

comer	
habré comido	habremos comido
habrás comido	habréis comido
habrá comido	habrán comido

*Para 2030, **se habrán inventado** nuevos motores.*   By 2030, new motors **will have been invented**.

- The future perfect tense is often used with *dentro de* + time.

*Dentro de veinte años, **habremos viajado** a otros planetas.*   **Within twenty years**, we **will have traveled** to other planets.

- The future perfect is also used to speculate about something that may have happened in the past.

*¿**Se habrá enterado** Ernesto de las noticias?*   **I wonder if** Ernesto **has found out** the news.

---

6   Nuevos inventos

¿Qué habrá sucedido con la nueva tecnología antes de terminar este siglo? Complete las siguientes predicciones con el futuro perfecto de los verbos del recuadro y recuerde que cada verbo puede usarse solo una vez.

aprender	jugar	desarrollar	descubrir	encontrar
enviar	comunicarse	pasar de moda	viajar	volverse

1. Para el año 2030, la gente __ al espacio en naves espaciales.
2. Los niños __ con juegos de realidad virtual.
3. Dentro de quince años, los médicos __ curas para muchas de las enfermedades que existen hoy.
4. Para el año 2030, __ mucho el campo de la genética.
5. En diez años, los televisores con pantallas de alta definición __.
6. En veinte años, los robots __ a hacer todos los quehaceres de la casa y __ indispensables.
7. Antes de terminar este siglo, nosotros __ vida como la nuestra en otros planetas y __ con ellos a través de satélites.
8. En un futuro no muy lejano, __ naves con tripulación al planeta Marte.

Gramática

¡Comunicación!

7 **Hacer predicciones** 👥 Interpersonal Communication

En grupos pequeños, hagan predicciones para el año 2030. ¿Qué habrá cambiado en el mundo? ¿Qué habrán hecho Uds.? Túrnense para decir sus predicciones. Pueden hablar sobre sus metas, sus estudios, el lugar donde viven, la forma de viajar, los deportes, la moda y las comidas.

MODELO **Para el año 2030, se habrán creado medios de comunicación todavía más sofisticados.**

Más sobre el imperfecto del subjuntivo

el imperfecto del subjuntivo							
viaj**ar**	viaja**ron**	viaja**ra**	viaja**ras**	viaja**ra**	viajá**ramos**	viaja**rais**	viaja**ran**
com**er**	comi**eron**	comi**era**	comi**eras**	comi**era**	comié**ramos**	comi**erais**	comi**eran**
escrib**ir**	escribi**eron**	escribi**era**	escribi**eras**	escribi**era**	escribié**ramos**	escribi**erais**	escribi**eran**

Stem changes for -ir verbs (o → u, e → i) and irregularities that appear in the preterite also occur in the imperfect subjunctive.

Quería que él dijera la verdad.   **I wanted him to tell** the truth.

¡Ojalá pudiéramos viajar a la luna!   **I wish we could** travel to the Moon!

Use the imperfect subjunctive:

- when the verb in the main clause is in the past (preterite or imperfect) or in the conditional.

    Esperaba que fueras más optimista.   **I was hoping you'd be** more optimistic.

- with *quisiera* and *me gustaría*

    Me gustaría que tuviéramos naves espaciales personales.   **I would like us to have** personal spaceships.

- in contrary-to-fact *si* clauses

    Si tuvieras dinero, comprarías un televisor con pantalla de alta resolución.   **If you had** the money, you would buy a TV with a high definition screen.

    Si tuviera una bola de cristal, predeciría el futuro.   **If I had** a crystal ball, I would predict the future.

- always after *como si* (as if)

    Ellos hablan de microscopios, como si tuvieran uno.   They talk about microscopes **as if they had** one.

8 ¿Qué haríamos?

Complete las siguientes oraciones con el imperfecto del subjuntivo del verbo apropiado.

MODELO Si yo (*levantarse / acostarse*) temprano, no me despertaría tarde.

Si yo **me acostara** temprano, no me despertaría tarde.

1. Si los ingenieros (*escribir / desarrollar*) una máquina para viajar en el tiempo, la compraría.
2. Si tú (*comunicarse / desarrollar*) con tus parientes en Alicante, se pondrían muy contentos.
3. Si nosotros no (*poder / salir*) ir de viaje, nos sentiríamos muy tristes.
4. Ana baila como si ella (*ser / cantar*) una bailarina profesional.
5. Si yo (*desarrollar / predecir*) el futuro, diría que habrá muchos avances tecnológicos.
6. A Marta le gustaría que tú la (*visitar / comprar*) el próximo verano.
7. Joel querría que yo no (*predecir / enojarse*) tanto con él.
8. Quería que ellos (*salir / ir*) a la fiesta de fin de año.

9 ¿Qué dicen?

Imagine que durante la semana estuvo hablando con sus amigos sobre los avances tecnológicos. Conecte las dos oraciones, usando las palabras entre paréntesis.

MODELO Me compraron un microscopio. / Estudio microbios. (*para que*)

Me compraron un microscopio para que estudiara microbios.

1. Me compraría un juego de realidad virtual. / Yo tengo dinero. (*si*)
2. El desarrollo era lento. / Hay avances tecnológicos. (*antes de que*)
3. Yo quisiera. / Mi hermano me regala un libro sobre la genética. (*que*)
4. Contrataron a varios ingenieros. / Ellos construyen una estación espacial. (*para que*)
5. Lo ayudé con su tarea del colegio. / Él me presta el juego de realidad virtual. (*para que*)
6. Pablo hablaba sobre las naves espaciales. / Él es un astronauta profesional. (*como si*)

Se veía un rayo láser en el cielo, como si viniera del espacio exterior.

¡Comunicación!

10 Si... 👥 Presentational Communication

Lea el siguiente anuncio sobre una exposición de los nuevos avances tecnológicos y científicos. Con su compañero/a, formen oraciones sobre el anuncio usando los verbos del recuadro. Recuerden usar el imperfecto del subjuntivo en sus oraciones.

ser	estudiar	vivir	comunicarse
usar	desarrollar	viajar	tener

MODELO **Si tuviera un juego de realidad virtual, invitaría a todos mis amigos a jugar conmigo.**

¡Comunicación!

11 Preguntas 👥 Presentational Communication

Trabaje con un(a) compañero/a y contesten las siguientes preguntas usando el imperfecto del subjuntivo. Comparen sus respuestas.

MODELO ¿Qué le gustaría que sucediera en el futuro?

Me gustaría que la gente pudiera viajar a la luna.

1. ¿Qué diría si Ud. tuviera que predecir lo que sucederá en el futuro?

2. ¿Qué haría si desarrollaran un coche que volara?

3. ¿Cómo le gustaría a Ud. que fueran los colegios del futuro?

4. ¿Adónde iría si pudiera viajar en una nave espacial?

5. ¿Qué avances científicos le gustaría que hubiera?

6. ¿Qué querrían sus padres que Ud. estudiara en el futuro?

¡Explora tu río! 🎧

Todos sabemos que el agua es un recurso natural indispensable para la vida y que conservar las fuentes de agua dulce es clave para el futuro. Sin embargo, no todos trabajamos activamente para lograrlo. Conscientes del valor ambiental y cultural de los ríos, en la zona rural de Cantabria, al norte de España, miles de jóvenes han participado como voluntarios en un programa escolar que valoriza y difunde su importancia.

Los proyectos principales de "¡Explora tu río!" son dos: la Red de Escolares[1] Observadores del Estado de los Ríos (REODER) y los Clubes de Amigos del Río. Los jóvenes de REODER analizan en detalle el estado de los ríos, recogiendo muestras[2] e identificando su flora y su fauna. Por su parte, los clubes están formados por pequeños grupos de voluntarios para cada río. Además de los estudiantes y profesores de los colegios, los clubes se acercan a la población local para darle información sobre los ecosistemas fluviales[3] y despertar su interés por la conservación de los ríos.

El programa "¡Explora tu río!" cuenta también con la revista *Ríos en la Escuela*. Los estudiantes que participan en REODER

Río Asón, Cantabria, España

escriben sobre su experiencia, la visión que han tenido de la actividad y los resultados obtenidos. Con los artículos que escriben los estudiantes, se crea la revista. Esta revista difunde el proyecto entre la comunidad educativa y los jóvenes. Ellos son los verdaderos protagonistas del proyecto y tienen en sus manos un gran poder de decisión y de ejecución[4] sobre la educación ambiental en Cantabria en el futuro.

[1] students   [2] samples   [3] river ecosystems   [4] decision-making and executive power

🔍 **Búsqueda:** jóvenes en la conservación del ambiente

Productos 🎧

Anualmente en Valencia, Barcelona, Bilbao y Madrid se celebra BioCultura, la Feria de Productos Ecológicos y Consumo Responsable. En el marco de esa feria, nació en el año 2006 el proyecto Mamaterra, cuyo propósito es educar a los niños en el respeto por el medio ambiente, los hábitos de alimentación saludable y el consumo responsable. Como los niños son los consumidores del futuro y también los herederos del planeta, los responsables del proyecto creen necesario que empiecen a participar de la conciencia medioambiental y de la salud, elementos esenciales para disfrutar de un presente y un futuro dignos.

12 Comprensión   Interpretive Communication

1. ¿Con qué objetivo se creó "¡Explora tu río!"?
2. ¿Qué deben hacer los estudiantes que participan de REODER?
3. ¿Qué se publica en la revista *Ríos en la Escuela*?
4. ¿Dónde se originó el proyecto Mamaterra y en qué consiste?

13 Analice

1. ¿Por qué es importante que los jóvenes sean los líderes de la protección del medio ambiente?
2. ¿Qué programas de protección del medio ambiente destinados a los jóvenes conoce en el lugar donde vive?

España mira hacia el futuro 🎧

La exploración del espacio permite acceder a conocimientos y descubrimientos clave para el futuro de la humanidad. En ese ámbito tan importante, España se ha ganado su lugar. Su experiencia incluye diversos éxitos, como el lanzamiento[1] del primer satélite artificial científico español en 1974 o el de Minisat, proyecto espacial pionero en el campo de los minisatélites en 1997. En la actualidad, España cuenta con empresas especializadas en el diseño, implementación, operación y comercialización de satélites de observación privados como el

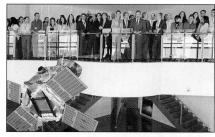

Inauguración oficial de la apertura del Centro de Integración y Operaciones de Satélites de Elecnor Deimos Ciudad Real, España

DEIMOS-1 y el DEIMOS-2 (de la empresa Elecnor Deimos) lanzados en el 2009 y el 2014, respectivamente.

Aunque la carrera espacial pueda parecer una cosa muy seria restringida[2] a los expertos, los jóvenes españoles también tienen la oportunidad de participar en ella. En una iniciativa conjunta de *Talentum Schools* y NASA *Florida Space Grant Consortium* se creó el proyecto SATLAB, orientado a estudiantes de entre 15 y 16 años de edad de España y Florida (Estados Unidos). El objetivo de la iniciativa es que los jóvenes tengan acceso al diseño, la construcción y el lanzamiento de experimentos científicos y tecnológicos en nanosatélites. Equipos formados por estudiantes de ambos lados del océano compiten por la oportunidad de tener acceso a un prestigioso laboratorio espacial en Florida.

El programa incluye un curso dictado[3] en horario extraescolar en Madrid o Barcelona, donde los estudiantes españoles se enfrentan[4] a los mismos retos a los que se enfrentan los científicos e ingenieros que desarrollan experimentos en el espacio. En el curso, los estudiantes aprenden, entre otras cosas, cómo afectan al lanzamiento las condiciones atmosféricas, qué limitaciones de peso y tamaño tiene el experimento, qué tipo de sensores pueden incorporarse y cómo se establece una comunicación segura con el experimento una vez lanzado. Además, trabajan para completar el diseño teórico de un experimento espacial viable de ingeniería, ciencias de la vida o ciencias físicas.

[1] launch   [2] limited   [3] taught   [4] face

🔍 **Búsqueda:** proyecto satlab, elecnor deimos

Perspectivas

La ministra de Ciencia e Innovación de España, al firmar un acuerdo con Estados Unidos para desarrollar una misión exploratoria a Marte en conjunto con la NASA, dijo: "España es ya un país importante en materia espacial, tanto desde el punto de vista empresarial como tecnológico, y los jóvenes saben que están llamados a formar parte de este gran reto social y económico". ¿Cómo se demuestra en esta cita el papel que tienen los jóvenes españoles en asuntos que afectan el presente y el futuro del país?

Comparaciones

¿Qué programas para jóvenes relacionados con la exploración del espacio se realizan en su región?

14 Comprensión Interpretive Communication

1. ¿En qué proyectos importantes de la carrera espacial ha participado España?
2. ¿Por qué compiten los estudiantes que participan en el proyecto SATLAB?
3. ¿Qué aprenden en el curso que se dicta en Madrid o Barcelona?

15 Analice

1. ¿Por qué cree Ud. que es importante que un país participe en la carrera espacial?
2. ¿Por qué cree Ud. que un programa como SATLAB puede resultar atractivo para jóvenes de 15 o 16 años?

Protejamos nuestro planeta 🎧

Todos debemos ayudar a **conservar** nuestro planeta limpio. Nosotras evitamos **el uso** de bolsas de plástico. ¿Y tú? ¿Cómo contribuyes a la protección de nuestro planeta?

Hoy en día, necesitamos que se conserven **los recursos naturales** para luchar contra **la escasez**.

Debemos usar la energía **solar** para que los recursos naturales no **se agoten**.

El uso de **aerosoles** contamina **la atmósfera**.

Es necesario que **reciclemos el vidrio** para proteger el medio ambiente.

Los derrames de petróleo **afectan** la existencia de muchas **especies** de animales y dejan **contaminada** el agua de los océanos.

A menos que las fábricas dejen de **contaminar** el medio ambiente, **el agujero** en **la capa de ozono** crecerá y habrá más **calentamiento global**.

Para conversar

*T*o talk about the environment:

Cuando **arrojamos desperdicios químicos**, estamos **dañando** nuestro planeta y poniendo **en peligro de extinción** a muchas especies como **las ballenas** y **las focas**. Por suerte, **el águila calva** ya no es una de ellas. *When we dump (throw out) chemical waste, we are damaging our planet and endangering many species like whales and seals. Luckily, the bald eagle isn't one of them anymore.*

Para decir más

descuidar	*to neglect*
desastroso	*disastrous*
las precauciones	*precautions*
los resultados	*results*

16 Sobre el medio ambiente

Escoja la respuesta que contesta correctamente cada pregunta que oye.

1. **A.** el águila calva y las ballenas
   B. las ballenas y las focas

2. **A.** el uso de aerosoles
   B. el uso de energía solar

3. **A.** Hay un derrame en la capa de ozono.
   B. Hay un agujero en la capa de ozono.

4. **A.** Las fábricas arrojan desperdicios químicos.
   B. Los colegios arrojan desperdicios químicos.

5. **A.** Debemos dañar nuestros recursos.
   B. Debemos conservar nuestros recursos.

17 Encuentre al intruso

Encuentre al intruso en cada grupo y explique por qué no pertenece al grupo.

1. playa / agujero / capa de ozono / atmósfera
2. ballena / foca / águila / tigre
3. plantas / microscopio / agua / recurso natural
4. vidrio / papel / fábrica / lata
5. dañar / reírse / contaminar / agotarse

18 El mundo

Haga una lista de seis cosas que Ud. sugiere que todos hagamos para proteger el planeta. Luego, escriba oraciones diciendo por qué cada cosa es importante o necesaria.

MODELO **no arrojar desperdicios químicos**
Es importante que no arrojemos desperdicios químicos porque contaminan el planeta.
usar la energía solar
Es necesario que usemos la energía solar para que no se agoten los recursos naturales.

Diálogo 🎧

Cuidemos el medio ambiente

Delia: Luis, cuando termines de tomar el refresco, recicla la lata.

Luis: Yo siempre reciclo latas, aerosoles, papel y vidrio.

Delia: Bien hecho. Es importante que todos protejamos el medio ambiente.

Luis: También es necesario que conservemos los recursos naturales. Es posible que se agoten si no los cuidamos.

Delia: Esto nos afectaría a todos, ¿verdad?

Luis: Por supuesto... incluyendo a los animales. ¿Qué animales se encuentran ya en peligro de extinción?

Delia: Pues, las ballenas y las focas.

Luis: ¡Qué pena! Debemos hacer algo. No podemos seguir dañando nuestro planeta.

19 ¿Qué recuerda Ud.? 🎧

1. ¿Qué tiene que hacer Luis cuando termine de tomar el refresco?
2. ¿Qué recicla siempre Luis?
3. ¿Por qué es necesario que conservemos los recursos naturales?
4. ¿A quiénes afectaría si los recursos se agotaran?
5. Nombre dos animales que se encuentran en peligro de extinción.

20 Algo personal 🎧

1. ¿Qué hace Ud. para conservar el medio ambiente?
2. ¿Qué cosas recicla?
3. ¿Qué recursos naturales cree Ud. que se pueden agotar si no los conservamos?
4. ¿Qué otros animales conoce que estén en peligro de extinción?

21 ¿Qué sugieren? 🎧

Escriba en una hoja los nombres Enrique, Óscar y Amalia. Escuche lo que dicen ellos y haga una lista de las cosas que sugiere cada uno para proteger el planeta.

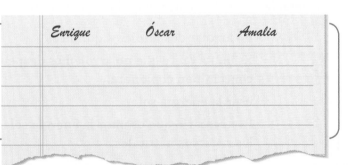

Enrique	Óscar	Amalia

Las formas del subjuntivo

- You are already familiar with the forms of regular verbs in the present subjunctive. To form the subjunctive, drop the -*o* from the *yo* form of the present indicative and add these endings:

Formas del presente de subjuntivo					
cantar	cante	cantes	cante	cantemos	cantéis	canten
comer	coma	comas	coma	comamos	comáis	coman
vivir	viva	vivas	viva	vivamos	viváis	vivan

- Stem changes, irregularities, and spelling changes that occur in the present indicative also occur in the present subjunctive.

Espero que Uds. puedan conservar gasolina.	I hope **you can conserve** gasoline.
Dudo que él tenga una pantalla de alta definición.	I doubt that **he has** a high-definition screen.
Es bueno que reciclemos.	It's good that **we recycle**.

- These verbs are irregular in the present subjunctive: *estar* (*esté*), *haber* (*haya*), *ir* (*vaya*), *saber* (*sepa*), *ser* (*sea*), *ver* (*vea*).

No creo que él vaya a la luna.	I don't think **he'll go** to the Moon.
Es genial que ella sea astronauta.	It's great that **she is** an astronaut.

- The subjunctive is most often used in sentences having two different subjects and two different verbs. The action of the subjunctive verb has not occurred yet and may or may not occur.

> subject 1 + indicative verb + *que* + subject 2 + subjunctive verb

- The most common uses of the subjunctive indicate volition, desire, and giving advice.

Quiero que Ud. nos ayude a limpiar la playa.	**I want you to help us** clean the beach.
Esperamos que sigas estudiando genética.	**We hope you keep on** studying genetics.
Ella te sugiere que seas más optimista.	**She suggests that you be** more optimistic.

22 ¡Todos podemos contribuir!

Complete las siguientes oraciones con el presente del subjuntivo del verbo entre paréntesis.

1. Me alegra que Uds. (*ser*) optimistas.
2. Nos recomiendan que (*conservar*) el agua.
3. Nos sugieren que (*proteger*) a los animales.
4. Esperamos que (*haber*) menos contaminación.
5. Es necesario que todos nosotros (*buscar*) soluciones.
6. Nos piden que no le (*hacer*) más daño al planeta.
7. Quiero que tú también (*venir*) a reciclar papel con nosotros.

¡Comunicación!

23 **¿Qué opinan?** 👥 **Presentational Communication**

Con su compañero/a, conversen sobre el medio ambiente. Piensen en lo que pueden hacer para conservarlo. Usen las siguientes expresiones con verbos en subjuntivo para dar sus opiniones, como se ve en el modelo. Después, hagan una encuesta en la clase para saber la opinión de los demás.

es importante que

espero que   **quiero que**   *es necesario que*

sugiero que   *es mejor que*

MODELO   A: **Es importante que cuidemos los recursos naturales.**

B: **Es mejor que no arrojemos desperdicios en el agua.**

Usos del subjuntivo

The subjunctive may be used in a number of additional situations, as follows:

- with verbs indicating preference and liking

  Preferimos que Ud. venga solo. | **We prefer that you come** by yourself.
  A ellos les encanta que yo estudie genética. | **They love that I study** genetics.

- with verbs of hope and emotion, such as *sentir, esperar, molestar, complacer, agradar, tener miedo de*, and *alegrarse de*

  Espero que recicles esas botellas. | **I hope that you will recycle** those bottles.
  Siento que contaminen el aire. | **I am sorry that they're contaminating** the air.

- with verbs of doubt

  Dudo que desarrollen otros inventos. | **I doubt that they'll develop** other inventions.

- with impersonal expressions

  Es importante que conservemos los recursos naturales. | **It's important that we conserve** natural resources.
  Es necesario que uses energía solar. | **It's necessary that you use** solar energy.

- with expressions such as *ojalá (que)* and sometimes with *tal vez* and *quizás* to indicate uncertainty

  Ojalá que consigas el puesto de astronauta. | **I hope you'll get** the astronaut job.
  Tal vez estudie astronomía. | **Maybe I'll study** astronomy.

Repaso rápido

24 ¿Qué diría?

Imagine que le hacen las siguientes preguntas sobre el medio ambiente. Conteste usando la información entre paréntesis.

MODELO   ¿De qué se alegra? (*La gente usa energía solar.*)
Me alegro de que la gente use energía solar.

1. ¿De qué tiene miedo? (*El agujero de ozono es muy grande.*)
2. ¿Qué le molesta? (*La gente contamina el medio ambiente.*)
3. ¿Qué siente? (*Existen tantas especies en peligro de extinción.*)
4. ¿Qué prefiere? (*Las personas no usan aerosoles.*)
5. ¿Qué le agrada? (*Los estudiantes aprenden sobre el medio ambiente.*)
6. ¿Qué le gusta? (*Él viaja a las reservas naturales.*)

Es mejor que usemos energía solar.

25 Las ciencias

Complete las siguientes opiniones con el subjuntivo del verbo en paréntesis, como se ve en el modelo.

MODELO   Es bueno que (*nosotros / aprender*) más sobre las especies en peligro de extinción.
Es bueno que **nosotros aprendamos** más sobre las especies en peligro de extinción.

1. Es posible que (*nosotros / hacer*) un viaje a una reserva natural.
2. Tal vez (*ellos / ir*) a la biblioteca.
3. Dudo que (*Uds. / conseguir*) el artículo sobre las ballenas.
4. Es importante que (*ella / buscar*) información sobre el calentamiento global.
5. Ojalá que (*yo / encontrar*) el libro que necesitamos.
6. Es mejor que (*tú / hablar*) con la profesora sobre el tema del medio ambiente.

¡Comunicación!

26 Ojalá que...   Interpersonal Communication

Trabaje con un(a) compañero/a. Túrnense para hacer comentarios sobre los siguientes temas. Usen **ojalá** y **tal vez** y verbos en subjuntivo como se ve en el modelo.

MODELO   A: **Ojalá que nos vaya bien en el examen de ciencias.**
B: **Claro que nos va a ir bien. Para eso estudiamos todo el fin de semana.**

1. los estudios
2. la tecnología
3. la salud
4. el trabajo
5. el clima
6. el medio ambiente

Más sobre los usos del subjuntivo

The subjunctive may also be used in the following situations:

- with words such as *cuando*, *como*, and *donde*, when there is uncertainty about the future

  *Conservaré los recursos **como me digas**.* — I'll conserve the resources **the way you tell me**.

  *Salvaremos el planeta **cuando reciclemos**.* — We'll save the planet **when we recycle**.

- with relative pronouns, such as *lo que*, *la que*, and *que*

  *Limpia **lo que veas** sucio con petróleo.* — Clean **whatever you see** (that is) dirty with oil.

- with the word *aunque* when there is uncertainty about the facts

  *Recicla **aunque no te lo pidan**.* — Recycle **even if you are not asked**.

- with time expressions, such as *antes (de) que*, *después (de) que*, *en cuanto*, *hasta que*, *mientras que*, and *tan pronto como* when they indicate uncertainty about when an action may or may not take place

  *Debemos cuidar el planeta, **antes de que sea** demasiado tarde.* — We have to take care of the planet **before it is** too late.

  ***En cuanto llegues**, llámame.* — **As soon as you get there**, call me.

- with expressions that indicate intention or purpose, such as *para que*, *a fin de que*, *a menos que*, *con tal de que*, and *sin que*

  *Vamos a la entrevista con el astronauta **para que te enteres** de lo que es viajar por el espacio.* — Let's go to the interview with the astronaut **so that you find out** what it's like to travel in space.

  *No iré **a menos que hablen** del ozono.* — I won't go **unless they speak** about the ozone.

- with clauses that describe what is indefinite or hypothetical

  *No encuentro ningún artículo **que hable** sobre la energía solar.* — **I cannot find** any article **that talks** about solar energy.

- with clauses that describe somebody who may not exist, as in classified ads

  ***Busco** una persona **que sepa** de los últimos avances tecnológicos.* — **I am looking for** someone **who knows** about the latest technological advancements.

Buscamos jóvenes que ayuden a limpiar la basura de los bosques.

27 Proteger y cuidar el planeta

Imagine que va a una conferencia sobre el medio ambiente. Complete las siguientes oraciones con el subjuntivo de los verbos entre paréntesis.

MODELO   Los recursos naturales se agotarán a menos que nosotros __. (*conservarlos*)

Los recursos naturales se agotarán a menos que nosotros **los conservemos**.

1. Hay que proteger a los animales antes de que todos ellos __ en peligro de extinción. (*encontrarse*)
2. Conservaremos los recursos naturales cuando nosotros __ energía solar. (*usar*)
3. Las personas deben evitar hacer cosas que __ el medio ambiente. (*dañar*)
4. Seguiremos contaminando la átmosfera, mientras que __ usando productos en aerosoles. (*seguir*)
5. Explícame lo que tú __ sobre el calentamiento global. (*entender*)

¡Comunicación!

28 Predicciones 👥 🎧   Presentational Communication

Con su compañero/a, completen las siguientes predicciones con sus propias ideas.
Usen el subjuntivo como se ve en el modelo.

MODELO   Contaminaremos la atmósfera, a menos que...

Contaminaremos la atmósfera, a menos que dejemos de usar aerosoles.

1. Necesitaremos pantallas de alta definición para que...
2. Buscaremos trabajo tan pronto como...
3. Trabajaremos hasta que...
4. Viajaremos en naves espaciales a menos que...
5. Resolveremos muchos problemas del medio ambiente en cuanto...
6. Encontraremos curas para muchas enfermedades cuando...

¡Comunicación!

29 Pensar en el planeta 👥   Interpersonal Communication

Piense en los temas que siguen. ¿Qué opina Ud. sobre ellos? Con un(a) compañero/a, comenten sus opiniones. Pueden dar una solución o hacer una predicción de lo que podría suceder. Usen el subjuntivo.

- la contaminación
- la capa de ozono
- los animales en peligro de extinción
- la escasez de recursos naturales
- el calentamiento global
- el tráfico en las ciudades

MODELO   A: ¿No crees que debemos parar la contaminación, antes de que dañe todo el planeta?

B: Sí, es muy importante que no contaminemos.

Todo en contexto

? **Pregunta clave**

¿Qué puede hacer la juventud actual para mejorar su futuro y el del planeta?

¡Comunicación!

30 Vamos a cuidar los ríos 👥 Interpersonal Communication **Conéctese: la ecología**

Imagine que Ud. quiere viajar a Cantabria, en España, y participar del proyecto "¡Explora tu río!", pero su amigo/a no quiere acompañarlo/a. Trabaje con un(a) compañero/a para representar opiniones opuestas sobre el tema del cuidado del agua. Una persona estará a favor de proteger las fuentes de agua dulce y la otra no comprende su importancia. Inventen una conversación entre los dos para expresar sus ideas e intenten convencer a la otra persona de que cambie de opinión.

MODELO
> **A:** ¿Por qué no quieres participar del proyecto para proteger los ríos?
>
> **B:** No creo que el agua vaya a acabarse, no con todos los ríos que tenemos.
>
> **A:** No es así...

¡Comunicación!

31 Nuestra experiencia en la NASA 👥 Presentational Communication

Imagine que Ud. y su compañero/a son jóvenes de España que participaron del proyecto SATLAB. Como ganaron el concurso, viajaron a la NASA y allí hicieron un experimento con nanosatélites. Preparen una presentación en la que expliquen al resto de la clase lo que aprendieron. Usen ayudas visuales e incluyan datos sobre el laboratorio y los pasos y resultados del experimento. Comenten también sus predicciones sobre lo que ocurrirá con los nanosatélites en el futuro. Pueden usar la información que aparece en la página 491 y buscar más datos en la internet.

Nanosatélites en el espacio

Vuelva usted mañana
de *Mariano José de Larra*

Sobre el autor

Mariano José de Larra (1809–1837) nació en Madrid. Estudió
medicina, pero no terminó la carrera. Después, estudió derecho
y, finalmente, se dio a conocer como periodista, utilizando
seudónimos como *Fígaro, el Duende* o *Juan Pérez de Munguía*.
Sus artículos eran descripciones muy agudas (*sharp*) de las
costumbres y de la realidad social, cultural y política de su país.
También escribió críticas literarias. Entre sus artículos más famosos
se encuentran "Vuelva usted mañana", "Entre qué gentes estamos", y
"El casarse pronto y mal", entre otros. También escribió la novela *El doncel de
don Enrique el Doliente* y la obra de teatro *Macías*. Tuvo una vida amorosa desafortunada y se suicidó
a la edad de 28 años. Su estilo se acerca a lo que hoy se conoce como romanticismo.

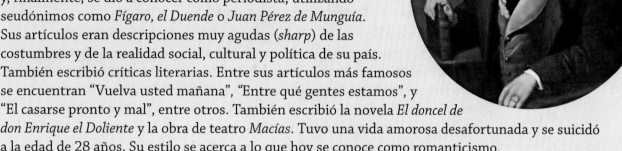

Antes de leer

1. ¿Alguna vez ha estado en una oficina del
   gobierno?

2. ¿Tuvo que realizar un trámite que duró más
   tiempo de lo esperado?

3. ¿Qué opinión tiene Ud. sobre los funcionarios
   del gobierno?

> ### Estrategia
>
> **Understanding the author's purpose**
>
> Writers have many reasons to write: to entertain, to
> teach, to inform, to explain certain values or ideas,
> and so on. Look for clues in the text that help you
> understand the author's purpose. This will help you
> grasp the meaning of the text itself more easily.

32 Practique la estrategia

A continuación se dan algunas de las ideas que se propuso comunicar el autor en
"Vuelva usted mañana". A medida que lea, identifique citas textuales del fragmento
que ilustren estas ideas y escríbalas en una tabla como la que se muestra.

Propósito del autor	Cita del texto
criticar a alguien	
hacer el retrato de una persona	
burlarse de las pretensiones de una persona	
enseñar algo a alguien	
criticar a los funcionarios que no hacen su trabajo	"Todos os comunicarán su inercia."

Vuelva usted mañana 🎧
de *Mariano José de Larra*

Comprensión

1. ¿A qué ha ido a España el señor Sans-Délai?

Un extranjero de éstos fué el que se presentó en mi casa, provisto de competentes cartas de recomendación para mi persona. Asuntos[1] intrincados de familia, reclamaciones futuras y aun proyectos vastos concebidos en París de invertir[2] aquí sus cuantiosos caudales[3] en tal o cual especulación industrial o mercantil, eran los motivos que a nuestra patria le conducían.

Acostumbrado a la actividad en que viven nuestros vecinos, me aseguró formalmente que pensaba permanecer[4] aquí muy poco tiempo, sobre todo si no encontraba pronto objeto seguro en que invertir su capital. Parecióme[5] el extranjero digno de alguna consideración, trabé presto amistad[6] con él, y lleno de lástima traté de persuadirle a que se volviese a su casa cuanto antes, siempre que seriamente trajese otro fin que no fuese el de pasearse. Admiróle la proposición, y fue preciso explicarme más claro.

—Mirad —le dije—, Monsieur Sans-Délai[7], —que así se llamaba—; vos venís decidido a pasar quince días, y a solventar en ellos vuestros asuntos.

2. ¿En cuánto tiempo creía el señor Sans-Délai que haría todo lo que tenía que hacer y cómo pensaba distribuir su tiempo?

—Ciertamente —me contestó—. Quince días, y es mucho. Mañana por la mañana buscamos un genealogista para mis asuntos de familia; por la tarde revuelve sus libros, busca mis ascendientes[8], y por la noche ya sé quién soy. En cuanto a mis reclamaciones, pasado mañana las presento fundadas en los datos que aquél me dé, legalizados en debida forma; y como será una cosa clara y de justicia innegable (pues sólo en este caso haré valer mis derechos), al tercer día se juzga el caso y soy dueño de lo mío. En cuanto a mis especulaciones, en que pienso invertir mis caudales, al cuarto día ya habré presentado mis proposiciones. Serán buenas o malas, y admitidas o desechadas[9] en el acto, y son cinco días; en el sexto, séptimo y octavo, veo lo que hay que ver en Madrid; descanso el noveno; el décimo tomo mi asiento en la diligencia[10], si no me conviene estar más tiempo aquí, y me vuelvo a mi casa; aún me sobran de los quince, cinco días.

Analice

3. ¿Cómo cree que se pueda relacionar el asunto (*issue*) del genealogista con los grandes caudales que menciona el señor Sans-Délai?

Al llegar aquí monsieur Sans-Délai, traté de reprimir una carcajada[11] que me andaba retozando ya hacía rato en el cuerpo y, si mi educación logró sofocar mi inoportuna jovialidad, no fue bastante a impedir que se asomase a mis labios una suave sonrisa de asombro y de lástima que sus planes ejecutivos me sacaban al rostro mal de mi grado.

[1] matters   [2] investing   [3] large sums of money   [4] stay   [5] He seemed to me
[6] I quickly became his friend   [7] play on words from the French: "Mr. Without Delay"
[8] ancestors   [9] refused   [10] stagecoach   [11] suppress a laugh

—Permitidme, monsieur Sans-Délai —le dije entre socarrón[1] y formal—, permitidme que os convide a comer para el día en que llevéis quince meses de estancia en Madrid.

—¿Cómo?

—Dentro de quince meses estáis aquí todavía.

—¿Os burláis[2]?

—No por cierto.

—¿No me podré marchar cuando quiera? ¡Cierto que la idea es graciosa!

—Sabed que no estáis en vuestro país, activo y trabajador.

—¡Oh!, los españoles que han viajado por el extranjero han adquirido la costumbre de hablar mal de su país por hacerse superiores a sus compatriotas. [...]

—Os aseguro que en los quince días con que contáis, no habréis podido hablar siquiera a una sola de las personas cuya cooperación necesitáis.

—¡Hipérboles! Yo les comunicaré a todos mi actividad.

—Todos os comunicarán su inercia.

Conocí que no estaba el señor de Sans-Délai muy dispuesto a dejarse convencer sino por la experiencia, y callé[3] por entonces, bien seguro de que no tardarían mucho los hechos en hablar por mí. Amaneció el día siguiente, y salimos entrambos a buscar un genealogista, lo cual sólo se pudo hacer preguntando de amigo en amigo y de conocido en conocido. Encontrámosle por fin, y el buen señor, aturdido[4] de ver nuestra precipitación, declaró francamente que necesitaba tomarse algún tiempo; instósele[5], y por mucho favor nos dijo definitivamente que nos diéramos una vuelta por allí dentro de unos días. Sonreíme y marchámonos. Pasaron tres días: fuimos.

—Vuelva usted mañana —nos respondió la criada—, porque el señor no se ha levantado todavía.

—Vuelva usted mañana —nos dijo al siguiente día—, porque el amo acaba de salir.

—Vuelva usted mañana —nos respondió al otro—, porque el amo está durmiendo la siesta.

—Vuelva usted mañana —nos respondió el lunes siguiente—, porque hoy ha ido a los toros.

—¿Qué día, a qué hora se ve a un español?

Vímosle por fin, y Vuelva usted mañana —nos dijo—, porque se me ha olvidado. Vuelva usted mañana, porque no está en limpio[6].

A los quince días ya estuvo; pero mi amigo le había pedido una noticia del apellido Díez, y él había entendido Díaz y la noticia no servía. Esperando nuevas pruebas, nada dije a mi amigo, desesperado ya de dar jamás con[7] sus abuelos. Es claro que faltando este principio no tuvieron lugar las reclamaciones. [...]

[1] sarcastic   [2] Are you making fun of me?   [3] I kept quiet
[4] confused   [5] We urged him   [6] I haven't done the final draft   [7] ever finding

Comprensión

4. ¿Cuánto tiempo le dice el protagonista que se va a demorar el señor Sans-Délai?

5. ¿Por qué decidió el protagonista que sería mejor callar y esperar a que los hechos hablaran por él?

6. ¿Cuántas veces trataron de ver al genealogista y qué excusas recibieron de la criada cada vez que lo hicieron?

7. ¿Que pasó cuando el genealogista finalmente le dio la noticia al señor Sans-Délai?

Analice

8. ¿Qué tipo de sentimiento expresa el señor Sans-Délai con la frase: "¿Qué día, a qué hora se ve a un español"?

No paró aquí; un sastre tardó veinte días en hacerle un frac[1], que le había mandado llevarle en veinticuatro horas; el zapatero le obligó con su tardanza a comprar botas hechas; la planchadora necesitó quince días para plancharle una camisola; y el sombrerero, a quien le había enviado su sombrero a variar el ala[2], le tuvo dos días con la cabeza al aire y sin salir de casa. [...] A los cuatro días volvimos a saber el éxito de nuestra pretensión.

—Vuelva usted mañana —nos dijo el portero—. El oficial de la mesa no ha venido hoy.

—Grande causa le habrá detenido —dije yo entre mí. Fuímonos a dar un paseo, y nos encontramos, ¡qué casualidad! al oficial de la mesa en el Retiro, ocupadísimo en dar una vuelta con su señora al hermoso sol de los inviernos claros de Madrid. Martes era el día siguiente, y nos dijo el portero:

—Vuelva usted mañana, porque el señor oficial de la mesa no da audiencia hoy. [...]

Por último, después de cerca de medio año de subir y bajar, y estar a la firma o al informe, o a la aprobación, o al despacho, o debajo de la mesa, y de *volver siempre mañana*, [el plan] salió con una notita al margen que decía: "A pesar de la justicia y utilidad del plan del exponente, negado".

—¡Ah, ah, monsieur Sans-Délai! —exclamé riéndome a carcajadas—; éste es nuestro negocio. [...]

—¿Para esto he echado yo viaje tan largo? ¿Después de seis meses no habré conseguido sino que me digan en todas partes diariamente: *Vuelva usted mañana*? ¿Y cuando este dichoso *mañana* llega, en fin, nos dicen redondamente que *no*? ¿Y vengo a darles dinero? ¿Y vengo a hacerles favor? Preciso es que la intriga más enredada[3] se haya fraguado[4] para oponerse a nuestras miras.

—¿Intriga, monsieur Sans-Délai? No hay hombre capaz de seguir dos horas una intriga. La pereza es la verdadera intriga; os juro que no hay otra; ésa es la gran causa oculta: es más fácil negar las cosas que enterarse de ellas. [...]

[1] tails (part of a tuxedo)   [2] the brim of the hat   [3] tangled   [4] hatched

Comprensión

9. ¿En qué estaba ocupado el oficial que no podía atenderlos?

10. ¿Cuál fue la respuesta final que obtuvo el señor Sans-Délai?

11. ¿Cuál dice el amigo que es la verdadera intriga en el caso del señor Sans-Délai? Explique su respuesta.

Analice

12. ¿Cómo se sentiría Ud. si estuviera en otro país y le pasará lo que le sucedió al señor Sans-Délai? ¿Qué haría?

Problemas de la burocracia

Después de leer

Imagine que, al regresar a su país, el señor Sans-Délai decide escribir una carta al editor de *El País*, uno de los periódicos de mayor publicación en España, para quejarse públicamente y dar a conocer a todos la terrible experiencia que tuvo en su viaje de negocios a España. Póngase en el lugar del señor Sans-Délai y escriba la carta. Resuma los hechos que sucedieron y asegúrese de comunicar el propósito que Ud., como autor, tuvo al escribirla.

Repaso de la Lección B

A Escuchar: ¿Lógico o ilógico? 🎧 (pp. 483–484, 492–493)

Escuche las seis oraciones. Decida si cada una es **lógica** o **ilógica**.

B Vocabulario: Una conversación entre amigos (pp. 483–484, 492–493)

Complete la conversación con la palabra adecuada del recuadro.

pesimista	reciclar	optimista
contaminar	predecir	tecnológico

Toño: ¡Este teléfono celular no sirve para nada!

Luisa: Los teléfonos celulares son un gran invento **(1)**.

Toño: Mira, no empieces. Quiero decir que este está muy viejo y lo voy a **(2)**.

Luisa: Por lo menos no vas a **(3)** el medio ambiente.

Toño: Si tuviera dinero, me compraría uno que hiciera todo, hasta **(4)** el futuro.

Luisa: Debes de ser muy **(5)** si quieres saber lo que será el futuro.

Toño: Y tú ya deja esa actitud tan negativa; no seas tan **(6)**.

C Gramática: En el futuro (p. 486)

Complete las oraciones con el futuro perfecto del verbo entre paréntesis.

1. Para cuando llegues, él (*comunicarse*) varias veces.
2. Para el año 2050, los científicos (*desarrollar*) grandes inventos.
3. Si no dejamos de contaminar el planeta, nosotros (*afectar*) demasiado el medio ambiente.
4. Si no conservamos los recursos naturales, estos (*agotarse*) para el año 2060.
5. Algunos ríos están tan contaminados que es cierto que (*arrojar*) desperdicios químicos en ellos.
6. Hay regiones tan limpias en Europa que estoy seguro de que (*reciclar*) desde siempre.

D Gramática: ¿Indicativo o subjuntivo? (pp. 495, 496, 498)

Complete las oraciones con el verbo del paréntesis que corresponda según el contexto.

1. Afortunadamente, el águila calva ya no (*esté / está*) en peligro de extinción.
2. Hoy en día, es importante que (*conservemos / conservamos*) los recursos naturales.
3. El gobierno ha pedido que las fábricas no (*arrojen / arrojan*) desperdicios químicos.
4. A menos que (*desarrollemos / desarrollamos*) mejores procedimientos, la situación se pondrá peor.
5. Varias especies de ballenas (*estén / están*) en peligro de extinción.
6. Yo (*prediga / predigo*) que para el año 2050 no habrá contaminación.

¿Qué hacen los jóvenes españoles para mejorar su futuro y el del planeta? Complete la tabla con los datos de las lecturas de esta lección.

Organización o programa	Objetivos	¿Cómo funciona?

Vocabulario

Los avances

los avances
el invento
el medio de comunicación
la pantalla de alta definición
la realidad virtual
el satélite

El espacio

el astronauta, la astronauta
la estación espacial
la nave espacial
el planeta

El medio ambiente

el aerosol
el agujero
la atmósfera
el calentamiento global
la capa de ozono
el derrame
el desperdicio químico
la escasez
el recurso natural

Las especies

el águila calva
la ballena
la especie
la foca

Verbos

afectar
agotar(se)
arrojar
comunicarse
conservar
contaminar
dañar
desarrollar
predecir
reciclar

La ciencia

los genes, sing. el gen
la genética
el microscopio
el virus, los virus

Otras palabras y expresiones

a menos que
en peligro de extinción
la fábrica
hoy en día
el uso
el vidrio

Adjetivos

científico/a
contaminado/a
optimista
pesimista
solar
tecnológico/a

Gramática

El futuro perfecto

El futuro perfecto expresa un evento futuro que se habrá completado antes de otro evento futuro, y también se usa para especular sobre algo que pudo haber pasado anteriormente.

*Dentro de 10 años, **se habrán lanzado** muchas estaciones espaciales.*

*¿**Se habrá graduado** ya María de médico?*

Usos del imperfecto del subjuntivo

El imperfecto del subjuntivo se usa con el verbo principal en el pasado o el condicional para expresar gustos y preferencias, y para expresar acciones o situaciones contrarias a la realidad con **si** y **como si**.

*Me gustaría que **protegiéramos** mejor los recursos naturales.*

***Si pudiera**, viviría en otro planeta.*

*Desperdicias agua **como si** no **tuviéramos** escasez.*

Usos del presente del subjuntivo

El presente del subjuntivo se usa para expresar voluntad, deseos, recomendaciones, consejos y preferencias.

***Nos recomiendan** que **cuidemos** el medio ambiente.*

Se usa para expresar duda, con expresiones impersonales y expresiones de probabilidad.

***Dudo** que los recursos naturales **se agoten**.*

***Es importante** que **usemos** energía solar.*

***Ojalá** que **haya** muchos más avances en el futuro.*

Se usa para hablar de personas indefinidas y acciones que pueden o no suceder en el futuro.

*¿Conoces a **alguien** que **sepa** de genética?*

*Acabaremos con el planeta, **a menos que tomemos** mejores medidas de protección.*

Para concluir

? Pregunta clave

¿Qué puede hacer la juventud actual para mejorar su futuro y el del planeta?

Proyectos

A ¡Manos a la obra! 👥 Conéctese: la ecología

Ud. y tres compañeros/as quieren salvar una especie animal que está en peligro de extinción. Investiguen posibles candidatos y luego elijan uno. Preparen un informe, un cartel o una presentación interactiva que describa las características del animal y su hábitat, las razones por las que se encuentra en peligro y las consecuencias ecológicas si desapareciera. Describan también los pasos que se han tomado para protegerlo e indiquen algunas sugerencias originales del grupo para asegurar que la especie no desaparezca. Después, presenten la información delante de la clase.

Otra especie en peligro de extinción: el águila imperial ibérica

B En resumen

En esta unidad, Ud. ha leído sobre la juventud en España y lo que hacen en distintas situaciones. Piense en los siguientes temas. ¿Qué han hecho los jóvenes españoles en cada caso? ¿Qué hace Ud. o qué haría en esas situaciones? Complete la siguiente tabla.

Tema	¿Qué hacen los jóvenes en España?	¿Qué haría Ud.?
el desempleo		
los recursos naturales		
la carrera espacial		
el medio ambiente		

C Ventajas y desventajas 👥

No hay duda que las nuevas tecnologías nos han ofrecido muchas oportunidades de mejorar nuestras vidas. Pero también han creado algunos problemas como, por ejemplo, la contaminación del aire y del agua debido a los desperdicios químicos. Trabaje con su compañero/a y hagan dos listas: una de los cinco avances tecnológicos que consideren los más importantes de los últimos 20 años y la otra, de los problemas relacionados con esos avances. Después, compartan sus listas con las de otras parejas y hablen sobre el tema.

Avances tecnológicos	Problemas resultantes

D ¡A escribir!

Imagine que ha habido un desastre natural en su comunidad, por ejemplo, un derrame de desperdicios químicos o la contaminación de recursos naturales. Como Ud. es periodista, le han pedido que escriba un artículo para el periódico local. Ud. debe describir el desastre, sus causas, sus consecuencias —sobre todo el impacto que tiene y tendrá sobre el medio ambiente— y los pasos que debe tomar la comunidad para evitar ese tipo de desastre.

Para escribir más

las consecuencias	*consequences*
anticipar	*to anticipate*
esforzarse	*to make an effort*
especular	*to speculate*
recuperarse	*to recover*
fatal	*deadly*
desafortunadamente	*unfortunately*

E ¡Hay que hacer algo! 👥

Imagine que Ud. es Ministro(a) de Educación de su país. Piense cómo podría cambiar el sistema de educación para preparar a los estudiantes a mejorar sus posibilidades para encontrar un puesto de trabajo y, al mismo tiempo, para mejorar el mundo. Piense en algunas ideas y, después, reúnase con otros "ministros" para discutir las propuestas y elaborar un plan de educación. Compartan sus ideas con toda la clase.

F El currículum vitae perfecto 👥

Imagine que Ud. ya ha terminado sus estudios y quiere encontrar un trabajo de jornada completa. Primero, hay que escribir un currículum en computadora y debe ser perfecto. Para elaborarlo, invente los datos que quiera: su formación académica, su experiencia de trabajo, sus intereses y habilidades. No tema exagerar los datos. Después, intercambie su currículum con el de un(a) compañero/a y revíselo. Por último, túrnese con su compañero/a para realizar una entrevista y ver si ha conseguido el trabajo. Uno/a hará el papel del candidato/a y el(la) otro/a será la persona que hace la entrevista. Presenten la entrevista delante de la clase.

Currículum vitae: Carolina García

DATOS PERSONALES

Nombre: Carolina García
Dirección: Calle Almendralejo, 28 4° 2ª, 08025 Barcelona
Teléfono: (93) 555-1234
Fecha de nacimiento: 29 de febrero de 1994
Estado civil: soltera

FORMACIÓN ACADÉMICA

- 2011 hasta la actualidad: estudios de periodismo en la Universidad Autónoma de Barcelona
- 2006–2011: Estudios de grado medio en el Instituto Pau Claris, Barcelona
- 2002–2006: Estudios de primer y segundo ciclo de ESO en la escuela Víctor Català, Barcelona
- 1999–2002: Estudios de Educación General Básica en la escuela Romeu, Barcelona

IDIOMAS

- Castellano
- Catalán
- Inglés

AFICIONES

- Informática y juegos de ordenador
- Natación y baloncesto
- Cine

G ¡No vuelvo mañana: necesito resolverlo hoy! 👥

Piense en las últimas palabras del fragmento de "Vuelva usted mañana": "es más fácil negar las cosas que enterarse de ellas". Piense en cómo se podría aplicar esto a situaciones prácticas como, por ejemplo, buscar un empleo o tratar el tema del calentamiento global. Comenten sus ideas primero en un grupo de cinco o seis estudiantes y luego con la clase entera.

Vocabulario de la Unidad 10

a menos que unless *10B*

el **aerosol** aerosol *10B*

afectar to affect *10B*

agotar(se) to run out, to exhaust *10B*

el **águila calva** bald eagle *10B*

el **agujero** hole, gap *10B*

el **arquitecto**, la **arquitecta** architect *10A*

la **arquitectura** architecture *10A*

arrojar to throw out, to dump *10B*

el **astronauta**, la **astronauta** astronaut *10B*

la **atmósfera** atmosphere *10B*

los **avances** advances *10B*

la **ballena** whale *10B*

la **beca** scholarship *10A*

los **beneficios** benefits *10A*

el **calentamiento global** global warming *10B*

el **campo** field (of study) *10A*

la **capa de ozono** ozone layer *10B*

científico/a scientific *10B*

comunicarse to communicate *10B*

los **conocimientos** knowledge *10A*

conservar to conserve *10B*

la **construcción** construction work *10A*

contaminado/a contaminated *10B*

contaminar to contaminate *10B*

contratar to hire *10A*

cumplir con to carry out, to perform *10A*

el **currículum vitae** résumé *10A*

dañar to harm *10B*

el **derrame** spill *10B*

desarrollar to develop *10A*

el **desperdicio químico** chemical waste *10B*

el **diseñador**, la **diseñadora** designer *10A*

el **electricista**, la **electricista** electrician *10A*

emprendedor/a enterprising *10A*

el **empresario**, la **empresaria** business owner *10A*

en equipo (work) on a team *10A*

en peligro de extinción endangered *10B*

la **escasez** shortage *10B*

el **especialista**, la **especialista** specialist *10A*

especializarse en to specialize in *10A*

la **especie** species *10B*

la **estación espacial** space station *10B*

estar en paro to be unemployed *10A*

los **estudios** studies *10A*

la **fábrica** factory *10B*

fijo/a permanent *10A*

la **foca** seal *10B*

el **fontanero**, la **fontanera** plumber *10A*

el **formulario** form *10A*

el **gen** pl. los **genes** gene, genes *10B*

la **genética** genetics *10B*

graduarse to graduate *10A*

hacer prácticas to have an internship *10A*

hoy en día nowadays *10B*

la **informática** computer science *10A*

la **ingeniería** engineering *10A*

el **invento** invention *10B*

el **jefe**, la **jefa** boss *10A*

la **jornada completa** full time *10A*

la **media jornada** part time *10A*

el **medio de comunicación** media, means of communication *10B*

el **microscopio** microscope *10B*

la **nave espacial** spaceship *10B*

optimista optimist *10B*

la **pantalla de alta definición** high-definition screen *10B*

pesimista pessimist *10B*

el **planeta** planet *10B*

poner a prueba to employ someone on a trial basis *10A*

por mi/su cuenta on my/his/her own *10A*

predecir to predict *10B*

la **psicología** psychology *10A*

el **psicólogo**, la **psicóloga** psychologist *10A*

el **puesto** job, position *10A*

la **realidad virtual** virtual reality *10B*

reciclar to recycle *10B*

el **recurso natural** natural resource *10B*

las **referencias** references *10A*

las **relaciones públicas** public relations *10A*

rellenar to fill in *10A*

los **requisitos** requirements *10A*

el **satélite** satellite *10B*

solar solar *10B*

solicitar to request *10A*

el **sueldo** salary *10A*

tecnológico/a technological *10B*

temporal temporary *10A*

tener facilidad para to have an ability for *10A*

el **uso** use *10B*

el **vidrio** glass *10B*

el **virus** pl. los **virus** virus, viruses *10B*

Appendices

Appendix A — Grammar Review

Definite articles

	Singular	Plural
Masculine	el	los
Feminine	la	las

Indefinite articles

	Singular	Plural
Masculine	un	unos
Feminine	una	unas

Adjective/noun agreement

	Singular	Plural
Masculine	El chico es alto.	Los chicos son altos.
Feminine	La chica es alta.	Las chicas son altas.

Pronouns

Singular	Subject	Direct object	Indirect object	Object of preposition	Reflexive	Reflexive object of preposition
1st person	yo	me	me	mí	me	mí
2nd person	tú	te	te	ti	te	ti
	Ud.	lo/la	le	Ud.	se	sí
3rd person	él	lo	le	él	se	sí
	ella	la	le	ella	se	sí
Plural						
1st person	nosotros	nos	nos	nosotros	nos	nosotros
	nosotras	nos	nos	nosotras	nos	nosotras
2nd person	vosotros	os	os	vosotros	os	vosotros
	vosotras	os	os	vosotras	os	vosotras
	Uds.	los/las	les	Uds.	se	sí
3rd person	ellos	los	les	ellos	se	sí
	ellas	las	les	ellas	se	sí

Demonstrative adjective and pronouns

Singular		Plural		
Masculine	**Feminine**	**Masculine**	**Feminine**	**Neuter**
este	esta	estos	estas	esto
ese	esa	esos	esas	eso
aquel	aquella	aquellos	aquellas	aquello

Relative pronouns

que	*who, whom, which, that*
quien	*who*
quienes	*who*
a quien	*whom*
a quienes	*whom*
cuyo/a	*whose*
el que, la que	*who, which*
el cual, la cual	*who, which*
lo que	*what, that, which*

Possessive pronouns

Singular	Singular form	Plural form
1st person	el mío la mía	los míos las mías
2nd person	el tuyo la tuya el suyo la suya	los tuyos las tuyas los suyos las suyas
3rd person	el suyo la suya	los suyos las suyas

Plural	Singular form	Plural form
1st person	el nuestro la nuestra	los nuestros las nuestras
2nd person	el vuestro la vuestra el suyo la suya	los vuestros las vuestras los suyos las suyas
3rd person	el suyo la suya	los suyos las suyas

Interrogatives

qué	*what*
cómo	*how*
dónde	*where*
cuándo	*when*
cuánto/a/os/as	*how much, how many*
cuál/cuáles	*which (one)*
quién/quiénes	*who, whom*
por qué	*why*
para qué	*why, what for*

Possessive adjectives: short form

Singular	Singular nouns	Plural nouns
1st person	mi hermano mi hermana	mis hermanos mis hermanas
2nd person	tu hermano tu hermana su hermano su hermana	tus hermanos tus hermanas sus hermanos sus hermanas
3rd person	su hermano su hermana	sus hermanos sus hermanas

Plural	Singular nouns	Plural nouns
1st person	nuestro hermano nuestra hermana	nuestros hermanos nuestras hermanas
2nd person	vuestro hermano vuestra hermana su hermano su hermana	vuestros hermanos vuestras hermanas sus hermanos sus hermanas
3rd person	su hermano su hermana	sus hermanos sus hermanas

Possessive adjectives: long form

Singular	Singular nouns	Plural nouns
1st person	un amigo mío una amiga mía	unos amigos míos unas amigas mías
2nd person	un amigo tuyo una amiga tuya un amigo suyo una amiga suya	unos amigos tuyos unas amigas tuyas unos amigos suyos unas amigas suyas
3rd person	un amigo suyo una amiga suya	unos amigos suyos unas amigas suyas

Plural	Singular nouns	Plural nouns
1st person	un amigo nuestro una amiga nuestra	unos amigos nuestros unas amigas nuestras
2nd person	un amigo vuestro una amiga vuestra un amigo suyo una amiga suya	unos amigos vuestros unas amigas vuestras unos amigos suyos unas amigas suyas
3rd person	un amigo suyo una amiga suya	unos amigos suyos unas amigas suyas

Appendix B — Verbs

Present tense (indicative)

Regular present tense		
hablar *(to speak)*	hablo hablas habla	hablamos habláis hablan
comer *(to eat)*	como comes come	comemos coméis comen
escribir *(to write)*	escribo escribes escribe	escribimos escribís escriben

Present tense of reflexive verbs (indicative)

lavarse *(to wash oneself)*	me lavo te lavas se lava	nos lavamos os laváis se lavan

Present tense of stem-changing verbs (indicative)

Stem-changing verbs are identified in this book by the presence of vowels in parentheses after the infinitive. If these verbs end in -*ar* or -*er*, they have only one change. If they end in -*ir*, they have two changes. The stem change of -*ar* and -*er* verbs and the first stem change of -*ir* verbs occur in all forms of the present tense, except *nosotros* and *vosotros*.

cerrar (ie) *(to close)*	e → ie	cierro cierras cierra	cerramos cerráis cierran

Verbs like *cerrar*: apretar *(to tighten)*, atravesar *(to cross)*, calentar *(to heat)*, comenzar *(to begin)*, despertar *(to wake up)*, despertarse *(to awaken)*, empezar *(to begin)*, encerrar *(to lock up)*, negar *(to deny)*, nevar *(to snow)*, pensar *(to think)*, quebrar *(to break)*, recomendar *(to recommend)*, regar *(to water)*, sentarse *(to sit down)*, temblar *(to tremble)*, tropezar *(to trip)*

contar (ue) *(to tell)*	o → ue	cuento cuentas cuenta	contamos contáis cuentan

Verbs like *contar*: acordar *(to agree)*, acordarse *(to remember)*, acostar *(to put to bed)*, acostarse *(to lie down)*, almorzar *(to have lunch)*, colgar *(to hang)*, costar *(to cost)*, demostrar *(to demonstrate)*, encontrar *(to find, to meet someone)*, mostrar *(to show)*, probar *(to taste, to try)*, recordar *(to remember)*, rogar *(to beg)*, soltar *(to loosen)*, sonar *(to ring, to sound)*, soñar *(to dream)*, volar *(to fly)*, volcar *(to spill, to turn upside down)*

jugar (ue) *(to play)*	u → ue	juego juegas juega	jugamos jugáis juegan

| perder (ie) (to lose) | e → ie | pierdo pierdes pierde | perdemos perdéis pierden |

Verbs like *perder*: defender *(to defend)*, descender *(to descend, to go down)*, encender *(to light, to turn on)*, entender *(to understand)*, extender *(to extend)*, tender *(to spread out)*

| volver (ue) (to return) | o → ue | vuelvo vuelves vuelve | volvemos volvéis vuelven |

Verbs like *volver*: devolver *(to return something)*, doler *(to hurt)*, llover *(to rain)*, morder *(to bite)*, mover *(to move)*, resolver *(to resolve)*, soler *(to be in the habit of)*, torcer *(to twist)*

| pedir (i, i) (to ask for) | e → i | pido pides pide | pedimos pedís piden |

Verbs like *pedir*: conseguir *(to obtain, to attain, to get)*, despedirse *(to say good-bye)*, elegir *(to choose, to elect)*, medir *(to measure)*, perseguir *(to pursue)*, repetir *(to repeat)*, seguir *(to follow, to continue)*, vestirse *(to get dressed)*

| sentir (ie, i) (to feel) | e → ie | siento sientes siente | sentimos sentís sienten |

Verbs like *sentir*: advertir *(to warn)*, arrepentirse *(to regret)*, convertir *(to convert)*, convertirse *(to become)*, divertirse *(to have fun)*, herir *(to wound)*, invertir *(to invest)*, mentir *(to lie)*, preferir *(to prefer)*, requerir *(to require)*, sugerir *(to suggest)*

| dormir (ue, u) (to sleep) | o → ue | duermo duermes duerme | dormimos dormís duermen |

Present participle of regular verbs

The present participle of regular verbs is formed by replacing the *-ar* of the infinitive with *-ando* and the *-er* or *-ir* with *-iendo*.

Present participle of stem-changing verbs

Stem-changing verbs that end in *-ir* use the second stem change in the present participle.

dormir (ue, u)	durmiendo
seguir (i, i)	siguiendo
sentir (ie, i)	sintiendo

Progressive tenses

The present participle is used with the verbs *estar, continuar, seguir, andar,* and some other motion verbs to produce the progressive tenses. They are reserved for recounting actions that are or were in progress at the time in question.

Regular command forms

	Affirmative		Negative
-ar verbs	habla hablad hable Ud. hablen Uds. hablemos	(tú) (vosotros) (Ud.) (Uds.) (nosotros)	no hables no habléis no hable Ud. no hablen Uds. no hablemos
-er verbs	come comed coma Ud. coman Uds. comamos	(tú) (vosotros) (Ud.) (Uds.) (nosotros)	no comas no comáis no coma Ud. no coman Uds. no comamos
-ir verbs	escribe escribid escriba Ud. escriban Uds. escribamos	(tú) (vosotros) (Ud.) (Uds.) (nosotros)	no escribas no escribáis no escriba Ud. no escriban Uds. no escribamos

Commands of stem-changing verbs (indicative)

The stem change also occurs in *tú*, *Ud.*, and *Uds.* commands, and the second change of -ir stem-changing verbs occurs in the *nosotros* command and in the negative *vosotros* command, as well.

cerrar (*to close*)	cierra cerrad cierre Ud. cierren Uds. cerremos	(tú) (vosotros) (Ud.) (Uds.) (nosotros)	no cierres no cerréis no cierre Ud. no cierren Uds. no cerremos
volver (*to return*)	vuelve volved vuelva Ud. vuelvan Uds. volvamos	(tú) (vosotros) (Ud.) (Uds.) (nosotros)	no vuelvas no volváis no vuelva Ud. no vuelvan Uds. no volvamos
dormir (*to sleep*)	duerme dormid duerma Ud. duerman Uds. durmamos	(tú) (vosotros) (Ud.) (Uds.) (nosotros)	no duermas no durmáis no duerma Ud. no duerman Uds. no durmamos

Preterite tense (indicative)

hablar	hablé hablaste habló	hablamos hablasteis hablaron
comer	comí comiste comió	comimos comisteis comieron
escribir	escribí escribiste escribió	escribimos escribisteis escribieron

Preterite tense of stem-changing verbs (indicative)

Stem-changing verbs that end in *-ar* and *-er* are regular in the preterite tense. That is, they do not require a spelling change, and they use the regular preterite endings.

pensar (ie)	
pensé	pensamos
pensaste	pensasteis
pensó	pensaron

volver (ue)	
volví	volvimos
volviste	volvisteis
volvió	volvieron

Stem-changing verbs ending in *-ir* change their third-person forms in the preterite tense, but they still require the regular preterite endings.

sentir (ie, i)	
sentí	sentimos
sentiste	sentisteis
sintió	sintieron

dormirse (ue, u)	
me dormí	nos dormimos
te dormiste	os dormisteis
se durmió	se durmieron

Imperfect tense (indicative)

hablar	hablaba	hablábamos
	hablabas	hablabais
	hablaba	hablaban
comer	comía	comíamos
	comías	comíais
	comía	comían
escribir	escribía	escribíamos
	escribías	escribíais
	escribía	escribían

Future tense (indicative)

hablar	hablaré	hablaremos
	hablarás	hablaréis
	hablará	hablarán
comer	comeré	comeremos
	comerás	comeréis
	comerá	comerán
escribir	escribiré	escribiremos
	escribirás	escribiréis
	escribirá	escribirán

Conditional tense (indicative)

hablar	hablaría	hablaríamos
	hablarías	hablaríais
	hablaría	hablarían
comer	comería	comeríamos
	comerías	comeríais
	comería	comerían
escribir	escribiría	escribiríamos
	escribirías	escribiríais
	escribiría	escribirían

Past participle

The past participle is formed by replacing the -*ar* of the infinitive with -*ado* and the -*er* or -*ir* with -*ido*.

hablar	hablado
comer	comido
vivir	vivido

Irregular past participles

abrir	abierto
cubrir	cubierto
decir	dicho
escribir	escrito
hacer	hecho
morir	muerto
poner	puesto
romper	roto
ver	visto
volver	vuelto

Present perfect tense (indicative)

The present perfect tense is formed by combining the present tense of *haber* and the past participle of a verb.

hablar	he hablado	hemos hablado
	has hablado	habéis hablado
	ha hablado	han hablado
comer	he comido	hemos comido
	has comido	habéis comido
	ha comido	han comido
vivir	he vivido	hemos vivido
	has vivido	habéis vivido
	ha vivido	han vivido

Past perfect tense (indicative)

hablar	había hablado	habíamos hablado
	habías hablado	habíais hablado
	había hablado	habían hablado

Preterite perfect tense (indicative)

hablar	hube hablado	hubimos hablado
	hubiste hablado	hubisteis hablado
	hubo hablado	hubieron hablado

Future perfect tense (indicative)

hablar	habré hablado	habremos hablado
	habrás hablado	habréis hablado
	habrá hablado	habrán hablado

Conditional perfect tense (indicative)

hablar	habría hablado	habríamos hablado
	habrías hablado	habríais hablado
	habría hablado	habrían hablado

Present tense (subjunctive)

hablar	hable	hablemos
	hables	habléis
	hable	hablen
comer	coma	comamos
	comas	comáis
	coma	coman
escribir	escriba	escribamos
	escribas	escribáis
	escriba	escriban

Imperfect tense (subjunctive)

hablar	hablara (hablase)	habláramos (hablásemos)
	hablaras (hablases)	hablarais (hablaseis)
	hablara (hablase)	hablaran (hablasen)
comer	comiera (comiese)	comiéramos (comiésemos)
	comieras (comieses)	comierais (comieseis)
	comiera (comiese)	comieran (comiesen)
escribir	escribiera (escribiese)	escribiéramos (escribiésemos)
	escribieras (escribieses)	escribierais (escribieseis)
	escribiera (escribiese)	escribieran (escribiesen)

Present perfect tense (subjunctive)

hablar	haya hablado	hayamos hablado
	hayas hablado	hayáis hablado
	haya hablado	hayan hablado

Past perfect tense (subjunctive)

hablar	hubiera (hubiese) hablado	hubiéramos (hubiésemos) hablado
	hubieras (hubieses) hablado	hubierais (hubieseis) hablado
	hubiera (hubiese) hablado	hubieran (hubiesen) hablado

Verbs with irregularities

The following charts provide some frequently used Spanish verbs with irregularities.

abrir *(to open)*	
past participle	abierto
Similar to:	cubrir *(to cover)*

andar *(to walk, to ride)*	
preterite	anduve, anduviste, anduvo, anduvimos, anduvisteis, anduvieron

buscar *(to look for)*	
preterite	busqué, buscaste, buscó, buscamos, buscasteis, buscaron
present subjunctive	busque, busques, busque, busquemos, busquéis, busquen
Similar to:	acercarse *(to get close, to approach)*, arrancar *(to start a motor)*, colocar *(to place)*, criticar *(to criticize)*, chocar *(to crash)*, equivocarse *(to make a mistake)*, explicar *(to explain)*, marcar *(to score a point)*, pescar *(to fish)*, platicar *(to chat)*, practicar *(to practice)*, sacar *(to take out)*, tocar *(to touch, to play an instrument)*

caber *(to fit into, to have room for)*	
present	quepo, cabes, cabe, cabemos, cabéis, caben
preterite	cupe, cupiste, cupo, cupimos, cupisteis, cupieron
future	cabré, cabrás, cabrá, cabremos, cabréis, cabrán
present subjunctive	quepa, quepas, quepa, quepamos, quepáis, quepan

caer *(to fall)*	
present	caigo, caes, cae, caemos, caéis, caen
preterite	caí, caíste, cayó, caímos, caísteis, cayeron
present participle	cayendo
present subjunctive	caiga, caigas, caiga, caigamos, caigáis, caigan
past participle	caído

conducir *(to drive, to conduct)*	
present	conduzco, conduces, conduce, conducimos, conducís, conducen
preterite	conduje, condujiste, condujo, condujimos, condujisteis, condujeron
present subjunctive	conduzca, conduzcas, conduzca, conduzcamos, conduzcáis, conduzcan
Similar to:	traducir *(to translate)*

conocer *(to know)*	
present	conozco, conoces, conoce, conocemos, conocéis, conocen
present subjunctive	conozca, conozcas, conozca, conozcamos, conozcáis, conozcan
Similar to:	complacer *(to please)*, crecer *(to grow, to increase)*, desaparecer *(to disappear)*, nacer *(to be born)*, ofrecer *(to offer)*

construir *(to build)*

present	construyo, construyes, construye, construimos, construís, construyen
preterite	construí, construiste, construyó, construimos, construisteis, construyeron
present participle	construyendo
present subjunctive	construya, construyas, construya, construyamos, construyáis, construyan

continuar *(to continue)*

present	continúo, continúas, continúa, continuamos, continuáis, continúan

convencer *(to convince)*

present	convenzo, convences, convence, convencemos, convencéis, convencen
present subjunctive	convenza, convenzas, convenza, convenzamos, convenzáis, convenzan
Similar to:	vencer *(to win, to expire)*

cubrir *(to cover)*

past participle	cubierto
Similar to:	abrir *(to open)*, descubrir *(to discover)*

dar *(to give)*

present	doy, das, da, damos, dais, dan
preterite	di, diste, dio, dimos, disteis, dieron
present subjunctive	dé, des, dé, demos, deis, den

decir *(to say, to tell)*

present	digo, dices, dice, decimos, decís, dicen
preterite	dije, dijiste, dijo, dijimos, dijisteis, dijeron
present participle	diciendo
command	di *(tú)*
future	diré, dirás, dirá, diremos, diréis, dirán
present subjunctive	diga, digas, diga, digamos, digáis, digan
past participle	dicho

dirigir *(to direct)*

present	dirijo, diriges, dirige, dirigimos, dirigís, dirigen
present subjunctive	dirija, dirijas, dirija, dirijamos, dirijáis, dirijan

empezar *(to begin, to start)*

present	empiezo, empiezas, empieza, empezamos, empezáis, empiezan
present subjunctive	empiece, empieces, empiece, empecemos, empecéis, empiecen
Similar to:	almorzar *(to eat lunch)*, aterrizar *(to land)*, comenzar *(to begin)*, gozar *(to enjoy)*, realizar *(to attain, to bring about)*

enviar *(to send)*

present	envío, envías, envía, enviamos, enviáis, envían
present subjunctive	envíe, envíes, envíe, enviemos, enviéis, envíen
Similar to:	esquiar *(to ski)*

escribir *(to write)*

past participle	escrito
Similar to:	describir *(to describe)*

escoger *(to choose)*

present	escojo, escoges, escoge, escogemos, escogéis, escogen
Similar to:	coger *(to pick)*, recoger *(to pick up)*

estar *(to be)*

present	estoy, estás, está, estamos, estáis, están
preterite	estuve, estuviste, estuvo, estuvimos, estuvisteis, estuvieron
present subjunctive	esté, estés, esté, estemos, estéis, estén

haber *(to have)*

present	he, has, ha, hemos, habéis, han
preterite	hube, hubiste, hubo, hubimos, hubisteis, hubieron
future	habré, habrás, habrá, habremos, habréis, habrán
present subjunctive	haya, hayas, haya, hayamos, hayáis, hayan

hacer *(to do, to make)*

present	hago, haces, hace, hacemos, hacéis, hacen
preterite	hice, hiciste, hizo, hicimos, hicisteis, hicieron
command	haz (tú)
future	haré, harás, hará, haremos, haréis, harán
present subjunctive	haga, hagas, haga, hagamos, hagáis, hagan
past participle	hecho
Similar to:	deshacer *(to undo)*

ir *(to go)*

present	voy, vas, va, vamos, vais, van
preterite	fui, fuiste, fue, fuimos, fuisteis, fueron
imperfect	iba, ibas, iba, íbamos, ibais, iban
present participle	yendo
command	ve (tú)
present subjunctive	vaya, vayas, vaya, vayamos, vayáis, vayan

leer *(to read)*

preterite	leí, leíste, leyó, leímos, leísteis, leyeron
present participle	leyendo
past participle	leído
Similar to:	creer *(to believe)*

llegar *(to arrive)*

preterite	llegué, llegaste, llegó, llegamos, llegasteis, llegaron
present subjunctive	llegue, llegues, llegue, lleguemos, lleguéis, lleguen
Similar to:	agregar *(to add)*, apagar *(to turn off)*, colgar *(to hang up)*, despegar *(to take off)*, entregar *(to hand in)*, jugar *(to play)*, pagar *(to pay for)*

morir (to die)

past participle	muerto

oír (to hear, to listen)

present	oigo, oyes, oye, oímos, oís, oyen
preterite	oí, oíste, oyó, oímos, oísteis, oyeron
present participle	oyendo
present subjunctive	oiga, oigas, oiga, oigamos, oigáis, oigan
past participle	oído

poder (to be able)

present	puedo, puedes, puede, podemos, podéis, pueden
preterite	pude, pudiste, pudo, pudimos, pudisteis, pudieron
present participle	pudiendo
future	podré, podrás, podrá, podremos, podréis, podrán
present subjunctive	pueda, puedas, pueda, podamos, podáis, puedan

poner (to put, to place, to set)

present	pongo, pones, pone, ponemos, ponéis, ponen
preterite	puse, pusiste, puso, pusimos, pusisteis, pusieron
command	pon (tú)
future	pondré, pondrás, pondrá, pondremos, pondréis, pondrán
present subjunctive	ponga, pongas, ponga, pongamos, pongáis, pongan
past participle	puesto

proteger (to protect)

present	protejo, proteges, protege, protegemos, protegéis, protegen
present subjunctive	proteja, protejas, proteja, protejamos, protejáis, protejan

querer (to wish, to want, to love)

present	quiero, quieres, quiere, queremos, queréis, quieren
preterite	quise, quisiste, quiso, quisimos, quisisteis, quisieron
future	querré, querrás, querrá, querremos, querréis, querrán
present subjunctive	quiera, quieras, quiera, querramos, querráis, quieran

reír (to laugh)

present	río, ríes, ríe, reímos, reís, ríen
preterite	reí, reíste, rió, reímos, reísteis, rieron
present participle	riendo
present subjunctive	ría, rías, ría, riamos, riáis, rían
Similar to:	freír (to fry), sonreír (to smile)

romper (to break)

past participle	roto

saber (to know, to know how)

present	sé, sabes, sabe, sabemos, sabéis, saben
preterite	supe, supiste, supo, supimos, supisteis, supieron
future	sabré, sabrás, sabrá, sabremos, sabréis, sabrán
present subjunctive	sepa, sepas, sepa, sepamos, sepáis, sepan

salir (to leave)

present	salgo, sales, sale, salimos, salís, salen
command	sal (tú)
future	saldré, saldrás, saldrá, saldremos, saldréis, saldrán
present subjunctive	salga, salgas, salga, salgamos, salgáis, salgan

seguir (to follow, to continue)

present	sigo, sigues, sigue, seguimos, seguís, siguen
present participle	siguiendo
present subjunctive	siga, sigas, siga, sigamos, sigáis, sigan
Similar to:	conseguir (to obtain, to attain, to get)

ser (to be)

present	soy, eres, es, somos, sois, son
preterite	fui, fuiste, fue, fuimos, fuisteis, fueron
imperfect	era, eras, era, éramos, erais, eran
command	sé (tú)
present subjunctive	sea, seas, sea, seamos, seáis, sean

tener (to have)

present	tengo, tienes, tiene, tenemos, tenéis, tienen
preterite	tuve, tuviste, tuvo, tuvimos, tuvisteis, tuvieron
command	ten (tú)
future	tendré, tendrás, tendrá, tendremos, tendréis, tendrán
present subjunctive	tenga, tengas, tenga, tengamos, tengáis, tengan
Similar to:	contener (to contain), detener (to stop), mantener (to maintain), obtener (to obtain)

torcer (to twist)

present	tuerzo, tuerces, tuerce, torcemos, torcéis, tuercen
present subjunctive	tuerza, tuerzas, tuerza, torzamos, torzáis, tuerzan

traer (to bring)

present	traigo, traes, trae, traemos, traéis, traen
preterite	traje, trajiste, trajo, trajimos, trajisteis, trajeron
present participle	trayendo
present subjunctive	traiga, traigas, traiga, traigamos, traigáis, traigan
past participle	traído
Similar to:	atraer (to attract)

valer *(to be worth)*	
present	valgo, vales, vale, valemos, valéis, valen
preterite	valí, valiste, valió, valimos, valisteis, valieron
future	valdré, valdrás, valdrá, valdremos, valdréis, valdrán
present subjunctive	valga, valgas, valga, valgamos, valgáis, valgan

venir *(to come)*	
present	vengo, vienes, viene, venimos, venís, vienen
preterite	vine, viniste, vino, vinimos, vinisteis, vinieron
present participle	viniendo
command	ven (tú)
future	vendré, vendrás, vendrá, vendremos, vendréis, vendrán
present subjunctive	venga, vengas, venga, vengamos, vengáis, vengan
Similar to:	convenir *(to suit, to agree)*

ver *(to see)*	
present	veo, ves, ve, vemos, veis, ven
preterite	vi, viste, vio, vimos, visteis, vieron
imperfect	veía, veías, veía, veíamos, veíais, veían
present subjunctive	vea, veas, vea, veamos, veáis, vean
past participle	visto

volver *(to return)*	
past participle	vuelto
Similar to:	resolver *(to solve)*

Appendix C — Numbers

Ordinal numbers

1—primero/a (primer)	6—sexto/a
2—segundo/a	7—séptimo/a
3—tercero/a (tercer)	8—octavo/a
4—cuarto/a	9—noveno/a
5—quinto/a	10—décimo/a

Cardinal numbers 0–1.000

0—cero	13—trece	26—veintiséis	90—noventa
1—uno	14—catorce	27—veintisiete	100—cien/ciento
2—dos	15—quince	28—veintiocho	200—doscientos/as
3—tres	16—dieciséis	29—veintinueve	300—trescientos/as
4—cuatro	17—diecisiete	30—treinta	400—cuatrocientos/as
5—cinco	18—dieciocho	31—treinta y uno	500—quinientos/as
6—seis	19—diecinueve	32—treinta y dos	600—seiscientos/as
7—siete	20—veinte	33—treinta y tres, etc.	700—setecientos/as
8—ocho	21—veintiuno	40—cuarenta	800—ochocientos/as
9—nueve	22—veintidós	50—cincuenta	900—novecientos/as
10—diez	23—veintitrés	60—sesenta	1.000—mil
11—once	24—veinticuatro	70—setenta	
12—doce	25—veinticinco	80—ochenta	

Appendix D — Syllabification

Spanish vowels may be weak or strong. The vowels *a, e* and *o* are strong, whereas *i* (and sometimes *y*) and *u* are weak. The combination of one weak and one strong vowel or of two weak vowels produces a diphthong, two vowels pronounced as one.

A word in Spanish has as many syllables as it has vowels or diphthongs.		
al-gu-nas	lue-go	pa-la-bra

A single consonant (including *ch, ll, rr*) between two vowels accompanies the second vowel and begins a syllable.		
a-mi-ga	fa-vo-ri-to	mu-cho

Two consonants are divided, the first going with the previous vowel and the second going with the following vowel.		
an-tes	quin-ce	ter-mi-nar

A consonant plus *l* or *r* is inseparable except for *rl, sl* and *sr*.				
ma-dre	pa-la-bra	com-ple-tar	Car-los	is-la

If three consonants occur together, the last, or any inseparable combination, accompanies the following vowel to begin another syllable.		
es-cri-bir	som-bre-ro	trans-por-te

Prefixes should remain intact.
re-es-cri-bir

Appendix E — Accentuation

Words that end in *a, e, i, o, u, n* or *s* are pronounced with the major stress on the next-to-the-last syllable. No accent mark is needed to show this emphasis.		
octubre	refresco	señora

Words that end in any consonant except *n* or *s* are pronounced with the major stress on the last syllable. No accent mark is needed to show this emphasis.		
escribir	papel	reloj

Words that are not pronounced according to the above two rules must have a written accent mark.			
lógico	canción	después	lápiz

An accent mark may be necessary to distinguish identical words with different meanings.		
dé/de	qué/que	sí/si

An accent mark is often used to divide a diphthong into two separate syllables.		
día	frío	Raúl

Vocabulary

Spanish / English

All active words introduced in *¡Qué chévere! 1* and *2* appear in this end vocabulary. The number and letter following an entry indicate the lesson in which an item is first actively used in *¡Qué chévere! 3*. The vocabulary from *¡Qué chévere! 1* and *2* and additional words and expressions are included for reference and have no number. Obvious cognates and expressions that occur as passive vocabulary for recognition only have been excluded from this end vocabulary.

Abbreviations:

d.o.p.	direct object pronoun
f.	feminine
i.o.p.	indirect object pronoun
m.	masculine
pl.	plural
s.	singular

A

a to, at, in; *a caballo* on horseback; *a causa de* because of, due to; *a crédito* on credit; *a cuadros* plaid, checkered; *a favor (de)* in favor (of); *a fin de que* so that; *a la derecha* to the right; *a la izquierda* to the left; *a la(s)…* at… o' clock; *a lo mejor* maybe; *a menudo* often; *a pie* on foot; *a propósito* by the way; *¿a qué hora?* at what time?; *a rayas* striped; *a tiempo* on time; *a veces* sometimes, at times; *a ver* let's see; *A mí me tocan…* I get… *1A*; *a diferencia de* unlike, contrary to *2A*; *a punto de (salir)* about (to leave) *5B*; *a último momento* at the last moment *6A*; *a partir de* from (a certain period of time) *8B*; *a menos que* unless *10B*

a la parrilla grilled *7B*

abajo downstairs, down

abierto/a open; *vocales abiertas* open vowels

el **abogado, la abogada** lawyer

abordar to board

abran: see *abrir*

abrazarse to hug (each other)

el **abrazo** hug

abre: see *abrir*

el **abrelatas** can opener

la **abreviatura** abbreviation

el **abrigo** coat

abril April

abrir to open; *abran (Uds. command)* open; *abre (tú command)* open

abrochar(se) to fasten

la **abuela** grandmother

el **abuelo** grandfather

aburrido/a bored, boring

aburrir(se) to bore, to get bored

acá here *2B*

acabar to finish, to complete, to terminate; *acabar de (+ infinitive)* to have just

acampar to camp *5B*

el **accidente** accident

el **aceite** oil

la **aceituna** olive

el **acelerador** gas pedal *5A*

acelerar to accelerate *5A*

el **acento** accent

la **acentuación** accentuation

aceptado/a accepted

aceptar to accept *3A*

la **acera** sidewalk

acerca de about

aclarar to make clear, to explain

el **acondicionador** conditioner *9A*

aconsejar to advise, to suggest

el **acontecimiento** event, happening

acordar(se) de ue) to remember

acortar to shorten *9B*

acostar (ue) to put (someone) in bed; *acostarse* to go to bed, to lie down

acostumbrar(se) to get used to

el **acróbata, la acróbata** acrobat

la **actitud** attitude

la **actividad** activity

activo/a active *1B*

el **actor** actor (male)

la **actriz** actor (female), actress

la **actuación** performance *1B*

actuar to act *1B*

acuático/a aquatic, pertaining to water

el **acuerdo** accord; *de acuerdo* agreed, okay; *estar de acuerdo* to agree

el **acusado, la acusada** accused person *3B*

acusar to accuse *4A*

adelante ahead, farther on

además besides, furthermore

adentro inside

el **aderezo** seasoning, flavoring, dressing

adiós good-bye

adivinar to guess

el **adjetivo** adjective; *adjetivo posesivo* possessive adjective

admitir to admit *4A*

adonde where

¿adónde? (to) where?

adornar to decorate

la **aduana** customs

el **adulto, la adulta** adult *4A*

el **adverbio** adverb

aéreo/a air, pertaining to air

los **aeróbicos** aerobics; *hacer aeróbicos* to do aerobics

la **aerolínea** airline

el **aeropuerto** airport

el **aerosol** aerosol *10B*

afectar to affect *10B*

afeitar(se) to shave; *crema de*

afeitar shaving cream

el **aficionado, la aficionada** fan

el **África** Africa

africano/a African

afuera outside

las **afueras** suburbs *5A*

la **agencia** agency; *agencia de viajes* travel agency

el **agente, la agente** agent

agosto August

agotar(se) to run out, to exhaust *10B*

agradable nice, pleasing, agreeable

agradar to please

agradecer to thank *3A*

agregar to add

el **agricultor, la agricultora** farmer

agrio/a sour *7A*

el **agua** *(f.)* water; *agua mineral* mineral water

el **aguacate** avocado

el **aguacero** (heavy) rain shower *6A*

el **águila calva** bald eagle *10B*

la **aguja** needle *9B*

el **agujero** hole, gap *10B*

ahora now; *ahora mismo* right now

ahorrar to save

ahumado/a smoked *7B*

el **aire** air; *aire acondicionado* air conditioning; *al aire libre* outdoors

el **ajedrez** chess

el **ají** pepper *(pl. ajíes)* *7A*

el **ajo** garlic

ajustar to adjust *5A;* to fit, to tighten *9B*

al to the; *al aire libre* outdoors; *al lado de* next to, beside; *al principio* at the beginning, start *3A; al fin y al cabo* after all *9A*

la **alarma** alarm; *alarma de incendios* fire alarm, smoke alarm

el **albergue juvenil** youth hostel *6B*

alegrar (de) to make happy; *alegrarse (de)* to be glad

alegre happy, merry, lively

alemán, alemana German

Alemania Germany

la **alergia** allergy *8A*

el **alfabeto** alphabet

el **alfiler** pin *9B*

la **alfombra** carpet, rug

el **álgebra** algebra

algo something, anything

el **algodón** cotton; *algodón de azúcar* cotton candy

alguien someone, anyone, somebody, anybody

algún, alguno/a some, any

la **alimentación** diet *8B*

alimentarse to eat *8B*

el **alimento** food *8B*

alisarse (el pelo) to straighten (one's hair) *9A*

allá over there

allí there

el **almacén** department store, grocery store; warehouse

la **almeja** clam

la **almendra** almond *7B*

la **almohada** pillow *2B*

almorzar (ue) to have lunch, to eat lunch

el **almuerzo** lunch

aló hello (telephone greeting)

alojar(se) to lodge; *alojarse* to stay

alquilar to rent

alrededor de around

alterna *(tú* command) alternate

el **alto** stop sign

alto/a tall, high

amable kind, nice

amarillo/a yellow

ambiguo/a ambiguous

la **ambulancia** ambulance *3B*

la **América** America; *América Central* Central America; *América del Norte* North America; *América del Sur* South America

americano/a American; *fútbol americano* football

el **amigo, la amiga** friend; *amigo/a por correspondencia* pen pal

la **amistad** friendship

el **amor** love

añade: see *añadir*

añadir to add; *añade* *(tú* command) add

anaranjado/a orange (color)

ancho/a loose, wide *9A*

andar to walk, to go; to be

el **andén** train platform *5B*

andino/a Andean, of the Andes Mountains

el **anfitrión, la anfitriona** host, hostess *7B*

el **anillo** ring

el **animal** animal

el **año** year; *Año Nuevo* New Year's

(Day); *¿Cuántos años tienes?* How old are you?; *cumplir años* to have a birthday; *tener (+ number) años* to be (+ number) years old

anoche last night

anochecer to get dark, to turn to dusk

anteayer the day before yesterday

anterior preceding

antes de before

el **antibiótico** antibiotic *8A*

antiguo/a antique, ancient, old

el **antiséptico** antiseptic *8A*

anunciar to announce *3B*

el **anuncio** announcement, advertisement; *anuncio comercial* commercial announcement, commercial, advertisement

apagar to turn off

el **aparato** appliance, apparatus

aparecer to appear, to turn up *1A*

el **apartamento** apartment

el **apellido** last name, surname

la **aplicación** app

el **apodo** nickname

apoyar to support, to back (another person) *4A*

aprender to learn

apropiado/a appropriate

apunta: see *apuntar*

apuntar to point; *apunta* *(tú* command) point (at); *apunten (Uds.* command) point (at)

apunten: see *apuntar*

apurado/a in a hurry

apurar(se) to hurry up

aquel, aquella that (far away), that (one)

aquello that

aquellos, aquellas those (far away), those (ones)

aquí here; *Aquí se habla español.* Spanish is spoken here.

árabe Arab

Arabia Saudita Saudi Arabia

el **árbitro, la árbitro** referee, umpire

el **árbol** tree; *árbol genealógico* family tree

el **arbusto** bush *5B*

la **arcilla** clay *9B*

la **arena** sand

el **arete** earring

la **Argentina** Argentina
argentino/a Argentinean
el **armario** closet, wardrobe;
cupboard
el **arquitecto, la arquitecta**
architect *10A*
la **arquitectura** architecture *10A*
arreglar to arrange, to
straighten, to fix
arrestar to arrest *3B*
arriba upstairs, up, above
la **arroba** at (the symbol @ used
for e-mail addresses)
arrojar to throw out, to
dump *10B*
el **arroz** rice
arrugado/a wrinkled *9B*
el **arte** art
la **artesanía** handicraft *9B*
el **artículo** article
el **artista, la artista** artist
asado/a roasted *7B*
la **asadora** roasting pan *7A*
asaltar to assault *3B*
asar to roast *7A*
el **ascensor** elevator
así thus, that way
el **Asia** Asia
asiático/a Asian
el **asiento** seat *5B*
la **asignatura** subject (school)
asistir a to attend
la **aspiración** aspiration, hope
la **aspiradora** vacuum; *pasar la
aspiradora* to vacuum
la **aspirina** aspirin *8A*
el **astronauta, la astronauta**
astronaut *10B*
asustarse to get scared *6A*
el **atasco** traffic jam *5A*
atender (ie) to take care of *1B*
atentamente respectfully, yours
truly
aterrizar to land
el **ático** attic
el **Atlántico** Atlantic (Ocean)
el **atleta, la atleta** athlete *1B*
atlético/a athletic *1B*
la **atmósfera** atmosphere *10B*
la **atracción** attraction;
(amusement) ride; *parque de
atracciones* amusement park
atractivo/a attractive *9A*
atravesado/a crossed
atravesar (ie) to go through *6A*
el **atún** tuna
los **audífonos** earphones,
headphones

el **aumento** increase
aun even
aunque although
Australia Australia
australiano/a Australian
el **autobús** bus; *estación de
autobuses* bus station
el **autógrafo** autograph
la **autopista** highway *5A*
el **auxiliar de vuelo, la auxiliar de
vuelo** flight attendant
los **avances** advances *10B*
el **ave** fowl, bird
la **avenida** avenue
la **aventura** action (film) *1B*
averiguar to find out *3A*
el **avión** airplane
avisar to let someone know *4B*
el **aviso** printed advertisement
¡ay! oh!
ayer yesterday
la **ayuda** help; *pedir ayuda* to ask
for help
ayudar to help
el **azafrán** saffron
la **azotea** flat roof
los **aztecas** Aztecs
el **azúcar** sugar
la **azucarera** sugar bowl
azul blue; *azul marino* navy
blue *9A*

B

bailar to dance
el **baile** dance, dancing
bajar to lower *7B; bajar un
programa* to download a
software program
bajo under
bajo/a short (not tall), low;
planta baja ground floor; *zapato
bajo* low-heel shoe
balanceado/a balanced
la **ballena** whale *10B*
el **baloncesto** basketball
la **balsa** raft *6B*
bañar(se) to bathe
el **banco** bank
la **banda** band
la **bandeja** tray *9B*
la **bañera** bathtub *6B*
el **baño** bathroom; *baño de los
caballeros* men's restroom;
cuarto de baño bathroom; *traje
de baño* swimsuit

barato/a cheap
la **barba** beard *2A*
el **barco** boat, ship
barrer to sweep
la **barriga** belly *8A*
el **barril** barrel
el **barrio** neighborhood
basado/a based
el **básquetbol** basketball
la **basquetbolista, la
basquetbolista** basketball
player
bastante quite, rather, fairly,
sufficiently; enough, sufficient
la **basura** garbage
el **basurero** garbage can *2A*
la **batería** battery *4B*
la **batidora** mixer *7A*
batir to beat *7A*
el **baúl** trunk
la **bebida** drink
la **beca** scholarship *10A*
beige beige *9A*
el **béisbol** baseball
el **beisbolista, la beisbolista**
baseball player *1B*
los **beneficios** benefits *10A*
las **bermudas** bermuda shorts
besarse to kiss each other
el **beso** kiss
la **biblioteca** library
el **bibliotecario,
la bibliotecaria** librarian
la **bicicleta** bicycle, bike
bien well; *quedarle bien a uno* to
fit, to be becoming
la **bienvenida** welcome
bienvenido/a welcome
el **bigote** mustache *2A*
el **billete** ticket
la **billetera** wallet
los **binoculares** binoculars *5B*
la **biología** biology
la **bisabuela** great-grandmother
el **bisabuelo** great-grandfather
el **bistec** steak *7B*
blanco/a white
blando/a soft *6B*
la **blusa** blouse
la **boca** mouth
la **bocacalle** street entrance *5A*
el **bocadillo** sandwich *7B*
la **boda** wedding
la **boletería** ticket office *5B*
el **boleto** ticket
el **bolígrafo** pen
Bolivia Bolivia
el **boliviano** Bolivian

currency *7A*
boliviano/a Bolivian
la **bolsa** bag
el **bolsillo** pocket *9B*
el **bolso** handbag, purse
la **bomba** bomb *3B*
el **bombero, la bombera**
  firefighter
la **bombilla** light bulb
bonito/a pretty, good-looking,
  attractive
bordado/a embroidered *9B*
borra: see *borrar*
el **borrador** eraser
borrar to erase; *borra*
  (*tú* command) erase; *borren*
  (*Uds.* command) erase
borren: see *borrar*
el **bosque** forest
bostezar to yawn
la **bota** boot
el **bote** boat
la **botella** bottle *7B*
el **botón** button (*pl. botones*) *9B*
el **botones** bellhop
el **Brasil** Brazil
brasileño/a Brazilian
el **brazo** arm
el **broche** pin, brooch *9B*
la **broma** joke
broncear(se) to tan
la **brújula** compass *5B*
bucear to scuba dive *6B*
el **buceo** scuba diving
buen good (form of *bueno*
  before a *m., s.* noun); *hace buen*
  tiempo the weather is nice
bueno well, okay (pause in
  speech); hello (telephone
  greeting)
bueno/a good; *buena suerte*
  good luck; *buenas noches*
  good night; *buenas tardes*
  good afternoon; *buenos días*
  good morning
la **bufanda** scarf
el **burro** burro, donkey
buscar to look for

C

la **cabalgata** horseback ride *6B*
el **caballero** gentleman; *baño de*
  los caballeros men's restroom
el **caballo** horse; *a caballo*
  on horseback
caber to fit (into)
la **cabeza** head
el **cacahuete** peanut *8B*
cada each, every
la **cadena** chain *9B*
caer(se) to fall (down)
café brown (color)
el **café** coffee
la **cafetera** coffee pot,
  coffee maker
la **cafetería** cafeteria
la **caja** box *2A*
la **caja** cash register
el **cajero, la cajera** cashier
el **calambre** muscle cramp *8B*
el **calcetín** sock
el **calcio** calcium *8B*
la **calefacción** heating *2A*
el **calendario** calendar
el **calentamiento global** global
  warming *10B*
la **calidad** quality
caliente hot
la **calle** street; *la calle de doble vía*
  two-way street *5A; la calle de*
  una sola vía one-way street *5A*
el **callejón sin salida** blind
  alley *5A*
calmar(se) to calm down
el **calor** heat; *hace calor* it is hot;
  tener calor to be hot
calvo/a bald
el **calzado** footwear *9A*
la **cama** bed; *la cama doble* double
  bed *6B; la cama sencilla* single
  bed *6B*
la **cámara** camera
la **cámara digital** digital
  camera *3A*
el **camarero, la camarera** food
  server
el **camarón** shrimp
cambiar to change
el **cambio** change; *en cambio* on
  the other hand
el **camello** camel
caminar to walk
el **camino** road, path
el **camión** truck
la **camioneta** station wagon *3B*

la **camisa** shirt
la **camiseta** jersey, polo, t-shirt
el **campamento** camp site *5B*
el **campeonato** championship
el **camping** camping
el **campo** countryside *5B;* field (of
  study) *10A*
el **Canadá** Canada
canadiense Canadian
el **canal** channel
la **cancelación** cancellation *6A*
cancelar to cancel *6A*
la **cancha de tenis** tennis court *6B*
la **canción** song
el **cangrejo** crab
canoso/a white-haired, gray-
  haired
cansado/a tired
el **cantante, la cantante** singer
cantar to sing
la **cantidad** quantity
la **capa de ozono** ozone layer *10B*
las **capas** layers *9A*
la **capital** capital
el **capitán** captain
el **capítulo** chapter
el **capó** hood
la **cara** face
la **característica** characteristic,
  trait; *características de*
  personalidad personality traits;
  características físicas physical
  traits
¡caramba! wow!
el **carbohidrato** carbohydrate *8B*
la **cárcel** jail *3B*
el **cargador** charger *4B*
cargar to charge; *cargar*
  (la batería) to charge
  (the battery) *4B*
el **Caribe** Caribbean
cariñoso/a affectionate
el **carnaval** carnival
la **carne** meat; *carne de res* beef
la **carnicería** meat market,
  butcher shop
caro/a expensive
el **carpintero, la carpintera**
  carpenter
la **carrera** career
la **carretera** highway
el **carro** car; *carros chocones*
  bumper cars; *en carro* by car
el **carrusel** carrousel, merry-go-
  round
la **carta** letter; playing card
la **casa** home, house; *en casa*
  at home

casado/a married *2A*

casarse to marry, to get married *3A*

el casco helmet *5B*

casi almost

castaño/a brown (hair) *2A*

la catarata waterfall

la catástrofe catastrophe

la catedral cathedral

catorce fourteen

causar to cause *3B*

la cebolla onion

la cebra zebra

ceder el paso to yield *5A*

la celebración celebration

celebrar to celebrate

celoso/a jealous *4A*

el celular cellular phone

la cena dinner, supper

cenar to have dinner, to have supper

el centavo cent

el centro downtown, center; *centro comercial* shopping center, mall

centroamericano/a Central American

cepillarse to brush (one's hair, teeth) *2B*

el cepillo brush

el cepillo de dientes toothbrush *2B*

la cerámica ceramics, pottery *9B*

cerca (de) near

la cerca fence

el cerdo pig; pork

el cereal cereal

la ceremonia ceremony *3A*

la cereza cherry *7A*

cero zero

cerrado/a closed; *vocales cerradas* closed vowels

la cerradura lock

cerrar (ie) to close; *cierra* (*tú* command) close; *cierren* (*Uds.* command) close

el césped lawn, grass; *cortadora de césped* lawn mower

el cesto de papeles wastebasket, wastepaper basket

el ceviche *ceviche* (marinated seafood dish) *7B*

el champú shampoo

chao good-bye

la chaqueta jacket

charlando talking, chatting

chatear to chat

el cheque check

el cheque de viajero traveler's

check *6A*

¡Chévere! Great! *1A*

la chica girl

el chico boy, man, buddy

Chile Chile

chileno/a Chilean

la chimenea chimney, fireplace

la China China

chino/a Chinese

el chisme gossip

chismear to gossip *4A*

chismoso/a gossipy *4A*

el chiste joke

chistoso/a funny

chocar to crash *3B*

el choclo ear of corn *7A*

el chocolate chocolate

el chofer, la chofer chauffeur, driver

el chorizo sausage (seasoned with red peppers)

el ciclista, la ciclista cyclist *1B*

el cielo sky

cien one hundred

la ciencia ficción science fiction *1B*

la ciencia science

científico/a scientific *10B*

ciento one hundred (when followed by another number)

cierra: see *cerrar*

cierren: see *cerrar*

el cigarrillo cigarette

cinco five

cincuenta fifty

el cine movie theater

la cintura waist *9B*

el cinturón belt; *cinturón de seguridad* seat belt, safety belt

el circo circus

la ciruela plum

la cita appointment, date

la ciudad city

la civilización civilization

la clara egg white *7A*

claro/a clear; light *9A*

¡claro! of course!

la clase class

los clasificados classified ads *3A*

clasificar to classify

clavar to nail *2A*

el clavo nail *2A*

el claxon horn

el cliente, la clienta customer *7B*

el clima climate

la clínica clinic *8A*

el club club

la cobija blanket *2B*

cocer (ue) to cook *7A*

el coche cama sleeping car *5B*

el coche car; *en coche* by car

el coche comedor dining car *5B*

cocido/a cooked, done *7A*

la cocina kitchen

cocinar to cook

el cocinero, la cocinera cook

el código (country) code *4B*

el codo elbow

el cognado cognate

la cola ponytail *9A*

colaborar to collaborate *1A*

el colchón mattress *2B*

la colección collection

el colegio school

colgar (ue) to hang; *colgar el teléfono* to hang up the phone *4B*

la colina hill

el collar necklace

colocar(se) to put, to place

Colombia Colombia

colombiano/a Colombian

la colonia colony

el color color

la columna column

combinar to combine

la comedia comedy, play

el comedor dining room

el comentarista, la comentarista commentator

comenzar (ie) to begin, to start

comer to eat; *dar de comer* to feed

comercial commercial; *anuncio comercial* commercial announcement; *commercia* advertisement; *centro comercial* shopping center, mall

comerse to eat up, to eat completely

cometer un error to make a mistake *4A*

cómico/a comical, funny; *película cómica* (film) comedy *1B*

la comida food; lunch (Spain); *comida rápida* fast food

la comida chatarra junk food *8B*

como like, since; such as

¿cómo? how?, what?; *¿Cómo? What (did you say)?; ¿Cómo está (Ud.)?* How are you (formal)?; *¿Cómo están (Uds.)?* How are you (pl.)?; *¿Cómo estás (tú)?* How are you (informal)?; *¿Cómo no!* Of course!; *¿Cómo se dice…?*

How do you say…?; *¿Cómo se escribe…?* How do you write (spell)…?; *¿Cómo se llama (Ud./él/ella)?* What is (your/his/her) name?; *¿Cómo te llamas?* What is your name?

la **cómoda** chest of drawers, bureau *2B*

cómodo/a comfortable

el **compañero, la compañera** classmate, partner

la **compañía** company

comparando comparing

el **compartimiento** compartment

compartir to share

la **competencia** competition

complacer to please

completa: see *completar*

completar to complete; *completa (tú* command) complete

completo/a complete

el **comportamiento** behavior *4B*

comportarse to behave *7B*

la **compra** purchase; *ir de compras* to go shopping

comprar to buy

comprender to understand; *comprendo* I understand

comprendo: see *comprender*

comprensivo/a understanding *4A*

la **computación** computer science

la **computadora** computer

la **comunicación** communication

comunicarse to communicate *10B*

con with; *con (mucho) gusto* I would be (very) glad to; *con permiso* excuse me (with your permission), may I; *siempre salirse con la suya* to always get one's way; *con respecto a* regarding *1B*

el **concierto** concert

el **concurso** contest, competition; *programa de concurso* game show

el **condimento** condiment, seasoning *7A*

conducir to drive, to conduct, to direct

el **conductor**, la **conductora** driver *3B*

conectado/a connected

conectar to connect *2A*

el **conejo** rabbit

confiar to trust *4A*

la **confirmación** confirmation *6A*

confirmar to confirm *6A*

el **conflicto** conflict *4B*

la **conjunción** conjunction

el **conjunto** (sweater) set *9A*

conmigo with me

conocer to know, to be acquainted with, to be familiar with; to meet

conocido/a known, famous

los **conocimientos** knowledge *10A*

conseguir (i, i) to obtain, to attain, to get

el **consejo** advice

el **consejo estudiantil** student council *1A*

el **conserje, la conserje** concierge *6B*

conservar to conserve *10B*

considerado/a thoughtful, considerate *4A*

la **consola de juegos** game console/system

la **construcción** construction work *10A*

construir to build *2A*

consultar to check *4B*

el **consultorio** doctor's office

la **contaminación** contamination, pollution; *contaminación ambiental* environmental pollution

contaminado/a contaminated *10B*

contaminar to contaminate *10B*

contar con to count on (someone) *4A*

contar (ue) to tell (a story); *cuenta (tú* command) tell; *cuenten (Uds.* command) tell

contener to contain

contento/a happy, glad; *estar contento/a (con)* to be satisfied (with)

contesta: see *contestar*

el **contestador automático** answering machine *4B*

contestar to answer; *contesta (tú* command) answer; *contesten (Uds.* command) answer

contesten: see *contestar*

el **contexto** context

contigo with you *(tú)*

continúa: see *continuar*

continuar to continue; *continúa (tú* command) continue; *continúen (Uds.* command) continue

continúen: see *continuar*

contra against *3B*

la **contracción** contraction

contratar to hire *10A*

contribuir to contribute *3A*

el **control remoto** remote control

convencer to convince *1A*

convenir to be fitting, to agree

copiar to copy

el **corazón** heart; honey (term of endearment)

la **corbata** tie

el **cordero** lamb *7B*

el **coro** choir *1A*

correcto/a right, correct

el **corredor** corridor, hallway

el **corredor, la corredora** runner

el **correo** mail; *correo electrónico* e-mail; *oficina de correos* post office

correr to run

la **correspondencia** correspondence

la **corrida** bullfight

el **cortacésped** lawn mower *2A*

la **cortadora de césped** lawn mower

cortar to cut, to mow

el **corte** cut *8A; el corte (de pelo)* haircut *9A*

la **cortesía** courtesy

la **cortina** curtain

corto/a short (not long)

la **cosa** thing

coser to sew *9B*

la **costa** coast

Costa Rica Costa Rica

costar (ue) to cost

costarricense Costa Rican

la **costilla** rib

la **costura** sewing

crear to create

crecer to grow

el **crédito** credit; *a crédito* on credit; *tarjeta de crédito* credit card

creer to believe

la **crema** cream; *crema de afeitar* shaving cream

la **cremallera** zipper *9B*

el **crimen** crime *3B*

el **cristal** crystal, glass *9B*

criticar to criticize *4A*

el **cruce de peatones** pedestrian crosswalk *5A*

el **crucero** cruise ship

el **crucigrama** crossword puzzle *3A*

crudo/a raw, uncooked, under cooked *7B*

el **cuaderno** notebook

la **cuadra** city block

el **cuadro** square; picture, painting; *a cuadros* plaid, checkered

¿cuál? which?, what?, which one?; *(pl. ¿cuáles?)* which ones?

cualidad quality

cualquier, cualquiera any

cualquiera any at all

cuando when

¿cuándo? when?

¿cuánto/a? how much?; *(pl. ¿cuántos/as?)* how many?; *¿Cuánto (+ time expression) hace que (+ present tense of verb)…?* How long…?; *¿Cuántos años tienes?* How old are you?

cuarenta forty

el **cuarto** quarter; room, bedroom; *cuarto de baño* bathroom; *cuarto de charla* chat room; *menos cuarto* a quarter to, a quarter before; *y cuarto* a quarter after, a quarter past

cuarto/a fourth

cuatro four

cuatrocientos/as four hundred

Cuba Cuba

cubano/a Cuban

los **cubiertos** silverware

el **cubrecamas** bedcover *2B*

cubrir to cover

la **cuchara** tablespoon

la **cucharita** teaspoon

el **cuchillo** knife

el **cuello** neck; collar *9B*

la **cuenta** bill, check

cuenta: see *contar*

el **cuerno** horn

el **cuero** leather

el **cuerpo** body

el **cuidado** care; *tener cuidado* to be careful

cuidar(se) to take care of

la **culpa** fault *4A*

culpable guilty *3B*

culto/a cultured, well-read

la **cultura** culture, knowledge

el **cumpleaños** birthday; *¡Feliz cumpleaños!* Happy birthday!

cumplir to become, to become (+ number) years old, to reach; *cumplir años* to have a birthday; *cumplir con* to carry out, to perform *10A*

la **cuñada** sister-in-law *2A*

el **cuñado** brother-in-law *2A*

curar(se) to cure, to recover *8A*

curioso/a curious *1B*

la **curita** adhesive bandage *8A*

el **currículum vitae** résumé *10A*

la **curva** curve

cuyo/a of which, whose

D

la **dama** lady

las **damas** checkers; *baño de las damas* women's restroom

el **damasco** apricot *7A*

dañar to harm *10B*

dar to give; *dé (Ud. command)* give; *dar de comer* to feed; *darse la mano* to shake hands *7B*; *darse prisa* to hurry *1A*; *dar clases (de)…* to give… classes *1B*; *dar un discurso* to give a speech *3A*; *darse cuenta (de)* to realize *4A*; *dar un paseo/ dar una caminata* to take a walk *5B*; *dar a* to look onto *6B*; *darse un golpe* to bang into something *8A*

de from, of; *de acuerdo* agreed, okay; *de cerca* close up, from a short distance; *¿de dónde?* from where?; *¿De dónde eres?* Where are you from?; *¿De dónde es (Ud./él/ella)?* Where are you (formal) from?, Where is (he/she/it) from?; *de habla hispana* Spanish-speaking; *de ida y vuelta* round-trip; *de la mañana* in the morning, AM; *de la noche* at night, PM; *de la tarde* in the afternoon, PM; *de nada* you are welcome, not at all; *de todos los días* everyday; *¿de veras?* really?; *¿Eres (tú) de…?* Are you from…?; *¿De qué se trata?* What is it about? *1B*; *de primera (segunda) clase* first (second) class *5B*; *de lunares* polka dot *9A*; *de rebajas* on sale *9A*; *de buen/mal gusto* in good/bad taste *9A*

dé: see *dar*

deber should, must, ought (expressing a moral duty)

decidir to decide

décimo/a tenth

decir to tell, to say; *¿Cómo se dice…?* How do you say…?; *di*

(tú command) tell, say; *díganme (Uds. command)* tell me; *dime (tú command)* tell me; *¡no me digas!* you don't say!; *¿Qué quiere decir…?* What is the meaning (of)…?; *querer decir* to mean; *quiere decir* it means; *se dice* one says

declarar to declare *3B*

decorar to decorate *2A*

dedicar to devote (time) *1A*

el **dedo** finger, toe

el **defensor, la defensora** defender

dejar (de) to leave; to stop, to quit; to let, to allow

dejar plantado/a a alguien to stand someone up *4A*

del of the, from the

delante de in front of *2A*

el **delantero, la delantera** forward (soccer player)

delgado/a thin

delicioso/a delicious

demasiado/a too many, too much

la **democracia** democracy

la **demora** delay

el **dentista, la dentista** dentist

dentro de inside of *2B*

el **departamento** department

depender to depend on *1A*

el **dependiente, la dependiente** clerk

el **deporte** sport

el **deportista, la deportista** athlete

deportivo/a sporty

el **depósito** deposit *6B*

la **derecha** right; *a la derecha* to the right

derecho straight ahead

derecho/a right

el **derrame** spill *10B*

desaparecer to disappear *1A*

desaparecido/a missing

desarmar to take apart *2A*

desarrollar to develop *10B*

el **desastre** disaster

desayunar to have breakfast

el **desayuno** breakfast

descansar to rest, to relax

desconfiar to mistrust *4A*

describe: see *describir*

describir to describe; *describe (tú command)* describe

descubrir to find out, to discover *4A*

el **descuento** discount *6A*

desde since, from; *desde luego* of course

desear to wish

el **deseo** wish

el **desfile** parade

el **desierto** desert

desmayarse to faint *3B*

el **desodorante** deodorant

el **desorden** mess *2B*

desordenado/a messy *2B*

despacio slowly *5A*

la **despedida** farewell, good-bye

despedir(se) (i, i) to say good-bye

despegar to take off

el **desperdicio químico** chemical waste *10B*

el **despertador** alarm clock

despertar(se) (ie) to wake up

después afterwards, later, then; *después de* after

destacar(se) to stand out

desteñido/a faded

desteñirse to fade, to discolor *9B*

el **destino** destination; destiny, fate

el **destornillador** screwdriver *2A*

la **destreza** skill, expertise

la **destrucción** destruction

destruir to destroy *3A*

la **desventaja** disadvantage *2B*

desvestir(se) to undress

el **detalle** detail *6A*

el **detector de humo** smoke detector *2A*

detrás de behind, after *2B*

devolver (ue) to return (something) *4A*

di: see *decir*

el **día** day; *buenos días* good morning; *de todos los días* everyday; *todos los días* every day

el **diálogo** dialog

diario/a daily

dibuja: see *dibujar*

dibujar to draw, to sketch; *dibuja (tú command)* draw; *dibujen (Uds. command)* draw

dibujen: see *dibujar*

el **dibujo** drawing, sketch; *dibujo animado* cartoon

los **dibujos animados** cartoons

la **dicha** happiness

diciembre December

el **dictado** dictation

diecinueve nineteen

dieciocho eighteen

dieciséis sixteen

diecisiete seventeen

el **diente** tooth

el **diente de ajo** clove of garlic *7A*

la **dieta** diet *8B*

diez ten

la **diferencia de opinión** difference of opinion *4B*

la **diferencia** difference

diferente different

difícil difficult, hard; *ser difícil que* to be unlikely that

diga hello (telephone greeting)

dígame tell me, hello (telephone greeting)

díganme: see *decir*

dime: see *decir*

el **dinero** money

la **dirección** instruction, guidance; address; direction

el **director, la directora** director, principal

dirigir to direct

el **disc jockey, la disc jockey** disc jockey (DJ) *7B*

el **disco compacto** compact disc

discúlpame forgive me *4A*

la **discusión** discussion *4A*

discutir to argue, to discuss

el **diseñador, la diseñadora** designer *10A*

diseñar to design

disgustar to dislike *6B*

disminuir to slow (down) *5A*

disponible available *6B*

divertido/a fun

divertir (ie, i) to amuse; *divertirse* to have fun

doblada dubbed *1B*

doblar to turn (a corner)

doble double

doce twelve

el **doctor, la doctora** doctor (abbreviation: *Dr., Dra.*)

el **documental** documentary *1B*

el **dólar** dollar

doler (ue) to hurt

el **dolor** pain *8A*

domingo Sunday; *el domingo* on Sunday

dominicano/a Dominican

don title of respect used before a man's first name

doña title of respect used before a woman's first name

donde where

¿dónde? where?; *¿de dónde?* from where?; *¿Dónde está…?* Where are you (formal)…?, Where is…?; *¿Dónde queda…? ¿Dónde se encuentra…?* Where is…? *5A*

dondequiera wherever

dormir (ue, u) to sleep; *dormirse* to fall asleep

dos two

doscientos/as two hundred

Dr. abbreviation for *doctor*

Dra. abbreviation for *doctora*

el **drama** drama *1B*

la **ducha** shower

duchar(se) to shower

dudar to doubt

dudoso/a doubtful

el **dulce** candy

dulce sweet

la **dulcería** candy store

durante during

el **durazno** peach

E

e and (used before a word beginning with *i* or *hi*)

echar la culpa a alguien to blame someone else *4A*

la **ecología** ecology

la **economía** economy

el **Ecuador** Ecuador

ecuatoriano/a Ecuadorian

la **edad** age

el **edificio** building

el **editorial** editorial

la **educación física** physical education

el **efectivo** cash; *en efectivo* in cash

los **efectos especiales** special effects *1B*

egoísta selfish

el **ejemplo** example; *por ejemplo* for example

el **ejercicio** exercise

él he; him (after a preposition); *Él se llama…* His name is…

El Salvador El Salvador

el the (*m., s.*)

el **electricista**, la **electricista** electrician *10A*

eléctrico/a electric

el **elefante** elephant

elegante elegant

ella she; her (after a

preposition); *Ella se llama…* Her name is…

ello it, that (neuter form)

ellos/as they; them (after a preposition)

el **e-mail** e-mail

embarcar to board *6A*

la **emigración** emigration

la **emisora** radio station

emocionado/a excited

emocionante exciting

empatados: see *empate*

empatar to tie (the score of a game)

el **empate** tie; *partidos empatados* tie games

empezar (ie) to begin, to start

el **empleado, la empleada** employee

el **empleo** job

emprendedor/a enterprising *10A*

la **empresa** business

el **empresario, la empresaria** business owner *10A*

en in, on, at; *en* (+ vehicle) by (+ vehicle); *en cambio* on the other hand; *en carro* by car; *en casa* at home; *en coche* by car; *en cuanto* as soon as; *en efectivo* in cash; *en medio de* in the middle of, in the center of; *en resumen* in short; *en seguida* immediately; *en vivo* live; *en vez de* instead of *9A*

en equipo (work) on a team *10A*

en peligro de extinción endangered *10B*

encantado/a delighted, the pleasure is mine

encantar to enchant, to delight

encargar (de) to make responsible (for), to put in charge (of); *encargarse (de)* to take care of, to take charge (of)

encender (ie) to light, to turn on (a light)

la **enchilada** enchilada

enchufar to plug in *2A*

encima de above, over, on top of

encogerse to shrink *9B*

encontrar (ue) to find

la **encuesta** survey, poll

la **energía** energy *8B*

enero January

el **énfasis** emphasis

la **enfermedad** disease *8A*

el **enfermero, la enfermera** nurse

enfermo/a sick

enfrente de facing, in front of *2B*

enfriar to cool *7A*

engordar to become fat; to get fat

el **enlace** link

enojarse to get angry *2B*

la **ensalada** salad

el **ensayo** rehearsal *1A*

enseguida right away *1A*

enseñar to teach, to show

entender (ie) to understand *1B*

enterar(se) de to find out, to become aware, to learn about

entonces then

entrar to go in, to come in

entre between, among

la **entrega de premios** awards ceremony *3A*

entregar to hand in

el **entrenador, la entrenadora** trainer, coach *1B*

entrenarse to train *1B*

la **entrevista** interview

entrevistar to interview *3A*

entrometido/a nosy *4A*

enviar to send

equilibrado/a balanced *8B*

el **equipaje** luggage; *equipaje de mano* carry-on luggage

el **equipo** team

equivocar(se) to be mistaken

eres: see *ser*

el **error** error *4A*

la **erupción** rash *8A*

es: see *ser*

la **escala** stopover

escalar to climb *5B*

la **escalera** stairway, stairs; *escalera mecánica* escalator

escapar(se) to escape

la **escasez** shortage *10B*

la **escena** scene

la **escoba** broom

escoger to choose; *escogiendo* choosing

escogiendo: see *escoger*

escriban: see *escribir*

escribe: see *escribir*

escribir to write; *¿Cómo se escribe…?* How do you write (spell)…?; *escriban (Uds.* command) write; *escribe (tú* command) write; *se escribe* it is written

el **escritor, la escritora** writer

el **escritorio** desk

escucha: see *escuchar*

escuchar to hear, to listen (to); *escucha (tú* command) listen; *escuchen (Uds.* command) listen

escuchen: see *escuchar*

la **escuela** school

ese, esa that

ese, esa that (one)

el **esmalte de uñas** nail polish *2B*

eso that (neuter form)

esos, esas those

esos, esas those (ones)

el **espacio** space

la **espalda** back

España Spain

el **español** Spanish (language); *Aquí se habla español.* Spanish is spoken here.; *Se habla español.* Spanish is spoken.

español, española Spanish

especial special

el **especialista, la especialista** specialist *10A*

especializado/a specialized

especializarse en to specialize in *10A*

las **especias** spices *7B*

la **especie** species *10B*

el **espectáculo** show

el **espectador, la espectadora** spectator

el **espejo** mirror; *el espejo retrovisor* rear-view mirror *5A*

esperar to wait (for); to hope

la **espinaca** spinach *7A*

la **esposa** wife, spouse

el **esposo** husband, spouse

el **esquí** skiing

el **esquiador, la esquiadora** skier

esquiar to ski

la **esquina** corner

está: see *estar*

establecer to establish *1A*

el **establo** stable

la **estación** season; station; *estación de autobuses* bus station; *estación del metro* subway station; *estación del tren* train station; *estación de servicio* gas station *5A; la estación espacial* space station *10B*

el **estacionamiento** parking lot *5A*

estacionar to park *5A*

el **estadio** stadium

el **Estado Libre Asociado**

Commonwealth

los **Estados Unidos** United States (of America)

estadounidense something or someone from the United States

estafa rip-off *9B*

estampado/a patterned, printed *9A*

la **estampilla** stamp *9B*

están: see *estar*

el **estante** shelving, bookcase *2B*

estar to be; *¿Cómo está (Ud.)? How are you (formal)?; ¿Cómo están (Uds.)? How are you (pl.)?; ¿Cómo estás (tú)? How are you (informal)?; ¿Dónde está…? Where are you (formal)…?, Where is…?; está you (formal) are, he/she/it is; está nublado/a it is cloudy; está soleado/a it is sunny; están they are; estar contento/a (con) to be satisfied (with); estar de acuerdo to agree; estar en oferta to be on sale; estar listo/a to be ready; estás you (informal) are; estoy I am; estar equivocado/a to be wrong 4B; estar de moda to be fashionable 9A; estar en paro to be unemployed 10A*

estás: see *estar*

el **este** east

este well, so (pause in speech)

este, esta this (one)

este, esta this; *esta noche* tonight

el **estéreo** sound system

el **estilo** style *9A*

estimado/a dear

estirar to stretch *8B*

esto this

el **estómago** stomach

estornudar to sneeze *8A*

estos, estas these

estos, estas these (ones)

estoy: see *estar*

estrecho/a narrow, tight

la **estrella** star

el **estreno** premiere *3A*

el **estrés** stress *8B*

estricto/a strict *1A*

la **estructura** structure

estudia: see *estudiar*

el **estudiante, la estudiante** student

estudiar to study; *estudia (tú* command) study; *estudien*

(Uds. command) study

estudien: see *estudiar*

el **estudio** study

los **estudios** studies *10A*

estudioso/a studious *1A*

la **estufa** stove

estupendo/a wonderful, marvelous

la **etiqueta** label, tag *9A*

Europa Europe

europeo/a European

evidente evident

evitar to avoid *8B*

exagerar to exaggerate

el **examen** exam, test

examinar to examine *8A*

exceder to exceed *5A*

excelente excellent

la **excursión** outing *6A*

la **exhibición** exhibition

exigente demanding

exigir to demand *5B*

el **éxito** success; *tener éxito* to be successful, to be a success

la **experiencia** experience

explica: see *explicar*

la **explicación** explanation, reason

explicar to explain; *explica (tú* command) explain

el **explorador, la exploradora** explorer

la **explosión** explosion *3B*

explotar to explode *3B*

la **exportación** exportation

el **exportador la exportadora** exporter

expresar to express

la **expresión** expression

la **extensión** extension

el **extinguidor de incendios** fire extinguisher *2A*

extrañar to miss

extranjero/a foreign

F

la **fábrica** factory *10B*

fácil easy; *ser fácil que* to be likely that

la **facultad** school (of a university)

la **falda** skirt

falso/a false

faltar to be missing *2B*

la **familia** family

famoso/a famous

fantástico/a fantastic, great

el **faro** headlight; lighthouse

fascinante fascinating

fascinar to fascinate

fastidiar to bother *6B*

el **favor** favor; *por favor* please

favorito/a favorite

el **fax** fax

febrero February

la **fecha** date

felicitaciones congratulations

feliz happy (*pl. felices); ¡Feliz cumpleaños!* Happy birthday!

femenino/a feminine

feo/a ugly

feroz fierce, ferocious *(pl. feroces)*

el **ferrocarril** railway, railroad

el **festival** festival *3A*

la **fibra** fiber *8B*

los **fideos** noodles *7B*

la **fiebre** fever *8A*

la **fiesta** party

fijarse to notice *1A*

fijo/a permanent *10A*

la **fila** line, row

el **filete** fillet, boneless cut of beef or fish

filmar to film

la **filosofía** philosophy

el **fin** end; *a fin de que* so that; *fin de semana* weekend; *por fin* finally

las **finanzas** finances *3A*

la **finca** ranch, farm

firmar to sign

firme firm *6B*

la **física** physics

el **flamenco** flamingo; type of dance

el **flan** custard

la **flauta** flute

el **flequillo** bangs *9A*

la **flor** flower

la **florcita** small flower

la **florería** flower shop

la **foca** seal *10B*

la **fogata** camp fire *5B*

el **folleto** brochure

el **fontanero, la fontanera** plumber *10A*

la **forma** form

formal formal *9A*

el **formulario** form *10A*

los **fósforos** matches *5B*

la **foto(grafía)** photo

el **fotógrafo, la fotógrafa** photographer

fracasar to fail

la **fractura** fracture *8A*
francés, francesa French
Francia France
la **frase** phrase, sentence
el **fregadero** sink
freír (i, i) to fry
el **freno** brake
la **fresa** strawberry
el **fresco** cool; *hace fresco* it is cool, chilly
fresco/a fresh
el **frijol** bean *7A*
el **frío** cold; *hace frío* it is cold; *tener frío* to be cold
frío/a cold
frito/a fried *7B*
la **fruta** fruit
la **frutería** fruit store
fue: see *ser*
el **fuego** fire; *fuegos artificiales* fireworks
fuera de out of *2B*
fueron: see *ser*
fuerte strong
la **fuerza** strength *8B*
fumar to smoke
funcionar to function, to work *2A*
la **funda** pillowcase, cover *2B*
fundar to found
furioso/a furious *2B*
el **fútbol** soccer; *fútbol americano* football
el **futbolista, la futbolista** soccer player
el **futuro** future

G

las **gafas de sol** sunglasses
la **galleta** cookie, biscuit
la **gallina** hen
el **gallo** rooster
las **ganas** desire; *tener ganas de* to feel like
ganados: see *ganar*
ganar to win, to earn; *los partidos ganados* games won
la **ganga** bargain *9A*
el **garaje** garage
el **garbanzo** chickpea *7A*
la **garganta** throat
la **gasolina** gas *5A*
gastado/a worn *9B*
gastar to spend *6A*
el **gasto** expense

el **gato, la gata** cat
el **gel** hair gel *9A*
los **gemelos, las gemelas** twins *2A*; *gemelos* cuff links *9B*
el **gen** gene *(pl. genes)*, genes *10B*
el **género** gender
generoso/a generous
la **genética** genetics *10B*
la **gente** people
la **geografía** geography
la **geometría** geometry
el **gerente, la gerente** manager
el **gerundio** present participle, gerund
el **gesto** gesture
el **gimnasio** gym
el **globo** balloon; globe
la **glorieta** traffic circle *5A*
el **gobernador, la gobernadora** governor
el **gobierno** government
el **gol** goal
la **golosina** sweets
gordo/a fat
el **gorila** gorilla
la **gorra** cap
las **gotas** drops *8A*
gozar to enjoy
grabar to record
gracias thanks; *muchas gracias* thank you very much
el **grado** degree
graduarse to graduate *10A*
el **gramo** gram *7A*
gran big (form of *grande* before a *m., s.* noun); great
grande big
la **grasa** fat *8B*
grasoso/a greasy *9A*
grave serious, grave *3B*
el **grifo** faucet
la **gripe** flu
gris gray
gritar to shout
el **grupo** group; *grupo musical* musical group
el **guante** glove
guapo/a good-looking, attractive, handsome, pretty
guardar to put away, to keep *2B*
Guatemala Guatemala
guatemalteco/a Guatemalan
la **guía turística** guidebook
la **guía telefónica** phone book *4B*
el **guía, la guía** guide
el **guión** script *(pl. guiones)* *1B*
el **guisante** pea

la **guitarra** guitar
gustar to like, to be pleasing to; *me/te/le/nos/os/les gustaría…* I/you/he/she/ it/we/they would like…
gustaría: see *gustar*
el **gusto** pleasure; *con (mucho) gusto* I would be (very) glad to; *el gusto es mío* the pleasure is mine; *¡Mucho gusto!* Glad to meet you!; *Tanto gusto.* So glad to meet you.

H

haber to have (auxiliary verb)
había there was, there were
la **habichuela** green bean
hábil skillful *1B*
la **habitación doble** double room
la **habitación** room; bedroom
la **habitación sencilla** single room
el **habitante, la habitante** inhabitant
el **hábito** habit *8B*
el **habla** *(f.)* speech, speaking; *de habla hispana* Spanish-speaking
habla: see *hablar*
hablar to speak; *Aquí se habla español.* Spanish is spoken here.; *habla (tú command)* speak; *hablen (Uds. command)* speak; *Se habla español.* Spanish is spoken.
hablen: see *hablar*
hace: see hacer
hacer to do, to make; *¿Cuánto (+ time expression) hace que (+ present tense of verb)…?* How long…?; *hace buen (mal) tiempo* the weather is nice (bad); *hace fresco* it is cool; *hace frío (calor)* it is cold (hot); *hace (+ time expression) que* ago; *hace sol* it is sunny; *hace viento* it is windy; *hacer aeróbicos* to do aerobics; *hacer falta* to be necessary, to be lacking; *hacer una pregunta* to ask a question; *hagan (Uds. command) do, make; *haz (tú command) do, make; *haz el papel* play the part; *hecha* made; *La práctica hace al maestro.* Practice makes perfect.; *¿Qué temperatura hace?* What is the temperature?;

¿Qué tiempo hace? How is the weather?; *hacerlo sin querer* to do something without meaning to *4A; hacerse miembro* to become a member *1A; hacer caso* to listen to, to pay attention, to obey *4B; hacer las paces* to make up with someone *4B; hacer un cumplido* to compliment someone *4A; hacer fila* to stand on line *6A; hacer flexiones* to do push-ups *8B; hacer un esfuerzo* to make an effort *8B; hacer yoga* to do yoga *8B; hacer abdominales* to do sit-ups *8B; hacer bicicleta* to ride a stationary bike *8B; hacer natación* to practice swimming *8B; hacer cinta* to use a treadmill *8B; hacer prácticas* to have an internship *10A*

hacia toward

hagan: see *hacer*

el **hambre** *(f.)* hunger; *tener hambre* to be hungry

la **hamburguesa** hamburger *8B*

la **harina** flour *7A*

harto/a (de) tired of *1A*

hasta until, up to, down to; *hasta la vista* so long, see you later; *hasta luego* so long, see you later; *hasta mañana* see you tomorrow; *hasta pronto* see you soon; *hasta que* until *6A*

hay there is, there are; *hay neblina* it is misty; *hay sol* it is sunny

haz: see *hacer*

hecha: see *hacer*

hecho a mano handmade *9B*

la **heladería** ice cream parlor

el **helado** ice cream

la **herencia** heritage; inheritance

la **herida** wound

herido/a injured

la **hermana** sister

la **hermanastra** stepsister

el **hermanastro** stepbrother

el **hermano** brother

hervir (ie) to boil *7A*

el **hielo** ice; *patinar sobre hielo* to ice-skate

el **hierro** iron *8B*

la **hija** daughter

el **hijo** son

el **hilo** thread *9B*

el **hipopótamo** hippopotamus

hispano/a Hispanic; *de habla hispana* Spanish-speaking

la **historia** history

el **historial médico** medical history *8A*

el **hogar** home

la **hoja** sheet; *hoja de papel* sheet of paper

hola hi, hello

el **hombre** man; *hombre de negocios* businessman

el **hombro** shoulder

hondo/a deep(ly) *8A*

Honduras Honduras

hondureño/a Honduran

honesto/a honest *4A*

la **hora** hour; *¿a qué hora?* at what time?; *¿Qué hora es?* What time is it?

el **horario** schedule

hornear to bake *7A*

el **horno** oven; *horno microondas* microwave oven

horrible horrible

horroroso/a terrible *9A*

el **hotel** hotel

hoy today; *hoy en día* nowadays *10B*

hubo there was, there were

el **huevo** egg

el **huracán** hurricane

I

la **idea** idea

ideal ideal

la **iglesia** church

ignorar to not know

Igualmente. Me, too. *1A*

la **iguana** iguana

imagina: see *imaginar(se)*

la **imaginación** imagination

imaginar(se) to imagine; *imagina (tú* command) imagine

impaciente impatient *2B*

el **imperio** empire

el **impermeable** raincoat

implicar to imply

importante important

importar to be important, to matter

imposible impossible

la **impresora láser** laser printer

los **incas** Incas

el **incendio** fire; *alarma de incendios* fire alarm, smoke alarm

incluir to include *6B*

increíble incredible *4A*

indefinido/a indefinite

la **independencia** independence

indica: see *indicar*

la **indicación** cue

indicado/a indicated

indicar to indicate; *indica (tú* command) indicate

indígena native

la **infección** infection *8A*

la **inflamación** inflammation, swelling *8A*

la **información** information

informal casual *9A*

informar to inform

la **informática** computer science *10A*

el **informe** report

la **ingeniería** engineering *10A*

el **ingeniero, la ingeniera** engineer

Inglaterra England

el **inglés** English (language)

inglés, inglesa English

el **ingrediente** ingredient

inicial initial

inmenso/a immense

inocente innocent *3B*

el **inodoro** toilet

insistir (en) to insist (on)

el **inspector, la inspectora** inspector *5B*

la **inspiración** inspiration

instalar to install

el **instructor, la instructora** instructor *1B*

inteligente intelligent

interesante interesting

interesar to interest

internacional international

la **internet** Internet

interrogativo/a interrogative

interrumpir to interrupt *7B*

la **inundación** flood *3B*

el **invento** invention *10B*

investigar to investigate *1B*

el **invierno** winter

la **invitación** invitation

el **invitado, la invitada** guest *7B*

invitar to invite

la **inyección** injection, shot *8A*

ir to go; *ir a* (+ infinitive) to be going (to do something); *ir a parar* to end up; *ir de compras* to go shopping; *irse* to leave, to go away; *irse de viaje* to go away on a trip; *¡vamos!* let's go!; *¡vamos a (+ infinitive)!* let's (+ infinitive)!; *vayan* (*Uds.* command) go; *ve* (*tú* command) go; *ir con* to go with, to match *9A*

la **isla** island
Italia Italy
italiano/a Italian
el **itinerario** itinerary
la **izquierda** left; *a la izquierda* to the left
izquierdo/a left

J

el **jabón** soap
el **jaguar** jaguar *6B*
el **jamón** ham
el **Japón** Japan
japonés, japonesa Japanese
el **jarabe** (cough) syrup *8A*
el **jardín** garden; *jardín zoológico* zoo, zoological garden
el **jarrón** vase *9B*
la **jaula** cage
los **jeans** jeans, blue jeans
el **jefe, la jefa** boss *10A*
la **jirafa** giraffe
la **jornada completa** full-time *10A*
joven young
la **joya** jewel
la **joyería** jewelry store
el **joyero** jewelry box *9B*
el **juego** game
jueves Thursday; *el jueves* on Thursday
el **jugador, la jugadora** player
jugar (ue) to play; *jugar a (+ sport/game)* to play (+ sport/game)
el **jugo** juice
el **juicio** trial *3B*
julio July
junio June
juntos/as together
el **jurado** jury *3B*

K

Kenia Kenya
keniano/a Kenyan
el **kilo(gramo)** kilo(gram)
el **kiosco** kiosk *5A*

L

la **the** *(f., s.)*; her, it, you *(d.o.p.)*; *a la una* at one o clock
lacio straight (hair) *2A*
el **lado** side; *al lado de* next to, beside; *por todos lados* everywhere
ladrar to bark
el **ladrillo** brick
el **ladrón, la ladrona** thief *3B*
el **lago** lake
las **lágrimas** tears *4A*
la **lámpara** lamp
la **lana** wool
la **langosta** lobster
el **lápiz de labios** lipstick *2B*
el **lápiz** pencil *(pl. lápices)*
largo/a long
las the *(f., pl.)*; them, you *(d.o.p.)*; *a las… at… o'clock*
la **lástima** shame, pity; *¡Qué lástima!* What a shame!, Too bad!
lastimar(se) to injure, to hurt
la **lata** can
el **lavabo** bathroom sink
el **lavadero** laundry room
la **lavadora** washer
la **lavandería** laundry *6B*
el **lavaplatos eléctrico** dishwasher (machine)
lavar(se) to wash
le to, for him, to, for her, to, for it, to, for you (formal) *(i.o.p.)*
lean: see *leer*
la **lección** lesson
la **leche** milk
la **lechería** milk store, dairy (store)
la **lechuga** lettuce
la **lectura** reading
lee: see *leer*
leer to read; *lean (Uds.* command) read; *lee (tú* command) read
las **legumbres** legumes *7A*
lejos (de) far (from)
la **lengua** tongue; language
la **lenteja** lentil *7A*
los **lentes** glasses *2A*
lento/a slow
el **león** lion
les to, for them, to, for you *(i.o.p.)*
la **letra** letter
levantar to raise, to lift; *levantarse* to get up; *levántate (tú* command) get up;

levántense (*Uds.* command) get up; *levantar la voz* to raise one's voice *4B*; *levantar pesas* to lift weights *8B*
levantarse: see *levantar*
levántate: see *levantar*
levántense: see *levantar*
la **libertad** liberty, freedom
la **libra** pound
libre free; *al aire libre* outdoors
la **librería** bookstore
el **libro** book
la **licencia de conducir** driver's license *5A*
la **licuadora** blender
el **líder** leader
limitar to limit
el **limón** lemon, lime
limpiar to clean
limpio/a clean
lindo/a pretty
la **línea** line *4B*
la **linterna** flashlight *5B*
liso/a solid *9A*
la **lista** list
listo/a ready; smart; *estar listo/a* to be ready; *ser listo/a* to be smart
la **literatura** literature
el **litro** liter *7A*
llama: see *llamar*
la **llamada de cobro revertido** collect call *4B*
la **llamada de larga distancia** long distance phone call *4B*
llamar to call, to telephone; *¿Cómo se llama (Ud./él/ella)?* What is (your/his/her) name?; *¿Cómo te llamas?* What is your name?; *llamaron* they called (preterite of *llamar*); *llamarse* to be called; *me llamo* my name is; *se llaman* their names are; *te llamas* your name is; *(Ud./Él/Ella) se llama…* (Your [formal]/His/Her) name is…
llamaron: see *llamar*
llamas: see *llamar*
llamo: see *llamar*
la **llanta** tire
la **llave** key
el **llavero** key ring, key chain *9B*
la **llegada** arrival
llegar to arrive; *llegó* arrived (preterite of *llegar*)
llegó: see *llegar*
llenar el tanque to fill up the gas tank *5A*

lleno/a full

llevar to take, to carry; to wear; to bring; *llevarse* to take away, to get along

llorar to cry *4A*

llover (ue) to rain

la **lluvia** rain

lo him, it, you *(d.o.p.); a lo mejor* maybe; *lo* (+ adjective/adverb) how (+ adjective/adverb); *lo más* (+ adverb) *posible* as (+ adverb) as possible; *lo menos* (+ adverb) *posible* as (+ adverb) as possible; *lo que* what, that which; *lo siento* I am sorry; *lo siguiente* the following; *por lo menos* at least

loco/a crazy

lógicamente logically

lógico/a logical

lograr to achieve, to obtain *3B*

los the *(m., pl.);* them, you *(d.o.p.)*

luego then, later, soon; *desde luego* of course; *hasta luego* so long, see you later; *luego que* as soon as

el **lugar** place

el **lujo** luxury

la **luna** moon

lunes Monday; *el lunes* on Monday

la **luz** light *(pl. luces)*

M

la **madera** wood

la **madrastra** stepmother

la **madre** mother

la **madrina** godmother *2A*

maduro/a ripe

el **maestro, la maestra** teacher, master; *La práctica hace al maestro.* Practice makes perfect.

magnífico/a magnificent

el **maíz** corn

mal badly; bad; *hace mal tiempo* the weather is bad

el **malabarista, la malabarista** juggler

el **malentendido** misunderstanding *6A*

la **maleta** suitcase

el **maletín** overnight bag, handbag, small suitcase, briefcase

malo/a bad

la **mamá** mother, mom

la **mañana** morning; *de la mañana* AM, in the morning; *por la mañana* in the morning

mañana tomorrow; *hasta mañana* see you tomorrow; *pasado mañana* the day after tomorrow

la **mancha** stain, spot *9B*

manchado/a stained *9B*

mandar to order

mandón, mandona bossy *2B*

manejar to drive

la **manera** manner, way

la **manga** sleeve *9B*

el **maní** peanut *(pl. maníes) 7B*

la **mano** hand; *equipaje de mano* carry-on luggage; *darse la mano* to shake hands *7B*

el **mantel** tablecloth

mantener to keep, to maintain; *mantenerse en forma* to stay in shape *8B*

la **mantequilla** butter; *mantequilla de maní* peanut butter

la **manzana** apple

el **mapa** map

el **maquillaje** makeup

maquillar to put makeup on (someone); *maquillarse* to put on makeup

la **máquina de coser** sewing machine *9B*

la **maquinita** little machine, video game

el **mar** sea

maravilloso/a marvelous, fantastic

el **marcador** marker; score

marcar to dial *4B*

marcar to score

la **marcha atrás** reverse gear *5A*

el **marco de fotos** picture frame *9B*

el **mariachi** popular Mexican music and orchestra

el **marido** husband

marinado/a marinated *7B*

la **mariposa** butterfly *6B*

el **marisco** seafood

marroquí Moroccan

Marruecos Morocco

martes Tuesday; *el martes* on Tuesday

el **martillo** hammer *2A*

marzo March

más allá beyond *5A*

más more, else; *el/la/los/las* (+

noun) *más* (+ adjective) the most (+ adjective); *lo más* (+ adverb) *posible* as (+ adverb) as possible; *más de* more than; *más* (+ noun/adjective/adverb) *que* more (+ noun/adjective/ adverb) than; *más vale que* it is better that

masculino/a masculine

masticar to chew *7B*

matar to kill *3B*

las **matemáticas** mathematics

el **material** material

máximo/a maximum; *pena máxima* maximum penalty

maya Mayan

los **mayas** Mayans

mayo May

la **mayonesa** mayonnaise

mayor older, oldest; greater, greatest

la **mayoría** majority

la **mayúscula** capital letter

me to, for me *(i.o.p.);* me *(d.o.p.); me llaman* they call me; *me llamo* my name is

me cae bien/mal I like/don't like (someone) *1B*

el **mecánico, la mecánica** mechanic

la **medalla** medallion *9B*

la **media jornada** part-time *10A*

mediano/a medium *9A*

la **medianoche** midnight; *Es medianoche.* It is midnight.

la **medicina** medicine

el **médico, la médica** doctor

el **medio** means; middle, center; *en medio de* in the middle of, in the center of

medio/a half; *y media* half past

el **medio ambiente** enviroment *6B*

el **medio de comunicación** media, means of communication *10B*

el **mediocampista, la mediocampista** midfielder

el **mediodía** noon; *Es mediodía.* It is noon.

mejor better; *a lo mejor* maybe; *el/la/los/las mejor/mejores* (+ noun) the best (+ noun)

mejorar to improve

el **melón** melon, cantaloupe

mencionar to mention *3B*

menor younger, youngest; lesser, least

menos minus, until, before, to

(to express time); less; *el/la/los/ las* (+ noun) *menos* (+ adjective) the least (+ adjective + noun); *lo menos* (+ adverb) *posible* as (+ adverb) as possible; *menos* (+ noun/adjective/adverb) *que* less (+ noun/adjective/adverb) than; *menos cuarto* a quarter to, a quarter before; *por lo menos* at least

el **mensaje** message *4B*; *el mensaje de texto* text message *4B*

mentir (ie, i) to lie

la **mentira** lie

el **menú** menu

el **mercado** market

merecer to deserve *1A*

el **merengue** merengue (dance music)

el **mes** month

la **mesa de noche** night table *2B*

la **mesa** table; *mesa de planchar* ironing board; *poner la mesa* to set the table; *recoger la mesa* to clear the table

el **mesero, la mesera** food server

la **mesita** tray table

el **metro** measuring tape *9B*

el **metro** subway; *estación del metro* subway station

mexicano/a Mexican

México Mexico

mezclar to mix *7A*

mí me (after a preposition)

mi my; *(pl. mis)* my

el **micrófono** microphone

el **microscopio** microscope *10B*

el **miedo** fear; *tener miedo de* to be afraid of

el **miembro** member

mientras (que) while

miércoles Wednesday; *el miércoles* on Wednesday

mil thousand

mínimo/a minimum

la **minúscula** lowercase

el **minuto** minute

mío/a my, (of) mine; *el gusto es mío* the pleasure is mine

mira: see *mirar*

mirar to look (at); *mira (tú command)* look; *mira* hey, look (pause in speech); *miren (Uds. command)* look; *miren* hey, look (pause in speech)

miren: see *mirar*

mismo right (in the very moment, place, etc.); *ahora mismo* right now

el **misterio** mystery

mismo/a same

la **moda** fashion

los **modales** manners *7B*

el **modelo** model

moderno/a modern

mojado/a wet *2B*

molestar to bother

la **moneda** coin, money

el **mono** monkey

la **montaña** mountain; *montaña rusa* roller coaster

montar to ride; *montar en patineta* to skateboard; *montar en bicicleta* to ride a bicycle *1B*

el **monumento** monument

morado/a purple *9A*

morder (ue) to bite

moreno/a brunet, brunette, dark-haired, dark-skinned

morir(se) (ue, u) to die; *morirse de la risa* to die laughing

el **mosquito** mosquito *5B*

la **mostaza** mustard

el **mostrador** counter

mostrar (ue) to show

motivado/a motivated *1A*

la **moto(cicleta)** motorcycle

el **motor** motor, engine; *motor de búsqueda* search engine

mover(se) (ue) to move *6A*

la **muchacha** girl, young woman

el **muchacho** boy, guy, young man

muchísimo very much, a lot

mucho much, a lot, very, very much

mucho/a much, a lot of, very; *(pl. muchos/as)* many; *con (mucho) gusto* I would be (very) glad to; *muchas gracias* thank you very much; *¡Mucho gusto!* Glad to meet you!

la **mudanza** move

mudar(se) to move

el **mueble** piece of furniture

el **muelle** concourse, pier

la **mujer** woman; wife; *mujer de negocios* businesswoman

las **muletas** crutches *8A*

el **mundo** world; *todo el mundo* everyone, everybody

la **muñeca** wrist *8A*

la **muralla** wall

el **muro** (exterior) wall

el **museo** museum

la **música** music

la **música bailable** dance music *7B*

el **musical** musical

el **músico, la música** musician *1B*

muy very

N

nacer to be born

la **nación** nation

nacional national

nada nothing; *de nada* you are welcome, not at all

nadar to swim

nadie nobody

la **naranja** orange

la **nariz** nose *(pl. narices)*

narrar to announce, to narrate

la **naturaleza** nature *6B*

la **nave espacial** spaceship *10B*

navegar to surf; *navegar por rápidos* to do white-water rafting *6B*

la **Navidad** Christmas

la **neblina** mist; *hay neblina* it is misty

necesario/a necessary

necesitar to need

negar (ie) to deny *6A*

negativo/a negative

los **negocios** business; *hombre de negocios* businessman; *mujer de negocios* businesswoman

negro/a black

nervioso/a nervous

nevar (ie) to snow

ni not even; *ni… ni* neither… nor

Nicaragua Nicaragua

nicaragüense Nicaraguan

la **niebla** fog *6A*

la **nieta** granddaughter

el **nieto** grandson

la **nieve** snow

el **niñero, la niñera** baby sitter *1B*

ningún, ninguna none, not any

ninguno/a none, not any

el **niño, la niña** child

el **nivel** level

no no; *¡Cómo no!* Of course!; *No lo/la veo.* I do not see him (it)/ her (it).; *¡no me digas!* you don't say!; *No sé.* I do not know.; *¡No es justo!* It's not fair! *1A*; *¡No hay quien lo/la aguante!* Nobody can stand him/her! *1A*; *No lo/ la aguanto* I can't stand him/

her 1B; ¡No faltaba más! Don't mention it! 4A; no tener ni idea de not to have the faintest idea about, not to have a clue 9B
¡No lo puedo creer! I can't believe it! 3A

la **noche** night; *buenas noches* good night; *de la noche* PM, at night; *esta noche* tonight; *por la noche* at night

el **nombre** name

el **noreste** northeast

la **noria** Ferris wheel

normal normal

las **normas de tránsito** traffic rules 5A

el **noroeste** northwest

el **norte** north; *América del Norte* North America

norteamericano/a North American

nos to, for us (*i.o.p.*); us (*d.o.p.*)

nosotros/as we; us (after a preposition)

la **nota** note, grade 1A

la **noticia** news

el **noticiero** news program

novecientos/as nine hundred

noveno/a ninth

noventa ninety

la **novia** girlfriend

noviembre November

el **novio** boyfriend

la **nube** cloud 6A

nublado/a cloudy; *está nublado* it is cloudy

la **nuera** daughter-in-law 2A

nuestro/a our, (of) ours

nueve nine

nuevo/a new; *Año Nuevo* New Year's (Day)

la **nuez** walnut (*pl. nueces*) 7B

el **número** number; *número de teléfono* telephone number

el **número equivocado** wrong number 4B

numeroso/a large (in numbers) 2B

nunca never

la **nutrición** nutrition 8B

nutritivo/a nutritious 8B

O

o or; *o… o* either… or

obedecer to obey 1A

la **obligación** obligation 4B

la **obra en construcción** construction site 5A

la **obra** work, play

el **obrero, la obrera** worker

observar to observe 6A

obvio/a obvious

la **ocasión** occasion

el **océano** ocean

ochenta eighty

ocho eight

ochocientos/as eight hundred

el **ocio** free time 3A

octavo/a eighth

octubre October

ocupado/a busy, occupied

ocupar to occupy

ocurrir to occur

la **odisea** odyssey

el **oeste** west

la **oferta** sale; *estar en oferta* to be on sale

oficial official

la **oficina** office; *oficina de correos* post office

el **oficio** trade, job 1B

ofrecer to offer

el **oído** (inner) ear; sense of hearing

oigan: see *oír*

oigo: see *oír*

oír to hear, to listen (to); *oigan* hey, listen (pause in speech); *oigo* hello (telephone greeting); *oye* hey, listen (pause in speech)

ojalá would that, if only, I hope

el **ojo** eye

olé bravo

la **olla** pot, saucepan

olvidar(se) to forget

la **omisión** omission

once eleven

ondulado/a wavy 9A

el **operador, la operadora** operator 4B

opinar to give an opinion; to form an opinion

la **opinión** opinion 3A

la **oportunidad** opportunity

optimista optimist 10B

el **opuesto** opposite

la **oración** sentence

el **orden** order

ordenado/a neat 2B

el **ordenador** computer 3A

ordenar to give an order

el **orégano** oregano 7A

la **oreja** (outer) ear

la **organización** organization

organizado/a organized 1A

organizar to organize

el **órgano** organ

orgulloso/a proud of 1A

la **orilla** shore

el **oro** gold

la **orquesta** orchestra 1A

la **orquídea** orchid 6B

os to, for you (Spain, informal, *pl., i.o.p.*), you (Spain, informal, *pl., d.o.p.*)

oscuro/a dark 9A

el **oso** bear; *oso de peluche* teddy bear

el **oso perezoso** sloth 6B

el **otoño** autumn

otro/a other, another (*pl. otros/as*); *otra vez* again, another time

la **oveja** sheep

oye hey, listen (pause in speech)

P

paciencia patience 5A

paciente patient 2B

el **paciente, la paciente** patient 8A

el **Pacífico** Pacific Ocean

el **padrastro** stepfather

el **padre** father (*pl. padres*); parents

el **padrino** godfather 2A

¡Padrísimo! Great! 9A

la **paella** paella (traditional Spanish dish with rice, meat, seafood and vegetables)

pagar to pay

la **página** page

el **país** country

el **paisaje** landscape, scenery

el **pájaro** bird

la **palabra** word; *palabra interrogativa* question word; *palabras antónimas* antonyms, opposite words

pálido/a pale 9A

las **palomitas de maíz** popcorn

el **pan** bread

la **panadería** bakery

Panamá Panama

panameño/a Panamanian

la **pantalla** screen

la **pantalla de alta definición** high definition screen *10B*

el **pantalón** pants

la **pantera** panther

las **pantimedias** pantyhose, nylons

la **pantufla** slipper

el **pañuelo** handkerchief, hanky

el **papá** father, dad

la **papa** potato

las **papas fritas** French fries *7B*

los **papás** parents

la **papaya** papaya

el **papel** paper; role; *haz el papel* play the role; *hoja de papel* sheet of paper; *papel de carta* stationery *9B*

la **papelería** stationery store

para for, to, in order to; *para que* so that, in order that

para serte sincero/a… to be honest *1B*

el **parabrisas** windshield

el **parachoques** fender, bumper

el **parador** inn (Spain)

el **paraguas** umbrella

el **Paraguay** Paraguay

paraguayo/a Paraguayan

el **paramédico, la paramédica** paramedic *3B*

parar to stop; *ir a parar* to end up

pare stop *5A*

parecer to seem; *¿Qué (te/le/ os/ les) parece?* What do/does you/ he/she/they think?

parecerse to resemble, to look like *1A*

la **pared** wall

la **pareja** pair, couple

el **pariente, la pariente** relative

los **parlantes** speakers *7B*

el **parque nacional** national park *6B*

el **parque** park; *parque de atracciones* amusement park

el **parquímetro** parking meter *5A*

el **párrafo** paragraph

la **parte** place, part

participar to participate

el **partido** game, match; *partidos empatados* tie games; *partidos ganados* games won; *partidos perdidos* games lost

partir to leave *5B*

pasado/a past, last; *pasado mañana* the day after tomorrow

el **pasaje** ticket

el **pasajero** passenger

pásame: see *pasar*

Pasándola getting by *1A*

el **pasaporte** passport

pasar to pass, to spend (time); to happen, to occur; *pásame* pass me; *pasar la aspiradora* to vacuum; *¿Qué te pasa?* What is wrong with you?

el **pasatiempo** pastime, leisure activity

la **Pascua** Easter

pasear to walk, to take a walk *1B*

el **paseo** walk, ride; *dar un paseo* to take a walk

el **pasillo** hall, corridor *2A*

los **pasos (de baile)** (dance) steps *7B*

la **pasta de dientes** toothpaste *2B*

el **pastel** cake, pastry

la **pastilla** pill *8A*

la **pata** paw, leg (for an animal)

el **patinador, la patinadora** skater

patinar to skate; *patinar sobre hielo* to ice-skate

la **patineta** skateboard

el **patio** courtyard, patio, yard

el **pato** duck

el **pavo** turkey

el **payaso** clown

la **paz** peace

el **peatón, la peatona** pedestrian (pl. *peatones*) *5A*

el **pecho** chest

la **pechuga de pavo** turkey breast *7B*

el **pedazo** piece *7A*

pedir (i, i) to ask for, to order, to request; *pedir ayuda* to ask for help; *pedir perdón* to say you are sorry; *pedir permiso (para)* to ask for permission (to do something); *pedir prestado/a* to borrow

el **peinado** hairdo *9A*

peinar(se) to comb

el **peine** comb

pelar to peel *7A*

la **pelea** fight *4A*

pelearse to fight *2B*

la **película** movie, film

peligroso/a dangerous

pelirrojo/a red-haired

el **pelo** hair; *tomar el pelo* to pull someone's leg

la **pelota** ball

el **peluquero, la peluquera** hairstylist

la **pena** punishment, pain, trouble; *pena máxima* penalty

pensar (ie) to think, to intend, to plan; *pensar de* to think about (i.e., to have an opinion); *pensar en* to think about (i.e., to focus one's thoughts on); *pensar en (+ infinitive)* to think about (doing something); *pensar en sí mismo/a* to think of oneself *4A*

peor worse; *el/la/los/las peor/ peores (+ noun)* the worst (+ noun)

pequeño/a small

la **pera** pear

la **percha** hanger *2B*

perder (ie) to lose, to miss *6A*; *partidos perdidos* games lost; *perder la paciencia* to lose one's patience *4A*

perdido/a lost *5A*

perdidos: see *perder*

perdón excuse me, pardon me; *pedir perdón* to say you are sorry

perdonar to forgive *4A*

el **perejil** parsley *7A*

perezoso/a lazy

perfecto/a perfect

el **perfume** perfume

el **periódico** newspaper

el **periodismo** journalism *3A*

el **periodista, la periodista** journalist

el **período** period

la **perla** pearl

la **permanente** permanent (hairstyle) *9A*

el **permiso** permission; *con permiso* excuse me (with your permission), may I; *pedir permiso (para)* to ask for permission (to do something)

permitir to permit

pero but

el **perro, la perra** dog

la **persona** person

el **personaje** character

personal personal; *pronombre personal* subject pronoun

pertenecer to belong *1A*

el **Perú** Peru

peruano/a Peruvian

la **pesca** fishing

el **pescado** fish (fish that has been caught and will be served/ eaten/used)

pescar to fish; *pescar*

(un resfriado) to catch (a cold)

pesimista pessimist *10B*

el **peso** weight *8B*

el **petróleo** oil

el **pez** fish *(pl. peces)*

el **piano** piano

picante hot (spicy) *7A*

picar to chop *7A*

el **picnic** picnic

el **pie** foot; *a pie* on foot

la **piel** skin *8A*

la **pierna** leg

la **pieza** piece

el **pijama** pajamas

el **piloto, la piloto** pilot

el **pimentero** pepper shaker

la **pimienta** pepper (seasoning)

el **pimiento** bell pepper

la **piña** pineapple

pintar to paint

pintarse los labios (las uñas) to put on lipstick (to paint one's fingernails) *2B*

la **pirámide** pyramid

pisar to step on *5A*

la **piscina** swimming pool

el **piso** floor; *primer piso* first floor

la **pista** clue

la **pizarra** blackboard

la **placa** license plate

el **placer** pleasure

el **plan** plan

la **plancha** iron

planchar to iron; *mesa de planchar* ironing board

planear to plan *6A*

el **planeta** planet *10B*

la **planta** plant; *planta baja* ground floor

el **plástico** plastic

la **plata** silver

el **plátano** banana

el **plato** dish, plate

el **plato principal** main dish *7B*

la **playa** beach

la **plaza** plaza, public square

la **pluma** feather; pen

la **población** population

pobre poor

poco/a not very, little; *un poco* a little (bit)

poder (ue) to be able

podrido/a rotten *7A*

el **policía, la policía** police (officer)

policiaca (película) detective (film) *1B*

la **política** politics

políticamente politically

el **pollo** chicken

el **polvo** dust

poner to put, to place, to turn on (an appliance); *poner la mesa* to set the table; *poner(se)* to put on; *ponerse* to become, to get *2B; ponerse de acuerdo* to reach an agreement *4B; poner una multa* to give a ticket *5A; poner a prueba* to employ someone on trial basis *10A*

popular popular

un **poquito** a very little (bit)

por for; through, by; in; along; *por ejemplo* for example; *por favor* please; *por fin* finally; *por la mañana* in the morning; *por la noche* at night; *por la tarde* in the afternoon; *por teléfono* by telephone, on the telephone; *por todos lados* everywhere; *por ahora* for now *1B; por suerte* luckily *3B; por supuesto* of course *3A; por adelantado* in advance *6A; por mi/su cuenta* on my/his/her own *10A*

¿por qué? why?

porque because

el **portero, la portera** goaltender, goalie

Portugal Portugal

portugués, portuguesa Portuguese

la **posibilidad** possibility *posible* possible; *lo más* (+ adverb) *posible* as (+ adverb) as possible; *lo menos* (+ adverb) *posible* as (+ adverb) as possible

la **posición** position

posponer to postpone *4A*

el **postre** dessert

potable drinkable

la **práctica** experience *1B; La práctica hace al maestro.* Practice makes perfect.

practicar to practice, to do

práctico/a practical

el **precio** price

preciso/a necessary

predecir to predict *10B*

preferir (ie, i) to prefer

la **pregunta** question; *hacer una pregunta* to ask a question

preguntar to ask; *preguntarse* to wonder, to ask oneself

el **premio** prize

la **prenda** garment

la **prensa** press *3A*

preocupado/a worried *3B*

preocupar(se) to worry

prepararse to prepare, to get ready *2B*

el **preparativo** preparation

la **presentación** introduction

presentar to introduce, to present; *le presento a* let me introduce you (formal, s.) to; *les presento a* let me introduce you *(pl.)* to; *te presento a* let me introduce you (informal, s.) to

presentarse to show up *6A*

presente present

presento: see *presentar*

prestado/a on loan; *pedir prestado/a* to borrow

prestar atención to pay attention *1A*

prestar to lend

la **primavera** spring

primer first (form of *primero* before a *m., s.* noun); *primer piso* first floor

primero first (adverb)

primero/a first

los **primeros auxilios** first aid *3B*

el **primo, la prima** cousin

la **princesa** princess

principal principle, main

el **príncipe** prince

la **prisa** rush, hurry, haste; *tener prisa* to be in a hurry

probable probable

probar(se) (ue) to try (on); to test, to prove

el **problema** problem

produce produces

el **producto** product

el **profe** teacher

la **profesión** profession

el **profesor, la profesora** teacher

profundo/a deep *8A*

el **programa** program, show; *bajar un programa* to download a program; *programa de concurso* game show

la **programación de televisión** tv guide *3A*

el **programador, la programadora** computer programmer

prohibido doblar do not turn *5A*

prohibido/a not permitted, prohibited

prometer to promise

el **pronombre** pronoun; *pronombre personal* subject

pronoun

el **pronóstico** forecast

pronto soon, quickly; *hasta pronto* see you soon

la **pronunciación** pronunciation

la **propina** tip

propio/a one's own *2A*

el **propósito** aim, purpose; *a propósito* by the way

proteger to protect *6B*

la **proteína** protein *8B*

la **protesta** protest

próximo/a next

prudente cautious *5B*

la **psicología** psychology *10A*

el **psicólogo, la psicóloga** psychologist *10A*

la **publicidad** publicity

el **público** audience

público/a public

el **pueblo** village *5B*

puede ser maybe

el **puente** bridge

el **puerco** pig; pork

la **puerta** door

la **puerta de embarque** boarding gate

el **puerto** port

Puerto Rico Puerto Rico

puertorriqueño/a Puerto Rican

pues thus, well, so, then (pause in speech)

el **puesto** stall, stand *7A*; job, position *10A*

el **pulmón** lung (*pl. pulmones*), lungs *8A*

la **pulmonía** pneumonia *8A*

el **pulpo** octopus, squid

la **pulsera** bracelet

el **punto** dot, point

los **puntos** stitches *8A*

la **puntuación** punctuation

puntual on time *5B*

el **pupitre** desk

puro/a pure, fresh

Q

que that, which; *lo que* what, that which; *más (+ noun/adjective/adverb) que* more (+ noun/adjective /adverb) than; *que viene* upcoming, next

¡qué (+ adjective)! how (+ adjective)! *¡Qué raro!* How odd! *4A*

¡qué (+ noun)! what a (+ noun)!; *¡Qué lástima!* What a shame!, Too bad!; *¡Qué* (+ noun) *tan* (+ adjective)! What (a) (+ adjective) (+ noun)! *¡Qué va!* No way! *4A*; *¡Qué estafa!* What a rip-off! *9B*;

¿qué? what?; *¿a qué hora?* at what time?; *¿Qué comprendiste?* What did you understand?; *¿Qué hora es?* What time is it?; *¿Qué quiere decir…?* What is the meaning (of)…?; *¿Qué tal?* How are you?; *¿Qué (te/le/os/les) parece?* What do/does you/he/ she/they think?; *¿Qué quiere decir…?* What is the meaning (of)…?; *¿Qué te pasa?* What is wrong with you?; *¿Qué temperatura hace?* What is the temperature?; *¿Qué* (+ *tener*)? What is wrong with (someone)?; *¿Qué tiempo hace?* How is the weather?

quebrarse to break *8A*

quedar(se) to remain, to stay; *quedarle (algo a alguien)* to have (something) left; *quedarle bien a uno* to fit, to be becoming

el **quehacer** chore

quejarse to complain *7B*

quemar to burn; *quemarse* to get burned

querer (ie) to love, to want; *¿Qué quiere decir…?* What is the meaning (of)…?; *querer decir* to mean; *quiere decir* it means; *quiero* I love, I want

querido/a dear

el **queso** cheese

el **quetzal** quetzal *6B*

quien who, whom

¿quién? who?; (*pl. ¿quiénes?*) who?; *¿Quién habla?* Who is it? (telephone greeting) *4B*

quienquiera whoever

quiere: see *querer*

quiero: see *querer*

la **química** chemistry

quince fifteen

quinientos/as five hundred

quinto/a fifth

quisiera would like

quitar(se) to take off

quizás perhaps

R

el **rabo** tail

el **radio** radio (apparatus)

la **radio** radio (broadcast)

la **radiografía** X-ray *8A*

raparse to shave one's head *9A*

rápidamente rapidly

rápido/a rapid, fast, quickly! *1A*

el **rascacielos** skyscraper

el **rasguño** scratch *8A*

el **ratón** mouse

la **raya** part (in hair) *9A*

la **raya** stripe; *a rayas* striped

la **razón** reason; *tener razón* to be right

reaccionar to react *4B*

real royal; real

la **realidad** reality

la **realidad virtual** virtual reality *10B*

realizar to attain, to bring about

la **rebaja** discount, sale *9A*

rebajado/a reduced (in price) *9A*

rebelde unruly *9A*

la **recepción** (telephone) reception *4B*

la **recepción** reception desk

el **recepcionista, la recepcionista** receptionist

la **receta** recipe

recetar to prescribe *8A*

recibir to receive

el **recibo** receipt

reciclar to recycle *10B*

el **recipiente** bowl *7A*

recoger to pick up; *recoger la mesa* to clear the table

recogido/a gathered up *9A*

recomendar to recommend *5B*

reconciliarse to make up *4A*

reconocer to recognize *1A*

recordar (ue) to remember

el **recuadro** box

el **recuerdo** memory *3A*

el **recurso natural** natural resource *10B*

la **Red** World Wide Web

la **red social** social network *4B*

redondo/a round

las **referencias** references *10A*

el **refrán** saying, proverb

el **refresco** soft drink, refreshment

el **refrigerador** refrigerator

el **refugio de vida silvestre** wildlife refuge *6B*

el **regalo** gift
regañar to scold
regar (ie) to water *2A*
regatear to bargain, to haggle
registrar to check in
el **registro** register *6B*
la **regla** ruler; rule
regresar to return, to go back, to come back
regular average, okay, so-so, regular
la **reina** queen
reír(se) (i, i) to laugh
la **reja** wrought-iron window grill; wrought-iron fence
la **relación** relation(ship) *4B*
relacionado/a related
las **relaciones públicas** public relations *10A*
relajarse to relax *6B*
el **relámpago** lightning *6A*
rellenar to fill in *10A*
relleno/a stuffed *7B*
el **reloj** clock, watch
el **remedio** remedy, medicine *8A*
remoto/a remote
reparar to repair *1B*
el **repartidor, la repartidora** delivery person *1B*
repartir to deliver *1B*
repasar to reexamine, to review
el **repaso** review
el **repelente de insectos** insect repellent *5B*
repetir (i, i) to repeat; *repitan* (*Uds.* command) repeat; *repite* (*tú* command) repeat
repitan: see *repetir*
repite: see *repetir*
el **repollo** cabbage *7A*
el **reportaje** interview *3A*
reportando reporting
el **reportero, la reportera** reporter
el **reproductor de CDs** CD Player
la **República Dominicana** Dominican Republic
los **requisitos** requirements *10A*
resbalarse to slip *8A*
resbaloso/a slippery
rescatar to rescue *3B*
la **reserva** reservation *6A*
la **reserva natural** natural reserve *6B*
la **reservación** reservation
el **resfriado** cold (sickness); *pescar un resfriado* to catch a cold
resolver (ue) to resolve, to solve
el **respaldar** seat-back

respetar to respect *4B*
respirar to breathe *8A*
responder to answer
responsable responsible *1A*
la **respuesta** answer
el **restaurante** restaurant
el **resumen** summary; *en resumen* in short
retrasado/a delayed *6A*
el **retraso/a** delay *6A*
la **reunión** meeting, reunion
reunir(se) to get together
revisar to check
la **revista** magazine
revolver (ue) to stir *7A*
el **rey** king
rico/a rich, delicious
el **riel** rail
el **río** river
la **risa** laugh; *morirse de la risa* to die laughing
el **ritmo** rhythm
rizado/a curly *2A*
el **robo** robbery
la **roca** rock *5B*
rodear to surround *3B*
la **rodilla** knee
rojo/a red
romántico/a romantic *1B*
romper to break, to tear
la **ropa** clothing; *ropa interior* underwear
rosado/a pink
el **rubí** ruby
rubio/a blond, blonde
la **rueda** wheel; *rueda de Chicago* Ferris wheel
la **rueda de prensa** press conference *3A*
el **rugido** roar
rugir to roar
el **ruido** noise
Rusia Russia
ruso/a Russian; *montaña rusa* roller coaster
la **rutina** routine

S

sábado Saturday; *el sábado* on Saturday
la **sábana** sheet *2B*
saber to know; *No sé.* I do not know.; *sabes* you know; *sé* I know
sabes: see *saber*

el **sabor** flavor
saborear to taste, to savor
sabroso/a tasty *7A*
saca: see *sacar*
el **sacapuntas** pencil sharpener
sacar to take out; *saca* (*tú* command) take (something) out
sacar fotos to take pictures *2B*
el **saco de dormir** sleeping bag *5B*
la **sal** salt
la **sala** living room
la **sala de emergencia** emergency room *8A*
salado/a salty *7B*
la **salchicha** hot dog, bratwurst
el **salero** salt shaker
la **salida** departure, exit
salir to go out; *siempre salirse con la suya* to always get one's way
el **salmón** salmon *7B*
el **salón de belleza** beauty salon *9A*
la **salsa** salsa (dance music); *salsa* sauce; *salsa de tomate* ketchup
saltar to jump
saltarse (una comida) to skip (a meal) *8B*
la **salud** health
saludable healthy *8B*
saludar to greet, to say hello
el **saludo** greeting
salvadoreño/a Salvadoran
salvaje wild
salvar to save *3B*
las **sandalias** sandals
la **sandía** watermelon
el **sándwich** sandwich
la **sangre** blood
el **santo** saint's day; *Todos los Santos* All Saints' Day
la **sartén** frying pan *7A*
el **sastre, la sastra** tailor *9B*
la **sastrería** tailor's (shop) *9B*
el **satélite** satellite *10B*
saudita Saudi, Saudi Arabian
el **saxofón** saxophone
se *¿Cómo se dice…?* How do you say…?; *¿Cómo se escribe…?* How do you write (spell)…?; *¿Cómo se llama (Ud./él/ella)?* What is (your/his/her) name?; *se considera* it is considered; *se dice* one says; *se escribe* it is written; *Se habla español.* Spanish is spoken.; *se llaman* their names are; *(Ud./El/Ella) se llama…* (Your [formal]/His/Her) name is…

Se me hace tarde It's getting late *1A*

el **secador** hair dryer *2B*

la **secadora** (clothes) dryer

secarse to dry (oneself) *2B*

la **sección** section

seco/a dry *7B*

el **secretario, la secretaria** secretary

el **secreto** secret

la **sed** thirst; *tener sed* to be thirsty

la **seda** silk

seguir (i, i) to follow, to continue, to keep, to go on, to pursue; *sigan (Uds. command)* follow; *sigue (tú command)* follow

según according to

segundo/a second

la **seguridad** safety; *cinturón de seguridad* seat belt, safety belt

seguro/a sure

seis six

seiscientos/as six hundred

selecciona *(tú command)* select

la **selva** jungle; *selva tropical* tropical rain forest

el **semáforo** traffic light *5A*

la **semana** week; *fin de semana* weekend; *Semana Santa* Holy Week

la **señal** sign

señalar to point to, to point at, to point out; *señalen (Uds. command)* point to

señalen: see *señalar*

sencillo/a one-way, single

el **sendero** path *5B*

el **señor** gentleman, sir, Mr.

la **señora** lady, madame, Mrs.

la **señorita** young lady, Miss

sentar (ie) to seat (someone); *sentarse* to sit down; *siéntate (tú command)* sit down; *siéntense (Uds. command)* sit down

la **sentencia** sentencing *3B*

sentir (ie, i) to be sorry, to feel sorry, to regret; *lo siento* I am sorry; *sentir(se)* to feel

septiembre September

séptimo/a seventh

ser to be; *eres* you are; *¿Eres (tú) de…?* Are you from…?; *es* you (formal) are, he/she/it is; *es la una* it is one o clock; *Es medianoche.* It is midnight.; *Es mediodía.* It is noon.; *fue* you (formal) were, he/she/it was

(preterite of *ser*); *fueron* you *(pl.)* were, they were (preterite of *ser*); *puede ser* maybe; *¿Qué hora es?* What time is it?; *sea* it is; *ser difícil que* to be unlikely that; *ser fácil que* to be likely that; *ser listo/a* to be smart; *son* they are; *son las* (+ number) it is (+ number) o'clock; *soy* I am; *Es increíble que…* It's incredible that… *5B; Es inútil que…* It's useless that… *5B; Es una lástima que…* It's a pity that… *6B*

serio/a serious

la **serpiente** snake

el **servicio** service; *servicio de habitaciones* room service

los **servicios** services *6B*

la **servilleta** napkin

servir (i, i) to serve

sesenta sixty

la **sesión fotográfica** photo session *3A*

setecientos/as seven hundred

setenta seventy

sexto/a sixth

los **shorts** shorts

si if

sí yes

siempre always; *siempre salirse con la suya* to always get one's way

siéntate: see *sentar*

siéntense: see *sentar*

siento: see *sentir*

siete seven

sigan: see *seguir*

el **siglo** century

los **signos de puntuación** punctuation marks

sigue: see *seguir*

siguiente following; *lo siguiente* the following

la **silabificación** syllabification

el **silencio** silence

la **silla** chair

la **silla de ruedas** wheelchair *8A*

el **sillón** armchair, easy chair

el **símbolo** symbol

similar alike, similar

simpático/a nice, pleasant

sin without; *sin embargo* however, nevertheless; *sin previo aviso* without advance notice *6A; sin gracia* plain *9A*

sino but (on the contrary), although, even though

sintético/a synthetic

los **síntomas** symptoms *8A*

el **sistema de audio** sound system *7B*

la **situación** situation

el **sobre** envelope *9B*

sobre on, over; about

la **sobrina** niece

el **sobrino** nephew

sociable sociable, friendly *1B*

la **sociedad** society *3A*

¡Socorro! Help! *3B*

el **sofá** sofa *2B*

el **sol** sun; *hace sol* it is sunny; *hay sol* it is sunny

solamente only

la **solapa** lapel *9B*

solar solar *10B*

soleado/a sunny; *está soleado* it is sunny

soler (ue) to be accustomed to, to be used to

solicitar to request *10A*

solo only, just

solo/a alone

el **soltero, la soltera** single *2A*

la **sombrerería** hat store

el **sombrero** hat

son: see *ser*

soñar to dream

sonar (ue) to ring *4B*

el **sondeo** poll

el **sonido** sound

sonreír(se) (i, i) to smile

la **sopa** soup; *plato de sopa* soup bowl

sorprender to surprise *6B*

la **sorpresa** surprise

el **sótano** basement

soy: see *ser*

Sr. abbreviation for *señor*

Sra. abbreviation for *señora*

Srta. abbreviation for *señorita*

su, sus his, her, its, your *(Ud./ Uds.)*, their

suave smooth, soft

el **subdesarrollo** underdevelopment

subir to climb, to go up, to go up stairs, to take up, to bring up, to carry up; to get in; to raise *7B*

los **subtítulos** subtitles *1B*

suceder to happen *3A*

el **suceso** event, happening

sucio/a dirty

la **sudadera** sweatshirt, hoodie *9A*

la **suegra** mother-in-law *2A*

el **suegro** father-in-law *2A*

el **sueldo** salary *10A*

el **suelo** floor *2B*

suelto/a loose (hair) *9A*

el **sueño** sleep; dream; *tener sueño* to be sleepy

la **suerte** luck; *buena suerte* good luck

el **suéter** sweater

sufrir to suffer *8A*

sugerir (ie) to suggest *5B*

sujeto a cambio subject to change *6A*

el **supermercado** supermarket

el **suplemento dominical** Sunday supplement *3A*

el **sur** south; *América del Sur* South America

suramericano/a South American

el **sureste** southeast

surfear to surf

el **suroeste** southwest

el **surtido** assortment, supply, selection

el **sustantivo** noun

suyo/a his, (of) his, her, (of) hers, its, your, (of) yours, their, (of) theirs; *siempre salirse con la suya* to always get one's way

T

la **tabla** chart

la **tableta** tablet

el **taco** taco; *la taquería* taco stand

tal such, as, so; *¿Qué tal?* How are you?; *tal vez* maybe *1A; tal como* just as *4B*

talentoso/a talented, gifted *1A*

la **talla** size *9A*

el **tamal** tamale

el **tamaño** size

también also, too

el **tambor** drum

tampoco either, neither

tan so; *¡Qué (+ noun) tan (+ adjective)!* What (a) (+ adjective) (+ noun)!; *tan (+ adjective/adverb) como (+ person/item)* as (+ adjective/adverb) as (+ person/item); *tan pronto como* as soon as *6A*

tanto/a so much; *tanto/a (+ noun) como (+ person/item)* as much/many (+ noun) as (+ person/item); *tanto como* as

much as; *Tanto gusto.* So glad to meet you.

la **tapa** tidbit, appetizer

tapar(se) to cover *7B*

la **taquilla** box office, ticket office

tardar to delay; *tardar en (+ infinitive)* to be long, to take a long time

la **tarde** afternoon; *buenas tardes* good afternoon; *de la tarde* PM, in the afternoon; *por la tarde* in the afternoon

tarde late

la **tarea** homework

la **tarifa** fare

la **tarjeta** card; *tarjeta de crédito* credit card; *tarjeta telefónica* calling card *4B; tarjeta de embarque* boarding pass *6A*

el **taxista, la taxista** taxi driver

la **taza** cup

te to, for you *(i.o.p.);* you *(d.o.p.); ¿Cómo te llamas?* What is your name?; *te llamas* your name is

el **té** tea

el **teatro** theater

el **techo** roof

la **tecnología** technology

tecnológico/a technological *10B*

tejido/a knitted *9B*

la **tela** fabric, cloth

el **teléfono** telephone; *número de teléfono* telephone number; *por teléfono* by telephone, on the telephone; *teléfono público* public telephone; *teléfono inalámbrico* cordless phone *4B*

la **telenovela** soap opera

la **televisión** television; *ver (la) televisión* to watch television

el **televisor** television set

el **tema** theme, topic

el **temblor** tremor

temer to fear

la **temperatura** temperature; *¿Qué temperatura hace?* What is the temperature?

temporal temporary *10A*

temprano early

el **tenedor** fork

tener to have; *¿Cuántos años tienes?* How old are you?; *¿Qué (+ tener)?* What is wrong with (person)?; *tener calor* to be hot; *tener cuidado* to be careful; *tener dolor de* to be in pain *8A; tener éxito* to be successful, to be a

success; *tener frío* to be cold; *tener ganas de* to feel like; *tener hambre* to be hungry; *tener miedo de* to be afraid; *tener (+ number) años* to be (+ number) years old; *tener prisa* to be in a hurry; *tener que* to have (to do something); *tener razón* to be right; *tener sed* to be thirsty; *tener sueño* to be sleepy; *tener dolor de cabeza/estómago* to have a headache/stomachache; *tengo* I have; *tengo (+ number) años* I am (+ number) years old; *tiene* it has; *tienes* you have; *tener confianza (en sí/ti mismo)* to have self-confidence *1A; tener lugar* to take place *3A; tener celos* to be jealous *4A; tener (intereses, gustos, cosas) en común* to have (interests, likes, things) in common *4A; tener la culpa* to be someone's fault *4A; tener facilidad para* to have an ability for *10A*

tengo: see *tener*

teñir(se) to dye *9A*

los **tenis** sneakers

el **tenis** tennis

el **tenista, la tenista** tennis player

tercer third (form of *tercero* before a *m., s.* noun)

tercero/a third

terminar to end, to finish

la **ternera** veal

la **terraza** terrace *2A*

terrible terrible *3B*

de **terror (película)** horror (film) *1B*

el **testigo, la testigo** witness

ti you (after a preposition)

la **tía** aunt

el **tiempo** time; weather; verb tense; period; *a tiempo* on time; *hace buen (mal) tiempo* the weather is nice (bad); *¿Qué tiempo hace?* How is the weather?

la **tienda** store

la **tienda de acampar** tent *5B*

tiene: see *tener*

tienes: see *tener*

la **tierra** land, earth

el **tigre** tiger

las **tijeras** scissors *9B*

la **tina** bathtub

la **tintorería** dry cleaner *9B*

la **tintura** hair dye *9A*

el **tío** uncle

típico/a typical

el **tipo** type, kind

la **tira cómica** comic strip

tirar to throw away

el **tiro** shot (noise); kick

el **titular** headline

la **tiza** chalk

la **toalla** towel

el **tobillo** ankle *8A*

toca: see *tocar*

tocar to play (a musical instrument); to touch; *toca (tú* command) touch; *toquen (Uds.* command) touch; to be someone's turn *2B; a mí me tocan* I get *1A*

el **tocino** bacon

todavía yet; still

todo/a everything, all, every, whole, entire; *de todos los días* everyday; *por todos lados* everywhere; *todo el mundo* everyone, everybody; *todos los días* every day

tolerante tolerant

tomar to drink, to have; to take; *tomar el pelo* to pull someone's leg; *tomar(se) la presión* to take someone's blood pressure *8A; tomar las medidas* to take measurements *9B*

el **tomate** tomato; *salsa de tomate* ketchup

tonto/a silly

el **tópico** theme

toquen: see *tocar*

torcer (ue) to twist *8A*

la **tormenta** storm *3B*

el **tornillo** screw *2A*

el **toro** bull

la **toronja** grapefruit

la **torre** tower

la **tortilla** tortilla (cornmeal pancake from Mexico); omelet (Spain)

la **tortuga** turtle

toser to cough *8A*

la **tostadora** toaster

trabajador/a hard-working *1A*

trabajar to work; *trabajando en parejas* working in pairs; *trabajar de…* to work as… *1B*

el **trabajo** work

traducir to translate

traer to bring

el **tráfico** traffic

el **traje** suit; *traje de baño* swimsuit

el **transbordo** transfer *5B*

la **transmisión** transmission, broadcast

el **transporte** transportation

el **trapecista, la trapecista** trapeze artist

tratar (de) to try (to do something)

trece thirteen

treinta thirty

treinta y uno thirty-one

el **tren** train; *estación del tren* train station; *tren local* local train *5B; tren rápido* express train *5B*

tres three

trescientos/as three hundred

la **tripulación** crew

triste sad

el **trombón** trombone

la **trompeta** trumpet

tropezar to stumble, to trip over *8A*

el **trueno** thunder *6A*

tú you (informal)

tu your (informal); *(pl. tus)*

el **tucán** tucan *6B*

la **tumba** tomb

la **turbulencia** turbulence *6A*

el **turismo** tourism

el **turista, la turista** tourist

turístico/a tourist

tuyo/a your, (of) yours

U

u or (used before a word that starts with *o* or *ho*)

ubicado/a located

Ud. you (abbreviation of *usted*); you (after a preposition); *Ud. se llama…* Your name is…

Uds. you (abbreviation of *ustedes*); you (after a preposition)

último/a last

un, una a, an, one; *a la una* at one o'clock

único/a only, unique

unido/a united, connected

la **universidad** university

uno one; *quedarle bien a uno* to fit, to be becoming

unos, unas some, any, a few

urgente urgent

el **Uruguay** Uruguay

uruguayo/a Uruguayan

usar to use

el **uso** use *10B*

usted you (formal, *s.*); you (after a preposition)

ustedes you *(pl.)*; you (after a preposition)

la **uva** grape

V

la **vaca** cow

las **vacaciones** vacation

vaciar to empty *2A*

vacío/a empty *5A*

la **vacuna** vaccination *8A*

vago/a lazy, idle *1A*

el **vagón** train car *5B*

la **vainilla** vanilla

valer to be worth; *más vale que* it is better that; *valer la pena* to be worthwhile *8B*

el **valle** valley *5B*

¡vamos! let's go!; *¡vamos a (+ infinitive)!* let's (+ infinitive)!

los **vaqueros (película)** cowboy (film), western *1B*

los **vaqueros** jeans *9A*

la **variedad** variety

varios/as several

el **vaso** glass

vayan: see *ir*

ve: see *ir*

el **vecino, la vecina** neighbor

veinte twenty

veinticinco twenty-five

veinticuatro twenty-four

veintidós twenty-two

veintinueve twenty-nine

veintiocho twenty-eight

veintiséis twenty-six

veintisiete twenty-seven

veintitrés twenty-three

veintiuno twenty-one

la **velocidad** speed *5A*

vencer to expire

la **venda** bandage *8A*

el **vendedor, la vendedora** salesperson

vender to sell

venezolano/a Venezuelan

Venezuela Venezuela

vengan: see *venir*

venir to come; *vengan (Uds.* command) come

la **ventaja** advantage *2B*

la **ventana** window

la **ventanilla** window (transportation) *5B*

el **ventilador** fan

veo: see *ver*

ver to see, to watch; *a ver* let's see; *No lo/la veo.* I do not see him (it)/her (it); *veo* I see; *ver (la) televisión* to watch television; *ves* you see

el **verano** summer

el **verbo** verb

verdad true

la **verdad** truth

¿verdad? right?

verde green (color); unripe *7A*

la **verdura** greens, vegetables

verse bien to look good *9B*

vertical vertical

ves: see *ver*

el **vestido** dress

el **vestidor** fitting room

vestir (i, i) to dress (someone); *vestirse* to get dressed

el **veterinario, la veterinaria** veterinarian

la **vez** time *(pl. veces); a veces* sometimes, at times; (number +) *vez/veces al/a la* (+ time expression) (number +) time(s) per (+ time expression); *otra vez* again, another time

viajar to travel

el **viaje** trip; *agencia de viajes* travel agency; *irse de viaje* to go away on a trip

el **viajero, la viajera** traveler *5B*

la **víctima** victim *3B*

la **vida** life

la **videocámara digital** digital videocamera *3A*

el **videojuego** video game

el **vidrio** glass *10B*

viejo/a old

el **viento** wind; *hace viento* it is windy

viernes Friday; *el viernes* on Friday

el **vinagre** vinegar

el **vínculo** link

violento/a violent *3B*

el **virus** virus, viruses *(pl. virus) 10B*

la **visa** visa

la **visibilidad** visibility *3B*

la **visita** visit

visitar to visit

la **vista** view; *hasta la vista* so long, see you later

la **vitamina** vitamin *8B*

la **vitrina** store window; glass showcase

la **viuda** widow *2A*

el **viudo** widower *2A*

vivir to live

vivo/a bright *9A;* lively

el **vocabulario** vocabulary

la **vocal** vowel; *vocales abiertas* open vowels; *vocales cerradas* closed vowels

el **volante** steering wheel

volar (ue) to fly

el **volcán** volcano *6A*

el **voleibol** volleyball

el **volumen** volume *7B*

volver (ue) to return, to go back, to come back

vosotros/as you (Spain, informal, *pl.*); you (after a preposition)

la **voz** voice *(pl. voces)*

el **vuelo** flight; *auxiliar de vuelo* flight attendant

vuestro/a/os/as your (Spain, informal, *pl.*)

W

la **web** (World Wide) Web *1A*

Y

y and; *y cuarto* a quarter past, a quarter after; *y media* half past

ya already; now

la **yema** egg yolk *7A*

el **yerno** son-in-law *2A*

el **yeso** cast *8A*

yo I

Z

la **zanahoria** carrot

la **zapatería** shoe store

el **zapato** shoe; *zapato bajo* low-heel shoe; *zapato de tacón* high-heel shoe

la **zona verde** green space *5A*

el **zoológico** zoo; *jardín zoológico* zoological garden

Vocabulary

A

a un, una; *a few* unos, unas; *a little (bit)* un poco; *a lot (of)* mucho, muchísimo; *a very little (bit)* un poquito

about sobre; acerca de; *about (to leave)* a punto de (salir) *5B*

above encima de, arriba

to **accelerate** acelerar *5A*

accent el acento

to **accept** aceptar *3A*

accepted aceptado/a

accident el accidente

according to según

to **accuse** acusar *4A*

accused el acusado, la acusada *3B*

to **achieve** lograr

acrobat el acróbata, la acróbata

to **act** actuar *1B*

action (film) película de aventuras

active activo/a *1B*

activity la actividad

actor el actor

actress la actriz

to **add** añadir; agregar

address la dirección

adhesive bandage la curita *8A*

to **adjust** ajustar *5A; to tighten 9B*

to **admit** admitir *4A*

adult el adulto, la adulta *4A*

advances los avances *10B*

advantage la ventaja

advertisement el anuncio (comercial); *printed advertisement* el aviso

advice el consejo

to **advise** aconsejar

aerobics los aeróbicos; *to do aerobics* hacer aeróbicos

aerosol aerosol *10B*

to **affect** afectar *10B*

affectionate cariñoso/a

afraid asustado/a; *to be afraid of* tener miedo de

Africa el África

African africano/a

after después de; detrás de; *a quarter after* y cuarto; *the day after tomorrow* pasado mañana

after all al fin y al cabo *9A*

afternoon la tarde; *good*

afternoon buenas tardes; *in the afternoon* de la tarde, por la tarde

afterwards después

again otra vez

against contra *3B*

age la edad

agency la agencia; *travel agency* la agencia de viajes

agent el agente, la agente

ago hace *(+ time expression)* que

to **agree** convenir, estar de acuerdo

agreeable agradable

agreed de acuerdo

ahead adelante; *straight ahead* derecho

air el aire; *air conditioning* el aire acondicionado; *pertaining to air* aéreo/a

airline la aerolínea

airplane el avión; *by airplane* en avión

airport el aeropuerto

alarm la alarma; *fire alarm* la alarma de incendios; *alarm clock* el despertador; *smoke alarm* la alarma de incendios

algebra el álgebra

all todo/a; *any at all* cualquiera

allergy la alergia *8A*

to **allow** dejar (de)

almond la almendra

almost casi

alone solo/a

along por; *to get along* llevarse

already ya

also también

although sino, aunque

always siempre; *to always get one's way* siempre salirse con la suya

ambulance la ambulancia

America la América; *Central America* la América Central; *North America* la América del Norte; *South America* la América del Sur; *United States of America* los Estados Unidos de América

American americano/a; *Central American* centroamericano/a; *North American* norteamericano/a; *South American* suramericano/a

to **amuse** divertir (ie, i)

amusement la atracción;

amusement park el parque de atracciones; *(amusement) ride* la atracción

an un, una

ancient antiguo/a

and y; *(used before a word beginning with i or hi)* e

animal el animal

ankle el tobillo

to **announce** narrar, anunciar *3B*

announcement el anuncio; *commercial announcement* el anuncio comercial

another otro/a; *another time* otra vez

to **answer** contestar

answer la respuesta

answering machine el contestador automático *4B*

antibiotic el antibiótico

antique antiguo/a

antiseptic el antiséptico *8A*

any unos, unas; alguno/a, algún, alguna; cualquier, cualquiera; *any at all* cualquiera; *not any* ninguno/a, ningún, nunguna

anybody alguien

anyone alguien

anything algo

apartment el apartamento

apparatus el aparato

app la aplicación

to **appear** aparecer *1A*

apple la manzana

appliance el aparato; *to turn on (an appliance)* poner

appointment la cita

apricot el damasco

April abril

aquatic acuático/a

Arab árabe

architect el arquitecto, la arquitecta *10A*

architecture la arquitectura *10A*

Argentina la Argentina

Argentinean argentino/a

to **argue** discutir

arm el brazo

armchair el sillón

around alrededor de

to **arrange** arreglar

to **arrest** arrestar *3B*

arrival la llegada

to **arrive** llegar

art el arte
article el artículo
artist el artista, la artista
as tal, como; *as (+ adverb)*
as possible lo más/menos
(+ adverb) posible; *as
(+ adjective/adverb) as
(+ person/item)* tan *(+ adjective/
adverb)* como *(+ person/item); as
much as* tanto como; *as much/
many (+ noun) as (+ person/
item)* tanto/a *(+ noun)* como
(+ person/item); as soon as en
cuanto, luego que, tan pronto
como
Asia el Asia
Asian asiático/a
to **ask** preguntar; *to ask a question*
hacer una pregunta; *to ask for*
pedir (i, i); *to ask for help* pedir
ayuda; *to ask for permission
(to do something)* pedir
permiso (para); *to ask oneself*
preguntarse
aspiration la aspiración
aspirin la aspirina
to **assault** asaltar *3B*
assortment el surtido
astronaut el astronauta, la
astronauta *10B*
at en; *at (the symbol @ used for
e-mail addresses)* arroba; *at
home* en casa; *at night* de la
noche, por la noche; *at… o'clock*
a la(s)…; *at times* a veces; *at
what time?* ¿a qué hora?; *at once*
ahora mismo; *at the beginning* al
principio *3A; at the last moment*
a último momento *6A*
athlete el deportista, la
deportista, el atleta, la atleta *1B*
athletic atlético/a *1B*
atmosphere la atmósfera *10B*
to **attain** conseguir (i, i); realizar
to **attend** asistir a
attic el ático
attitude la actitud
attraction la atracción
attractive bonito/a; guapo/a;
atractivo/a *9A*
audience el público
audio (sound) system el
sistema de audio *7B*
August agosto
aunt la tía
Australia Australia
Australian australiano/a
autograph el autógrafo

automatic automático/a
autumn el otoño
available disponible *6B*
avenue la avenida
average regular
avocado el aguacate
to **avoid** evitar
awards ceremony la entrega de
premios *3B*

B

baby sitter el niñero, la
niñera *1B*
back la espalda
bacon el tocino
bad malo/a; *Too bad!*
¡Qué lástima!
bag la bolsa
to **bake** hornear *7A*
bakery la panadería
baking pan la asadora *7A*
balanced equilibrado/a *8B*
bald calvo/a
bald eagle el águila calva *10B*
ball la pelota
balloon el globo
banana el plátano
band la banda
bandage la venda *8A*
to **bang (into something)** darse
un golpe *8A*
bangs el flequillo *9A*
bank el banco
to **bargain** regatear
to **bark** ladrar
baseball el béisbol
baseball player el beisbolista, la
beisbolista *1B*
basement el sótano
basketball el básquetbol,
el baloncesto; *basketball
player* el basquetbolista, la
basquetbolista
to **bathe** bañar(se)
bathroom el baño, el cuarto de
baño; *bathroom sink* el lavabo
bathtub la bañera *6B*; la tina
battery la batería *4B*
to **be** ser; andar; *to be a success*
tener éxito; *to be able* poder
(ue); *to be accustomed to* soler
(ue); *to be acquainted with*
conocer; *to be afraid of* tener
miedo de; *to be becoming*
quedarle bien a uno; *to be born*

nacer; *to be called* llamarse; *to be
careful* tener cuidado; *to be cold*
tener frío; *to be familiar with*
conocer; *to be fitting* convenir;
to be glad alegrarse (de); *to be
going (to do something)* ir a *(+
infinitive); to be hot* tener calor;
to be hungry tener hambre; *to
be important* importar; *to be in
a hurry* tener prisa; *to be lacking*
hacer falta; *to be likely that* ser
fácil que; *to be long* tardar en
(+ infinitive); to be mistaken
equivocar(se); *to be necessary*
hacer falta; *to be (+ number)
years old* tener *(+ number)* años;
to be on sale estar en oferta; *to
be pleasing to* gustar; *to be ready*
estar listo/a; *to be right* tener
razón; *to be satisfied (with)* estar
contento/a (con); *to be sleepy*
tener sueño; *to be smart* ser
listo/a; *to be sorry* sentir (ie, i); *to
be successful* tener éxito; *to be
thirsty* tener sed; *to be unlikely
that* ser difícil que; *to be used to*
soler (ue); *to be worth* valer; *to
be honest* para serte sincero/a; *to
be jealous* tener celos *4A;
to be missing* faltar *2B; to be
motivated* estar motivado/a *1A;
to be someone's turn* tocar
(tocarle a alguien) *2B; to
be someone's fault* tener la
culpa *4A; to be wrong* estar
equivocado/a; *to be fashionable*
estar de moda *9A; to be
good at* valer para *10A; to be
unemployed* estar en paro *10A*
beach la playa
bean el frijol
bear el oso; *teddy bear* el oso de
peluche
beard la barba *2A*
to **beat** batir *7A*
beautiful hermoso/a
beauty salon el salón de
belleza *9A*
because porque; *because of*
a causa de
to **become** ponerse, cumplir; *to
become aware* enterar(se) de;
to become (+ number) years old
cumplir; *to become a member*
hacerse miembro *1A*
bed la cama; *to go to bed*
acostarse (ue); *to put (someone)
in bed* acostar (ue)

bedcover el cubrecamas

bedroom el cuarto, la habitación

beef la carne de res; *boneless cut of beef* el filete

before antes de; *a quarter before* menos cuarto; *the day before yesterday* anteayer

to **begin** empezar (ie); comenzar (ie)

to **behave** comportarse *7B*

behavior el comportamiento *4B*

behind someone, something detrás de *2B*

beige beige *9A*

to **believe** creer

bellhop el botones

belly la barriga *8A*

to **belong** pertenecer *1A*

belt el cinturón; *safety belt* el cinturón de seguridad; *seat belt* el cinturón de seguridad

benefits los beneficios *10A*

bermuda shorts las bermudas

beside al lado (de)

besides además

best mejor; *the best (+ noun)* el/la/los/las mejor/mejores *(+ noun)*

better mejor; *it is better that* más vale que

between entre

beyond más allá

bicycle la bicicleta

big grande; *(form of grande before a m., s. noun)* gran

bike la bicicleta

bill la cuenta

binoculars los binoculares

biology la biología

bird el pájaro

birthday el cumpleaños; *Happy birthday!* ¡Feliz cumpleaños!; *to have a birthday* cumplir años

biscuit la galleta

to **bite** morder (ue)

black negro/a

blackboard la pizarra

to **blame someone else** echar la culpa a alguien *4A*

blanket la cobija *2B*

blind alley el callejón sin salida *5A*

blond, blonde rubio/a

blouse la blusa

blue azul

blue jeans los vaqueros

to **board** abordar, embarcar *6A*

boarding pass la tarjeta de embarque *6A*

boat el barco, el bote

body el cuerpo

to **boil** hervir (ie) *7A*

Bolivia Bolivia

Bolivian boliviano/a

Bolivian currency el boliviano *7A*

bomb la bomba *3B*

boneless (cut of beef or fish) el filete

book el libro

bookcase el estante *2B*

bookstore la librería

boot la bota

to **bore** aburrir(se)

bored aburrido/a

boring aburrido/a

to **borrow** pedir prestado/a

boss el jefe, la jefa *10A*

bossy mandón, mandona *2B*

to **bother** molestar, fastidiar

bottle la botella *7B*

bowl el recipiente *7A*

box la caja; el recuadro

box office la taquilla

boy el chico, el muchacho

boyfriend el novio

bracelet la pulsera

brake el freno

bravo olé

Brazil el Brasil

Brazilian brasileño/a

bread el pan

to **break** romper, quebrarse

breakfast el desayuno; *to have breakfast* desayunar

to **breathe** respirar

brick el ladrillo

bridge el puente

briefcase el maletín

bright vivo/a *(color) 9A*

to **bring** traer; llevar; *to bring about* realizar; *to bring up* subir

broach el broche *9B*

broadcast la transmisión

brochure el folleto

broom la escoba

brother el hermano

brother-in-law el cuñado *2A*

brown *(color)* café, castaño/a *2A;* marrón

brunet, brunette moreno/a

to **brush (one's hair, teeth)** cepillar(se) *2B*

brush el cepillo

to **build** construir *2A*

building el edificio

bull el toro

bullfight la corrida

bureau la cómoda *2B*

to **burn** quemar

burro el burro

bus el autobús; *bus station* la estación de autobuses

bush el arbusto *5B*

business la empresa, los negocios

businessman el hombre de negocios

business owner el empresario, la empresaria *10A*

businesswoman la mujer de negocios

busy line la línea ocupada

but pero; *but (on the contrary)* sino

butcher shop la carnicería

butter la mantequilla

butterfly la mariposa *6B*

button el botón *(pl.* botones*) 9B*

to **buy** comprar

by por; *by airplane* en avión; *by car* en carro, en coche; *by (+ vehicle)* en *(+ vehicle); by telephone* por teléfono; *by the way* a propósito

C

cabbage el repollo *7A*

cafeteria la cafetería

cage la jaula

cake el pastel

calcium el calcio *8A*

calendar el calendario

to **call** llamar

calling card la tarjeta telefónica *4B*

to **calm down** calmar(se)

camel el camello

camera la cámara

to **camp** acampar *5B*

camp fire la fogata *5B*

camp site el campamento *5B*

camping el camping

can la lata

can opener el abrelatas

Canada el Canadá

Canadian canadiense

to **cancel** cancelar *6A*

cancellation la cancelación *6A*

candy el dulce; *candy store*

la dulcería
cantaloupe el melón
cap la gorra
capital la capital; *capital letter* la mayúscula
car el carro; el coche; *bumper cars* carros chocones; *by car* en carro, en coche
carbohydrate el carbohidrato *8B*
card la tarjeta; *credit card* la tarjeta de crédito; *playing card* la carta
care el cuidado; *to take care of* cuidar(se), encargarse (de)
career la carrera
Caribbean el Caribe
carpenter el carpintero, la carpintera
carpet la alfombra
carrot la zanahoria
carrousel el carrusel
to **carry** llevar; *to carry up* subir *carry-on luggage* el equipaje de mano
to **carry out** cumplir con *10B*
cartoon el dibujo animado; *(film)* película de dibujos animados
cash el efectivo; *in cash* en efectivo
cashier el cajero, la cajera; *cash register* la caja
cast el yeso *8A*
casual informal *9A*
cat el gato, la gata
catastrophe la catástrofe
to **catch** coger; *to catch (a cold)* pescar (un resfriado)
cathedral la catedral
to **cause** causar *3B*
cautious prudente *5A*
to **celebrate** celebrar
celebration la celebración
cellular phone el teléfono celular *4B*
center el centro; el medio; *in the center of* en medio de; *shopping center* el centro comercial
Central America la América Central
Central American centroamericano/a
century el siglo
ceramics la cerámica *9B*
cereal el cereal
ceremony la ceremonia *3A*
ceviche el ceviche

(marinated seafood dish) *7B*
chain la cadena *9B*
chair la silla; *easy chair* el sillón
chalk la tiza
championship el campeonato
to **change** cambiar
change el cambio
channel el canal
character el personaje
to **charge (the battery)** cargar (la batería) *4B*
charger el cargador *4B*
chart la tabla
to **chat** chatear
chat la charla; *chat room* el cuarto de charla
chauffeur el chofer, la chofer
cheap barato/a
check la cuenta, el cheque
to **check** revisar; *to check in* registrar; consultar
checkered a cuadros
checkers las damas
cheese el queso
chemical waste el desperdicio químico *10B*
chemistry la química
cherry la cereza *7A*
chess el ajedrez
chest el pecho
chest of drawers la cómoda *2B*
to **chew** masticar *7B*
chicken el pollo
chickpea el garbanzo *7A*
child el niño, la niña
Chile Chile
Chilean chileno/a
chilly fresco/a
chimney la chimenea
China la China
Chinese chino/a
chocolate el chocolate
choir el coro *1A*
to **choose** escoger
to **chop** picar
chore el quehacer
Christmas la Navidad
church la iglesia
cigarette el cigarrillo
circus el circo
city la ciudad; *city block* la cuadra
clam la almeja
class la clase
classified los clasificados *3A*
to **classify** clasificar

classmate el compañero, la compañera
clay la arcilla *9B*
to **clean** limpiar
clean limpio/a
clear claro/a
to **clear** limpiar; *to clear the table* recoger la mesa
clerk el dependiente, la dependiente
to **climb** subir, escalar
clinic la clínica
clock el reloj; *(alarm) clock* el despertador
to **close** cerrar (ie)
close up de cerca
closed cerrado/a
closet el armario
cloth la tela
clothing la ropa
cloud la nube *6A*
cloudy nublado/a; *it is cloudy* está nublado
clown el payaso
club el club
coat el abrigo
coffee el café; *coffee maker* la cafetera; *coffee pot* la cafetera
coin la moneda
cold el frío; el resfriado; *it is cold* hace frío; *to be cold* tener frío; *to catch (a cold)* pescar (un resfriado)
to **collaborate** colaborar *1A*
collar el cuello *9B*
collect call la llamada de cobro revertido *4B*
collection la colección
Colombia Colombia
Colombian colombiano/a
color el color
column la columna
comb el peine
to **comb** peinar(se)
to **combine** combinar
to **come** venir; *to come back* regresar, volver (ue); *to come in* entrar
comedy la comedia; *(film)* película cómica *1B*
comfortable cómodo/a
comic strip la tira cómica
comical cómico/a
commentator el comentarista, la comentarista
commercial comercial; *commercial announcement* el anuncio comercial

to **communicate** comunicarse *10B*
communication la comunicación
compact disc el disco compacto; *compact disc player* el reproductor de CDs
company la compañía
compartment el compartimiento
compass la brújula *5B*
competition la competencia; el concurso
to **complain** quejarse *7B*
to **complete** completar, acabar
complete completo/a
to **compliment someone** hacer un cumplido *4A*
computer la computadora, el ordenador *3A; computer programmer* el programador, la programadora
computer science la informática *10A* ; la computación
concert el concierto
concierge el conserje, la conserje *6B*
concourse el muelle
condiment el condimento *7A*
conditioner el acondicionador *9A*
to **conduct** conducir
to **confirm** confirmar *6A*
confirmation la confirmación *6A*
conflict el conflicto *4B*
congratulations felicitaciones
to **connect** conectar *2A*
connected conectado/a; unido/a
to **conserve** conservar *10B*
considerate considerado/a *4A*
construction site la obra en construcción *5A*
construction work la construcción *10A*
to **contaminate** contaminar *10B*
contaminated contaminado/a *10B*
contest el concurso
to **continue** continuar, seguir (i, i)
contrary to a diferencia de *2A*
to **contribute** contribuir *3A*
to **convince** convencer *1A*
to **cook** cocinar, cocer (ue) *7A*
cook el cocinero, la cocinera
cooked cocido/a *7A*

cookie la galleta
cool el fresco; *it is cool* hace fresco
to **cool** enfriar
to **copy** copiar
cordless phone el teléfono inalámbrico *4B*
corn el maíz, *ear of corn* el choclo *7A*
corner la esquina; *to turn (a corner)* doblar
cornmeal pancake *(Mexico)* la tortilla
correct correcto/a
correspondence la correspondencia
corridor el corredor
to **cost** costar (ue)
Costa Rica Costa Rica
Costa Rican costarricense
cotton el algodón; *cotton candy* el algodón de azúcar
to **cough** toser *8A*
cough syrup el jarabe *8A*
to **count on someone** contar con alguien *4A*
counter el mostrador
country el país
country code el código *4B*
countryside el campo *5B*
couple la pareja
courtyard el patio
cousin el primo, la prima
to **cover** cubrir(se), tapar(se)
cow la vaca
cowboy film la película de vaqueros *1B*
crab el cangrejo
to **crash** chocar *3B*
crazy loco/a
cream la crema; *ice cream* el helado; *ice cream parlor* la heladería; *shaving cream* la crema de afeitar
to **create** crear
credit el crédito; *credit card* la tarjeta de crédito; *on credit* a crédito
crew la tripulación
crime el crimen *3B*
to **criticize** criticar *4A*
to **cross** cruzar
crossed atravesado/a
crossword puzzle el crucigrama *3A*
cruise el crucero
crutches las muletas *8A*
to **cry** llorar *4A*

crystal (glass) el cristal *9B*
Cuba Cuba
Cuban cubano/a
cuff links los gemelos *9B*
culture la cultura
cultured culto/a
cup la taza
cupboard el armario
to **cure** curar(se) *8A*
curious curioso/a *1B*
curly rizado/a *2A*
curtain la cortina
curve la curva
custard el flan
customer el cliente, la clienta
customs la aduana
to **cut** cortar
cut el corte
cyclist el ciclista, la ciclista *1B*

D

dad el papá, el padre
dairy (store) la lechería
to **dance** bailar
dance el baile
dance steps los pasos de baile *7B*
dancing el baile; *dance music* la música bailable *7B*
dangerous peligroso/a
dark oscuro/a *9A to get dark* anochecer
dark-haired moreno/a
dark-skinned moreno/a
date la fecha; la cita
daughter la hija
daughter-in-law la nuera *9A*
day el día; *All Saints' Day* Todos los Santos; *every day* todos los días; *New Year's Day* el Año Nuevo; *saint's day* el santo; *the day after tomorrow* pasado mañana; *the day before yesterday* anteayer
dear querido/a; estimado/a
December diciembre
to **decide** decidir
to **declare** declarar *3B*
to **decorate** adornar, decorar *2A*
deep profundo/a *8A*
deeply hondo/a *8A*
defender el defensor, la defensora
degree el grado
delay el retraso, la demora *6A*

to delay tardar
delayed con retraso, retrasado/a *5B*
delicious delicioso/a, rico/a
to delight encantar
delighted encantado/a
to deliver repartir *1B*
delivery person el repartidor, la repartidora *1B*
to demand exigir
demanding exigente
dentist el dentista, la dentista
to deny negar (ie) *6A*
deodorant el desodorante
department el departamento; *department store* el almacén
departure la salida
to depend on depender *1A*
deposit el depósito
to describe describir
desert el desierto
to deserve merecer *1A*
to design diseñar
designer el diseñador, la diseñadora *10A*
desire las ganas
desk el escritorio, el pupitre; *cashier's desk* la caja; *reception desk* la recepción
dessert el postre
destination el destino
destiny el destino
to destroy destruir *3A*
destruction la destrucción
detail el detalle *6A*
detective film la película policiaca *1B*
to develop desarrollar *10B*
to devote (time) dedicar *1A*
to dial marcar *4B*
to die morir(se) (ue, u); *to die laughing* morirse de la risa
diet la alimentación, la dieta *8B*
difference of opinion la diferencia de opinión *4B*
different diferente
difficult difícil
digital camera la cámara digital
digital video camera la videocámara digital *3A*
dining room el comedor
dinner lla cena; *to have dinner* cenar
dinning car el coche comedor *5B*
to direct dirigir, conducir
direction la dirección
director el director, la directora

dirty sucio/a
disadvantage la desventaja *2B*
to disappear desaparecer *1A*
disaster el desastre
disc jockey (DJ) el disc jockey, la disc jockey *7B*
to discolor desteñirse *9B*
discount el descuento, la rebaja *9A*
to discover descubrir *4A*
to discuss discutir
discussion la discusión *4A*
disease la enfermedad *8A*
dish el plato
dishwasher el lavaplatos eléctrico
to dislike disgustar *6B*
disorder el desorden *2B*
to do hacer; practicar; *to do aerobics* hacer aeróbicos; *to do push-ups* hacer flexiones *8B; to do sit-ups* hacer abdominales *8B; to do (something) without meaning* hacerlo sin querer *4A; to do white-water rafting* navegar por rápidos *6B; to do yoga* hacer yoga *8B*
doctor el médico, la médica; el doctor, la doctora (*abbreviation:* Dr., Dra.); *doctor's office* el consultorio
documentary el documental *1B*
dog el perro, la perra
dollar el dólar
Dominican dominicano/a
Dominican Republic la República Dominicana
donkey el burro
Don't mention it! ¡No faltaba más! *4A*
do not turn prohibido doblar *5A*
door la puerta
dot el punto
double doble
double bed la cama doble *6B*
double room la habitación doble
to doubt dudar
doubtful dudoso/a
down abajo
to download a (software) program bajar un programa
downstairs abajo
downtown el centro
drama el drama *1B*
to draw dibujar

drawing el dibujo; *cartoon* el dibujo animado *1B*
dream el sueño
to dream soñar (ue)
to dress (someone) vestir (i, i)
dress el vestido
dressing el aderezo
drink el refresco, la bebida; *soft drink* el refresco
to drink tomar
drinkable potable
to drive conducir, manejar
driver el chofer, la chofer; *taxi driver* el taxista, la taxista; el conductor, la conductora
driver's license la licencia de conducir *5A*
drops las gotas *8A*
drum el tambor
to dry (oneself) secarse
dry cleaner la tintorería *9B*
dry seco/a
dryer la secadora
dubbed doblado/a *1B*
duck el pato
due to a causa de
to dump arrojar *10B*
during durante
dust el polvo
to dye teñir(se) *9A*

E

each cada
ear (inner) el oído; *(outer)* la oreja
ear of corn el choclo *7A*
early temprano
to earn ganar
earphones los audífonos
earring el arete
earth la tierra
east el este
Easter la Pascua
easy fácil; *easy chair* el sillón
to eat comer, alimentarse *8B; to eat completely* comerse; *to eat lunch* almorzar (ue); *to eat up* comerse
ecology la ecología
economic económico/a
economy la economía
Ecuador el Ecuador
Ecuadorian ecuatoriano/a
editorial el editorial
egg el huevo; *egg white* la

clara *7A; egg yolk* la yema 7A
eight ocho; *eight hundred*
ochocientos/as
eighteen dieciocho
eighth octavo/a
eighty ochenta
either tampoco; *either... or* o... o
El Salvador El Salvador
elbow el codo
electric eléctrico/a
electrician el electricista, la
electricista *10A*
elegant elegante
elephant el elefante
elevator el ascensor
eleven once
else más
e-mail el e-mail, el correo
electrónico
embroidered bordado/a *9A*
emergency room la sala de
emergencias *8A*
emigration la emigración
empire el imperio
to **employ (someone on trial**
basis) poner a prueba *10A*
employee el empleado, la
empleada
to **empty** vaciar *2A*
empty vacío/a
to **enchant** encantar
enchilada la enchilada
end el fin
to **end** terminar; *to end up* ir a parar
endangered en peligro de
extinción *10B*
energy la energía *8B*
engine el motor; *search engine*
el motor de búsqueda
engineer el ingeniero,
la ingeniera
engineering la ingeniería *10A*
England Inglaterra
English el inglés *(language);*
inglés, inglesa *(people)*
to **enjoy** gozar
enough bastante
enterprising
emprendedor/a *10A*
envelope el sobre *9B*
environment el medio
ambiente *10B*
to **erase** borrar
eraser el borrador
escalator la escalera mecánica
to **escape** escapar(se)
to **establish** establecer
Europe Europa

European europeo/a
even aun; *even though* sino; *not*
even ni
event el acontecimiento,
el suceso
every todo/a, cada; *every day*
todos los días
everybody todo el mundo,
todos/as
everyday de todos los días
everyone todo el mundo,
todos/as
everything todo
everywhere por todos lados
evident evidente
to **exaggerate** exagerar
exam el examen
to **examine** examinar
example el ejemplo; *for example*
por ejemplo
to **exceed** exceder *5A*
excellent excelente
excited emocionado/a
exciting emocionante
excuse me perdón, con permiso
exercise el ejercicio
to **exhaust** agotar(se) *10B*
exhibition la exhibición
exit la salida
expense el gasto
expensive caro/a
experience la experiencia, la
práctica *1B*
expertise la destreza
to **expire** vencer, caducar
to **explain** explicar, aclarar
explanation la explicación
to **explode** explotar *3B*
explosion la explosión *3B*
express train el tren rápido *3B*
exterior wall el muro
eye el ojo

F

fabric la tela
face la cara
facilities las facilidades
facing enfrente de
factory la fábrica *10B*
to **fade** desteñirse *9B*
faded desteñido/a
to **fail** fracasar
to **faint** desmayarse *3B*
fairly bastante
to **fall (down)** caer(se); *to fall asleep*

dormirse (ue, u)
family la familia; *family tree* el
árbol genealógico
famous conocido/a; famoso/a
fan el aficionado, la aficionada;
el ventilador
fantastic fantástico/a;
maravilloso/a
far (from) lejos (de)
fare la tarifa
farewell la despedida
farm la finca
farmer el agricultor, la
agricultora
farther on adelante
to **fascinate** fascinar
fascinating fascinante
fashion la moda *9A*
fast rápido/a; *fast food* la comida
rápida
to **fasten** abrochar(se)
fat gordo/a; *to get fat, to make*
fat engordar; la grasa
fate el destino
father el padre, el papá
father-in-law el suegro *2A*
faucet el grifo
fault la culpa *4A*
favorite favorito/a
fax el fax
fear el miedo
to **fear** temer
feather la pluma
February febrero
to **feed** dar de comer
to **feel** sentir(se) (ie, i); *to feel like*
tener ganas de; *to feel sorry*
sentir (ie, i)
fence la cerca; *wrought-iron*
fence la reja
fender el parachoques
ferocious feroz (*pl.* feroces)
festival el festival
fever la fiebre *8A*
fiber la fibra
field (of study) el campo *10A*
fierce feroz (*pl.* feroces)
fifteen quince
fifth quinto/a
fifty cincuenta
to **fight** pelear(se)
fight la pelea *4A*
to **fill in** rellenar *10A*
to **fill up the gas tank** llenar
el tanque *5A*
fillet el filete
to **film** filmar
film la película

finally por fin
finances las finanzas *3A*
to **find** encontrar (ue)
to **find out** averiguar *3A;*
enterar(se) de, descubrir *4A*
finger el dedo
to **finish** terminar, acabar
fire el fuego; el incendio; *fire
alarm* la alarma de incendios;
firefighter el bombero, la
bombera
fire extinguisher el extinguidor
de incendios *2A*
fireplace la chimenea
fireworks los fuegos artificiales
firm firme *6B*
first (second) class de primera
(segunda) clase *5B*
first aid los primeros auxilios *3B*
first primero/a; primero; *(form
of primero before a m., s. noun)*
primer; *first floor* el primer piso
fish el pescado; *boneless cut of
fish* el filete; el pez *(when alive,
before being fished)*
to **fish** pescar
fishing la pesca
to **fit** ajustar *9B*
to **fit** quedarle bien a uno; *to fit
(into)* caber
fitting room el vestidor
five cinco; *five hundred*
quinientos/as
to **fix** arreglar
flamingo el flamenco
flashlight la linterna *5B*
flat roof la azotea
flavor el sabor
flavoring el aderezo
flight el vuelo; *flight attendant* el
auxiliar de vuelo, la auxiliar de
vuelo
flood la inundación *3B*
floor el piso; el suelo *2B; first
floor* el primer piso; *ground floor*
la planta baja
flour la harina *7A*
flower la flor; *flower shop*
la florería
flu la gripe
flute la flauta
to **fly** volar (ue)
fog la niebla *6A*
to **follow** seguir (i, i)
following: the following
lo siguiente
food la comida, el alimento *8B;
food server* el camarero, la

camarera, el mesero, la mesera;
little food item la golosina
foot el pie; *on foot* a pie
football el fútbol americano
footwear el calzado *9A*
for por, para; *for example*
por ejemplo; *for now* por
ahora *1B*
foreign extranjero/a
forest el bosque
to **forget** olvidar(se)
to **forgive** perdonar; *forgive
me* discúlpame *4A*
fork el tenedor
form el formulario *10A*
to **form** formar; *to form an
opinion* opinar
formal formal *9A*
forty cuarenta
forward el delantero,
la delantera
to **found** fundar
four cuatro; *four hundred*
cuatrocientos/as
fourteen catorce
fourth cuarto/a
fowl el ave
fracture la fractura *8A*
France Francia
free libre
free time el ocio *3A*
French francés, francesa
French fries las papas fritas *7B*
fresh fresco/a; puro/a
Friday viernes; *on Friday*
el viernes
fried frito/a *7B*
friend el amigo, la amiga
friendly sociable
friendship la amistad
from de, desde; *from (a certain
period of time)* a partir de *8B;
from a short distance* de cerca;
from the de la/del (de + el); *from
where?* ¿de dónde?
fruit la fruta; *fruit store* la frutería
to **fry** freír (i, i)
frying pan la sartén *7A*
full lleno/a
full time la jornada
completa *10A*
fun divertido/a; *to have fun*
divertirse
to **function** funcionar *2A*
funny cómico/a; chistoso/a
furious furioso/a
furthermore además
future el futuro

G

game el partido, el juego; *game
console/system* la consola de
juegos; *game show* el programa
de concurso; *games won* los
partidos ganados; *to play (a
game)* jugar a; *video game* el
videojuego
gap el agujero *10B*
garage el garaje
garbage la basura
garbage can el basurero *2A*
garden el jardín; *zoological
garden* el jardín zoológico
garlic el ajo; *garlic clove* el
diente de ajo *7A*
garment la prenda
gas la gasolina *5A*
gas pedal el acelerador *5A*
gas station la estación de
servicio *5A*
gathered up recogido/a *9A*
gel hair el gel *9A*
gene el gen *(pl. genes) 10B*
generous generoso/a
genetics la genética *10B*
gentleman el caballero
geography la geografía
geometry la geometría
German alemán, alemana
Germany Alemania
to **get** conseguir (i, i); *to always get
one's way* siempre salirse con
la suya; *to get along* llevarse
bien; *to get burned* quemarse;
to get connected conectarse;
to get dark anochecer; *to get
dressed* vestirse; *to get fat*
engordar; *to get in* subir; *to
get together* reunir(se); *to get
up* levantarse; *to get used to*
acostumbrar(se); *to get angry*
enojarse; *to get* ponerse; *to
get married* casarse *3A; to get
scared* asustarse *6A; to get ready*
prepararse *2B*
getting by pasándola *1A*
gift el regalo
gifted talentoso/a *1A*
giraffe la jirafa
girl la chica, la muchacha
girlfriend la novia
to **give** dar; *to give an opinion*
opinar; *to give a speech* dar un
discurso *3A; to give a ticket*
poner una multa *5A; to give…
classes* dar clases (de)… *1B*

glad contento/a; *Glad to meet you!* ¡Mucho gusto!; *I would be (very) glad to* con (mucho) gusto; *So glad to meet you.* Tanto gusto.; *to be glad* alegrarse (de)

glass el vaso; el vidrio *10B; glass showcase* la vitrina

glasses los lentes

global warming el calentamiento global *10B*

globe el globo

glove el guante

to **go** ir; andar; *to go away* irse; *to go away on a trip* irse de viaje; *to go back* regresar, volver (ue); *to go in* entrar; *to go on* seguir (i, i); *to go out* salir; *to go shopping* ir de compras; *to go to bed* acostarse (ue); *to go up/upstairs* subir; *to go through/ across* atravesar (ie) *6A; to go with* ir con *9A*

goal el gol

goalie el portero, la portera

goaltender el portero, la portera

godfather el padrino *2A*

godmother la madrina *2A*

gold el oro

good bueno/a; *(form of bueno before a m., s. noun)* buen; *good afternoon* buenas tardes; *good luck* buena suerte; *good morning* buenos días; *good night* buenas noches

good-bye adiós; *to say good-bye* despedir(se) (i, i); la despedida

good-looking guapo/a, bonito/a

gorilla el gorila

to **gossip** chismear *4A*

gossip el chisme

gossipy chismoso/a *4A*

government el gobierno

grade la nota *1A*

to **graduate** graduarse *10A*

gram el gramo *7A*

granddaughter la nieta

grandfather el abuelo

grandmother la abuela

grandson el nieto

grape la uva

grapefruit la toronja

grass el césped

grave grave

gray gris

greasy grasoso/a *9A*

great fantástico/a; gran

Great! ¡Padrísimo! *9A;* ¡Chévere! *1A*

greater mayor

greatest mayor

great-grandfather el bisabuelo

great-grandmother la bisabuela

green space la zona verde *5A*

green verde; *green bean* la habichuela

greens la verdura

to **greet** saludar

grilled a la parrilla *7B*

grocery store el almacén

group el grupo; *musical group* el grupo musical

to **grow** crecer

Guatemala Guatemala

Guatemalan guatemalteco/a

to **guess** adivinar

guest el invitado, la invitada *7B*

guidance la dirección

guide el guía, la guía

guidebook la guía turística

guilty culpable *3B*

guitar la guitarra

guy el muchacho

gym el gimnasio

H

habit el hábito

hair dryer el secador de pelo *2B*

hair dye la tintura *9A*

hair el pelo

haircut el corte de pelo *9A*

hairdo el peinado *9A*

hairstylist el peluquero, la peluquera

half medio/a; *half past* y media

hall el pasillo *2A*

hallway el corredor

ham el jamón

hamburger la hamburguesa *8B*

hammer el martillo *2A*

to **hand in** entregar

hand la mano; *on the other hand* en cambio; *to shake hands* darse la mano *7B*

handbag el bolso; el maletín

handicraft la artesanía *9B*

handkerchief el pañuelo

handmade hecho a mano *9B*

handsome guapo/a

to **hang** colgar (ue)

to **hang up** colgar *4B*

hanger la percha *2B*

to **happen** pasar, suceder *3A*

happening el acontecimiento, el suceso

happiness la dicha

happy contento/a, feliz *(pl.* felices), alegre; *Happy birthday!* ¡Feliz cumpleaños!; *to make happy* alegrar (de)

hard difícil

hard working trabajador/a *1A*

to **harm** dañar *10B*

hat el sombrero; *hat store* la sombrerería

to **have** tomar, tener; *(auxiliary verb)* haber; *to have a birthday* cumplir años; *to have breakfast* desayunar; *to have dinner* cenar; *to have fun* divertirse; *to have just* acabar de (+ infinitive); *to have a headache (stomachache)* tener dolor de cabeza (estómago); *to have lunch* almorzar (ue); *to have (something) left* quedarle (algo a alguien); *to have supper* cenar; *to have to,* tener que; *to have in common* tener en común *4A; to have self-confidence* tener confianza (en sí/ti mismo) *1A; to have an ability for* tener facilidad para *10A; to have an internship* hacer prácticas *10A*

hazel castaño/a *2A*

he él

head la cabeza; *to have a headache* tener dolor de cabeza

headlight el faro

headphones los audífonos

headline el titular

health la salud

healthy saludable *8B*

to **hear** oír; escuchar

heart el corazón

heat el calor

heating la calefacción *2A*

hello hola; *(telephone greeting)* aló, diga; *to say hello* saludar

helmet el casco *5B*

to **help** ayudar

help la ayuda; *to ask for help* pedir ayuda

Help! ¡Socorro! *3B*

hen la gallina

her su, sus; *(d.o.p.)* la; *(i.o.p.)* le; *(after a preposition)* ella; suyo/a; *(of) hers* suyo/a

here aquí, acá *2B*

heritage la herencia

hey mira, miren, oye, oigan

hi hola

high definition screen la pantalla de alta definición *10B*

high-heel shoe el zapato de tacón

highway la carretera, la autopista *5A*

hill la colina

him *(d.o.p.)* lo; *(i.o.p.)* le; *(after a preposition)* él

hippopotamus el hipopótamo

to **hire** contratar *10A*

his su, sus; suyo/a; *(of) his* suyo/a

Hispanic hispano/a

history la historia

hockey el hockey

hole el agujero *10B*

home la casa; el hogar; *at home* en casa

homework la tarea

Honduran hondureño/a

Honduras Honduras

honest honesto/a

honey miel; *(term of endearment)* corazón

hood el capó

hoodie la sudadera *9A*

to **hope** esperar

hope la aspiración

horn el claxon; el cuerno

horrible horrible

horror (film) película de terror *1B*

horse el caballo; *on horseback* a caballo

horseback ride la cabalgata *6B*

host el anfitrión *7B*

hostess la anfitriona *7B*

hot caliente; *it is hot* hace calor; *to be hot* tener calor, *spicy* picante *7A*

hot dog la salchicha

hotel el hotel

hour la hora

house la casa

how (+ adjective)! ¡qué (+ *adjective*)! *How odd!* ¡Qué raro! *4A*

how (+ adjective/adverb) lo (+ *adjective/adverb*)

how? ¿cómo?; *How are you?* ¿Qué tal?; *How are you (formal)?* ¿Cómo está (Ud.)?; *How are you (informal)?* ¿Cómo estás (tú)?; *How are you (pl.)?* ¿Cómo están (Uds.)?; *How do you*

say…? ¿Cómo se dice…?; *How do you write (spell)…?* ¿Cómo se escribe…?; *How is the weather?* ¿Qué tiempo hace?; *How long…?* ¿Cuánto (+ time expression) hace que (+ present tense of verb)…?; how many?* ¿cuántos/as?; *how much?* ¿cuánto/a?; *How old are you?* ¿Cuántos años tienes?

however sin embargo

to **hug (each other)** abrazarse *2B*

hug el abrazo

hunger el hambre *(f.)*

hurricane el huracán

hurry la prisa; *in a hurry* apurado/a; *to be in a hurry* tener prisa

to **hurry up** apurar(se), darse prisa *1A*

to **hurt** doler (ue); lastimar(se)

husband el esposo, el marido

I

I yo; *I am sorry* lo siento; *I do not know.* No sé.; *I hope* ojalá

I can't believe it! ¡No lo puedo creer! *3A*

I can't stand him/her No lo/la aguanto *1B*

I get… A mí me tocan… *1A*

I like/don't like (someone) Me cae bien/mal *1B*

ice el hielo; *ice cream* el helado; *ice cream parlor* la heladería

to **ice-skate** patinar sobre hielo

idea la idea

ideal ideal

idle vago/a *1A*

if si; *if only* ojalá

iguana la iguana

to **imagine** imaginar(se)

immediately en seguida

impatient impaciente

to **imply** implicar

important importante; *to be important* importar

impossible imposible

to **improve** mejorar

in en, por; *in a hurry* apurado/a; *in cash* en efectivo; *in favor (of)* a favor (de); *in order to* para; *in order that* para que; *in short* en resumen; *in the afternoon* de la tarde, por la tarde; *in the center*

of en medio de; *in the middle of* en medio de; *in the morning* de la mañana, por la mañana; *in advance* por adelantado; *in front of* delante de, enfrente de *2A*; *in good/bad taste* de buen/mal gusto *9A*

to **include** incluir *6B*

increase el aumento

incredible increíble

infection la infección *8A*

inflammation la inflamación *8A*

to **inform** informar

information la información

ingredient el ingrediente

inhabitant el habitante, la habitante

injection la inyección *8A*

to **injure** lastimar(se)

injured herido/a ; *injured (person)* el herido, la herida

inn (Spain) el parador

innocent inocente *3B*

insect repellent el repelente de insectos *5B*

inside adentro; *inside of* dentro de *2B*

to **insist (on)** insistir (en)

inspector el inspector, la inspectora *5B*

to **install** instalar

instead of en vez de *9A*

instruction la dirección

instructor el instructor, la instructora *1B*

intelligent inteligente

to **intend** pensar (ie)

to **interest** interesar

interesting interesante

international internacional

Internet la internet

to **interrupt** interrumpir *7B*

to **interview** entrevistar *3A*

interview la entrevista, el reportaje

to **introduce** presentar

invention el invento *10B*

to **investigate** investigar

invitation la invitación

to **invite** invitar

iron la plancha, el hierro

to **iron** planchar

ironing board la mesa de planchar

island la isla

it *(d.o.p.)* la; *(d.o.p.)* lo; *(neuter form)* ello; *it is better that* más vale que; *it is cloudy* está nublado; *it is cold* hace frío; *it is cool* hace fresco; *it is hot* hace calor; *It is midnight.* Es medianoche.; *it means* quiere decir; *It is noon.* Es mediodía; *it is (+ number) o'clock* son las (+ number); *it is one o'clock* es la una; *it is sunny* está soleado, hay sol, hace sol; *it is windy* hace viento; *it is written* se escribe; *It's a pity that…* Es una lástima que…; *It's getting late* Se me hace tarde; *It's incredible that…* Es increíble que… *5B*; *It's not fair!* ¡No es justo! *1A*; *It's useless that…* Es inútil que… *5B*

Italian italiano/a
Italy Italia
itinerary el itinerario
its su, sus; suyo/a

J

jacket la chaqueta
jaguar el jaguar *6B*
jail la cárcel *3B*
January enero
Japan el Japón
Japanese japonés, japonesa
jealous celoso/a *4A*
jeans los vaqueros *9A*
jersey la camiseta
jewel la joya
jewelry box el joyero *9B*
jewelry store la joyería
job el empleo, el oficio *1B*; el puesto *10A*
joke el chiste, la broma
journalism el periodismo
journalist el periodista, la periodista
juggler el malabarista, la malabarista
juice el jugo
July julio
to **jump** saltar
June junio
jungle la selva
junk food la comida chatarra *8B*
jury el jurado *3B*
just as tal como *4B*
just solo

K

to **keep** seguir *(i,i)*; mantener, guardar; *to keep in shape* mantenerse en forma *8B*
Kenya Kenia
Kenyan keniano/a
ketchup la salsa de tomate
key la llave; *key chain* el llavero *9B*; *key ring* el llavero *9B*
kick el tiro
kilo(gram) el kilo(gramo)
kind amable; el tipo
king el rey
kiosk el kiosco *5A*
to **kiss each other** besarse
kiss el beso
kitchen la cocina
knee la rodilla
knife el cuchillo
knitted tejido/a *9B*
to **know** saber; conocer; *I do not know.* No sé.
knowledge la cultura; los conocimientos *10A*
known conocido/a

L

label la etiqueta *9A*
lady la señora, Sra., la dama; *young lady* la señorita
lake el lago
lamb el cordero *7B*
lamp la lámpara
to **land** aterrizar
land la tierra
landscape el paisaje
language la lengua, el idioma
lapel la solapa *9B*
large (in numbers) numeroso/a *2B*
laser printer la impresora láser
last pasado/a, último/a; *last name* el apellido; *last night* anoche
late tarde
later luego, después; *see you later* hasta luego, hasta la vista
laugh la risa
to **laugh** reír(se) *(i, i)*
laundry room el lavadero
lawn el césped; *lawn mower* la cortadora de césped, el cortacésped *2A*
lawyer el abogado, la abogada

layers las capas *9A*
lazy perezoso/a, vago/a *1A*
to **learn** aprender; *to learn about* enterar(se) de
least: the least (+ adjective + noun) el/la/los/las (+ noun) menos (+ adjective)
leather el cuero
to **leave** dejar; irse, partir
left izquierdo/a; la izquierda; *to the left* a la izquierda
leg la pierna; la pata *(for an animal)*; *to pull someone's leg* tomar el pelo
legumes las legumbres *7A*
to **lend** prestar
lentil la lenteja *7A*
less menos; *less (+ noun/adjective/adverb) than* menos (+ noun/adjective/adverb) que
to **let** dejar (de); *let me introduce you to (formal, s.)* le presento a, *(informal, s.)* te presento a, *(pl.)* les presento a; *to let someone know* avisar
let's (+ infinitive)! ¡vamos a (+ infinitive)!; *let's go!* ¡vamos!; *let's see* a ver
letter la carta, la letra; *capital letter* la mayúscula; *lowercase letter* la minúscula
lettuce la lechuga
level el nivel
librarian el bibliotecario, la bibliotecaria
library la biblioteca
to **lie down** acostarse (ue)
lie la mentira
to **lie** mentir (ie, i)
life la vida
to **lift** levantar
to **lift weights** levantar pesas *8B*
to **light** encender (ie)
light la luz *(pl.* luces); *light bulb* la bombilla; claro/a *9A*
lighthouse el faro
lightning el relámpago *6A*
like como
to **like** gustar; *I/you/he/ she/it/we/ they would like…* me/te/le/nos/os/les gustaría…
lime la lima
line la fila; *stand on line* hacer fila *6A* ; *(phone) line* la línea *4B*
link el vínculo, el enlace
lion el león
lipstick el lápiz de labios *2B*
list la lista

to **listen to** oír; escuchar;
hacer caso *4B*
liter el litro *7A*
little poco/a; *a little (bit)*
un poco; *a very little (bit)*
un poquito; *little food item*
la golosina; *little machine*
la maquinita
live en vivo
to **live** vivir
living room la sala
lobster la langosta
local train el tren local *5B*
located ubicado/a
lock la cerradura
to **lodge** alojar(se)
long distance phone call la
llamada de larga distancia *4B*
long largo/a
to **look (at)** mirar; *to look for*
buscar; *to look onto (a place)*
dar a (un lugar) *6B; to look
good* verse bien *9B; to look like*
parecerse a
loose ancho/a *9A; loose (hair)*
suelto/a *9A*
to **lose** perder (ie); *to lose patience*
perder la paciencia
lost perdido/a *5A*
love el amor
to **love** querer
lovely hermoso/a
to **lower** bajar *7B*
lowercase letter la minúscula
low-heel shoe el zapato bajo
luck la suerte; *good luck*
buena suerte
luckily por suerte
luggage el equipaje; *carry-on
luggage* el equipaje de mano
lunch el almuerzo; *to eat lunch*
almorzar (ue); *to have lunch*
almorzar (ue)
lung el pulmón *(pl.* pulmones)
8A
luxury el lujo

M

machine la máquina; *little
machine* la maquinita
magazine la revista
magnificent magnífico/a
mail el correo; *electronic mail
(e-mail)* el correo electrónico
main dish el plato principal
main principal

to **maintain** mantener
majority la mayoría
to **make** hacer; *to make happy*
alegrar (de); *to make responsible
(for)* encargar (de); *to make a
mistake* cometer un error *4A;
to make an effort* hacer un
esfuerzo *8B; to make up (with
someone)* reconciliarse, hacer
las paces *4B*
makeup el maquillaje; *to put
makeup on (someone)* maquillar;
to put on makeup maquillarse
mall el centro comercial
man el hombre
manager el gerente, la gerente
manners los modales
many mucho/a; *how many?*
¿cuántos/as?; *too many*
demasiados/as
map el mapa
March marzo
marinated marinado/a *7B*
marker el marcador
market el mercado; *butcher
shop/meat market* la carnicería
married casado/a *2A*
marvelous maravilloso/a
match el partido
to **match** ir con *9A*
matches los fósforos *5B*
material el material
mathematics las matemáticas
to **matter** importar
mattress el colchón *2B*
maximum máximo/a
May mayo
maybe a lo mejor, puede ser,
tal vez
mayonnaise la mayonesa
me *(i.o.p.)* me; *(d.o.p.)* me;
(after a preposition) mí; *they call
me…* me llaman…
me too igualmente
to **mean** querer decir; *it means*
quiere decir; *What is the
meaning (of)…?* ¿Qué quiere
decir…?
means of communication el
medio de comunicación *10B*
measurement la medida *9B*
measuring tape el metro *9B*
meat la carne; *butcher shop/
meat market* la carnicería
mechanic el mecánico,
la mecánica
media el medio de
comunicación *10B*

medallion la medalla *9B*
medical history form el
historial médico *8A*
medicine la medicina, el
remedio *8A*
medium mediano/a *9A*
to **meet** conocer; *Glad to meet you!*
¡Mucho gusto!
meeting la reunión
melon el melón
member el miembro
memory el recuerdo
men's restroom el baño de los
caballeros
to **mention** mencionar
menu el menú
merry-go-round el carrusel
message el mensaje *4B*
mess el desorden *2B*
messy desordenado/a *2B*
Mexican mexicano/a
Mexico México
microphone el micrófono
microscope el microscopio *10B*
microwave oven el horno
microondas
middle el medio; *in the middle of*
en medio de
midfielder el mediocampista, la
mediocampista
midnight la medianoche; *It is
midnight.* Es medianoche.
milk la leche; *milk store/dairy*
la lechería
mine mío/a; *(of) mine* mío/a; *the
pleasure is mine* el gusto es mío
mineral water el agua
mineral *(f.)*
minimum mínimo/a
minus menos
minute el minuto
mirror el espejo
to **miss** extrañar, perder
Miss la señorita, Srta.
to **miss** perder (ie)
mist la neblina
mistake el error *4A*
to **mistrust** desconfiar *4A*
misunderstanding el
malentendido *6A*
to **mix** mezclar *7A*
mixer la batidora *7A*
modern moderno/a
mom la mamá, la madre
Monday lunes; *on Monday*
el lunes
money el dinero; la moneda
monkey el mono

month el mes
monument el monumento
moon la luna
more más; *more
(+ noun/adjective/adverb) than*
más *(+ noun/adjective/adverb)*
que; *more than* más de
morning la mañana; *good
morning* buenos días; *in the
morning* de la mañana, por
la mañana
Moroccan marroquí
Morocco Marruecos
mosquito el mosquito
**most: the most
(+ adjective + noun)** el/la/los/
las *(+ noun)* más *(+ adjective)*
mother la madre; la mamá
mother-in-law la suegra *2A*
motivated motivado *1A*
motor el motor
motorcycle la moto(cicleta)
mountain la montaña
mouse el ratón
mouth la boca
move la mudanza
to move mudar(se), mover(se) (ue)
movie la película; *movie theater*
el cine
to mow cortar
mower la cortadora de césped;
el cortacésped *2A*
Mr. el señor, Sr.
Mrs. la señora, Sra.
much mucho/a; mucho; *as
much as* tanto como; *as much
(+ noun) as (+ person/item)*
tanto/a *(+ noun)* como
(+ person/item); how much?
¿cuánto/a?; *too (much)*
demasiado; *too much*
demasiado/a; *very
much* muchísimo
muscle cramp el calambre *8B*
museum el museo
music la música
musical el musical; *musical
group* el grupo musical
musician el músico, la
música *1B*
must deber
mustache el bigote *2A*
mustard la mostaza
my mi, *(pl.)* mis; mío/a; *my name
is* me llamo
mystery el misterio

N

to nail clavar *2A*
nail el clavo *2A*
nail polish el esmalte
de uñas *2B*
name el nombre; *last name* el
apellido; *my name is* me llamo;
their names are se llaman; *What
is your name?* ¿Cómo te llamas?;
What is (your/his/her) name?
¿Cómo se llama (Ud./él/ella)?;
*(Your [formal]/His/Her) name
is….*(Ud./Él/Ella) se llama….;
your name is te llamas
napkin la servilleta
to narrate narrar
narrow estrecho/a *9A*
national nacional
national park el parque
nacional *6B*
native el indígena, la indígena
natural reserve la
reserva natural *6B*
natural resource el recurso
natural *10B*
nature la naturaleza
navy blue azul marino *9A*
near cerca (de)
neat ordenado/a *2B*
necessary necesario/a,
preciso/a; *to be necessary* hacer
falta
neck el cuello
necklace el collar
to need necesitar
needle la aguja *9B*
neighbor el vecino, la vecina
neighborhood el barrio
neither tampoco; *neither… nor*
ni… ni
nephew el sobrino
nervous nervioso/a
never nunca
nevertheless sin embargo
new nuevo/a; *New Year's (Day)* el
Año Nuevo
news la noticia
news program el noticiero
newspaper el periódico
next próximo/a, que viene; *next
to* al lado (de)
Nicaragua Nicaragua
Nicaraguan nicaragüense
nice simpático/a, amable;
agradable; *the weather is nice*
hace buen tiempo

nickname el apodo
niece la sobrina
night la noche; *at night* de la
noche, por la noche; *good
night* buenas noches; *last night*
anoche
night table la mesa de
noche *2B*
nine nueve; *nine hundred*
novecientos/as
nineteen diecinueve
ninety noventa
ninth noveno/a
no no
no turn prohibido doblar *5A*
No way! ¡Qué va! *4A*
nobody nadie
**Nobody can stand him/
her!** ¡No hay quien lo/la
aguante! *1A*
noise el ruido
none ninguno/a, ningún,
ninguna
noodles los fideos *7B*
noon el mediodía; *It is noon.* Es
mediodía.
normal normal
north el norte; *North America*
la América del Norte; *North
American* norteamericano/a
northeast el noreste
northwest el noroeste
nose la nariz *(pl. narices)*
nosy entrometido/a
not any ninguno/a, ningún,
ninguna
not even ni
not to have a clue no tener ni
idea de *9B*
**not to have the faintest idea
about** no tener ni idea de *9B*
not very poco/a
note la nota
notebook el cuaderno
nothing nada
to notice fijarse
November noviembre
now ahora; ya; *right now* ahora
mismo
nowadays hoy en día *10B*
number el número; *telephone
number* el número de teléfono
nurse el enfermero, la enfermera
nutrition la nutrición *8B*
nutritious nutritivo/a *8B*

O

o'clock a la(s)…; *it is (+ number) o'clock* son las (+ number); *it is one o'clock* es la una
to **obey** hacer caso, obedecer
obligation la obligación
to **observe** observar
to **obtain** conseguir (i, i), lograr
obvious obvio/a
occasion la ocasión
occupied ocupado/a
to **occur** pasar; ocurrir
ocean el océano
October octubre
octopus el pulpo
of de; *of the* de la/del (de + el); *of course* desde luego, por supuesto; *of course!* ¡claro!, ¡Cómo no!; *(of) hers* suyo/a; *(of) his* suyo/a; *(of) mine* mío/a; *(of) ours* nuestro/a; *of which* cuyo/a; *(of) yours* tuyo/a
to **offer** ofrecer
office la oficina; *box office* la taquilla; *post office* la oficina de correos; *ticket office* la taquilla; la boletería *5B; doctor's office* el consultorio
official oficial
often a menudo
oh! ¡ay!
oil el aceite, el petróleo
okay de acuerdo, *regular; (pause in speech)* bueno
old viejo/a; antiguo/a; *How old are you?* ¿Cuántos años tienes?; *to be (+ number) years old* tener (+ number) años; *to become (+ number) years old* cumplir (+ number) años
older mayor
oldest el/la mayor
on en, sobre; *on credit* a crédito; *on foot* a pie; *on Friday* el viernes; *on horseback* a caballo; *on loan* prestado/a; *on Monday* el lunes; *on Saturday* el sábado; *on Sunday* el domingo; *on the other hand* en cambio; *on the telephone* por teléfono; *on Thursday* el jueves; *on time* a tiempo, puntual; *on top of* encima de; *on Tuesday* el martes; *on Wednesday* el miércoles; *on sale* de rebajas *9A; on my/his/her own* por mi/su cuenta *10A*

one un, una, uno; *one hundred* cien, *(when followed by another number)* ciento
one's own propio/a *2A*
one-way sencillo/a; *one-way street* la calle de una sola vía *5A*
onion la cebolla
only único/a, solo, solamente; *if only* ojalá
open abierto/a
to **open** abrir; *open (command)* abre
operator el operador, la operadora *4B*
opinion la opinión *3A*
opportunity la oportunidad
optimist optimista *10B*
or o, *(used before a word that starts with o or ho)* u; *either… or* o… o
orange (color) anaranjado/a
orange la naranja
orchestra la orquesta *1A*
orchid la orquídea *6B*
to **order** pedir (i, i); mandar; ordenar
oregano el orégano *7A*
organ el órgano
to **organize** organizar
organized organizado/a *1A*
other otro/a
ought deber
our nuestro/a
out of fuera de
outdoors al aire libre
outing la excursión *6A*
outside afuera
oven el horno; *microwave oven* el horno microondas
over sobre; encima de; *over there* allá
overnight bag el maletín
ozone layer la capa de ozono *10B*

P

paella la paella
page la página
pain el dolor *8A*
to **paint** pintar; *to paint one's fingernails* pintarse las uñas
painting el cuadro, la pintura
pair la pareja
pajamas el pijama
pale pálido/a *9A*

Panama Panamá
Panamanian panameño/a
panther la pantera
pants el pantalón
pantyhose las pantimedias
papaya la papaya
paper el papel; *sheet of paper* la hoja de papel
parade el desfile
Paraguay el Paraguay
Paraguayan paraguayo/a
paramedic el paramédico, la paramédica *3B*
pardon me perdón
parents los padres, los papás
park el parque; *amusement park* el parque de atracciones
to **park** estacionar *5A*
parking lot el estacionamiento *5A*
parking meter el parquímetro *5A*
parsley el perejil *7A*
part la parte
part (in hair) la raya *9A*
part-time la media jornada *10A*
to **participate** participar
partner el compañero, la compañera
party la fiesta
to **pass** pasar; *pass me* pásame
passenger el pasajero, la pasajera
passport el pasaporte
past pasado/a; *a quarter past* y cuarto; *half past* y media
pastime el pasatiempo
pastry el pastel
path el camino, el sendero *5B*
patience la paciencia
patient el paciente, la paciente *8A*
patient paciente *2B*
patio el patio
patterned estampado/a *9A*
paw la pata
to **pay attention** hacer caso, prestar atención *4B*
to **pay** pagar
pea el guisante
peace la paz
peach el durazno
peanut butter la mantequilla de maní
peanut el cacahuete *8B;* el maní *(pl. maníes) 7B*
pear la pera
pearl la perla

pedestrian crosswalk el cruce de peatones *5A*
pedestrian el peatón, la peatona (*pl.* peatones) *5A*
to **peel** pelar *7A*
pen el bolígrafo, la pluma
penalty la pena máxima
pencil el lápiz (*pl.* lápices); *pencil sharpener* el sacapuntas
people la gente
pepper el ají (*pl.* ajíes) *7A*
pepper la pimienta (*seasoning*); *bell pepper* el pimiento; *pepper shaker* el pimentero
perfect perfecto/a
to **perform** cumplir con *10A*
performance la actuación *1B*
perfume el perfume
perhaps quizás
period el tiempo
permanent fijo/a (*job*) *10A*; la permanente (*hair*) *9A*
permission el permiso; *to ask for permission (to do something)* pedir permiso (para)
permit el permiso
to **permit** permitir
person la persona
personal personal
pertaining to air aéreo/a
pertaining to water acuático/a
Peru el Perú
Peruvian peruano/a
pessimist pesimista *10B*
philosophy la filosofía
phone book la guía telefónica *4B*
photo la foto(grafía)
photo session la sesión fotográfica *3A*
photographer el fotógrafo, la fotógrafa
physics la física
piano el piano
to **pick up** recoger
picnic el picnic
picture el cuadro
picture frame el marco de fotos *9B*
piece la pieza; *piece of furniture* el mueble; el pedazo *7A*
pier el muelle
pig el cerdo; el puerco
pill la pastilla *8A*
pillow la almohada *2B*
pillowcase la funda *2B*
pilot el piloto, la piloto
pin el alfiler *9B*; el broche *9B*
pineapple la piña

pink rosado/a
pity la lástima
place el lugar, la posición; la parte
to **place** poner(se); colocar(se)
plaid a cuadros
plain sin gracia *9A*
plan el plan
to **plan** pensar (ie), planear
planet el planeta *10B*
plant la planta
plastic el plástico
plate el plato; *license plate* la placa
to **play** jugar (ue); (*a musical instrument*) tocar; (*a sport/ game*) jugar a
play la comedia
player el jugador, la jugadora; *basketball player* el basquetbolista, la basquetbolista; *soccer player* el futbolista, la futbolista; *tennis player* el tenista, la tenista
playing card la carta
plaza la plaza
pleasant simpático/a
to **please** agradar, complacer
please por favor
pleasing agradable; *to be pleasing to* gustar
pleasure el gusto; el placer; *the pleasure is mine* encantado/a, el gusto es mío
to **plug in** enchufar *2A*
plum la ciruela
plumber el fontanero, la fontanera *10A*
plural el plural
pneumonia la pulmonía *8A*
pocket el bolsillo *9A*
to **point** apuntar; *to point to (at, out)* señalar
point el punto
police (officer) el policía, la policía
politically políticamente
politics la política
polka dot de lunares *9A*
poll la encuesta
pollution (environmental) la contaminación ambiental
ponytail la cola *9A*
poor pobre
popcorn las palomitas de maíz
popular popular
population la población
pork el cerdo; el puerco
port el puerto

Portugal el Portugal
Portuguese portugués, portuguesa
position la posición, el puesto *10A*
possible posible; *as (+ adverb) as possible* lo más/menos (*+ adverb*) posible
post office la oficina de correos
to **postpone** posponer
pot la olla; *coffee pot* la cafetera
potato la papa
pottery la cerámica *9B*
pound la libra
practical práctico/a
practice la práctica
to **practice** practicar
to **practice swimming** hacer natación *8B*
to **predict** predecir *10B*
to **prefer** preferir (ie, i)
premiere el estreno *3A*
to **prepare** preparar, prepararse
to **prescribe** recetar *8A*
press conference la rueda de prensa *3A*
press la prensa *3A*
pretty bonito/a, lindo/a
price el precio
prince el príncipe
princess la princesa
principle principal
printed advertisement el aviso
printed estampado/a *9A*
prize el premio
probable probable
problem el problema
profession la profesión
program el programa; *to download a program* bajar un programa
prohibited prohibido/a; *do not turn* prohibido doblar *5A*
to **promise** prometer
to **protect** proteger
protein la proteína *8B*
protest la protesta
proud orgulloso/a *1A*
to **prove** probar (ue)
psychologist el sicólogo, la sicóloga *10A*
psychology la sicología *10A*
public público/a; *public square* la plaza; *public telephone* el teléfono público; *public relations* las relaciones públicas *10A*
Puerto Rican puertorriqueño/a
Puerto Rico Puerto Rico

to pull (someone's leg) tomar el pelo
punishment la pena
purchase la compra
pure puro/a
purple morado/a *9A*
purpose el propósito
purse el bolso
to pursue seguir (i, i)
to put poner(se); colocar(se); *to put (someone) in bed* acostar (ue); *to put in charge (of)* encargar (de); *to put makeup on (someone)* maquillar; *to put on* poner(se); *to put on makeup* maquillarse; *to put away* guardar *2B*; *to put on lipstick* pintarse los labios *2B*

Q

quality la calidad
quarter el cuarto; *a quarter after, a quarter past* y cuarto; *a quarter to, a quarter before* menos cuarto
queen la reina
question la pregunta; *to ask a question* hacer una pregunta
quetzal el quetzal *6B*
quickly pronto, ¡Rápido! *1A*
to quit dejar (de)
quite bastante

R

rabbit el conejo
radio (apparatus) el radio; *(broadcast)* la radio; *radio station* la emisora
raft la balsa *6B*
rain la lluvia; *(heavy) rain shower* el aguacero *6A*
to rain llover (ue)
raincoat el impermeable
to raise levantar, subir; *to raise one's voice* levantar la voz *4B*
ranch la finca
rapid rápido
rapidly rápidamente
rash la erupción *8B*
rather bastante
raw crudo/a *7B*
to reach an agreement ponerse de acuerdo *4B*
to reach cumplir

to react reaccionar *4B*
to read leer
reading la lectura
ready listo/a; *to be ready* estar listo/a
real real
reality la realidad
to realize darse cuenta (de) *4A*
really? ¿de veras?
rear-view mirror el espejo retrovisor *5A*
reason la razón
receipt el recibo
to receive recibir
reception desk la recepción
reception (telephone) la recepción *4B*
receptionist el recepcionista, la recepcionista
recipe la receta
to recognize reconocer
to recommend recomendar (ie) *5B*
record el disco
to record grabar
to recover curar(se) *8A*
to recycle reciclar *10B*
red rojo/a
red-haired pelirrojo/a
reduced (in price) rebajado/a *9A*
to refer referir(se) (ie, i)
referee el árbitro, la árbitro
references las referencias *10A*
refreshment el refresco
refrigerator el refrigerador
regarding con respecto a *1B*
register el registro *6B*
to regret sentir (ie, i)
regular regular
rehearsal el ensayo *1A*
relationship la relación
relative el pariente, la pariente
to relax descansar, relajarse *6B*
to remain quedar(se)
remedy el remedio *8A*
to remember recordar (ue); acordar(se) (de) (ue)
remote remoto/a; *remote control* el control remoto
to rent alquilar
to repair reparar *1B*
to repeat repetir (i, i)
report el informe
reporter el periodista, la periodista; el reportero, la reportera
to request pedir (i; i), solicitar *10A*

requirements los requisitos *10A*
to rescue rescatar *3B*
to resemble parecerse
reservation la reservación, la reserva *6A*
to resolve resolver (ue)
to respect respetar *4B*
respectfully atentamente
responsible responsable
to rest descansar
restaurant el restaurante
résumé el currículum vitae *10A*
to return volver (ue); regresar; *to return (something)* devolver (ue) *4A*
reunion la reunión
reverse (gear) la marcha atrás *5A*
to review repasar
rib la costilla
rice el arroz
rich rico/a
ride el paseo; *(amusement) ride* la atracción
to ride montar; *to ride a bicycle* montar en bicicleta; *to ride a stationary bike* hacer bicicleta *8B*
right correcto/a; derecho/a, la derecha; *to the right* a la derecha; *right?* ¿verdad?; *right now* ahora mismo *2B*, por ahora; *to be right* tener razón; *right away* enseguida *1A*
ring el anillo
to ring sonar (ue) *4B*
rip-off estafa *9B*
ripe maduro/a
river el río
road el camino
roar el rugido
to roar rugir
to roast asar *7A*
roasted asado/a *7B*
roasting pan la asadora *7A*
robbery el robo
rock la roca *5B*
roller coaster la montaña rusa
romantic romántico/a *1B*
roof el techo; *flat roof* la azotea
room el cuarto; la habitación; *chat room* el cuarto de charla; *dining room* el comedor; *laundry room* el lavadero; *living room* la sala; *room service* el servicio de habitaciones
rooster el gallo

rotary (traffic circle) la glorieta *5A*
rotten podrido/a *7A*
round-trip de ida y vuelta
routine la rutina
row la fila
ruby el rubí
rug la alfombra
rule la regla
ruler la regla
to **run** correr
to **run out** agotar(se)
runner el corredor, la corredora
rush la prisa
Russia Rusia
Russian ruso/a

S

sad triste
safety la seguridad; *safety belt* el cinturón de seguridad
saint's day el santo; *All Saints' Day* Todos los Santos
salad la ensalada
salary el sueldo *10A*
sale la oferta, la rebaja *9A; to be on sale* estar en oferta
salesperson el vendedor, la vendedora
salmon el salmón
salt la sal; *salt shaker* el salero
salty salado/a
Salvadoran salvadoreño/a
same mismo/a
sand la arena
sandals las sandalias
sandwich el sándwich, el bocadillo *7B*
satellite el satélite *10B*
Saturday sábado; *on Saturday* el sábado
sauce la salsa
saucepan la olla
Saudi saudita; *Saudi Arabia* Arabia Saudita; *Saudi Arabian* saudita
sausage (seasoned with red pepper) el chorizo
to **save** ahorrar, salvar *3B*
to **savor** saborear
saxophone el saxofón
to **say** decir; *How do you say…?* ¿Cómo se dice…?; *one says* se dice; *say (command)* di; *to say good-bye* despedir(se) (i, i); *to*

say hello saludar; *to say you are sorry* pedir perdón
scarf la bufanda
scenery el paisaje
schedule el horario
scholarship la beca *10A*
school el colegio, la escuela; *(university)* la facultad
science fiction film la película de ciencia ficción
science la ciencia
scientific científico/a *10B*
scissors las tijeras *9B*
to **scold** regañar
score el marcador
to **score** marcar
scratch el rasguño *8A*
scratched rayado/a
screen la pantalla
screw el tornillo *2A*
screwdriver el destornillador *2A*
script el guión *(pl.* guiones)
to **scuba dive** bucear *6B*
scuba diving el buceo
sea el mar
seafood el marisco
seal la foca *10B*
search la búsqueda; *search engine* el motor de búsqueda
season la estación
seasoning el aderezo, el condimento *7A*
to **seat (someone)** sentar (ie)
seat belt el cinturón de seguridad
seat el asiento *5B*
seat-back el respaldar
second el segundo; segundo/a
secret el secreto
secretary el secretario, la secretaria
section la sección
to **see** ver; *let's see* a ver; *see you later* hasta luego, hasta la vista; *see you soon* hasta pronto
to **seem** parecer
selection el surtido
selfish egoísta
to **sell** vender
to **send** enviar
sense (of hearing) el oído
sentence la oración, la frase
sentencing la sentencia
September septiembre
serious serio/a, grave
to **serve** servir (i, i)
service el servicio; *room service*

el servicio de habitaciones
services los servicios *6B*
to **set** poner; *to set the table* poner la mesa
seven siete; *seven hundred* setecientos/as
seventeen diecisiete
seventh séptimo/a
seventy setenta
several varios/as
to **sew** coser *9B*
sewing la costura
sewing machine la máquina de coser *9B*
to shake hands darse la mano *7B*
shame la lástima
shampoo el champú
to **share** compartir
to **shave** afeitar(se); *to shave one's head* raparse *9A*
shaving cream la crema de afeitar
she ella
sheep la oveja
sheet la hoja; *sheet of paper* la hoja de papel; la sábana *2B*
shelving el estante *2B*
ship el barco
shirt la camisa; *polo shirt* la camiseta
shoe el zapato; *high-heel shoe* el zapato de tacón; *low-heel shoe* el zapato bajo; *shoe store* la zapatería
shopping center el centro comercial
shore la orilla
short (not tall) bajo/a, *(not long)* corto/a; *from a short distance* de cerca; *in short* en resumen
shortage la escasez *10B*
to **shorten** acortar *9B*
shorts los shorts; *bermuda shorts* las bermudas
shot el tiro; *vaccine* la inyección *8A*
should deber
shoulder el hombro
to **shout** gritar
show el programa; *game show* el programa de concurso
to **show** enseñar; mostrar (ue)
to **show up** presentarse
to **shower** duchar(se)
shower la ducha
shrimp el camarón
to **shrink** encogerse *9B*

sick enfermo/a
side el lado
sidewalk la acera
to **sign** firmar
sign la señal
silk la seda
silly tonto/a
silver la plata
silverware los cubiertos
since desde, como
to **sing** cantar
singer el cantante, la cantante
single bed la cama sencilla *6B*
single room la habitación sencilla
single sencillo/a; soltero/a *2A*
sink el fregadero; *bathroom sink* el lavabo
sir el señor, Sr.
sister la hermana
sister-in-law la cuñada *2A*
to **sit down** sentarse; *sit down (command)* siéntate
six seis; *six hundred* seiscientos/as
sixteen dieciséis
sixth sexto/a
sixty sesenta
size el tamaño, la talla *9A*
to **skate** patinar; *to ice-skate* patinar sobre hielo; *to in-line skate* patinar sobre ruedas
skateboard la patineta
to **skateboard** montar en patineta
skater el patinador, la patinadora
to **sketch** dibujar
sketch el dibujo
to **ski** esquiar
skier el esquiador, la esquiadora
skiing el esquí
skill la destreza
skillful hábil *1B*
skin la piel
skip (a meal) saltarse (una comida) *8B*
skirt la falda
sky el cielo
skyscraper el rascacielos
to **sleep** dormir (ue, u)
sleep el sueño
sleeping bag el saco de dormir *5B*
sleeping car el coche cama *5B*
sleeve la manga *9B*
to **slip** resbalarse *8A*
slipper la pantufla
slippery resbaloso/a

sloth el oso perezoso *6B*
to **slow (down)** disminuir *5A*
slow lento/a
slowly despacio *5A*
small pequeño/a; *small suitcase* el maletín
smart listo/a; *to be smart* ser listo/a
to **smile** sonreír(se) (i, i)
smoke alarm la alarma de incendios
smoke detector el detector de humo *2A*
to **smoke** fumar
smoked ahumado/a *7B*
smooth suave
snake la serpiente
sneakers los tenis
to **sneeze** estornudar *8A*
snow la nieve
to **snow** nevar (ie)
so tal, tan; *So glad to meet you.* Tanto gusto.; *so long* hasta luego; *so that* a fin de que, para que
soap el jabón; *soap opera* la telenovela
soccer el fútbol; *soccer player* el futbolista, la futbolista
sociable sociable *1B*
social network la red social *4B*
society la sociedad
sock el calcetín
sofa el sofá *2B*
soft suave; *soft drink* el refresco; blando/a *6B*
solar solar *10B*
solid liso/a *9A*
to **solve** resolver (ue)
some unos, unas; alguno/a, algún, alguna
somebody alguien
someone alguien; *someone from the United States* estadounidense
something algo; *something from the United States* estadounidense
sometimes a veces
son el hijo
song la canción
son-in-law el yerno *2A*
soon luego, pronto; *as soon as* en cuanto, luego que; *see you soon* hasta pronto
so-so regular
sound system el estéreo

sound system el sistema de audio *7B*
soup la sopa; *soup bowl* el plato de sopa
sour agrio/a *7A*
south el sur; *South America* la América del Sur; *South American* suramericano/a
southeast el sureste
southwest el suroeste
spaceship la nave espacial *10B*
space station la estación espacial *10B*
Spain España
Spanish el español (language)
Spanish español, española
Spanish-speaking de habla hispana
to **speak** hablar
speakers los parlantes *7B*
speaking el habla (f.)
special effects los efectos especiales *1B*
special especial
specialist el especialista, la especialista *10A*
to **specialize in** especializarse en *10A*
species la especie *10A*
spectator el espectador, la espectadora
speech el habla (f.)
speed la velocidad *5A*
to **spend (time)** pasar
to **spend** gastar
spices las especias *7B*
spicy picante *7A*
spill el derrame *10B*
spinach la espinaca *7A*
sport el deporte; *to play (a sport)* jugar a
sporty deportivo/a
spot la mancha *9B*
spring la primavera
square el cuadro; *public square* la plaza
squid el pulpo
stable el establo
stadium el estadio
stain la mancha *9B*
stained manchado/a *9B*
stairway la escalera
stall el puesto
stamp la estampilla *9B*
stand (stall) el puesto *7A*
to **stand on line** hacer fila *6A*
to **stand out** destacar(se)
to **stand someone up** dejar

plantado/a a alguien *4A*
star la estrella
to **start** empezar (ie); comenzar (ie)
starting from (a certain period of time) a partir de *8B*
station la estación; *bus station* la estación de autobuses; *radio station* la emisora; *subway station* la estación del metro; *train station* la estación del tren; *station wagon* la camioneta
stationery el papel de carta *9B*
stationery store la papelería
to **stay** alojarse, quedar(se)
to **stay in shape** mantenerse en forma *8B*
steak el bistec
steering wheel el volante
to **step on** pisar *5A*
stepbrother el hermanastro
stepfather el padrastro
stepmother la madrastra
stepsister la hermanastra
stick out (command) saca
still todavía
to **stir** revolver (ue) *7A*
stitches los puntos *8A*
stomach el estómago; *to have a stomachache* tener dolor de estómago
to **stop** dejar (de); parar
stop el alto; pare *5A*
stopover la escala
store la tienda; *candy store* la dulcería; *dairy (store)* la lechería; *department store* el almacén; *fruit store* la frutería; *hat store* la sombrerería; *jewelry store* la joyería; *milk store* la lechería; *shoe store* la zapatería; *stationery store* la papelería; *store window* la vitrina
storm la tormenta *3B*
stove la estufa
straight (hair) lacio
straight ahead derecho
to **straighten** arreglar, *to straighten ones' hair* alisarse el pelo *9A*
strawberry la fresa
street entrance la bocacalle *5A*
street la calle
strength la fuerza *8B*
stress el estrés *8B*
to **stretch** estirarse *8B*
strict estricto/a *1A*
stripe la raya
striped a rayas, rayado/a
strong fuerte

student el estudiante, la estudiante
student council el consejo estudiantil *1A*
studies los estudios *10A*
studious estudioso/a *1A*
study el estudio
to **study** estudiar
stuffed relleno/a *7B*
to **stumble** tropezar *8A*
style el estilo *9A*
subject la asignatura
subject to change sujeto a cambio *6A*
subtitles los subtítulos *1B*
suburbs las afueras *5A*
subway el metro; *subway station* la estación del metro
success el éxito; *to be a success* tener éxito
such tal; *such as* como
to **suffer** sufrir *8A*
sufficient bastante
sufficiently bastante
sugar el azúcar; *sugar bowl* la azucarera
to **suggest** aconsejar, sugerir (ie) *5B*
suit el traje
suitcase la maleta
summer el verano
sun el sol
sunglasses las gafas de sol
Sunday domingo; *on Sunday* el domingo; *Sunday supplement* el suplemento dominical
sunny soleado/a; *it is sunny* está soleado, hay sol, hace sol
supermarket el supermercado
supper la cena; *to have supper* cenar
supply el surtido
to **support** apoyar *4A*
sure seguro/a
to **surf** navegar
surname el apellido
surprise la sorpresa
to **surprise** sorprender
to **surround** rodear *3B*
survey la encuesta
sweater el suéter
sweater set el conjunto *9A*
sweatshirt la sudadera *9A*
to **sweep** barrer
sweet dulce, golosina
swelling la inflamación *8A*
to **swim** nadar
swimming pool la piscina

swimsuit el traje de baño
symptoms los síntomas *8A*
synthetic sintético/a

T

table la mesa; *to clear the table* recoger la mesa; *to set the table* poner la mesa; *tray table* la mesita
tablecloth el mantel
tablespoon la cuchara
tablet la tableta
taco el taco; *taco stand* la taquería
tag la etiqueta *9A*
tail el rabo
tailor el sastre, la sastre *9B*
tailor's (shop) la sastrería *9B*
to **take** tomar, llevar; *to take a long time* tardar en (+ infinitive); *to take a walk* dar un paseo, dar una caminata, pasear *5B*; *to take away* llevarse; *to take care of* cuidar(se) *1B*; *to take charge (of)* encargarse (de); *to take off* despegar, quitar(se); *to take out* sacar; *to take up* subir; *to take apart* desarmar *2A*; *to take care of* atender (ie) *1B*; *to take measurements* tomar las medidas *9B*; *to take pictures* sacar fotos *2A*; *to take place* tener lugar *3A*; *to take (someone's) blood pressure* tomar (se) la presión *8A*
talented talentoso/a *1A*
tall alto/a
to **tan** broncear(se)
to **taste** saborear
tasty sabroso/a
taxi driver el taxista, la taxista
tea el té
to **teach** enseñar
teacher el profesor, la profesora
team el equipo
team work en equipo *10A*
to **tear** romper
tears las lágrimas *4A*
teaspoon la cucharita
technological tecnológico/a *10B*
technology la tecnología
teddy bear el oso de peluche
to **telephone** llamar
telephone el teléfono; *by*

telephone por teléfono; *on the telephone* por teléfono; *public telephone* el teléfono público; *telephone number* el número de teléfono

television la televisión; *television set* el televisor; *to watch television* ver (la) televisión

to **tell** decir; *(a story)* contar (ue); *tell (command)* di; *tell me (Ud. command)* dígame

temperature la temperatura; *What is the temperature?* ¿Qué temperatura hace?

temporary temporal *10A*

ten diez

tennis court la cancha de tenis *6B*

tennis el tenis; *tennis player* el tenista, la tenista

tennis shoes los tenis

tent la tienda de acampar *5B*

tenth décimo/a

to **terminate** acabar

terrace la terraza *2A*

terrible horroroso/a, terrible *9A*

test el examen

to **test** probar (ue)

text message el mensaje de texto *4B*

to **thank** agradecer *3A*

thank you very much muchas gracias

thanks gracias

that que, ese, esa, *(far away)* aquel, aquella; aquello; *(neuter form)* eso, ello; *that (one)* aquel, aquella, ese, esa; *that way* así; *that which* lo que

the *(m., s.)* el, *(f., s.)* la, *(f., pl.)* las, *(m., pl.)* los; *to the* al; *from the* del

theater el teatro; *movie theater* el cine

their su, sus; suyo/a; *(of) theirs* suyo/a

them *(i.o.p.)* les; *(d.o.p.)* los/las; *(after a preposition)* ellos/as

theme el tema, el tópico

then luego, después, entonces; *(pause in speech)* pues

there allí; *over there* allá; *there is* hay; *there are* hay; *there was* había, hubo; *there were* había, hubo

these estos, estas; *these (ones)* estos, estas

they ellos/as; *they are* son; *they were* fueron

thief el ladrón, la ladrona *3B*

thin delgado/a

thing la cosa

to **think** pensar (ie); *to think about (i.e., to have an opinion)* pensar de; *to think about (i.e., to focus one's thoughts)* pensar en; *to think about (doing something)* pensar en (+ infinitive); *to think of oneself* pensar en sí mismo/a *4A*

third tercero/a; *(form of tercero before a m., s. noun)* tercer

thirst la sed

thirteen trece

thirty treinta

thirty-one treinta y uno

this *(m., s.)* este, *(f., s.)* esta; esto; *this (one)* este, esta

those esos, esas, *(far away)* aquellos, aquellas; *those (ones)* aquellos, aquellas, esos, esas

thoughtful considerado/a *4A*

thousand mil

thread el hilo *9B*

three tres; *three hundred* trescientos/as

throat la garganta

through por

to **throw out** arrojar

to **throw away** tirar *10B*

thunder el trueno *6A*

Thursday jueves; *on Thursday* el jueves

thus pues; así

ticket el boleto; el billete; el pasaje; *ticket office* la taquilla

ticket office la boletería *5B*

tidbit la golosina

to **tie (the score of a game)** empatar

tie la corbata

tiger el tigre

tight estrecho/a *9A*

time el tiempo, la vez *(pl.* veces); *another time* otra vez; *at times* a veces; *at what time?* ¿a qué hora?; *(number +) time(s)* per *(+ time expression) (number +)* vez/veces al/a la *(+ time expression)*; *on time* a tiempo; *to spend (time)* pasar; *to take a long time* tardar en *(+ infinitive)*; *What time is it?* ¿Qué hora es?

tip la propina

tire la llanta

tired cansado/a

tired of harto/a (de) *1A*

to a; *to the left* a la izquierda; *to the right* a la derecha

toaster la tostadora

today hoy

toe el dedo, del pie

together juntos/as; *to get together* reunir(se)

toilet el excusado el inodoro

tomato el tomate

tomorrow mañana; *see you tomorrow* hasta mañana; *the day after tomorrow* pasado mañana

tongue la lengua

tonight esta noche

too también; *Too bad!* ¡Qué lástima!; *too many* demasiados/as; *too (much)* demasiado; *too much* demasiado/a

tooth el diente

toothbrush el cepillo de dientes

toothpaste la pasta de dientes

to **touch** tocar; *touch (command)* toca

tourism el turismo

tourist turístico/a

toward hacia

towel la toalla

tower la torre

traffic el tráfico

traffic circle la glorieta *5A*

traffic jam el atasco *5A*

traffic light el semáforo *5A*

traffic rules las normas de tránsito *5A*

to **train** entrenarse *1B*

train el tren; *train station* la estación del tren

train car el vagón *5B*

train platform el andén *5B*

trainer el entrenador, la entrenadora *1B*

transfer el transbordo *5B*

to **translate** traducir

transmission la transmisión

transportation el transporte

trapeze artist el trapecista, la tapecista

travel agency la agencia de viajes

to **travel** viajar

traveler el viajero, la viajera *5B*

traveler's check el cheque de viajero *6A*

tray la bandeja *9B*

tray table la mesita

tree el árbol; *family tree* el árbol genealógico

tremor el temblor

trial el juicio *3B*

trip el viaje; *to go away on a trip* irse de viaje

to **trip over** tropezar con *8A*

trombone el trombón

trouble la pena

truck el camión

trumpet la trompeta

trunk el baúl

to **trust** confiar *4A*

truth la verdad

to **try (on)** probar(se) (ue); *to try (to do something)* tratar (de)

tucan el tucán

Tuesday martes; *on Tuesday* el martes

tuna atún

turbulence la turbulencia *6A*

turkey el pavo; *turkey breast* la pechuga de pavo *7B*

to **turn (a corner)** doblar; *to turn off* apagar; *to turn on* encender (ie); *to turn on (an appliance)* poner; *to turn to dusk* anochecer

to **turn up** aparecer *1A*

turtle la tortuga

tv guide la programación de televisión *3A*

twelve doce

twenty veinte

twenty-eight veintiocho

twenty-five veinticinco

twenty-four veinticuatro

twenty-nine veintinueve

twenty-one veintiuno

twenty-seven veintisiete

twenty-six veintiséis

twenty-three veintitrés

twenty-two veintidós

twins los gemelos, las gemelas *2A*

to **twist** torcer (ue) *8A*

two dos; *two hundred* doscientos/as

two-way street la calle de doble vía *5A*

type el tipo

U

ugly feo/a

umbrella el paraguas

umpire el árbitro, la árbitro

uncle el tío

undershirt la camiseta

to **understand** comprender, entender (ie)

understanding comprensivo/a *4A*

underwear la ropa interior

undone crudo/a *7B*

to **undress** desvestir(se) (i, i)

unique único/a

united unido/a; *someone or something from the United States* estadounidense; *United States (of America)* los Estados Unidos (de América)

university la universidad; *school (of a university)* la facultad

uncooked (under cooked) crudo *7B*

unless a menos que *10B*

unlike a diferencia de *2A*

unripe verde *7A*

unruly rebelde *9A*

until hasta, *(to express time)* menos, hasta que

up arriba

upcoming que viene

upstairs arriba; *to go upstairs* subir

urgent urgente

Uruguay el Uruguay

Uruguayan uruguayo/a

us *(i.o.p.)* nos; *(d.o.p.)* nos; *(after a preposition)* nosotros

use el uso *10B*

to **use a treadmill** hacer cinta

to **use** usar

V

vacation las vacaciones

vaccination la vacuna *8A*

vacuum la aspiradora

to **vacuum** pasar la aspiradora

valley el valle *5B*

vanilla la vainilla

vase el jarrón *9B*

veal la ternera

vegetable la verdura

Venezuela Venezuela

Venezuelan venezolano/a

verb el verbo

vertical vertical

very muy, mucho/a; *not very* poco/a; *very much* muchísimo

veterinarian el veterinario, la veterinaria

victim la víctima *3B*

video game el videojuego

village el pueblo *5B*

vinegar el vinagre

violent violento/a *3B*

virtual reality la realidad virtual *10B*

virus virus *(pl.* virus) *10B*

visa la visa

visibility la visibilidad *3B*

visit la visita

to **visit** visitar

vitamin la vitamina *8B*

voice la voz *(pl.* voces)

volcano el volcán *6A*

volleyball el voleibol

volume el volumen *7B*

W

waist la cintura *9B*

to **wait (for)** esperar

to **wake up** despertar(se) (ie)

to **walk** caminar; andar, pasear; *to take a walk* dar un paseo *5B*

walk el paseo

wall la pared, la muralla; *(exterior) wall* el muro

wallet la billetera

walnut la nuez *(pl.* nueces) *7B*

to **want** querer

wardrobe el armario

warehouse el almacén

to **wash** lavar(se)

washer la lavadora

wastebasket el cesto de papeles

watch el reloj

to **watch** ver; *to watch television* ver (la) televisión

to **water** regar (ie)

water el agua *(f.); mineral water* el agua mineral *(f.); pertaining to water* acuático/a

waterfall la catarata

watermelon la sandía

wavy ondulado/a *9A*

way la manera; *to always get one's way* siempre salirse con la suya; *by the way* a propósito

we nosotros

to **wear** llevar

weather el tiempo; *How is the weather?* ¿Qué tiempo hace?; *the weather is nice (bad)* hace buen (mal) tiempo

Web la Web

Wednesday miércoles; *on Wednesday* el miércoles

week la semana

weekend el fin de semana

weight el peso *8B*

welcome bienvenido/a; *you are welcome* de nada

welcome la bienvenida

well bien; *(pause in speech)* bueno, este, pues

well-read culto/a

west el oeste

wet mojado/a

whale la ballena *10B*

what! ¡qué!; *What (a) (+ adjective) (+ noun)!* ¡Qué (+noun) tan (+ adjective)!; *what a (+ noun)!* ¡qué (+ noun)!; *What a shame!* ¡Qué lástima!; *What a rip-off!* ¡Qué estafa! *9B*

what? ¿qué?, ¿cuál?; *at what time?* ¿a qué hora?; *What do/ does you/he/she/they think?* ¿Qué (te, le, les) parece?; *What is the meaning (of)…?* ¿Qué quiere decir…?; *What is the temperature?* ¿Qué temperatura hace?; *What is wrong with (someone)?* ¿Qué (+ tener)?; *What is wrong with you?* ¿Qué te pasa?; *What is your name?* ¿Cómo te llamas?; *What is (your/ his/her) name?* ¿Cómo se llama (Ud./él/ella)?; *What time is it?* ¿Qué hora es?; *What is it about?* ¿De qué se trata? *1B*

wheel la rueda; *steering wheel* el volante; *Ferris wheel* rueda de Chicago

wheelchair la silla de ruedas *8A*

when cuando

when? ¿cuándo?

where donde; adonde

where? ¿dónde?; *from where?* ¿de dónde?; *(to) where?* ¿adónde?; *Where are you from?* ¿De dónde eres?; *Where are you (formal) from?, Where is (he/she/it) from?* ¿De dónde es (Ud./él/ella)?; *Where is…?* ¿Dónde queda…? ¿Dónde se

encuentra…? *5A*

wherever dondequiera

which que; *of which* cuyo/a; *that which* lo que

which? ¿cuál?; *which one?* ¿cuál?; *which ones?* ¿cuáles?

while mientras (que)

white blanco/a

white-haired canoso/a

Who is it? *(telephone greeting)* ¿Quién habla? *4B*

who quien

who? ¿quién?, *(pl.)* ¿quiénes?

whoever quienquiera

whom quien

whose cuyo/a

why? ¿por qué?

wide ancho/a *9A*

widow viuda *2A*

widower viudo *2A*

wife la esposa; la mujer

wild salvaje

wildlife refuge el refugio de vida silvestre *6B*

to **win** ganar; *games won* los partidos ganados

wind el viento; *it is windy* hace viento

window la ventana; *(transportation)* la ventanilla *5B*; *store window* la vitrina

windshield el parabrisas

windshield wiper el limpiaparabrisas

winter el invierno

to **wish** desear

with con; *with me* conmigo; *with you* (tú) contigo; *with you/him/ her* consigo

without sin; *without previous/ advance notice* sin previo aviso *6A*

witness el testigo, la testigo

woman la mujer; *young woman* la muchacha

women's restroom el baño de damas

to **wonder** preguntarse

wonderful estupendo/a

wood la madera

wool la lana

word la palabra

work el trabajo, la obra

to **work** trabajar, funcionar; *to work as* trabajar de *1B*; *to work on a team* en equipo *10A*

worker el obrero, la obrera

world el mundo; *World Wide*

Web la Red

worn gastado/a *9B*

worried preocupado/a *3B*

to **worry** preocupar(se)

worse peor

worst: the worst (+ noun) el/la/ los/las peor/peores

worth while vale la pena

would like quisiera

would that ojalá

wound la herida

wow! ¡caramba!

wrinkled arrugado/a *9B*

wrist la muñeca *8A*

to **write** escribir; *How do you write…?* ¿Cómo se escribe…?; *it is written* se escribe

writer el escritor, la escritora

wrong number el número equivocado *4B*

wrought iron fence la reja

wrought-iron window grill la reja

X

X-ray la radiografía *8A*

Y

yard el patio

to **yawn** bostezar

year el año; *New Year's (Day)* el Año Nuevo; *to be (+ number) years old* tener (+ number) años

yellow amarillo/a

yes sí

yesterday ayer; *the day before yesterday* anteayer

yet todavía

to **yield** ceder el paso *5A*

you *(informal)* tú; *(formal, s.)* usted (Ud.); *(pl.)*, ustedes (Uds.); *(Spain, informal, pl.)* vosotros/ as; *(after a preposition)* ti, usted (Ud.), ustedes (Uds.), vosotros/ as; *(d.o.p.)* la, lo, las, los, te; *(Spain, informal, pl., d.o.)* os; *(formal, i.o.)* le; *(pl., i.o.)* les; *(Spain, informal, pl., i.o.)* os; *(i.o.p.)* te; *Are you from…?* ¿Eres (tú) de…?; *you are* eres; *you (formal) are* es; *you don't say!* ¡no me digas!; *you (pl.) were* fueron

young joven; *young lady* la señorita; *young woman* la muchacha; *young man* el muchacho

younger menor

youngest el/la menor

your *(informal)* tu; *(informal, pl.)* tus; su, sus (Ud./Uds.), *(Spain, informal, pl.)* vuestro/a/os/as; suyo/a; tuyo/a; *(of) yours* suyo/a

yours truly atentamente

youth hostel el albergue juvenil *6B*

Z

zebra la cebra

zero cero

zipper la cremallera *9B*

zoo el zoológico

zoological garden el jardín zoológico

Index

a
  personal 192
  uses 192
adjectives
  agreement with nouns 17
  forms 17, 179
  number and gender 17, 426
  placement 179
  possessive 441
  to describe colors 426
  used as nouns 352
  with *ser* and *estar* 18
adverbial clauses with the
  subjunctive 266, 438
adverbs 316, 317
affirmative expressions 60, 61
andar
  in progressive tenses 70
articles
  definite 352, 441
  indefinite 32
  neuter 352
  omission of indefinite article 32
  uses of definite article 352, 441
  with nominalization 352
augmentatives 428

caer
  present 5
  present participle 70
caber
  present 5
commands
  affirmative informal singular (*tú*) 93
  formal singular (*Ud.*) 216
  irregular forms 93, 216
  negative informal singular (*tú*) 189
  nosotros 218
  plural (*Uds.*) 216
  spelling-changing verbs 93, 189, 216
  stem-changing verbs 93, 189, 216
  with object pronouns 93, 168, 169, 189, 216
  with reflexive pronouns 93, 189, 216
comparisons 316, 317
conditional
  formation 290
  uses 290, 292
conditional of probability 292
conditional perfect 369
conjunctions 266, 438
conocer
  imperfect 139
  present 7
  preterite 139
construir
  present participle 70
  preterite 115
continuar
  in progressive tenses 70
contrary-to-fact clauses 388, 416
convencer
  present 7
¿cuál/cuáles? vs. *¿qué?* 30
cualquiera 418

dar
  command 189, 216
  present 5
  present subjunctive 237
  preterite 113

decir
  command 93
  conditional 290
  future 275
  past participle 148, 177, 329
  present 5
  preterite 115
definite article
  uses 368, 441
diminutives 428
direct object pronouns
  forms 69
  used with indirect object
    pronouns 169
  with commands 168, 169, 189, 216, 218
  with infinitives 168, 169
  with present participles 70, 168, 169
doler 368

estar
  command 189, 216
  followed by adjective 18, 327
  in imperfect progressive 200
  in present progressive 70
  present 5, 9, 70
  present subjunctive 237
  preterite 115
  vs. *ser* 18
  with past participles 329
expressions of place 95

future 275
  future of probability 275
  future perfect 369, 486

gerund 70, 82, 200, 450
gustar
  similar verbs 42, 299
  with emphatic forms 40
  with nouns 40

haber
  conditional 290
  forms 148, 177, 369, 486
  future 275
  present subjunctive 237
  preterite 113
hacer
  command 93
  hace + time + *que* + present 123, 377
  hace + time + *que* + preterite 377
  hacía + time + *que* + imperfect 377
  past participle 148, 177, 329
  present 5, 9

imperfect
  formation 124
  uses 124, 136, 139
  vs. preterite 136, 139
imperfect progressive 200
impersonal *se* 72
indefinite article 32
indirect object pronouns
  forms 40, 69
  used with direct object pronouns 169
  with commands 93, 168, 169, 189, 216, 218
  with infinitives 168, 169
  with present participles 168, 169

infinitives
  as nouns 448
  instead of subjunctive 248
  with object pronouns 168, 169
  with prepositions 397, 448
interrogative words 30
ir
  command 93, 189, 216
  imperfect 124
  present 5, 9
  present participle 70
  present subjunctive 237
  preterite 113
-ísimo 319

leer
  present participle 70
  preterite 115
lo que 150, 352

negative expressions 60, 61
nominalization 352

object pronouns
  direct 69, 168, 169
  indirect 40, 69, 168, 169
  two in one sentence 169
  with commands 93, 168, 169, 189, 216, 218
  with infinitives 168, 169
  with present participles 70, 168, 169
ofrecer
  present 7
oír
  present 5
  present participle 702
  preterite 115

para
  uses 246
  vs. *por* 246
parecer
  present 7
participle
  past 148, 177, 369, 450
  present 70, 82, 200, 450
  used as an adjective 329, 450
  with *estar* 329, 450
passive voice
  true passive 327
  with *se* 327
past perfect 148
pedir vs. *preguntar* 225
personal *a* 192, 350
pluperfect 148
pluperfect subjunctive 416
plural
  adjectives 18
  definite articles 441
poder
  conditional 290
  future 275
  imperfect 139
  present 5
  preterite 115, 139
poner
  command 93
  conditional 290
  future 275
  past participle 148, 177, 329
  present 5
  preterite 115

por
  uses 246
  vs. *para* 246
  with passive voice 327
position of object pronouns 40, 69, 169
possessive adjectives 441
possessive pronouns 441
preguntar vs. *pedir* 225
prepositions 95, 150, 192, 396, 397
  of place 95
present participle 70, 82, 200, 450
present perfect 177
present perfect subjunctive 414
present progressive 70
present subjunctive 226, 237, 239, 248, 266, 278, 299, 350
present tense
  -cer, -cir verbs 7
  irregular verbs (see individual verbs or Appendices)
  reflexive verbs 82, 84
  regular verbs 5
  spelling-changing verbs 5
  stem-changing verbs 5
  uses 9
  with *hace* to express time 123, 377
preterite tense
  -aer, -eer, -uir verbs 115
  formation 112
  irregular 113, 115
  spelling-changing verbs 112
  stem-changing verbs 113
  uses 136, 139
  vs. imperfect 136, 139
progressive construction 70
pronouns
  direct object 69, 168, 169
  indirect object 40, 69, 168, 169
  indirect object with *gustar* 40
  possessive 441
  reflexive 82, 86, 93, 148, 168, 177, 189, 216, 218, 330
  relative 150, 350, 352
  with commands 93, 168, 169, 189, 216, 218
  with infinitives 168, 169
  with prepositions 396
  with present participles 70, 168, 169
  with subjunctive 350

que, quien(es) 150
¿qué? vs. *¿cuál?* 30
querer
  conditional 290
  future 275
  imperfect 139
  present 5
  preterite 115, 139
quien(es) 150

reciprocal actions 86
reciprocal *se* 86, 330
reflexive pronouns 82, 86, 93, 148, 168, 177, 189, 216, 218, 330
  in reciprocal actions 86
  with a gerund 82
  with an infinitive 82
reflexive verbs 82, 84
reír(se)
  preterite 113
relative pronouns 150, 350, 352

saber
  command 216
  conditional 290
  future 275
  imperfect 139
  present 5, 9
  present subjunctive 237
  preterite 115, 139
salir
  command 93
  conditional 290
  future 275
  present 5, 9
se
  as replacement for *le/les* 169
  for accidental occurrences 330
  impersonal 72, 330
  reciprocal 86, 330
  used for passive voice 327, 330
  used in reflexive construction 82, 84, 86, 330
seguir
  in progressive tenses 70
ser
  command 93, 189, 216
  followed by adjectives 18
  imperfect 124
  present 5
  present subjunctive 237
  preterite 113
  vs. *estar* 18
  with an indefinite article 32
  with passive voice 327
si contrary-to-fact clauses 388, 416, 487
spelling-changing verbs
  commands 189
  present tense 5
  preterite 115
  subjunctive 226
stem-changing verbs
  commands 189
  present participle of 70
  present subjunctive 239
  present tense 5
  preterite 113, 115
subjunctive
  formation, regular *-ar, -er, -ir* verbs 226, 487, 495
  imperfect, formation 340
  imperfect vs. present 340
  imperfect with *si* 388
  in adverbial clauses 266, 438
  irregular verbs 237, 487, 495
  pluperfect 416
  present 226, 237, 239, 248, 474
  present perfect 414
  present vs. imperfect 340
  sequence of tenses 340
  spelling changes 226, 487
  stem changes 239, 487
  vs. indicative 248, 299, 474
  vs. indicative in expressions of certainty 275
  with advice and suggestion 248, 474
  with clauses that describe what is indefinite 498
  with conditional 416
  with conjunctions that indicate purpose 498
  with impersonal expressions 226, 237, 474, 496

  with indefinite subjects 350, 474, 477, 498
  with *ojalá* 278, 496
  with *quizás* 278
  with relative pronouns 350, 477, 498
  with *tal vez* 278, 496
  with verbs of doubt and denial 278, 474
  with verbs of emotion 299, 496
  with verbs of preference and liking 496
suffixes 428
superlative 319

tener
  command 93
  conditional 290
  future 275
  present 5
  preterite 115
time
  with *hace* 123, 377
  with *hacía* 377
traer
  present participle 70
  preterite 115

venir
  command 93
  conditional 290
  future 275
  present 5
  preterite 115
ver
  imperfect 124
  past participle 148, 177, 329
  present 5
  preterite 113
verbs
  conditional 290, 292
  conditional perfect 369
  ending in *-cer, -cir* 7
  ending in *-iar, -uar* 467
  future 275
  future perfect 369
  imperfect 124, 136, 139
  imperfect subjunctive 340, 388, 487
  imperfect subjunctive vs. present subjunctive 340
  imperfect subjunctive with *si* 388, 487
  irregular (see individual verbs or Appendices)
  past perfect 148
  pluperfect 148
  pluperfect subjunctive 416
  present 5, 9
  present and imperfect subjunctive 340
  present perfect 177
  present perfect subjunctive 414
  present subjunctive 226, 237, 239, 248, 266, 275, 299, 350, 438, 474, 477, 487, 495, 496
  preterite 112, 113, 115, 136, 139
  progressive construction 70, 200
  reflexive forms 82, 84
  regular *-ar, -er,* and *-ir* 5
  similar to *gustar* 42, 299
  spelling-changing 5, 115, 226
  stem-changing 5

Credits

Acknowledgments

The authors wish to thank the many people in the Caribbean Islands, Central America, South America, Spain, and the United States who assisted in the photography used in the textbook. Credit is given to photographers and agencies below.

We would also like to thank the following publishers, authors, and holders of copyright for permission to include copyrighted material in ¡Qué chévere!: p. 154 "De la segunda salida de Don Quijote," by Miguel de Cervantes Saavedra, excerpt from the Easy Reader entitled *Don Quijote de la Mancha* (Primera parte), published by EMC Publishing; p. 204 "A Julia de Burgos" by Julia de Burgos reprinted by permission of Ediciones Huracán.

Abbreviations:

(t)	top
(b)	bottom
(r)	right
(l)	left
(c)	center
(mod.)	modelo
act.	actividad

Art Credits

23 (l) *Forum*, 1986, Fernando Botero (b. 1932). Private collection. © Fernando Botero, courtesy Marlborough Gallery, NY. Photo credit: Art Resource, NY. **154** *Don Quixote and Sancho Panza*, Honoré Daumier (1808–79). Photo credit: Agnew & Sons, London, UK/Bridgeman Art Library. **155** *Don Quixote and Sancho*, Alexandre Gabriel Decamps (1803–60). Photo credit: Musée des Beaux Arts, Pau, France/Bridgeman Art Library. **156** *Don Quixote and the Windmill*, Francisco J. Torromé (fl. 1890–1908). Photo credit: Bonhams, London, UK/Bridgeman Art Library. **451** Lizard woodcarving by Billi Mendoza © Oaxacanwoodcarving.com.

Planeta, http://elcomercio.pe/luces/arte/lea-primer-capitulo-novela-que-inicio-polemica-comida-peruana-noticia-1369154; **431** Secretos y curiosidades del mundo and Sinuhé Gorris Mora: "La leyenda de Pascualita, el maniquí viviente de Chihuahua" from http://misterios.co/la-leyenda-de-pascualita-el-maniqui-viviente-de-chihuahua/; **454** Fondo de Cultura Económica and Rosario Castellanos: "El eterno femenino" from the 1975 edition of *El eterno femenino*. Fondo de Cultura Económica, Carretera Picacho Ajusco 227 Col. Bosques del Pedregal Delegación Tlalpan (México, D.F.)

Literary Credits

The Publisher would like to thank the following people and/or institutions for the right to reproduce their content:

46 Gabriel García Márquez and his heirs: "Vivir para contarla" from the 2010 edition of "*Cómo Comencé a Escribir*", *Yo no vengo a decir un discurso*; **75** *EFE:* "Un homenaje para los artistas latinos en Estados Unidos" from the edition of 10/25/2013. EFE, http://noticias.univision.com/article/1718327/2013-10-25/mes-de-hispanidad/lo-ultimo-un-homenaje-para-los-artistas-latinos-en-estados-unidos. EFE NEWS Services, 5959 Blue Lagoon Drive # 308 (Miami, FL); **98** Random House and Sandra Cisneros: "Once" from *El arroyo de la llorona*. Vintage Español, a division of Random House Inc. Copyright © 1991 by Sandra Cisneros; translation copyright © 1996 Liliana Valenzuela. By permission of Susan Bergholz Literary Services, New York, NY and Lamy, NM. All rights reserved; **154** EMC Publishing: "De la segunda salida de Don Quijote" (Primera parte) from the Easy Reader edition. EMC Publishing, 875 Montreal Way (St. Paul, MN); **204** Ediciones Huracán, Julia de Burgos, and María Magdalena Solá: "A Julia de Burgos" from the 1986 edition of *Julia de Burgos: yo misma fui mi ruta*. Ediciones Huracán (Río Piedras, Puerto Rico); **252** Isabel Allende: "Dos palabras" from the 2012 edition of *Cuentos de Eva Luna*. Copyright © 1991 by Isabel Allende. Leer-e, Monasterio de Irache 74, Trasera (Pamplona, Spain 31011); **230** World Editors and René Pepo Ríos: "Condorito" comic strips and "Condorito and friends" graphic from http://condorito.cl; **304** Editorial Universidad Estatal a Distancia (EUNED), Marco Aguilar, and Erik Gil Salas: "XIV-Emoscada del Tiempo" from *Obra reunida de Marco Aguilar. Consejo Editorial*, http://letrasticas.org/poesia/m_aguilar/index.html: **356** Planeta and Gustavo Rodríguez: "Cocinero en su tinta" from the 2012 edition of *Cocinero en su tinta*.

Photo Credits

Cover photo EdiLite/iStock; **0** kali9/iStock; **1** (b) javarman3/iStock; (c) maxkabakov/istock; **2** (tc) skynesher/iStock; (tr) ZUMA Press/Alamy; (tl) Izusek/iStock; (cr) Andres Rodriguez / Alamy (cc) Colegio San José de las Vegas, Medellín; **3** act. 1: (A) Rangel, Francisco; (B) Skynesher/iStock; (C) Image Source/SuperStock; (D, F) CORBIS Royalty-Free; (E) Image Source/Index Stock Imagery; **4** (t, c) Béjar Latonda, Mónica; **5** Ridofranz/iStock; **6** monkeybusinessimages/iStock; **7** act. 9: (A) cynoclub/iStock; (B) Fotosmurf03/iStock; (C) Rauluminate/iStock; (D) AlexRaths/iStock; (E) eurobanks/iStock; (F) lisafx/iStock; **8** Spotmatik/iStock; **9** Dominick, Sharon/iStock; **10** act. 15: g-stockstudio/iStock; act. 16: Dreamstime; **11** act. 17: ("Martes") nmedia/Shutterstock; ("Miércoles") CactuSoup/iStock; ("Jueves") Viorel Sima/Shutterstock; **12** (tl) javarman3/iStock; (cr, bl) colombia.travel/en; **13** (tr) colombia.travel/en; (cl) lagranepoca.com; (br) artesaniasdecolombia.com; **14** (cc) Ridofranz/iStock; (tc) lisafx/iStock; (tl) monkeybusinessimages/iStock; (tr) LuckyBusiness/iStock; (bc) AlexRaths/iStock; (bl, br) andresrimaging/iStock; **16** (t, c) Béjar Latonda, Mónica; **18** cokacoka/iStock; **19** act. 28: iStock; act. 29: Viorel Sima/Shutterstock; **20** act. 30: 101PHOTO/iStock; act. 31: sdeva/iStock; **21** act. 32: Chagin/iStock; act. 33: Ramsey2006/Wikimedia; **22** HitchHikersHandbook/Wikimedia; **26** (tc) m-gucci/iStock; (l) VIA Films/iStock; (cc) belchonock (Olga Chernetskaya)/iStock; (tr) Oleh_Slobodeniuk/iStock; (cr) sonyae/iStock; (br) fotokostic/iStock; **27** (tr) Thomas_EyeDesign/iStock; (bl) lisafx/iStock; (tl) asiseeit/iStock; (br) yellowsarah/iStock; (tc) Lighthaunter/iStock; (bc)Ingalvanova/iStock; **28** act.1: (A, D, F) CORBIS Royalty-Free; (B) Tom Stewart Photography/CORBIS; (C) RichLegg/iStock; (E) Photodisc/Getty Images; **29** (t, c) Béjar Latonda, Mónica; **31** act. 9: Andresr/Shutterstock; **32** act. 11: (l) hemeroskopion/iStock; (r) veronicagomepola/iStock; **33** act. 12: (mod.) Henley, John/CORBIS; (#1,#4) CORBIS

(br) franckreporter/iStock; **145** (r) MSRPhoto/iStock; (l) eyecrave/iStock; (c) daboost/iStock; **146** act. 22: (A) Young-Wolff, David/PhotoEdit; (B) Cooper, Ashley/Picimpact/CORBIS; (C) Owaki-Kulla/CORBIS; (D) Lexington Herald Leader/CORBIS Sygma; (E) AFP/CORBIS; (F) Grant, Spencer/PhotoEdit; act. 23: AP Wide World Photos; **147** (t, c) Béjar Latonda, Mónica; act. 26: (A) CORBIS Royalty-Free; (B) Diehl, Lon C./PhotoEdit; (C) Palmer, Gabe/CORBIS; (D) Dex Image/Alamy; **149** Arnau Design/iStock; **150** fstop123/iStock; **151** LSOphoto/iStockphoto; **152** act. 33: Awuachumele/Wikimedia; act. 34: Ibturek/iStock; **153** Bettmann/CORBIS; **159** act. A: (t) daboost/iStock; (tr) LukaTDB/iStock; act. B: Paul Gordon/Alamy; **160** act. D: Jose Baztan Lacasa/Wikimedia; act. E: Bruker:G.Meiners/Wikimedia; **161** (r) Cinedocnet; (l) monkeybusinessimages/iStock; (c) Gabowski, Rafa/iStockphoto; **162** fallbrook/iStock; **163** (c) maxkabakovi/Stock; (b) SeanPavonePhoto/iStock; **164** (tl) Monkey Business Images/Shutterstock; (cl) Antonio Guillem/Shutterstock; (tr) Africa Studio/Shutterstock; (tc) carmebalcells/iStock; (cr) Estudi M6/iStock; (cc) bikeriderlondon/Shutterstock; (bc) Alessandro Colle/Shutterstock; **166** monkeybusinessimages/iStock; **167** (t, c) Glumack, Ben; act. 8: ALiJA/iStock; **168** LuckyBusiness/iStock; (b) daboost/iStock; **169** Zhenikeyev, Arman/iStock; **170** act. 10: OJO_Images/iStock; act. 11: michaeljung/iStock; **171** act. 12: (tr) IrynaD/iStock; (bl) Lise Gagne/iStock; (br) neirfy/iStock; (tl) TatianaMironenko/iStock; (tc) Givaga/iStock; (bc) chaoss/iStock; **172** (cr) jrroman/iStock; (tl) SeanPavonePhoto/iStock; **173** (tr) Pictorial Press Ltd/Alamy; (tl) One Love, One Rhythm The 2014 FIFA World Cup Official Album/Wikipedia; (br) msubhadeep/iStock; **174** (tl) loooby/iStock; (cl) fotostorm/iStock; (tr) mandygodbehear/iStock; (tc) hjalmeida/iStock; (cr) Ridofranz/iStock; (cc) Martinan/iStock; (br) Elenathewise/iStock; **176** (t, c) Glumack, Ben; act. 23: (A) CORBIS Royalty-Free; (B, C) Denny, Mary Kate/PhotoEdit; (D) Newman, Michael/PhotoEdit; **178** AndreyPopov/iStock; **179** Gligorijevic, Sandra/iStock; **180** flickr.com/photos/jeffgunn/Wikimedia; **181** act. 31: Chagin/iStock; act. 32: (bl) Danielho/iStock; (br) xeni4ka/iStock; **182** AtnoYdur/iStock; **184** act. A: (A) Ridofranz/iStock; (B) omgimages/iStock; (C) Todor Tsvetkov/iStock; (D) shvili/iStock; **186** ("Catalina, discúlpate…") Juanmonino/iStock; ("Mírame cuando…") Steve Debenport/iStock; ("¿Por qué siempre…") DragonImages/iStock; ("¡Tenemos que…") DragonImages/iStock; ("Gracias por…") Lisay/iStock; ("Tienes la obligación…") omgimages/iStock; ("¡No me critiques…") dolgachov/iStock; ("Felipe, ¡estás..") PeterPolak/iStock; **187** Figure8 Photos/iStock; **188** (t, c) Glumack, Ben; **189** AndySWatson/iStock; **190** act. 9: (A) ParkerDeen/iStock; (B) Lefthand666/iStock; (C) ronen/iStock; (D) 37bercik/iStock; (E) ValuaVitaly/iStock; act. 10: Chevrier, Jeff/iStock; **192** ebstock/iStock; **193** monkeybusinessimages/iStock; **194** (tl) Junot Díaz/captainbluehen.com; (br) Everett Collection/Shutterstock; **195** (tr) sweetlifephotos/iStock; (cr) Biblioteca Infantil y Juvenil República Dominicana; **196** (tl) Lokibaho/iStock; ("la tarjeta telefónica") RyanKing999/iStock; (tr) Feverpitched/iStock; (cl) monkeybusinessimages/iStock; (cc) arekmalang/iStock; (cr) jamirae/iStock; ("sonar") Prykhodov/iStock; ("el cargador") Kung_Mangkorn/iStock; ("marcar") mishooo/iStock; ("colgar") BernardaSv/iStock; ("el teléfono inalámbrico") grmarc/iStock; ("el mensaje") kokopopsdave/iStock; ("el contestador") apletfx/iStock; ("el mensaje de texto") maxkabakov/iStock; **197** (tr)

temizyurek/iStock; (tl) pugtography/iStock; act. 21: (A) Kung_Mangkorn/iStock; (B) alexandre17/iStock; (C) AdrianHancu/iStock; (D) jfmdesign/iStock; (E) Ridofranz/iStock; (F) Ljupco/iStock; **199** (t, c) Glumack, Ben; **200** Ella/iStock; **201** mediaphotos/iStock; **202** Catchlight Visual Services/Alamy; **203** DanielPenfield/Wikimedia; **207** ampak/iStock; **208** Robert Churchill/iStock; **209** (l) alexandre17/iStock; (r) grmarc/iStock; (c) Ridofranz/iStock; **210** Adam Burton/Alamy; **211** (c) maxkabakovi/Stock; (b) wsfurlan/iStock; **212** ("la licencia de conducir") AlexRaths/iStock; ("el espejo retrovisor") Lisa F. Young/Fotolia; ("el semáforo") Veniamin Kraskov/Fotolia; ("la glorieta") Lisa-Blue/iStock; ("la calle de una sola vía") StudioCampo/iStock; ("la calle de doble vía") badmanproduction/iStock; ("pisar el acelerador") april_89/Fotolia; ("prohibido doblar") bankmoophoto/iStock; (tr) AlexRaths/iStock; ("pare") ALCE/Fotolia; ("el estacionamiento") dbimages/Alamy; ("el espacio vacío") mbbirdy/iStock; **213** miszaqq/iStock; **214** act. 2: (A, B, C, E) CORBIS Royalty-Free; (D) Lehman, Danny/CORBIS; **215** (t, c) Glumack, Ben; **216** kali9/iStock; **219** Grafissimo/iStock; **220** (tr) Roberto Fiadone/Wikimedia; (tl) Moebiusuibeom/Wikimedia; (cr) Gobierno de la Ciudad Autónoma de Buenos Aires/Wikimedia; **221** (l) Plus One Pix/Alamy; (r) wsfurlan/iStock; **222** ("la bocacalle") Anton_Ivanov/Shutterstock; ("el cruce de peatones") Peter Barritt/Alamy; ("el parquímetro") MoreISO/iStock; ("la obra en construcción") age fotostock/Alamy; ("la estación de servicio") David R. Frazier Photolibrary, Inc./Alamy; ("la autopista") kavram/iStock; ("el callejón sin salida") matthewleesdixon/iStock; ("la zona verde") a_Taiga/iStock; ("el atasco") Matthew Berry/Alamy; ("el kiosco") Lya_Cattel/iStock; (bl) David R. Frazier Photolibrary, Inc./Alamy; (br) fstop123/iStock; **223** act. 19: (A, C) Fried, Robert; (B) Rangel, Francisco; (D) Luxner, Larry/Luxner News Inc.; (E) Joe Potato Photo/iStock; (F) Fletcher, Kevin/CORBIS; **224** (t, c) Glumack, Ben; act. 23: (A) Minerva Studio/iStock; (B) Kraft, Wolf; (C, D) CORBIS Royalty-Free; **225** (t) bluecinema/iStock; act. 24: diego_cervo/iStock; **226** andresr/iStock; **227** act. 25: Simson, David; act. 26: abalcazar/iStock; **229** act. 29: JOPARA/Wikimedia; act. 30: Roberto Fiadone/Wikimedia; **230** (t) worldeditors.cl; (b) worldeditors.cl; **234** (tl) secablue/iStock; ("la boletería") NicolasMcComber/iStock; ("el andén") serzhol/iStock; ("el tren local") air/Fotolia; ("el tren rápido") scanrail/iStock; ("el vagón") olgamarc/iStock; ("el asiento de la ventanilla") Oinegue/iStock; ("el coche cama") rusm/iStock; ("el coche comedor") anouchka/iStock; ("la viajera") NatUlrich/Fotolia; ("el viajero") Monkey Business/Fotolia; ("la inspectora") auremar/Fotolia; ("el inspector") auremar/Fotolia; **235** (tl) anouchka/iStock; (tr)HappyAlex/Fotolia; act. 1: (A) Wilson, Doug/CORBIS; (B) Luxner, Larry/Luxner News Inc.; (C, F) CORBIS Royalty-Free; (D, E) Simson, David; **226** (t, c) Glumack, Ben; **239** Franken, Owen/CORBIS; **241** Z-155/Wikimedia; **242** (br) lcontrerasp/Wikimedia; (tr) agustavop/iStock; (tl) IML Image Group Ltd/Alamy; **243** (tl) fstop123/iStock; ("el campamento") cotesebastien/iStock; ("la tienda de acampar") nano/iStock; ("los sacos de dormir") lucentius/iStock; ("lalinterna") fiota/iStock; ("los binoculares") Yuri_Arcurs/iStock; ("la brújula") kaisersosa67/iStock; ("dar una caminata…") thinair28/iStock; ("ir al pueblo") MBPROJEKT_Maciej_Bledowski/iStock; ("ir al valle") RollingEarth/iStock; ("escalar") Jakub Cejpek/Fotolia; ("el casco") azgek/iStock; ("los fósforos") elnavegante/iStock; **244** ("la fogata") nano/iStock; act. 17: (A, D, E, F)

CORBIS Royalty-Free; (B) Creatas Royalty-Free; (C) Photodisc; **245** (t, c) Glumack, Ben; act. 21: (A) herreid/iStock; (B) Corel Images; (C) Creatas Royalty-Free; (D, E) CORBIS Royalty-Free; (F) Photodisc; **247** act. 23: Dreamstime; **248** gregepperson/iStock; **249** Goldberg, Beryl; **250** zhuzhu/iStock; **251** Daily Mail/Rex/Alamy; **257** holgs/iStock; **258** ecobici.buenosaires.gob.ar; **259** (tc) Lisa F. Young/Fotolia; (cl) thinair28/iStock; (br) a_Taiga/iStock; **260** diegocardini/iStock; **261** (c) maxkabakovi/Stock; (b) Mardochaios/Wikimedia; **262** (tr) Leontura/iStock; (tl) pictafolio/iStock; ("Tarjetas de crédito") pagadesign/iStock; ("Cheques de viajero") maogg/iStock; ("Panamá") NTCo/iStock; ("Una excursión a Panamá") Simon Dannhauer/Shutterstock; ("Visite el Canal") Chris Jenner/Shutterstock; ("Haga una excursión") Alfredo Maiquez; ("Tenemos excursiones") burdem/iStock; ("Excursiones por Panamá") Vilainecrevette/Shutterstock; **265** (t, c) Béjar Latonda, Mónica; **266** JordiDelgado/iStock; **267** (l, r) Andresr/Shutterstock; **268** vm/iStock; **269** ("passport") Photodisc/Creatas; ("flight ticket") Sashkinw/iStock; ("map") Instituto de Turismo Costarricense, San José; ("travel guide") alantobey/iStock; ("suitcase") AlexRaths/iStock; **270** (tr) (br) Property of the Panama Canal Authority (ACP); **271** (br) Johantheghost/Wikimedia; (tl) Mardochaios/Wikimedia; **272** (t) lightpoet/Shutterstock; ("los relámpagos") Mihai Simonia/Shutterstock; ("las nubes") Sabphoto/Fotolia; ("el aguacero") Beata Becla/Shutterstock; ("la niebla") Tina_Rencelj/iStock; (c) Sashkinw/iStock; (bl) enviromantic/iStock; (br) bkindler/iStock; **273** act. 18: (A, B) CORBIS Royalty-Free; (D) Photodisc/Creatas; (E) ImageVault; (F) Digital Vision; **274** (t, c) Béjar Latonda, Mónica; act. 22: (A) Goldberg, Beryl; (B) Brand X Pictures/Creatas; (C) iStock; (D) Eddisonphotos/iStock; **275** Slobodkin, Alex/iStock; **276** Terraxplorer/iStock; **277** Look GMBH/iStock; **279** act. 29: Daemmrich, Bob/PhotoEdit; act. 30: (r) bowdenimages/iStock; (l) digitalskillet/iStock; **281** DC_Colombia/iStock; **282** visitpanama.com; **286** (t) StockLite/Shutterstock; (cl) Missing35mm/iStock; (cc) Robert Adrian Hillman/Shutterstock; (cr) Rodenberg Photography/Shutterstock; (bl) Kadmy/Fotolia; (bc) Kondor83/iStock; (br) sutichak/Fotolia; **287** act. 2: (A) Englebert, Victor; (B) SurkovDimitri/iStock; (C, D, E) CORBIS Royalty-Free; (F) MariaAngelaCiucci/iStock; **289** (t, c) Béjar Latonda, Mónica; act. 7: DmitrijsDmitrijevs/iStock; **290** Purmensky, Martin/iStock; **291** Rebelml/iStock; **292** Rogers, Martin/CORBIS; **293** SylvieBouchard/iStock; **294** (cl) Daniel32708/Wikimedia; (tr) Luis Manuel Madrigal/Wikimedia; (br) Sabena Jane Blackbird/Alamy; **295** (br) GoVisitCostaRica.com; (cl) italiansight/iStock; (tr) Braasch, Gary/CORBI; **296** (t) THEPALMER/iStock; ("ir a un parque nacional") Stefano Paterna/Alamy; (cl) OGphoto/iStock; ("navegar por rápidos") joshschutz/iStock; ("bucear") Rich Carey/Shutterstock; ("el jaguar") auremar/Shutterstock; ("hacer una cabalgata") Capalcone/iStock; ("la mariposa") view portfolio/iStock; ("la orquídea") Timur Kulgarin/Shutterstock; ("el oso perezoso") Snowleopard1/iStock; ("el quetzal") worldswildlifewonders/Shutterstock; ("el tucán") edurivero/iStock; **297** act. 18: (A) Secretary of Tourism, Nequen Province, Argentina; (B) Brand X Pictures/Alamy; (C) Mays, Buddy/CORBIS; (D) Fried, Robert; (E) CORBIS Royalty-Free; (F) Anderson, Jennifer J.; **298** (t, c) Béjar Latonda, Mónica; (b) Anderson, Jennifer J.; **299** franckreporter/iStock; **300** act. 24: (l) Digital Vision; (r) Bachmann, Bill/Alamy; **302** Joe Vogan/Alamy;

303 Luko Hilje/uned.ac.cr **307** jarnogz/iStock; **309** (l) CORBIS Royalty-Free; (c) view portfolio/iStock; (r) edurivero/iStock; **310** Universal Images Group Limited/Alamy; **311** (c) maxkabakovi/Stock; (b) Robyn Mackenzie/Shutterstock; **312** (t) digitalskillet/iStock; ("el puesto de frutas") hadynyah/iStock; ("el puesto de verduras") larissapereira/iStock; ("las cerezas") joruba/iStock; ("los damascos") Libortom/iStock; ("el choclo") kobbydagan/iStock; ("el ají...") Karimala/iStock; ("el repollo") matthewennisphotography/iStock; ("la espinaca") cosmonaut/iStock; ("los frijoles") enviromantic/iStock; ("los garbanzos") thebroker/iStock; ("las lentejas") Lehner/iStock; **313** (tl) Mike Greenslade/Alamy; (cl) Tomboy2290/iStock; (cr) TerryJ/iStock; **314** act. 2: (A–F) CORBIS Royalty-Free; **315** (t, c) Glumack, Ben; act. 6: CORBIS Royalty-Free; act. 7: daboost/iStock; **316** boggy22/iStock; **318** manyakotic/iStock; **319** (r) Jani Bryson/iStock; (br) daboost/iStock; **321** act. 16: (l) Sarsmis/iStock; (r) ValentynVolkov/iStock; (c) brue/iStock; **322** (tl) J Marshall - Tribaleye Images/Alamy; (tr) James Brunker/Alamy; (cl) Meibit/Wikimedia; (br) Robyn Mackenzie/Shutterstock; **323** (tr) Aleja Cuevas/La Prensa.com.bo; (bl) Orurolapatriaenlinea.com; **324** ("los dientes de ajo") lepas2004/iStock; ("picar en pedazos") Sebalos/iStock; ("pelar") Kondor83/iStock; ("las claras") Karcich/iStock; ("batir") ninikas/iStock; ("la yema") simplytheyu/iStock; ("la harina") MKucova/iStock; ("la harina") Fotosmurf03/iStock; (tl) Wiktory/iStock; (tc) 36clicks/iStock; (tr) Kondor83/iStock; (cc) finallast/iStock; (cr) isabelpimentel/iStock; **325** ("la sartén") StockPhotosArt/iStock; ("la batidora") MorganLeFaye/iStock; ("el recipiente") KristinaShu/iStock; ("la asadora") vikif/iStock; act. 325: kwasny221/iStock; **326** (t, c) Glumack, Ben; **327** Arcurs, Yuri/Fotolia; **328** AP Wide World Photos; **329** (tr) ImageState/Alamy; **330** lisafx/iStock; **331** Image Source/Alamy; **332** act. 37: elifranssens/iStock; act. 38: (bl) travellinglight/iStock; (cr) stuartpitkin/iStock; **333** Crops for the Future/Wikimedia; **337** (tr) CEFutcher/iStock; ("los bocadillos") WinterStorm/iStock; ("las almendras") AnikaSalsera/iStock; ("la nuez") Ruslan Grumble/Shutterstock; ("el maní") Elena M. Tarasova/Shutterstock; ("el anfitrión…") Blend Images/Alamy; ("el disc jockey") Sergey Nivens/Fotolia; ("los parlantes") alarich/Shutterstock; ("el sistema de audio") InCommunicado/iStock; ("el volumen") alan64/iStock; **338** act. 2: (A) Atide/iStock; (B) CORBIS Royalty-Free; (C) Photick/Index Stock Imagery; (D) ImageStat/Alamy; (E) Image Source/Alamy; (F) Simson, David; **339** (t, c) Glumack, Ben; act. 5: (b) maxkabakovi/Stock; **340** Rawpixel/iStock; **342** act. 9: (t) maxkabakovi/Stock; ("chat 5:00 PM") aldomurillo/iStock; ("chat 5:15 PM") Facotria Singular/iStock, ("chat 5:30 PM") barsik/iStock; ("chat 5:45 PM") wdstock/iStock; ("chat 6:00 PM") Juanmonino/iStock; **343** Rawpixel/iStock; **344** (tl) Ildi_Papp/iStock; (cr) WikiCeuta/peruanosenusa.net; (br) GDA/AP; **345** (tr) Acurio Restaurantes/perusabe.com.pe; (cl) Neil Setchfield/Alamy; (br) GDA/AP; **346** ("Costilla de cordero…") mj007/Shutterstock; ("Ceviche…") Cameron Whitman/iStock; (tl) stefanolunardi/Shutterstock; ("Bistec asado…") Nitr/Fotolia; ("Pechuga de pavo…") Sarsmis/iStock; ("Pollo relleno…") onizu3d; ("Pescado frito…") lsantilli/iStock; ("Salmón ahumado…") robynmac/iStock; ("Todos con las…") kurga/iStock; **347** act. 47: (A, B, D, E) CORBIS Royalty-Free; (C) Brand X Pictures/Alamy; (F) Digital Stock; **348** kivoart/iStock; **349** (t, c) Glumack, Ben; act. 23: Lane, Dennis/Index Stock Imagery; **350** Deklofenak/iStock; **351** Missing35mm/iStock;